ISBN 978-0-260-90766-0
PIBN 10985006

# Inhalt des XII. Bandes.

~~~

# Blätter

für

# Gefängnisskunde.

———✦————

## Organ des Vereins der deutschen Strafanstalts-Beamten.

Unter Mitwirkung des engeren Vereins-
Ausschusses redigirt

von

## Gustav Ekert,

Direktor des Zellengefängnisses in Bruchsal, Präsident des Ausschusses des Vereins der
deutschen Strafanstaltsbeamten, Ehrenmitglied des schweizerischen Vereins für Straf- und
Gefängnisswesen, Ritter I. Cl. des Grossh. Bad. Zähringer Löwenordens mit Eichenlaub,
Ritter des Königl. Preuss. Kronenordens III. Cl., Ritter I. Cl. des Kgl. Bayer. Verdienst-
ordens vom heiligen Michael, Ritter des Kgl. Sächs. Albrecht-Ordens, Ritter I. Cl. des
Ordens der Württembergischen Krone.

....................

## Zwölfter Band, 1. und 2. Heft.

**Heidelberg.**
Universitäts-Buchhandlung von G. Weiss.
Druck von J. Grossmann in Bruchsal.
**1877.**

# Ueber Einheit im Rechnungswesen der Strafanstalten.

Von **Gustav Leutritz**, Rechnungs-Secretär im Königl. Sächs. Ministerium des Innern.

---

Einheit des Rechnungswesens bei einem und demselben Verwaltungszweige ist die Grundbedingung für die Möglichkeit einer vergleichenden Statistik der wirthschaftlichen Ergebnisse der Verwaltung.

Einheit der Form in Hinsicht auf Reihenfolge, Numerirung und Benennung der einzelnen Rechnungs - Rubriken (Titel, Positionen) ist ein erstes Erforderniss; obschon mehr äusserlicher Natur wird doch dadurch die Gegenüberstellung der zu vergleichenden Ergebnisse und damit der Ueberblick wesentlich erleichtert.

Wichtiger ist ein Zweites: Einheit der Auffassung in Hinsicht auf den Inhalt der einzelnen Rubriken. Aus dem sehr berechtigten Wunsche nach Einfachheit und Uebersichtlichkeit der Rechnung ergibt sich die Nothwendigkeit, möglichst viele Einzelansätze unter Eine Rubrik zusammenzufassen, und die häufige Wiederkehr der letzteren im Verwaltungsleben, sowie bei der Aufstellung und Berathung der Etats und Rechenschaftsberichte erheischt wiederum möglichste Kürze in den Benennungen. Diese werden infolge dessen allmälig zu technischen Ausdrücken, welche für den der Sache ferner Stehenden mitunter Zweifel lassen einerseits über den eigentlichen Inhalt eines Titels, andererseits über die Angemessenheit der Einstellung der Einzelansätze in die verschiedenen Titel. Ist das nun allerdings eine Erscheinung, welche auch auf anderen Gebieten wiederkehrt und schwerlich ganz zu beseitigen sein wird, so muss doch mindestens unter den Fachleuten Klarheit und Uebereinstimmung herrschen über die Grundsätze, nach welchen die Einstellung der Einnahmen und Ausgaben in die verschiedenen Rechnungsrubriken zu geschehen hat, damit Missverständnisse im Voraus abgeschnitten werden.

Immerhin aber würde eine solche Einheit rein äusserlich sein und wirklich brauchbares Material für die vergleichende Statistik nicht bieten, so lange nicht auch Uebereinstimmung hergestellt ist in allen den zahlreichen Punkten, über deren Behandlung im Zahlenwerke die Ansichten getheilt sein können und zur Zeit auch wirklich getheilt sind. Indem ich auf diese Punkte weiter unten zurückzukommen gedenke, wende ich mich zunächst zu dem mehr formellen Theile der vorliegenden Frage.

Da liegt es denn allerdings nahe, die Einheit dadurch herzustellen, dass von den gegenwärtig im deutschen Reiche bereits bestehenden verschiedenartigen Rechnungsschema's ohne Weiteres eines als allgemein giltig eingeführt werde und darauf kommt auch das vom Herrn Verwalter Sichardt über die Einheit im Rechnungswesen der Anstalten abgegebene Gutachten im IX. Band 4. Heft der Blt. Seite 374 ff. *) hinaus, an dessen Schlusse die Einführung des in den preussischen, dem Ministerium des Innern unterstellten Strafanstalten geltenden Rechnungsschema's für die sämmtlichen deutschen Strafanstalten namentlich desshalb vorgeschlagen wird, weil es eine vorzügliche Statistik der betreffenden Anstalten ermöglicht, und dann, weil es im Vergleich zu den übrigen die weitaus grösste Verbreitung und Anwendung gefunden habe.

Was den ersten dieser Gründe anlangt, so ist Angesichts der statistischen Mittheilungen der Blt. über badische, braunschweigische und sächsische Anstalten zu bemerken, dass in Bezug auf Zwecke der Statistik das Rechnungswesen mindestens in den genannten Staaten dem im „Gutachten"

---

*) Im Folgenden der Kürze halber einfach als „Gutachten" bezeichnet.

empfohlenen nicht nachsteht. Es kann sich also höchstens
darum handeln, ob solche Nachweise aus den Rechnungen
direct entnommen werden können, oder ob es dazu erst noch
besonderer Ermittelungen, Zusammenstellungen und ähnlicher
Umwege bedarf. Nun ergibt aber eine Vergleichung des im
„Gutachten" mitgetheilten Schema's mit den statistischen
Mittheilungen über die zum Ressort des Ministeriums des
Innern gehörigen preussischen Strafanstalten (mindestens mit
den mir vorliegenden für 1871) mehrfache nicht unwesentliche
Abweichungen, während die statistischen Nachweise über
sächsische Anstalten sich genau an die Rechnungen anschlies-
sen und einfach aus diesen abgeschrieben sind. (Wenn
übrigens dergleichen Mittheilungen bisher nur über die Anstalt
Zwickau veröffentlicht wurden, so möge hier die Versicherung
genügen, dass gleiche Nachweise über sämmtliche sächsische
Anstalten auf lange Jahre zurück fertig vorliegen, und von
der Oberbehörde behufs Aufstellung der Voranschläge und
Rechenschaftsberichte für die Stände des Landes benutzt
worden sind.)

Es möchte aber auch auf den zweiten der obigen Gründe
durchschlagendes Gewicht nicht zu legen sein. Von den ca.
120 Strafanstalten des deutschen Reichs*) stehen etwa 60
unter preussischer Verwaltung, die übrigen vertheilen sich
auf 17 andere deutsche Staaten. Wird nun das im „Gutachten" vorgeschlagene Rechnungsverfahren allgemein angenommen, so haben sich die sämmtlichen nicht-preussischen
Oberbehörden und die diesen unterstellten ca. 60 Anstalten
neu einzurichten, und wenn diese Arbeit allerdings den
preussischen Anstalten erspart bliebe, so wäre doch damit
für keine einzige der sämmtlichen übrigen Anstalten und
Oberbehörden etwas gewonnen, wogegen durch Annahme
eines anderen Schema's den preussischen Behörden mehr
nicht zugemuthet würde, als im ersteren Falle den übrigen **).
Daneben ist in Betracht zu ziehen, dass die grosse Ver-

---

*) Zu vergleichen Band VIII. Heft 3.

**) Ob die unter der Verwaltung des Justizministeriums stehen-
den preussischen Anstalten nach demselben Rechnungsschema arbeiten

breitung und Anwendung des preussischen Schema's wohl
weniger auf der Ueberzeugung von dessen Vortrefflichkeit
beruht, als auf der Anordnung der Oberbehörde und der
grossen Anzahl der dieser unterstellten Anstalten.

Dazu kommt noch Eines. Es ist eine alte Erfahrung,
dass der Mensch nicht gern vom Gewohnten und Hergebrachten lässt, und namentlich im Verwaltungsfache und Rechnungswesen findet sie immer neue Bestätigung. So kann es
vorkommen, dass selbst handgreifliche Vereinfachungen und
Erleichterungen mitunter nur ungern entgegengenommen werden. Das Hangen am Hergebrachten ist indessen dafür nicht
der einzige Grund. Die mit dem Rechnungswesen verbun-
dene Verantwortlichkeit bedingt eine gewisse Stabilität in
den massgebenden Grundsätzen. Soll eine Verwaltung mit
dem brechen, was seit Jahren bewährt oder auch nur genügend befunden worden ist, soll ein Neues gern angenommen und gut ausgeführt werden, so müssen die betreffenden
Beamten auch davon überzeugt sein, dass an die Stelle des
gewohnten Verfahrens nicht blos ein anderes, sondern auch
ein besseres trete. Dass dies durch Annahme des preussischen Schema's wie solches im „Gutachten" mitgetheilt ist,
der Fall sei, ist mindestens in Bezug auf die obengenannten
Länder — die Schema's von anderen Staaten sind mir nicht
bekannt — zu bezweifeln.

Ich sehe davon ab, dass an Präcision der Benennung
der einzelnen Titel und Positionen durch das preussische
Schema nichts gewonnen wäre und Zweifel über deren Inhalt
und Umfang nicht ausgeschlossen würden, da es sich wie erwähnt bei dergleichen Benennungen mehr oder weniger um
technische Ausdrücke handelt, über deren Bedeutung man
sich vorher zu verständigen hat. Wichtiger ist, dass die Ausgaben eine grundsätzliche Scheidung und übersichtliche Gruppirung der allgemeinen Kosten der Verwaltung einerseits und
des Aufwands für die Verpflegung der Gefangenen andererseits vermissen lassen, ja dass Kosten so verschiedener Art
zum Theil sogar in eine und dieselbe Position zusammenge-

wie die zum Ressort des Ministeriums des Innern gehörigen, ist mir
nicht bekannt.

nommen sind, wie bei Ausgabe Titel II. Pos. 4 die Reinigung aller Locale und auch die der Gefangenen mit ihrer
Wäsche. Sodann erscheint die Scheidung einzelner Titel in
Positionen an einigen Stellen überflüssig, an andern — wenn
man einmal scheiden will — nicht weitgehend genug. Sobald z. B. der Erlös für Küchenabgänge (Einnahme Titel IV.
Position 2) nicht an dem Aufwand für Beköstigung gekürzt
wird, ist nicht abzusehen, wesshalb derselbe nicht mit dem
Erlös für sonstige Abgänge (Einnahme Tit. IV. Pos. 1) zusammen verrechnet werden soll. Und bei den Bureaukosten
(Ausgabe Tit. I) sind trotz der Scheidung in 4 Positionen
die Ausgaben für Botenlöhne, Telegramme, Nebenbedürfnisse
nicht unterzubringen, wenigstens nicht dem Wortlaute der
Bezeichnung der Positionen nach. Beiläufig zeigt sich übrigens dabei, dass so speciell gefasste Bezeichnungen eher geeignet sind, Zweifel zu veranlassen als zu beseitigen. Wenn
ferner — um nochmals auf das Beispiel aus der Einnahme
zurückzukommen — Erlös aus Abfällen zu den regelmässigen Einkünften der Anstalten zu gehören pflegt, so wider-
spricht deren Einstellung an der gedachten Stelle der Benennung des Titels: „An zufälligen Einnahmen", die übrigens in der Pos. 3 desselben Titels nochmals wiederkehrt*).
(Die ebendaselbst folgenden Worte: „und zur Abrundung"
gelten wohl nur für die Voranschläge und nicht für die wirklichen Ergebnisse.) Wenn sodann das Schema keine Rubriken für den Aufwand auf Lohnarbeit, Feld- und Gartenwirth-
schaft aufweist, so kann man wohl vermuthen, dass dergleichen Ausgaben direct an den bezüglichen Einnahmen zu
kürzen seien, aus dem Schema aber ergibt sich nicht, dass
es sich bei diesen Einnahmen um Nettobeträge handelt.
In gleicher Weise sind im Schema Einnahmen von den Gebäuden (z. B. für Dienst- und Miethwohnungen) und Ausgaben für Hausarbeiten, Beschaffung von Wasser, Bestreitung
von Abgaben, Pachtgeldern und Miethzinsen, zu vermis-

---

*) Man vergl. dazu, was Rechnungsrath Bauer in der Besprechung
der Statistik der preussischen Anstalten auf 1870 Band VIII. der Blt.
Seite 233 unten von den zufälligen Ausgaben sagt.

sen\*), ebenso für denjenigen Theil der Bibliotheken, welcher weder zu Bureau- noch zu Erbauungszwecken dient (Ausgabe Tit. I. Pos. 3 und Tit. IV. Pos. 5). Gesetzt selbst, dass Ausgaben dieser Art bei den preussischen Anstalten nicht vorkämen, so dürfen doch die abweichenden Verhältnisse bei anderen Anstalten nicht unberücksichtigt bleiben, sobald es sich darum handelt, ein für sämmtliche Anstalten des Vereinsgebiets geeignetes Rechnungsschema herzustellen. Es erscheint im Gegentheil geradezu nothwendig, dass alle diejenigen regelmässigen Einnahmen und Ausgaben, welche nicht bei allen Anstalten vorkommen, sei es nun, dass sie auf eigenthümlichen Bestimmungen oder auf örtlichen Verhältnissen beruhen, in besonderen Titeln zur Darstellung gelangen, damit sie leicht aus den Summen ausgeschieden und auf diese Weise die allein zur Vergleichung geeigneten Zahlen herausgestellt werden können. Dasselbe gilt von denjenigen Ausgaben, welche nicht zum regelmässigen Betriebsaufwande gehören, sondern — wie z. B. grössere Bauten, Grundstückskäufe und dergl. — nur einmalig und vorübergehend auftreten.

Schon nach dem bisher Gesagten kann ich mich für den Vorschlag des „Gutachtens" nicht entscheiden, ich meine vielmehr, es sei zunächst noch unter den Rechnungsschema's anderer deutscher Staaten Umschau zu halten, und wenn sich unter diesen keines finden sollte, welches sich zu allgemeiner Annahme und Einführung eignete; aus dem so gewonnenen Materiale das Brauchbare herauszunehmen und für ein ganz neu aufzustellendes einheitliches Schema zu verwerthen. Zu diesem Behufe und um zu ähnlichen Mittheilungen aus anderen Staaten anzuregen, gebe ich in den weiter unten folgenden Beilagen eine kurze Uebersicht der wichtigsten Rechnungsvorschriften für den eigentlichen Anstaltsbetrieb in den königl. sächs. Anstalten.

Das Hauptgewicht ist dabei auf die Unterhaltungsrechnung gelegt. Dieselbe ist zwar nur ein nach den Titeln des Etats geordneter Auszug aus den eigentlichen

---

\*) Dass der Aufwand für die Beamten im Schema des „Gutachtens" nicht erwähnt ist, beruht wohl nur auf einem Uebersehen. In der „Statistik" auf 1871 ist er Seite 184 flg. mit berücksichtiget.

Vertretungsrechnungen, sie erscheint jedoch insofern als die
Hauptrechnung, als sie in genauem Anschluss an den
Voranschlag das wirthschaftliche Ergebniss eines bestimmten
Rechnungsjahres in seiner Gesammtheit, sowie die erhobenen
Staatszuschüsse und den Stand des Betriebsvermögens übersichtlich darzustellen und damit das Material zu dem Rechenschaftsbericht für die Stände des Landes, sowie zu allen
statistischen und sonstigen Rechnungsnachweisen zu liefern
hat. Die dafür massgebenden Grundsätze sind seit dem Jahre
1833 in Geltung und haben sich bisher bewährt, die Form
ist den wechselnden Zeitanforderungen entsprechend in Neben-
punkten mehrfach umgestaltet worden, und finden darin die
Abweichungen in der Anordnung von dem seiner Zeit als
Beilage zu den Blt. ausgegebenen Jahresbericht über die
Anstalt Zwickau auf 1867 ihre Erklärung. Dasselbe Schema
ist übrigens beiläufig bemerkt auch für die zu dem Ressort
des Ministeriums des Innern gehörigen Erziehungs- und
Besserungs-, Heil- und Versorg-, sowie Irren-Anstalten des
Königreichs Sachsen in Kraft, welche im Staatsausgabebudget
mit den Straf- und Corrections-Anstalten einen gemeinsamen
Abschnitt bilden.

In diesen Unterhaltungsrechnungen ist zunächst die
Numerirung der Titel von 1 bis 30 in Einnahme und Ausgabe durchlaufend, es vereinfacht dies die Bezugnahme und
Verweisung auf die einzelnen Titel. Bei den Benennungen
ist aus den im Eingange entwickelten Gründen möglichste
Kürze angestrebt, und in Bezug auf den Inhalt auf thun-
lichste Gruppirung des Zusammengehörigen hingearbeitet, es
ist jedoch Vorkehrung getroffen, dass Beträge, welche selb-
ständiges Interesse haben können, innerhalb der einzelnen
Titel besonders herausgehoben und nach Befinden mit gleichartigen in eine Unterabtheilung gebracht werden. Soweit
nun die Benennungen der Titel hier und da Zweifel über
den Inhalt übrig lassen möchten, schien es nöthig, in der
Beilage einige Erläuterungen beizufügen. Diese letzteren
sollen zugleich darüber Aufschluss geben, in welcher Weise
diese und jene Frage, über welche es vor Aufstellung
eines allgemein giltigen Rechnungsschema's einer Verein-

barung bedürfte, zur Zeit im Königreiche Sachsen behandelt wird.

Ich komme damit zu dem letzten der im Eingange vorausgeschickten Gesichtspunkte, zur Nothwendigkeit einheitlicher Anschauung in denjenigen Fragen, bezüglich deren es zweifelhaft sein kann, ob und beziehentlich wie sie im Rechnungswerke zur Darstellung zu bringen seien. Bei der Mannigfaltigkeit der hierbei einschlagenden Verhältnisse kann eine erschöpfende Aufzählung nicht wohl gegeben werden, es genüge, an dieser Stelle nur das Wesentlichste zu erwähnen. Dahin rechne ich folgende, zum Theil bereits im „Gutachten" angedeutete Fragen:

1) Sind mit Geldwerth durch das Rechnungswerk durchzuführen

a. die Naturalgenüsse der Beamten an Dienstwohnungen und Gärten, Heizung, Beleuchtung und dergl.,

b. diejenigen Abfälle an Dünger, von Bekleidungs-, Lagerungs-, Bau- und anderen Materialien, sowie

c. diejenigen Erzeugnisse der eignen Feld-, Garten- und Viehwirthschaft, welche in der Anstaltswirthschaft selbst wieder Verwendung finden,

d. die Arbeiten der Gefangenen für die Anstalt selbst,

e. die bei Aussenarbeiten von den Arbeitgebern den Gefangenen in natura gewährte Kost,

und eventuell: nach welchen Sätzen?

2) In welcher Weise sind die Ausgaben für diejenigen Materialien in Rechnung zu stellen, welche im Jahre der Anschaffung nicht aufgebraucht werden? nach dem vollen Betrage, oder nur nach dem Antheile des Verbrauchs?

3) Wie ist der Nachweis der Staatszuschüsse und des Betriebsvermögens zu liefern und wie sind die Vorräthe an Naturalien und Inventar, die Aussenstände und die Schulden dabei zu berücksichtigen?

4) Sind die Dienstgenüsse derjenigen Beamten, welche zu speciellen Zwecken angestellt sind, z. B. der Aerzte und Krankenwärter, der Geistlichen, Lehrer, Gärtner, Werkmeister, Köche, bei denen der übrigen Beamten mit zu verrechnen oder getrennt bei den einschlagenden Titeln, also bez. bei

dem Aufwand für Gesundheitspflege, Kirche und Schule, Garten, Lohnarbeit, Beköstigung?

5) Ist der Aufwand für die oben unter 1 d gedachten Arbeiten — Arbeitsbelohnungen für die Gefangenen und nach Befinden ideales Arbeitslohn — in ganzer Summe als Aufwand für Hausarbeit einzustellen, oder auf die einschlagenden Titel (z. B. Expeditionsaufwand, Bauten, Inventar, Beköstigung, Bekleidung etc.) zu vertheilen?

6) Ist eine ähnliche Trennung bei den Kosten für das Hausinventar und bei den Abgaben und Pachtgeldern vorzunehmen?

7) Ist die bauliche Instandhaltung der Feuerungsanlagen und das Schornsteinfegen und Ofenreinigen bei den Kosten der Heizung einzustellen?

8) Ist der Heizungsaufwand antheilig dem Aufwand für Kost, Wäschreinigung, Lohnarbeit etc. hinzuzurechnen?

9) Ist eine ähnliche Trennung bei den Kosten der Beleuchtung (Expeditionen, Lohnarbeit etc.) zu bewirken?

10) Wo sind die Kosten für Versicherung des Eigenthums der Anstalt und des Privateigenthums der Gefangenen gegen Feuer, der Fensterscheiben, Dachungen, Garten- und Feldfrüchte gegen Hagelschlag einzustellen?

11) Soll der Erlös für Küchenabfälle, für Lumpen etc. von Bekleidungs- und Lagerstücken an dem Aufwande für Kost, Bekleidung, Lagerung als durchlaufend gekürzt werden?

12) Soll der Ertrag der Lohnarbeit und der Feld-, Garten- und Viehwirthschaft in Brutto- oder Nettobeträgen in Rechnung erscheinen?

13) Inwieweit werden Dienstwohnungen und dergl. auf Anstaltskosten in Stand gehalten und unter welchem Titel ist der Aufwand zu verschreiben? —

Nach welchen Grundsätzen diese Fragen im sächsischen Rechnungswesen behandelt werden, ergibt sich, wie oben bemerkt, zumeist aus den in der Beilage I. mit enthaltenen Erläuterungen zur Unterhaltungsrechnung. Es erübrigt hier noch zu bemerken, dass die Fragen 1d und 5 gegenwärtig der Erwägung der Oberbehörde unterliegen. Bisher ist ideales Arbeitslohn nur für Gefangenenarbeit an grösseren ausserordentlichen Bauten auf besondere ständische Verwilligung in Ansatz gelangt, für andere Arbeiten nicht. Die Arbeitsgratificationen für die letztern sind, je nachdem sie Feld-, Garten- und Viehwirthschaft, Bekleidung, Lagerung, Wäsch- und Körperreinigung betreffen, bei den dafür bestehenden Titeln eingestellt worden, für alle übrigen Arbeiten dieser Art hingegen (z. B. in den Expeditionen, bei gewöhnlichen Bauten, für das allgemeine Inventar, Reinigung der Lokale, Krankenwartung) bei Titel 18, Hausarbeit. Vergegenwärtigt man sich aber, dass in der einen Anstalt Arbeiten durch Gefangene verrichtet werden, für welche andere Anstalten Geld an Fremde ausgeben müssen, (man braucht z. B. in Bezug auf Bau- und Schirrkammer-Arbeiten, Anfertigung und Instandhaltung von Schuhwerk und dergl. nur an den Unterschied zwischen Männer- und Frauen-Anstalten zu denken) so ist der Schluss nicht abzuweisen, dass zu wirklich vergleichungsfähigen Ergebnissen der Rechnungen nur durch Einstellung idealer Arbeitslöhne zu gelangen ist. Was die Höhe dieser Löhne anlangt, so würde es sich fragen, ob für alle Arbeiten und im ganzen Vereinsgebiete ein und derselbe Lohnsatz anzunehmen oder ob die Löhne je nach den verschiedenen Arbeiten und örtlichen Verhältnissen verschieden zu bemessen seien. Der Wunsch nach möglichster Einfachheit im Rechnungswerke spricht für das Erstere, alles Andere für das Letztere, doch ist die Befürchtung nicht ausgeschlossen, dass bei verschiedener Bemessung der Löhne von den Rechnungsführern hie und da niedrige Sätze angenommen werden möchten, um einen geringeren Aufwand nachweisen zu können.

Erst wenn über die oben herausgehobenen und alle ähnlichen Fragen Uebereinstimmung herrscht, ist die Möglichkeit geboten, zu einem einheitlichen Rechnungsverfahren zu gelangen, und dann erst kann auch daran gedacht werden, dessen Einführung und Anwendung in den Staatsbudgets und Rechenschaftsberichten bei den Regierungen und Ständeversammlungen an Stelle der jetzt gewohnten Vorlagen zu beantragen. —

Im Vorstehenden ist nur das Rechnungswesen über die

eigentliche Anstaltswirthschaft, sowie hauptsächlich diejenige
Rechnung in's Auge gefasst, welche das wirthschaftliche
Ergebniss in seiner Gesammtheit darzustellen hat, da Einheit
in diesen Punkten vor Allem anzustreben sein möchte. Einheit auch für die übrigen Rechnungen zu verlangen, scheint
mir weniger nothwendig; es dürfte genügen, wenn dieselben
so beschaffen sind, dass das für die Hauptrechnung (Unterhaltungsrechnung) erforderliche Material daraus ohne Weiteres entnommen werden kann. Aus diesem Grunde sind die
Mittheilungen über die Betriebsrechnungen in der Beilage
auf das Aeusserste beschränkt worden.

Was übrigens das A r b e i t s w e s e n anlangt, über welches im „Gutachten" besondere Rechnungsnachweise als
erwünscht bezeichnet werden, so bildet dieses nach dem
sächsischen Verfahren nur einen Theil des gewöhnlichen
Rechnungswerkes. Die Arbeitskräfte der Gefangenen sind
zumeist an Unternehmer verdungen, für das Rechnungswesen
bedarf es in solchem Falle nur der Ermittelung der Löhne
und der Arbeitsbelohnungen (Gratificationen und Verdienstantheile) der Gefangenen auf Grund der wirklichen Leistungen.
Arbeiten in eigener Regie kommen in grösserem Umfange
nur bei der Hausmanufaktur der Anstalt Zwickau vor, über
diese wird Rechnung in mehr kaufmännischer Form abgelegt
und der Reinertrag in ganzer Summe der Anstaltskasse überwiesen. Bei den übrigen Anstalten gehören solche Arbeiten
zu den Ausnahmen und ist dann das Rechnungswesen sehr
einfach, indem nämlich das verwendete Material in der
Naturalrechnung nach den Selbstkosten in Ausgabe und
sodann das fertige Stück mit gleichem Betrage in Einnahme
gestellt, das durch den Verkauf gelöste Mehr aber als Arbeitslohn behandelt wird. Den nächstliegenden Beweis dafür,
dass diese Rechnungsvorschriften auch für statistische Zwecke
völlig genügen, liefern die seiner Zeit dem Reichstage vorgelegten Mittheilungen über die Arbeiten in den sächsischen
Strafanstalten, aufgestellt aus Anlass des Reichstagsbeschlusses
vom 29. Mai 1869, Erörterungen über den Einfluss der Gefangenenarbeit auf die Lage der freien Arbeiter betreffend.
Diese sehr ausführlichen Mittheilungen waren einfach den

Anstaltsrechnungen und Belegen, welch letztere über alle in
Betracht kommenden Einzelheiten Aufschluss zu geben haben, entnommen. Beiläufig möge noch erwähnt sein, dass
die Oberbehörde durch vierteljährliche „Arbeitsertrags-Ueber-
sichten" über sämmtliche in den Anstalten betriebene Arbeiten, sowie die Zahl der bei jeder Arbeit geleisteten Tage
und den durchschnittlichen Tagesertrag jeder Arbeit fortlau-
fend in Kenntniss erhalten wird.

Von den bei den Anstalten sonst noch in Betracht kommenden Rechnungen *) dürften nur die über die Spargelder
der Gefangenen von allgemeinerem Interesse sein. Bei den
sächsischen Anstalten werden dieselben in ganz einfacher
Weise geführt. Für jeden Gefangenen ist im „Spargel-
der-Manual" ein Conto angelegt, auf welchem sich nächst
dem etwaigen Bestand vom Vorjahre die Einnahmen und
Ausgaben chronologisch 'geordnet in zwei Spalten gegenüber
stehen. Eine gleichlautende Abschrift seines Conto's wird
jedem Gefangenen als „Spargelderbuch" in die Hände gegeben, damit er sich von der Richtigkeit der Einträge überzeugen könne. Ausserdem werden die Einnahmen und Ausgaben im „Hauptcassenbuche", welches über die sämmtlichen Cassengebahrungen der Anstalt Ausweis zu geben
hat und im „Spargelder-Journal" gebucht und zwar
soweit thunlich summarisch. Auf Grund des letzteren würden sich Auszüge nach den im „Gutachten" Seite 381 vorgeschlagenen Capiteln unschwer anfertigen lassen.

Neben dieser „besonderen" besteht bei jeder Anstalt
noch eine „allgemeine Spargeldercasse."

Als Einnahmen sind derselben zugewiesen: die Zinsen
von dem werbend angelegten Theile der gesammten Spar-

---

*) In Sachsen ausser den Spargelder-Rechnungen je nach Bedarf
der Anstalt eine Depositenrechnung über die Cautionen der Arbeitgeber
etc. und sonstige Deposita, eine Rechnung über den Victualienverkauf
an die Gefangenen, ferner Rechnungen über die Beamtenwirthschafts-
casse, über Bauten und dergl. auf Grund besonderer Verwilligungen,
über besondere Fonds u. dgl. m. Das Format sämmtlicher Rechnungen, Journale und Belegbände ist das des gewöhnlichen Acten-
papiers, dem für die Zukunft von Reichs wegen vorgeschriebenen Formate
schon seither nahezu gleich.

gelder der Gefangenen (ist für einen einzelnen Gefangenen Spargeld zinsbar angelegt, so fliessen die Zinsen dem betreffenden Einzelconto zu), der vierte Theil der Arbeitsbelohnungen der in der III. Disciplinarklasse stehenden Gefangenen, etwaige Ueberschüsse beim Victualienverkauf an Gefangene, hinterlassene Spargelder von verstorbenen Gefangenen, welche den Betrag von 50 Pf. nicht übersteigen, und ähnliche Beträge, seit 1876 auch ein bei Titel 22 der Unterhaltungsrechnungen in Ausgabe gelangender Zuschuss aus der Anstaltscasse. Als Ausgaben erscheinen: Material zum Briefschreiben für die Gefangenen, Postcontirungsgebühren für dieselben, Aufwand für kleine Ergötzlichkeiten, (z. B. Verabreichung von Weissbrödchen an besonderen Festtagen), Unterstützungen an Abgehende und Entlassene baar oder in Bekleidungs- und anderen Stücken und dergl. mehr. Einnahmen und Ausgaben sind bei einigen Anstalten chronologisch, bei andern capitelweise geordnet. Das letztere Verfahren ist jedenfalls vorzuziehen, doch ist bisher auch das erstere der Uebersicht nicht hinderlich gewesen. —

Zum Schlusse kommend, ist es nicht der Zweck dieser Zeilen, die im Königreich Sachsen geltenden Rechnungsgrundsätze und Vorschriften als mustergiltig hinstellen und zu allgemeiner Annahme vorschlagen zu wollen, sie sind lediglich als Material zur Prüfung mitgetheilt. Möchten sich die Fachmänner anderer Staaten dadurch zu ähnlichen Mittheilungen bewogen finden.

Dresden, im November 1876.

# Auszug

## aus den Rechnungsvorschriften für den wirth-schaftlichen Betrieb der Anstalten des Königreichs Sachsen.

~~~

Der wirthschaftliche Betrieb jeder Anstalt zerfällt in drei Haupttheile: die Cassen-, die Natural- und die Inventar-Verwaltung. In den grösseren Anstalten steht jedem dieser Verwaltungszweige ein besonderer Beamter vor, in den kleineren sind mehrere in Einer Hand vereiniget. Ueber jeden Theil wird gesondert Buch geführt und am Schlusse des Kalenderjahres Rechnung abgelegt. Ausserdem ist alljährlich eine Baurechnung und eine Unterhaltungs-rechnung aufzustellen.

### Die Anstalts-Cassenrechnung

hat den Nachweis zu liefern über die haaren Zahlungen an die und aus der Anstalts-Casse, sowie über die im Rech-nungsjahre nicht zur Zahlung gelangten Soll-Einnahmen und Soll-Ausgaben. Sie besteht aus folgenden Abschnitten:

Einnahme. A. Einkünfte der Anstalt, das sind die haaren Gebührnisse auf Grund gesetzlicher Bestimmungen (z. B. Verpflegbeiträge), aus dem Grundbesitz und dessen Bewirthschaftung und aus dem Lohnarbeits-, sowie dem sonstigen Betriebe, geordnet nach 12 Capiteln.

B. Cap. XIII—XXI, Zuschüsse aus der Staatskasse, Ausgleichung von Schulden und von rückständigen Einnahmen aus früheren Rechnungsjahren, Erlös für verkaufte Naturalien aus Anstaltsvorräthen, Cassenbestand vom Vorjahre.

Ausgabe. Hierbei wird unterschieden zwischen den Ausgaben, welche als wirklicher Aufwand für den Anstalts-betrieb zu betrachten sind einerseits und den Ausgaben für

Anschaffung von Vorräthen behufs allmäliger Verwendung, sowie den blosen Ausgleichsposten andererseits. Die ersteren bilden die Abschnitte A, B und D, und davon begreift der Abschnitt

A. allgemeiner Aufwand in 19 Capiteln alle Ausgaben für den allgemeinen Anstaltsbetrieb in sich, im Gegensatz zu den Ausgaben für die Verpflegung der Gefangenen, welche den Abschnitt

B. besondere Kosten bilden, Cap. XX—XXV. Darauf folgen unter

C. Ausgaben für Anschaffung von Naturalien und Materialien, und zwar von denjenigen, welche nicht zum alsbaldigen Verbrauch gelangen, sondern zu den Vorräthen zu nehmen sind und über welche die Naturalrechnung Nachweis zu geben hat, Cap. XXVI—XXXIX,

D. Anlagskosten, Cap. XL und XLI, Ausgaben für Anschaffung von Stücken, welche in das Anstalts-Inventar übergehen und deren Vorhandensein bis zum Abgang durch die Inventar-Rechnung nachzuweisen ist,

E. durchlaufende Posten, Verläge aus der Anstaltscasse, Ausgleich von Schulden aus früheren Rechnungsjahren und dergl. mehr, Cap. XLII—XLVIII.

An den hierauf zu bewirkenden Abschluss reihen sich Verzeichnisse der rückständigen Einnahmen; der Passiva und der Vorschüsse nach dem Stand am Anfang und Schluss des Rechnungsjahres.

Neben diesen Jahresrechnungen bestehen die nach denselben Formen aufzustellenden und jedesmal nach Ablauf des Vierteljahres mit den einschlagenden Belegen an die Oberbehörde einzureichenden „Cassen-Extracte". Durch sie wird die prüfende Stelle bezüglich der haaren Cassengebahrungen jederzeit auf dem Laufenden erhalten und eine rechtzeitige Controle über die Innehaltung der erlassenen Vorschriften ermöglicht.

In Bezug auf die Soll-Einnahmen und Soll-Ausgaben ist Folgendes zu bemerken. Damit Einkommen und Aufwand eines Rechnungsjahres genau herausgestellt werden, ist vorgeschrieben, dass alle im Rechnungsjahre fällig gewordenen Zahlungen in die Rechnung mit aufgenommen werden, auch wenn sie nicht geleistet worden sind. Sind also beispielsweise Lohnzahlungen an die Anstalt von den Arbeitsgebern in Rückstand gelassen worden, so erscheinen sie gleichwohl als ein Einkommen im Cap. IV der Einnahme in ihrer vollen Höhe, gleichzeitig aber werden sie in das Verzeichniss der rückständigen Einnahmen aufgenommen. Oder: ist Seiten der Anstalt eine im Rechnungsjahre fällig gewesene Zahlung nicht geleistet worden, so gelangt gleichwohl der Betrag bei dem einschlagenden Capitel in Ausgabe, er wird aber gleichzeitig im Abschnitt B. der Einnahme als eine der Anstalt erwachsene Schuld vereinnahmt und im Verzeichniss der Passiva mit aufgeführt. Die Ausgleichung derartiger Posten geschieht im Jahre der wirklichen Zahlung in den dafür bestimmten Capiteln der Cassenrechnung auf sehr einfache Weise und ohne Einfluss auf den wirklichen Unterhaltungsaufwand des Jahres der Ausgleichung. Eine Ausnahme von dieser allgemeinen Vorschrift machen nur die Verpflegbeiträge für die von sächsischen Gerichten verurtheilten Gefangenen wegen der Unsicherheit des Eingehens, sie werden auch für frühere Detentionsjahre erst im Jahre der wirklichen Zahlung vereinnahmt.

Die Form der Cassenrechnung zeigt die Beilage II.

## Die Naturalrechnung

hat die Aufgabe, die Gebahrung mit denjenigen Naturalien und Materialien nachzuweisen, welche nicht zur alsbaldigen Verwendung oder Abgabe gelangt sind. Es ist nämlich nachgelassen, Materialien, welche nur in geringeren Mengen zum sofortigen Verbrauch angeschafft oder alsbald nach der Anlieferung an die betreffenden Ressortverwalter zur allmäligen Verwendung abgegeben worden sind, in der Cassenrechnung Abschnitt A. und B. der Ausgabe aufzuführen, und ebenso ist es gestattet, den Erlös für diejenigen Erzeugnisse der Feld-, Garten- und Viehwirthschaft, welche nicht erst zu den Vorräthen genommen, sondern sofort verkauft werden, lediglich durch die Cassenrechnung Abschnitt A. der Einnahme nachzuweisen, alle übrigen Materialien aber sind in die

Naturalrechnung aufzunehmen. Diese letzteren nun bilden mit den Vorräthen vom Vorjahre und den sonst zuwachsenden Posten die Einnahmen, welche mithin, soweit es sich um angekaufte Materialien handelt, mit dem Abschnitt C. der Cassenrechnung correspondiren. Was von den vereinnahmten Beträgen im Laufe des Rechnungsjahres auf irgend eine Weise, sei es durch Verkauf, Verbrauch, weitere Verarbeitung, Verlust oder sonst in Abgang gelangt, erscheint als **Ausgabe**.

Bei Einnahmen und Ausgaben ist neben der Quantität in der Regel auch der Geldwerth anzugeben, und zwar bei den Einnahmen nach den Anschaffungskosten einschliesslich der Frachten und Spesen, bez. nach ortsüblichen Preisen, bei den Ausgaben nach einem Durchschnittspreise, welcher in der Hauptsache nach dem Geldwerth der Gesammteinnahmen des Jahres berechnet wird.

Der Ueberschuss der Einnahmen über die Ausgaben wird in der Rechnung des nächsten Jahres als Bestand vorgetragen.

Die Rechnung zerfällt in folgende Abschnitte:

I. Beköstigungsgegenstände:
  A. Feld- und Gartenfrüchte, B. Getränke, C. Victualien, D. Materialwaaren;

II. Bekleidungsgegenstände:
  A. Materialien, B. fertige Stücke, C. Nebenbedürfnisse, D. Arbeitslöhne;

III. Wäschzeug: A. Materialien etc., wie unter II.;

IV. Tischzeug;

V. Lagerstättenerfordernisse;
  A. etc. wie unter II.;

VI. Materialien zur Wäsch- und zur körperlichen Reinigung;

VII. Feuerungsmaterialien;

VIII. Leuchtmaterialien;

IX. Baumaterialien;

X. Schreibmaterialien;

XI. verschiedene andere Waaren und Wirthschaftsgegenstände.

Innerhalb dieser Abschnitte sind die verschiedenen Materialien in alphabetischer Reihenfolge aufzuführen. Jedes Material erhält ein besonderes Conto, auf welchem Einnahmen und Ausgaben sich seitenweise gegenüberstehen, wie dies die Beilage III. zeigt.

Anlangend die oben unter II., III. und V. mit vorkommenden „Arbeitslöhne", so handelt es sich dabei nur um Löhne an fremde Personen, nicht um Gratificationen oder ideales Arbeitslohn für Gefangenarbeit, und unter den „fertigen Stücken" sind die neu angefertigten oder angekauften, aber noch nicht zum Gebrauch ausgegebenen Stücke begriffen.

Den Schluss der Rechnung bildet eine Zusammenstellung des Geldwerthes der Vorräthe am Anfang und Schluss des Rechnungsjahres.

Während sich sonach die Naturalrechnung mit den zum Verbrauch und zu weiterer Verwendung bestimmten Materialien und Naturalien beschäftigt, hat

## die Inventar-Rechnung

Ausweis zu geben über die zum Gebrauch angeschafften Gegenstände, soweit dieselben nicht zu geringfügig erscheinen. In dieser Beziehung besteht die Vorschrift, dass Stücke von geringerem Werthe, sowie leicht zerbrechliche oder schneller Abnutzung unterworfene Gegenstände nur dann in der Inventar-Rechnung aufzuführen sind, wenn ihnen ein ideeller Werth beiwohnt, wie z. B. den Passirmarken, Schlüsseln, Maassen, Gewichten u. dergl. Die Controle über sämmtliche, auch die nicht in Rechnung zu führenden Stücke wird durch Special-Verzeichnisse bei den Anstalten unterstützt.

Die Inventar-Rechnung besteht aus folgenden Abschnitten:

## A. Allgemeines Inventar.

I. Haus- und Wirthschaftsgeräthe: ausser dem eigentlichen Mobiliar auch alle den speciellen Zwecken der verschiedensten Theile des Anstaltsbetriebes dienenden Stücke umfassend, soweit sie nicht in die folgenden Abschnitte gehören.

II. Aerztliches Inventar: werthvollere chirurgische Requisiten und sonstige zur Krankenpflege erforderliche Stücke, jedoch ohne die Lagerstätten an Betten und dergl.

III. Bibliothek mit Zubehör: sämmtliche für die Beamten, für den Unterricht in Kirche und Schule und für die Lectüre der Gefangenen bestimmten Bücher und Schriften, welche nicht blos vorübergehenden Werth haben. Unter „Zubehör" sind musikalische Instrumente, Noten, Karten, Zeichenvorlagen, Modelle und andere Unterrichtshilfsmittel verstanden, die Bücherschränke und Gestelle werden im Abschnitt I. der Rechnung geführt.

IV. Von Verstorbenen hinterlassene Stücke, welche gesetzlicher Bestimmung zufolge dem Anstaltsvermögen zuwachsen.

V. Von Entwichenen hinterlassene und bei der Anstalt vorläufig aufbewahrte, bez. von dieser angekaufte Stücke.

B. Besonderes Inventar.

VI. Kleidung und Leibwäsche und

VII. Lagerstättenerfordernisse, beides nur für Gefangene.

Innerhalb der Abschnitte ist alphabetische Reihenfolge innezuhalten. Eine Ausnahme davon macht Abschnitt III., in welchem an Stelle der Aufführung der einzelnen Stücke ein Hinweis auf die betreffenden speciellen Kataloge steht.

Die Form der Rechnung zeigt die Beilage IV.; zur Erläuterung der darin vorkommenden „Taxwerthe" diene Folgendes. Wollte man die Inventarien nach den vollen Anschaffungskosten in das Anstalts-Vermögen aufnehmen und bis zum Abgang fortführen, so würde man zu Summen gelangen, welche im Hinblick auf die fortschreitende Abnutzung der Stücke schon in Kurzem völlig unzutreffend sein würden. Eine jahrweise Abschreibung der Abnutzung aber, wie sie in Privatgeschäften üblich, wäre wegen der grossen Mannichfaltigkeit der Stücke und der verschiedenen Haltbarkeit, wenn nicht unthunlich, so doch im Verhältniss der Arbeit zum Ergebniss nicht wohl zu rechtfertigen. Es ist desshalb die Bestimmung getroffen, dass bei der Aufnahme

2*

eines Stückes in die Inventar-Rechnung dasselbe mit einem
Geldwerth eingestellt und bis zur Abschreibung fortgeführt
wird, welcher ungefähr der Hälfte der Anschaffungskosten
entspricht. Dieser Werth, welcher der Erleichterung für die
Rechnung wegen auf einen möglichst runden Satz festzustellen ist, bildet den sogenannten „Taxwerth". Da übrigens
die Taxwerthe nur ungefähr zu bemessen sind, so wird es
möglich, eine grössere Anzahl gleichartiger Stücke in der
Rechnung auf Eine Nummer zu nehmen, auch wenn die
Anschaffungskosten der einzelnen Stücke in etwas von einander abweichen. Die Ermittelung des Gesammttaxwerthes
des Anstalts-Inventars am Jahresschlusse geschieht durch
eine sehr einfache Rechnungsmanipulation, auf welche hier
nicht einzugehen ist.

### Die Jahres-Baurechnung

ist eine nach den einzelnen Herstellungen geordnete Zusammenstellung der Verwendungen aus der Anstaltskasse und
aus Naturalvorräthen behufs Instandhaltung der Anstaltsge-
bäude, sowie der Wege, Umfassungsmauern und Umzäunungen,
einschl. des Aufwands für Reinigung der Oefen, Schornsteine
und Schleussen, der Asche- und Abortgruben, ferner für Instandhaltung der eingebauten und schwer beweglichen Stücke,
welche bei der Landes-Immobiliar-Brandversicherungsanstalt
versichert sind, z. B. der Dampfapparate, Gasleitungen, Thurm-
uhren, Glocken, Klingelzüge, Orgeln, Wäschmangeln, befestigten Badewannen etc.

Die Rechnung ist in vier Abschnitte getheilt:

I. Verwendungen von dem zur Bestreitung kleinerer
dringlicher Herstellungen ausgesetzten Dispositionsquan-
tum,

II. Bauten auf Grund des vom Ministerium festgestellten
Jahresbauetats,

III. Bauten auf Grund besonderer Verwilligungen und

IV. turnusmässiges Weissen der inneren Räume.

Ausserdem ist in den Abschnitten I., II. und III. zu
unterscheiden zwischen Bauten in Dienst- und Miethwohnungen,

sowie den dazu gehörigen Gärten und solchen in den eigentlichen Anstaltsräumen.

Eine Probe der inneren Einrichtung zeigt die Beilage V.
Aufzustellen und zu vertreten ist die Baurechnung vom Cas-
sen- und vom Naturalverwalter, von jedem nach seinem
Antheil. —

Belegt werden die genannten vier Rechnungen durch
Lieferscheine und Quittungen, die Naturalrechnung noch
ausserdem durch specielle Verzeichnisse der beköstigten Personen (Consumentenlisten) und der für die verschiedenen
Kostklassen verwendeten Beköstigungsmaterialien (Bekösti-
gungs-Nachweise). Sämmtliche Belege sind ebenso wie die
Jahresrechnungen vom Anstaltsvorstand zum Zeichen der
Kenntnissnahme zu signiren, nach Befinden auch von den
betreffenden Ressortverwaltern zu attestiren.

Die aus den bisher gedachten Rechnungen sich heraus-
stellenden Ergebnisse der einzelnen Verwaltungszweige hat
nun

### die Unterhaltungsrechnung

in ein nach den Titeln des Etats geordnetes Ganzes zusammenzufassen. Es ist dabei zu unterscheiden zwischen der
Rechnung selbst und dem derselben angehängten Nachweis
des Betriebsvermögens. In der Rechnung selbst gelangen
unter Ausscheidung aller nur durchlaufenden Beträge lediglich
diejenigen Posten der Unterlagsrechnungen in Ansatz, welche
für das betreffende Rechnungsjahr einen aus dem eigenen
Betriebe der Anstalt hervorgegangenen Vermögenszuwachs
und einen durch den Betrieb selbst verursachten Vermögens-
abgang darstellen, wie dies weiter unten eingehender darzu-
legen sein wird. Alle übrigen Posten finden bei der Heraus-
stellung des Betriebsvermögens und bei der Abstimmung
Berücksichtigung. Zu diesen letzteren gehören insbesondere
die Zuschüsse aus der Staatskasse, die vorgetragenen Be-
stände an Geld und Naturalien aus dem Vorjahre, Einzahlung von rückständigen Einnahmen und Abzahlung von
Schulden, auch Einnahmen für verkaufte Materialien aus
Anstalts-Vorräthen und Ausgaben für Anschaffung von dergleichen. Sobald nämlich Gelder für solche Materialien der

Anstalts-Casse zufliessen, gelangt das Material mit entsprechendem Geldbetrage bei der Naturalrechnung in Ausgabe, und wenn Zahlungen für in Vorrath angeschaffte Naturalien die Anstalts-Casse abmindern, so wächst ein gleicher Betrag dem Geldwerth der Naturalvorräthe zu, das Anstaltsvermögen in seiner Gesammtheit bleibt mithin in beiden Fällen unverändert. Nur in dem Falle, dass der Erlös beim Verkauf von den Anschaffungskosten abweicht, kommt das Ergebniss für die Unterhaltungsrechnung in Betracht und zwar Mehrerlös entweder im Titel 4d. als Gewinn, wenn es sich um Dinge handelt, welche von der Anstalt selbst erst erkauft worden waren, oder im Titel 3 als Arbeitslohn, wenn Stücke in Frage sind, welche durch Anstaltskräfte angefertigt wurden; Mindererlös im Titel 23 als Verlust.

Die äussere Gestaltung der Unterhaltungs-Rechnung zeigt die Beilage VI., der Inhalt gliedert sich wie folgt:

### A. Einkünfte.*)

Unter „Einkünften" sind die aus dem eigentlichen Betriebe der Anstalt sich ergebenden Einnahmen verstanden, im Gegensatz zu den vorgetragenen Beständen des Vorjahres, den Staatszuschüssen, den blos durchlaufenden Posten und dergl. mehr. Es kommen dabei mithin aus der Cassenrechnung nur der Abschnitt A. der Einnahme und aus der Natural-Rechnung lediglich die eigenen Erzeugnisse der Wirthschaft und die sonst ohne Zahlung zugewachsenen Materialien in Betracht.

Titel 1 Verpflegbeiträge, von den durch sächsische Gerichte verurtheilten vermögenden Gefangenen nach dem Satze von jährlich 75 M. für männliche und 60 M. für weibliche Personen eingehoben.

2. Erbanfall. Hier wurde bis mit 1875 der Taxwerth der von verstorbenen Gefangenen in der Anstalt hinterlassenen und zum Inventar genommenen Effecten vereinnahmt. Von 1876 an rechnet das Inventar im Betriebsvermögen nicht mehr mit auf und kann in dessen Folge Titel 2 künftig aus-

---

*) Die gesperrt gedruckten Worte geben die Bezeichnung der Titel in den Rechnungen, Etats etc.

fallen, wenn man nicht den Erlös aus dem Verkauf von dergleichen Stücken hier einstellen will, der gegenwärtig bei Titel 4 unter d. erscheint.

3. Lohnarbeit, und zwar Ertrag der Arbeiten in eigener Regie, Zahlungen von Arbeitgebern nach den verschiedenen Arbeiten getrennt, Geldwerth der bei Aussenarbeit von den Arbeitgebern den Gefangenen gewährten Kost.

Der Ertrag wird brutto angegeben, die Ausgaben für Arbeitsbelohnungen an Gefangene, für Arbeitsgeräth und dergl. erscheinen im Abschnitt B. förmlich in Ausgabe, vergl. w. u. Titel 13 und 19.

4. Vom Anstalts-Vermögen und zwar:

a. von den Gebäuden. Die an Anstalts-Beamte überlassenen Dienstwohnungen werden als an diese vermiethet betrachtet und die Miethzinsen hier vereinnahmt. Die Miethpreise werden bei Wohnungswechsel nach ortsüblichen Sätzen bestimmt.

b. von der Garten-, Feld- und Viehwirthschaft. Pachtgelder für Obstbäume, Gärten, Felder etc., baarer Erlös für sofort verkaufte und Geldwerth der in die Natural-Vorräthe aufgenommenen, sowie der selbst verwendeten Erzeugnisse. Das Einkommen wird brutto eingerechnet, die Kosten erscheinen bei Titel 13 und 17 in Ausgabe. Nur über grössere, unter Leitung von besonders dafür angestellten Beamten selbständig betriebene Oeconomie-Wirthschaften wird eigene Rechnung abgelegt und lediglich der Reinertrag in ganzer Summe zur Anstaltscasse überwiesen.

c. von Abfällen. Erlös für verkaufte Abgänge aller Art, Knochen, Lumpen, Dünger, altes Stroh, Gemüseabfälle, Küchenspülicht, altes Eisen, Asche, Maculatur etc., Geldwerth der wieder verwendbaren Materialien von abgeschriebenen Kleidungs- und Lagerstücken. (Der für die eigene Wirthschaft verwendete Dünger kommt nicht in Ansatz.)

d. Erlös für verkaufte Inventarien, sowie Ueberschuss beim Verkauf von Naturalien über die Anschaffungskosten.

e. Nebennutzungen. Einnahmen, welche auf irgend einen Vermögenstheil der Anstalt zurückzuführen sind, aber in keine der Rubriken a—d gehören, z. B. für Benutzung der Bäder und der Drehmangeln durch Fremde, für Abgabe von Röhrwasser, Fossilien aus Anstaltsgrundstücken, Geldwerth alten aber noch brauchbaren Materials von eingerissenen Baulichkeiten, Zinsen von Aussenständen und dergl. mehr.

5. Auf Grund besonderer Beziehungen: Einnahmen, welche in keinen der Titel 1—4 passen, ihrer regelmässigen Wiederkehr aber nicht wohl unter 6 „Insgemein" aufzunehmen, sondern getrennt zu behandeln sind.

6. Insgemein. Einnahmen anderer Art als unter 1—5 angegeben und von mehr zufälliger Natur, z. B. aufgefundene und confiscirte Gelder, Ordnungsstrafen, Defectposten infolge der Rechnungsmonitur und dergl.

### B. Aufwand.

Unter „Aufwand" wird alles das begriffen, was zur Erhaltung des laufenden Betriebes einer Anstalt und zur Verpflegung der Gefangenen wirklich ge- und verbraucht wird. Wie demnach beim „Aufwand" aus der Cassen-Rechnung lediglich die Abschnitte A., B. und D. der Ausgabe in Frage kommen, so erscheinen aus der Natural-Rechnung hier nur diejenigen Ausgaben, welche einen wirklichen Verbrauch darstellen.

Der Aufwand ist in drei Abschnitte gegliedert: a. „allgemeine Kosten", diese umfassen den Aufwand für den eigentlichen Anstaltsbetrieb, die „sächlichen" Ausgaben; b. „besondere Kosten", das sind die „persönlichen" Ausgaben für die Verpflegung der Gefangenen während ihres Aufenthalts in der Anstalt und auf Aussenstationen, und c. „aussergewöhnliche Kosten", das sind diejenigen grösseren Ausgaben, insbesondere für Bauten und Grundstückserwerbungen, welche nicht dem laufenden Anstaltsbetrieb zur Last geschrieben werden können. Dieser Abschnitt ist erst von 1876 an in die Rechnung aufgenommen worden, da bis dahin dergleichen Ausgaben im ausserordentlichen Staatsbudget veranschlagt wurden.

### a. Allgemeine Kosten.

Titel 7. Dienstgenüsse. Die baaren Bezüge sämmtlicher Angestellten einschliesslich der für Dienstwohnungen und ähnliche Naturalgenüsse innezulassenden Beträge (zu vergl. Tit. 4 a), die Zahlungen an Aushilfspersonal und für Wachmannschaften, die Reise- und Bureaukosten für letztere, ferner Miethzins- und Curbeihilfen, sowie Gratificationen einschliesslich der Kosten der freien Medicin für die unteren Beamten.

8. **Reise- und Umzugskosten für Anstaltsbeamte.**

9. **Expeditionsaufwand:** Porto, Briefträger- und Botenlöhne, Telegramme, Zeitungen und ähnliche Drucksachen von vorübergehendem Werth, Schreibmaterial für sämmtliche Dienstzweige, Insertionsgebühren, Nebenbedürfnisse an Siegellack, Oblaten, Heftnadeln, Zwirn, Gummi, Bindfaden etc., Ausgaben für Einbinden der Journale, Hilfsbücher und Rechnungen.

10. **Transport- und Entlassungskosten:** Kosten der Versetzung aus einer Anstalt in eine andere (die Einlieferungen geschehen auf Kosten der Gerichtsbehörden) Rücktransport Entwichener und Zuschuss zum Reisegelde bei Entlassungen, beides, soweit es durch das vorhandene Spargeld nicht gedeckt wird.

11. **Kirchen-, Schul- und Begräbnisskosten,** und zwar:

a. Kirchenkosten: die Bezüge der (nicht zu den Anstaltsbediensteten gerechneten) katholischen und israelitischen Geistlichen, Hostien, Abendmahlwein, Kerzen, Beleuchtung beim Sylvester- und Weihnachtsgottesdienst, Amtskalender, Confirmationsscheine, Missivbotenlöhne.

b. Schulkosten: Schreib- und Zeichenmaterial für die Gefangenen (die Unterrichtshilfsmittel an Büchern, Zeichenvorlagen etc. gehören zum allgemeinen Anstalts-Inventar, m. s. Nr. 13).

c. Begräbnisskosten: diese nur insoweit, als das hinterlassene Spargeld und der Verpflegbeitrag nicht ausreicht.

12. **Bauten und Arrondirungen:** nächst den durch die „Baurechnung" speciell nachgewiesenen Kosten Aufwand für Versicherung von Fensterscheiben und Dachungen gegen Hagelschlag, sowie für Erwerbung von kleineren, zur Abrundung des Anstaltsgebietes dienenden Grundstücken. M. vergl. auch w. u. Titel 30.

13. allgemeines Inventar: Kosten für Anschaffung und Instandhaltung der zum „allgemeinen Inventar" (worüber die Bemerkungen über die Inventarrechnung Seite 18 zu vergleichen) gehörigen Stücke, wobei die Anschaffungskosten in der Rechnung auf das betreffende Jahr voll in Ausgabe erscheinen, sowie Ausgaben für geringfügige oder baldiger Abnutzung unterworfene und desshalb nicht in die Inventar-Rechnung aufzunehmende Gegenstände, z. B. Flaschen, Gläser, Blechlöffel, Korke, Strohdecken etc., und die Mittel zur Reinigung des Inventars, der Fussböden und Treppen, wie Besen, Scheuerbürsten, Scheuerseife, Treppenthon etc.

14. Wasserversorgung: neue Herstellungen, Instandhaltung und Beaufsichtigung von Wasserleitungen, Röhrfahrten, Brunnen, Brunnenhäuschen, Hydranten, Pumpen behufs Beschaffung von Trink- und Nutzwasser, Zahlungen für Mitbenutzung fremder derartiger Anlagen, Vorkehrungen zu Verbesserung des Wassers, Stroh und Dünger zu Bedeckung von Röhren im Winter, Anfuhre von Wasser.

15. Abgaben und Pachtgelder: Prämien für Versicherung der Natural- und Inventar-Vorräthe, sowie der von den Gefangenen bei der Einlieferung mitgebrachten Effecten gegen Feuer; Gemeinde-, Schul- und Armenkassen-Abgaben, Ablösungsrenten und sonstige auf Anstaltsgrundstücken haftende Oblasten, Pachtgelder für ermiethete Gebäude und Ländereien.

Grundsteuern zahlen die Anstalten nicht, und die Abgaben für die Versicherung des Immobiliars gegen Brandschäden werden aus Cassen des Finanzministeriums bestritten.

16. Aufwand auf Grund besonderer Beziehungen: Zahlungen an geistliche Stellen infolge der Auspfarrung der Anstalten wegen Begründung eigener Anstaltsparochien, Aufwand für Unterbringung von Zöglingen der Erziehungs- und Besserungs-Anstalten in Familien, unter Abrechnung der für dieselben bezahlten Verpflegbeiträge, und ähnliche auf besonderen Verhältnissen beruhende Kosten.

17. Feld-, Garten- und Viehwirthschaft: Bestellung der Felder und Gärten, Samen und Pflanzen, haare Ausgaben für Vieh- und Viehfutter, für Düngemittel, Grati-

ficationen für Arbeiten der Gefangenen, Bewachung der Fluren und der im Freien aufbewahrten Früchte, Versicherung derselben gegen Hagelschlag, Heizung der Gewächshäuser, Herstellung und Instandhaltung von Obstspalieren und Wasserrinnen, Nebenbedürfnisse an Baumpfählen, Bohnenstangen, Blumentöpfen, Bast, Bindfaden, Deckreissig und dergl. mehr.

18. Hausarbeit. Gratificationen für die Arbeiten der Gefangenen in Haus und Hof, Küche und Schirrkammer, bei Herstellung und Instandhaltung des allgemeinen Inventar's, bei Bauten und Wasserleitungen, für Holz- und Kohlen-Kleinen und Tragen, Lampenanzünden, Krankenwartung, überhaupt für alle Arbeiten, welche nicht unter die Titel 17, 19, 25, 26, 27 und 28 fallen.

19. Aufwand infolge der Lohnarbeit: Gratificationen und Verdienstantheile für Gefangenenarbeit nach den verschiedenen Arbeiten gesondert, Nebenbedürfnisse, z. B. Seife zum Lohnwaschen.

Die Anschaffung und Instandhaltung der Arbeitsgeräthe liegt bei Entreprisenarbeit den Arbeitgebern ob, bei Arbeiten in eigener Regie erscheinen die Kosten unter Titel 13.

20. Feuerungsmaterial und

21. Leuchtmaterial: beides für sämmtliche Anstaltsräumlichkeiten zum allgemeinen Betrieb. Wegen Heizung der Gewächshäuser ist Titel 17, wegen Beleuchtung zu kirchlichen Zwecken Titel 11 zu vergleichen. Holz- und Schmiedekohlen zum Löthen werden bei Titel 13 mit eingestellt.

22. Besondere Anstaltszwecke: Aversionalzahlungen aus den Anstaltscassen zu Zwecken der allgemeinen Spargeldercasse, zu vergl. Seite 13.

23. Insgemein: Verlust durch Erlass von uneinbringlichen Forderungen aus früheren Rechnungsjahren, durch elementare Ereignisse und durch Entwendung oder Zerstörung von Anstalts-Eigenthum, soweit nicht Ersatz erlangt wird, Frachten und Spesen, welche sich auf die bezogenen Materialien nicht wohl vertheilen lassen, Gerichtskosten, Unterstützungen, Mittel gegen Ratten und Mäuse, Wanzen und Motten (soweit es sich um allgemeines Anstalts-Inventar und die bei der Anstalt aufbewahrten Freiheitskleider der Ge-

fangenen handelt), Entbindungskosten, Defectposten auf Grund
der Rechnungsmonitur, Rückgewährung von indebite erfolg-
ten Einnahmen früherer Rechnungsjahre und dergleichen
nicht zum regelmässigen Anstaltsbetriebe gehörige, nicht
unter Titel 30 fallende Posten mehr.

### b. Besondere Kosten.

24. **Beköstigung:** Materialien zur Kost, wobei die
eigenen Erzeugnisse der Feld-, Garten- und Viehwirthschaft
nach ortsüblichen Preisen veranschlagt werden, Geldwerth
der von Arbeitgebern auf Aussenstationen in natura verab-
reichten Kost, Zahlungen an die Speiseentreprise, dafern
die Beköstigung an einen Fremden verdungen ist.

25. **Bekleidung:** Kosten der Anschaffung und Instandhaltung der Bekleidung und Leibwäsche, einschliesslich
der Arbeitsgratificationen für die dabei beschäftigten Haus-
arbeiter.

26. **Lagerung:** mut. mut. wie zu Titel 25 bemerkt.

27. **Wäschreinigung:** Arbeitsgratificationen für Gefangene, Seife, Soda, Wasserglas. (Bürsten, Fässer, Wasch-
breter etc. passiren bei Titel 13.)

28. **Körperreinigung:** Arbeitsgratificationen an
Gefangene für Barbieren und Haarschneiden, Barbierlöhne,
Kämme, Seife, Waschflecke, Abortpapier.

29. **Gesundheitspflege:** Ausgaben für Medicamente
aller Art, Mineralwässer, Medicingefässe, ärztliche Requisiten,
dafern sie sich nicht zur Aufnahme in's Inventar eignen,
Desinfectionsmittel, Schnupftabak auf ärztliche Anordnung,
soweit dazu nicht das Spargeld ausreicht.

### c. 30. Aussergewöhnliche Kosten.

Dafern dergleichen vorkommen, ist in der Rechnung
die specielle Bezeichnung der bezüglichen Ausgaben und sodann deren Betrag anzugeben. —

An den nunmehr folgenden Abschluss der Rechnung
und die durch Abzug der eigenen Einkünfte (Summe der
Titel 1—6) vom Aufwand (Titel 7—30) bewirkte Heraus-
stellung des wirklichen Unterhaltungsaufwandes
schliesst sich ein

Nachweis über das Betriebsvermögen der Anstalt
am Anfang und Schluss des Rechnungsjahres in der weiter
unten Seite 39 ersichtlichen Form.

Hierauf wird dem Betriebsvermögen vom Jahresanfang
der im Laufe des Jahres erhobene Staatszuschuss hinzuge-
rechnet und sodann von der sonach erhaltenen Summe das
Vermögen am Jahresschlusse abgezogen; die Differenz muss
als „Unterhaltungsaufwand" denselben Betrag ergeben, wie
der Abschluss der Rechnung. Zum Schlusse folgt unter
„Hierüber" die summarische Angabe des Taxwerthes des
Inventars am Anfang und Schluss des Rechnungsjahres. Man
vergleiche auch hierzu Seite 39.

Beilage II.

# Probe aus einer Anstalts-Casseurechnung.

| Laufende Nr. | Betrag. | | Einnahme. | laut Beleg Nr. |
|---|---|---|---|---|
| | M. | Pf. | | |
| | | | **Abschnitt A.** *Einkünfte der Anstalt.* Cap. I. Verpflegbeiträge. | |
| 1 | 75 | — | für Johann Gottlob Adam 127 auf das ganze Jahr vom Gerichtsamt N. | 1 |
| 2 | 37 | 50 | für Carl August Bode 25 auf die Zeit vom 1. Jan. bis 30. Juni, u. zwar: 7 M. 50 Pf. durch Vorauszahlung, laut Depositenrech- nung, 30 M. — Pf. im Rechnungsjahre, von Friederike Bode, w. o. | |
| 3 | 6 | 25 | für Friedrich Wilhelm Fischer auf die Zeit vom 1.—31. Jan. durch Voraus- zahlung, laut Depositenrechnung etc. etc. | 2 |
| | 648 | 25 | zusammen für männl. Gefangene etc. etc. | |

| Laufende Nr. | Betrag. M. | Pf. | Einnahme. | laut Beleg Nr. |
|---|---|---|---|---|
| | | | **Cap. IV. Lohnarbeit.** | |
| | | | A. Arbeiten in Entreprise. | |
| | | | etc. etc. | |
| | | | 2. Brückenwagenfabrikation für N. N. | |
| | | | in N. zufolge Contracts vom ....... | |
| | | | genehmigt durch Ministerialbeschluss | |
| | | | vom ........ | |
| 2 | 3211 | 82 | in den Monaten Januar bis mit Nov. | 12 |
| 3 | 242 | 40 | im Dezember Rest | 12 |
| | 3454 | 22 | zus. A. 2. | |
| | | | etc. etc. | |
| | | | **Abschnitt B.** | |
| | | | *Zuschüsse, Vorschüsse und dergleichen.* | |
| | | | etc. etc. | |
| | | | **Cap. XX. Erlös für verkaufte Naturalien.** | |
| | | | A. Beköstigungsgegenstände. | |
| | | | 4. Schweinsfett | |
| 38 | 387 | 66 | für 230,75 Kilogramm à 1 M. 68 Pf. | |
| | | | von der Victualiencasse der Anstalt | 345 |
| | | | etc. etc. | |
| | 2568 | 65 | für 1520,375 Kilogr. Schweinsfett zus. | |
| | | | unter A. 4. | |
| | | | etc. etc. | |

| Laufende Nr. | Betrag. | | Ausgabe. | laut Beleg Nr. |
|---|---|---|---|---|
| | M. | Pf. | | |
| | | | **Abschnitt B.** | |
| | | | *Besonderer Aufwand.* | |
| | | | etc. etc. | |
| | | | **Abschnitt C.** | |
| | | | *Zur Anschaffung von Naturalien und* | |
| | | | *Materialien.* | |
| | | | etc. etc. | |
| | | | **Cap. XXVIII. Für Victualien.** | |
| | | | 7. Schweinsfett, ungarisches. | |
| 34 | 1108 | 80 | für 660 Kilogr. à Ctr. 84 M. ⎫ an N. in N. | 1310 |
| 35 | 3100 | 68 | „ 1782 „ „ „ 87 „ ⎬ | 1311 |
| 36 | 161 | 65 | „ 152,5 „ „ „ 53 „ an O. in P. | 1312 |
| 37 | — | 36 | Rollgeld für 1 Fass ab Bahn an L. in R. | 1313 |
| | 4371 | 49 | für 2594,5 Kgr. ung. Schweinsfett, zus. 7 | |
| | | | etc. etc. | |
| | | | **Abschnitt D.** | |
| | | | *Anlagskosten.* | |
| | | | etc. etc. | |
| | | | **Abschnitt E.** | |
| | | | *Vorschüsse und dergleichen.* | |
| | | | etc. etc. | |
| | | | **Abschluss.** | |
| | . . | . | Summa aller Einnahmen | |
| | . . | . | „ „ Ausgaben | |
| | 16328 | 28 | Bestand Ende 1875, | |
| | und | zwar: | | |
| | 718 | 13 | Baarschaft, | |
| | — | — | in Documenten, | |
| | 15610 | 15 | in rücketändigen Einnahmen, laut Ver- | |
| | wie | oben | zeichniss. | |

Beilage III.

# Probe aus einer

| I. Beköstigungsgegenstände. | | | |
|---|---|---|---|

**Schweinsfett, ungarisches.**

Rechnung für

| Gewicht. | Geld-werth. | | Einnahme. |
|---|---|---|---|
| Kilogramm. | M. | Pf. | |
| 1032,720 | 1568 | 11 | Vorrath Anfang 1875. |
| 2594,500 | 4371 | 49 | erkauft Seite 284 der Cassenrechnung. |
| 3627,220 | 5939 | 60 | Summe der Einnahme.  Davon ab |
| 1520,375 | 2568 | 65 | verkauft laut Ausgabe unter „Ueberdies" bleiben |
| 2106,845 | 3370 | 95 | zur weiteren Verrechnung. |
| | | | Durchschnittspreis 1 M. 60 Pf. pro Kilogramm. |
| 451,875 | 723 | — | Summa der Ausgabe. |
| 1654,970 | 2647 | 95 | Vorrath Ende 1875. |

# Naturalrechnung.

## C. Victualien.

### Schweinsfett, ungarisches.

1874. Blatt 43.

| Gewicht. | Geld-werth. | | Ausgabe. | laut Beleg Nr. |
|---|---|---|---|---|
| Kilogramm. | M. | Pf. | | |
| | | | **1. Zur Instandhaltung des allgemeinen Inventars.** | |
| 1,000 | 1 | 60 | zum Einschmieren der Blasebälge in der Anstaltsschlosserei und zum Härten neugefertigter und reparirter eiserner und stählerner Hausgeräthe . . . . . . . . . . . . . | 25 |
| | | | Summe für sich unter 1. | |
| | | | **2. Zur Wasserversorgung.** | |
| 0,875 | 1 | 40 | zum Einschmieren des Pumpenleders im Schlosshofe. . . . . . . . . . . . . . | 29 |
| | | | Summe für sich unter 2. | |
| | | | **3. Zur Beköstigung.** | |
| 450,000 | 720 | — | zur Gesundenkost . . . . . . . . . . . | 1 |
| | | | Summe für sich unter 3. | |
| 451,875 | 723 | — | Ausgabe zusammen. | |
| | | | **Ueberdies:** | |
| 1520,375 | 2568 | 65 | verkauft, laut Cassenrechnung Seite 115. | |
| | | | Summe für sich, nebenstehend von der Einnahme gekürzt. | |

# Probe aus einer Inventarrechnung.

| Benennung der Gegenstände. | Tax-werth pro Stück. | | Be-stand An-fang 1875. | Zuwachs. | | Summa des Bestands und Zu-wachses. | Abgang. | | Be-stand Ende 1875. | erkungen. |
|---|---|---|---|---|---|---|---|---|---|---|
| | M. | Pf. | Stück | Beleg | Stück | Stück | Beleg | Stück | Stück | |
| **A. Allgemeines Inventar.** | | | | | | | | | | |
| **I. Haus - & Wirthschaftsgeräthe.** | | | | | | | | | | |
| a. in Vertretung des Rech- nungsführers: | | | | | | | | | | |
| Aexte, Bundäxte . . . . . | 2 | — | 3 | — | — | 8 | — | — | 3 | |
| „ Handäxte . . . . . | 1 | — | 17 | — | — | 17 | XI | 8 | 9 | |
| „ Holzmacheräxte. . | 1 | 50 | 20 | I | 6 | 26 | X | 6 | 8 | |
| | | | | | | | XI | 2 | | |
| „ Queräxte | 2 | — | — | I | 5 | 5 | — | — | 5 | |
| etc. | | | | | | | etc. | | | |
| b. in Vertretung des An- staltsgeistlichen: | | | | | | | | | | |
| Altarkanne von Silber | 24 | — | | — | — | 1 | — | — | | Gew. . . . Kilo-gramm |
| dgl. von Zinn . . . . . . | 6 | — | | — | — | 1 | — | — | | |
| etc. | | | | | | | etc. | | | |
| **II. Aerztliches Inventar.** | | | | | | | | | | |
| etc. | | | | | | | etc. | | | |

# Probe aus einer Baurechnung.

| Laufende Nr. | Tag und Nr. der Ministerialverordnung. | Aufwand | | | | Nähere Bezeichnung. |
|---|---|---|---|---|---|---|
| | | a. baar. | | b. Naturalien aus Anstaltsvorräthen. | | |
| | | Geldbetrag. | Beleg zur Cassenrechnung. | Geldwerth. | Blatt der Naturalrechnung. | |
| | | M. | Pf. | | M. | Pf. | | |
| | | | | | | | |
| | (Aus Abschnitt III. **Baulichkeiten** auf besondere Bewilligung.) | | | | | |
| III.1 | 5. Februar 1875 Nr. 205. **IV. A.** | | | | | **Anlegung einer Warmwasserheizung im Flügel B.** |
| | | 11039 | 6 | 650 | . . . | für den Apparat nebst Aufstellung an C. in D. |
| | | 58 | 80 | 651 | . . . | für . Tage Maurerarbeit a . . M. . . Pf. an E. in F. |
| | | | | | 15 | 50 | 259 | 500 Dachziegel, |
| | | | | | 200 | 73 | „ | 6046 Mauerziegel, |
| | | | | | 68 | 97 | „ | 1254 Thonziegel, |
| | | | | | 12 | 60 | 218 | 7 Hektoliter Graukalk, |
| | | | | | 7 | 60 | 253 | 3½ Fuder Sand. |
| | | | | | | | | 11403 M. 26 Pf. zus. |
| III.2 | 3. März 1875 Nr. 11 IV A. | | | | | **Fortführung des Umbaues des Weibergebäudes.** |
| | | 425 | — | 652 | . . . | für etc. |
| | | | | etc. | | | etc. |
| | | 11522 | 86 | . | 381 | 35 | . | Seite 1. |

**3\***

# Probe aus einer Unterhaltungsrechnung.

| Lau-fende Nr. | Zu vergleichen | | | Einzel-betrag. | | Gesammt-betrag. | | Einkünfte. |
|---|---|---|---|---|---|---|---|---|
| | Anst.-Cassen-Rech-nung Seite. | Natu-ral-Rech-nung Blatt. | Bau-rech-nung Seite. | M. | Pf. | M. | Pf. | |
| | | | | | | | | **A. Einkünfte.** |
| | | | | | | | | 1. Verpflegbei-träge. |
| | | | | | | | | a. auf das Rechnungs-jahr. |
| 1 | 5 | . | . | 648 | 25 | 648 | 25 | für männl. Gefangene. |
| | | | | | | | | b. Nachzahlungen auf frühere Jahre. |
| 2 | 6 | . | . | 75 | – | 75 | — | für männl. Gefangene. |
| | | | | | | 723 | 25 | zus. 1. Verpflegbeiträge. |
| | | | | | | | | 2. Erbanfall. |
| | | | | | | | | 3. Lohnarbeit. |
| | | | | | | | | I. Arbeiten in Entre-prise. |
| 1 | 50 | . | . | 7157 | 4 | . | . | Baumwollenweberei für A. in B. |
| 2 | 51 | . | . | 3454 | 22 | . | . | Brückenwaagenfabri-kation für N. in N. |
| | | | | etc. | | | | etc. |
| | | | | | | 166251 | 16 | zus. unter I. für Entre-prisenarbeit. |
| | | | | | | | | II. für verschiedene andere Arbeiten. |
| 19 | 73 | . | . | 13777 | 88 | . | . | baarer Lohn } bei aus-würtiger |
| 20 | " | . | . | 200 | 53 | . | . | Werth der Kost } Handarb. |
| 21 | 74 | . | . | 1 | 75 | . | . | für Böttcherarbeit. |
| | | | | etc. | | | | etc. |
| 41 | . | 314 | . | 39 | 76 | . | . | } Mehrerlös für ver-kaufte, in der Anstalt angefertigte Gegenst. |
| 42 | . | 315 | . | 3 | 27 | . | . | |
| | | | | | | 18262 | 76 | zus. unter II. für Ar-beiten ausser Entre-prise. |
| | | | | | | 184513 | 92 | zus. 3. Lohnarbeit. etc. etc. |

| Laufende Nr. | zu vergleichen Anstaltscassen-Rechnung Seite | Natural-Rechnung Blt. | Bau-Rechnung Seite | Einzelbetrag. M. | Pf. | Gesammtbetrag. M. | Pf. | Aufwand. |
|---|---|---|---|---|---|---|---|---|
| | | etc. | | | | | | **B. Aufwand.** <br> *a. Allgemeine Kosten.* <br> etc. <br> 19. Infolge der Lohn-arbeit. <br> I. Bei der Entreprisen-arbeit. |
| 1 | 200 | . | . | 830 | 21 | . | . | bei der Baumwol-enweberei ⎫ Arbeitser- |
| 2 | 201 | . | . | 456 | 34 | . | . | bei der Brücken-waagenfabrikation ⎭ werb der Gefangenen. |
| | | etc. | | | | | | etc. |
| | | | | | | 12005 | 75 | zus. unter I. bei der En-treprisenarbeit. <br> II. Bei den andern Ar-beiten. |
| 19 | 305 | . | . | 1110 | 20 | . | . | bei der auswärti-gen Handarbeit ⎫ Arbeitser- |
| 21 | 306 | . | . | — | 15 | . | . | bei der Böttcher-arbeit. ⎭ werb der Gefangenen. |
| | | etc. | | | | | | etc. |
| 35 | . | 311 | . | 150 | — | . | . | Seife |
| | | | | | | 1566 | 33 | zus. unter II. bei den Ar-beiten ausser Entreprise. |
| | | | | | | 13572 | 08 | zus. 19. Infolge der Lohn-arbeit. <br> etc. etc. <br> *b. Besondere Kosten.* <br> etc. etc. <br> 25. Bekleidung. |
| | etc. | | | | | | | |

| Lau-fende Nr. | zu vergleichen | | | Einzel-betrag. | | Gesammt-betrag. | | Aufwand. |
|---|---|---|---|---|---|---|---|---|
| | Anstalts-cassen-Rechnung Seite | Na-tural-Rechnung Blt. | Bau-Rech-nung Seite | M. | Pf. | M. | Pf. | |
| 1 | 265 | . | . | 1302 | 91 | . | . | Arbeitsgratificationen für Gefangene, |
| 2 | . | 100 | . | 77 | 36 | . | . | Band, |
| 3 | . | 105 | . | 142 | 31 | . | . | Strumpfzwirn, |
| 4 | . | 106 | . | 385 | 05 | . | . | Strickgarn, |
| 5 | . | 108 | . | 2 | 60 | . | . | Zwillich, |
| 6 | . | 302 | . | — | 62 | . | . | Talg. |
| | | | | etc. | | | | etc. |
| | | | | | | 8830 | 87 | zus. Davon ab: |
| 15 | 21 | . | . | . | . | — | 15 | Ersatz für Reparatur eines Handtuchs, bleiben: |
| | | | | | | 8830 | 72 | für die Instandhaltung, |
| 16 | 318 | Beleg | . | 4850 | — | . | . | Kaufpreis, |
| 17 | . | 30 | . | 4643 | 27 | . | . | Selbstkosten, |
| | | | | | | 9493 | 27 | für neue Bekleidungsgegenstände. |
| | | | | | | 18323 | 99 | zus. 25. Bekleidung. |
| | | | | etc. | | | | etc. |
| | | | | | | | | *c. 30. Aussergewöhnliche Kosten.* |
| 1 | 150 | . | . | 3127 | 50 | . | . | Kaufgeld, Kosten und Abgaben für Erwerbung des Hausgrundstücks Cat. Nr. . . . etc. zufolge Verordnung vom . . . . . Nr. . . . IV. A. |
| 2 | . | . | 91 | 425 | 37 | . | . | für bauliche Einrichtung dieses Hauses. |
| | | | | | | 3552 | 87 | zus. an aussergewöhnlichen Kosten. Dazu |
| | | | | | | 134897 | 10 | besondere Kosten, und |
| | | | | | | 174311 | 23 | allgemeine Kosten. |
| | | | | | | 312761 | 20 | Kosten zus. Davon ab: |
| | | | | | | 192705 | 23 | Einkünfte, bleiben |
| | | | | | | 120055 | 97 | wirklicher Unterhaltungsaufwand, wie sich auch aus folgender Vergleichung ergiebt: |

| Lau-fende Nr. | Betriebsvermögen der Anstalt. | | | | Nähere Bezeichnung. |
|---|---|---|---|---|---|
| | Anfang 1876. | | Ende 1876. | | |
| | M. | Pf. | M. | Pf. | |
| 1a | 9901 | 10 | 718 | 13 | baar |
| b | — | — | — | — | in Documenten } Cassenbestand, |
| | 9901 | 10 | 718 | 13 | zusammen. |
| 2 | 8473 | 15 | 15610 | 15 | rückständige Einnahmen, |
| 3 | 8000 | — | 8600 | — | Vorschüsse und dergl., |
| 4 | 28387 | — | 29852 | — | Geldwerth der Naturalvorräthe. |
| 5 | 54761 | 25 | 54780 | 28 | zusammen Activen. Davon ab: |
| 6 | 225 | — | 300 | — | Passiven, |
| 7 | 54536 | 25 | 54480 | 28 | wirkliches Vermögen. |
| 8 | 120000 | — | . | . | Zuschuss aus ordentlichen Etatmitteln. |
| 9 | 174536 | 25 | . | . | zur Disposition. Davon ab |
| 10 | 54480 | 28 | . | . | Vermögen am Jahresschlusse, sonach |
| 11 | 120055 | 97 | . | . | Unterhaltungsaufwand w. o. |
| | | | Hierüber | | |
| 12 | 78400 | — | 79750 | — | Taxwerth des Anstaltsinventars, Seite . . . der Inventarrechnung. |

Beilage VII.

**Schema für das Rechnungswesen der preussischen, dem Ministerium des Innern unterstellten Strafanstalten.**

### A. Einnahmen.

| | Thlr. | Sgr. | Pf. |
|---|---|---|---|
| Titel I. Arbeitsverdienst der Gefangenen | — | — | — |
| „ II. Aus der Feld- und Garten-Nutzung | — | — | — |
| „ III. Verpflegungskosten vermögender Gefangenen . . . . . | — | — | — |
| Titel IV. An zufälligen Einnahmen und zwar: Position 1. Aus dem Verkauf des Lagerstrohs, Urins u. s. w. . | — | — | — |

| | Thlr. | Sgr. | Pf. |
|---|---|---|---|

Position 2. Aus dem Verkauf oder der Verpachtung der Küchenabgänge . . . — — —

„ 3. An zufälligen Einnahmen und zur Abrundung . — — —

## B. Ausgaben.

Titel I. Sächliche Ausgaben: A. Büreaukosten, nämlich:

Posit. 1. Schreibmaterialien für die Anstalt und Militärwache . — — —

„ 2. Buchdrucker- u. Buchbinder-Kosten . . . — — —

„ 3. Schriften, Bücher u. Zeitungen — — —

„ 4. Porto, Inserationen u. öffentliche Aufrufe . . . — — —

Titel II. Sächliche Ausgaben: B. Zur Unterhaltung der Oeconomie u. s. w.

Posit. 1. Speise-Kosten . . . — — —

„ 2. Kur-Kosten . . . — — —

„ 3. Bekleidung und Leibwäsche — — —

„ 4. Reinigung aller Locale u. der Gefangenen mit ihrer Wäsche — — —

„ 5. Für Beschaffung und Unterhaltung der Lagerstätten . — — —

„ 6. Für Haus-Utensilien und deren Unterhaltung . . — — —

„ 7. An Heizungskosten . . — — —

„ 8. An Beleuchtungs-Kosten . — — —

Titel III. Zur Unterhaltung der Gebäude

Posit. 1. Kleine Bauten u. Reparaturen — — —

„ 2. Unterhaltung der Thurm-Uhr — — —

„ 3. An Feuer-Schäden-Beiträgen — — —

„ 4. Für Schornstein-Reinigung — — —

Titel IV. Sonstige Ausgaben:

Posit. 1. An Transport- u. Einliefrgskost. — — —

„ 2. An Kultus-Kosten . . — — —

„ 3. An Diäten und Reise-Kosten — — —

„ 4. An Begräbniss-Kosten . — — —

„ 5. Schul-Bedürfnisse und Erbauungs-Bücher . . — — —

„ 6. An zufälligen Ausgaben . — — —

Summa

# Ein Besuch belgischer Gefängnisse 1875.

Von Direktor E k e r t in Bruchsal.

## I. Benennung der Strafanstalten.

Belgien hat 25 staatliche Gefängnisse. Hievon sind 20 seit 25 Jahren nach dem System der Einzelhaft gebaut worden. Dieselben haben rund 3600 Zellen und kosten $13^1/_2$ Millionen Franken. Im Bau begriffen sind ausserdem:

N a m u r mit 130 Zellen, nahezu vollendet, wird 1876 eröffnet;

Y p r e s mit 91 Zellen;

F u r n e s mit 47 Zellen.*)

Projectirt ist ein Gefängniss für Männer mit 600 Zellen in B r ü s s e l, wozu bereits die ersten Mittel bewilligt sind, und mit dessen Bau im Frühjahr 1876 begonnen wird.

Dann bleiben in Belgien zur gänzlichen Durchführung der Einzelhaft nur noch Gefängnisse in Turnhout, Nivelles und Audenarde mit je etwa 75 Zellen zu bauen.

Die reiche Literatur Belgiens über diesen Gegenstand gibt uns die Geschichte der Entstehung.**)

Von den 25 belgischen Gefängnissen, die in der Anlage verzeichnet sind, habe ich 14, darunter 12 Zellengefängnisse, sodann das noch nicht eröffnete Zellengefängniss Namur besichtigt.

---

*) Dieselben sind jetzt vollendet.

**) Man vergleiche namentlich die Werke von Ducpétiaux und Stevens, vorzugsweise:

Mémoire à l'appui du projet de loi sur les prisons, Bruxelles 1845.

Ducpétiaux: des conditons d'application du système de l'emprisonnement séparé ou cellulaire, Bruxelles 1857.

Architecture des prisons cellulaires, Bruxelles 1863.

Stevens: de la construction des prisons cellulaires, Bruxelles 1874, sowie die Gesetzentwürfe, Motive und Kammerverhandlungen.

Der Zeitfolge nach besuchte ich Arel (21 der Anlage),
Brüssel, Männergefängniss (3), Brüssel, Weibergefängniss (6),
Löwen, Pénitencier (16), Löwen M. d'arrêt (20), Mecheln (24),
Antwerpen (14), Gent, Zuchthaus (1), Gent, M. de sûreté
(17), Brügge (9), Courtrai (13), Turnai (22), Bergen (18),
Lüttich (8).

Das frühere grosse Zuchthaus in Vilvorde dient jetzt
als Militärgefängniss (Maison de correction.)

## II, Geschichtliches, Organisation und Statistisches.

Der erste Versuch der Anwendung der Trennungshaft
in Belgien wurde bekanntlich schon 1835 im Zuchthause zu
Gent gemacht, wo man eine Abtheilung von 32 Zellen er-
richtete.

Die Einzelhaft wurde hier aber vorzugsweise nur zu
disciplinären Zwecken ausnahmsweise angewendet. Sonst, d.
h. in den eigentlichen Zellengefängnissen wird die Trennungshaft ganz strenge durchgeführt, beim Strafvollzug individuali-
sirt und den geistigen und sittlichen Interessen thunlichst
Rücksicht getragen.

In den Gefängnissen 2. Rangs (M. de sûreté et d'arrêt)
wird die strenge Einzelhaft bei Untersuchungs- und Strafgefangenen (beiderlei Geschlechts), die bis zu einem Jahr verurtheilt sind, vollzogen, je nach Umständen aber auch an
einer Anzahl von Gefangenen, die auf längere Zeit verurtheilt sind.

Die Dienstweisungen für die M. de sûreté wurden am
12. August 1856, die für die M. d'arret am 28. Dezember
1858 erlassen.

Für das pénitencier von Löwen existirt eine eigene
Dienstweisung vom 16. Dezember 1859. Auch für die übrigen Gefängnisse sind besondere Dienstweisungen erlassen.
Alle sollen indess einer Revision unterzogen werden und in
neuer Redaction erscheinen.

Ein Gesetz vom 4. März 1870 bestimmt, dass die zu
Zuchthaus, Gefängniss, Einschliessung und Haft (travaux
forcés, detention, reclusion und emprisonnement) Verurtheil-

ten soweit thunlich der Einzelhaft unterworfen und in diesem
Fall an der Strafe abgerechnet werden:

Für das 1. Jahr $^3/_{12}$

,, ,, 2. 3. 4. und 5. Jahr $^4/_{12}$

,, ,, 6. 7. 8. ,, 9. ,, $^5/_{12}$

,, ,, 10. 11. ,, 12. ,, $^6/_{12}$

,, ,, 13. und 14. Jahr $^7/_{12}$

,, ,, 15. ,, 16. ,, $^8/_{12}$

,, ,, 17. 18. 19. und 20. Jahr $^9/_{12}$.

Lebenslänglich Verurtheilte werden nur in den ersten
10 Jahren der Einzelhaft unterworfen. —

Hiernach reducirt sich die Strafe eines zu 20 Jahren
verurtheilten

für das erste Jahr auf . . . . 9 Monate,

,, ,, 2. 3. 4. und 5. Jahr auf 32 ,,

,, ,, 6. bis 9. Jahr auf . . 28 ,,

,, ,, 10. ,, 12. ,, ,, . . 18 ,,

,, ,, 13. ,, 14. ,, ,, . . 10 ,,

,, ,, 15. ,, 16. ,, ,, . . 8 ,,

,, ,, 17. ,, 20. ,, ,, . . 12 ,,

Der zu 20 Jahren Verurtheilte
ersteht also seine Strafe in . . . . . 117 Monaten
oder in 9 Jahr und 9 Monaten.

In den Gefängnissen 2. Ranges werden selbstverständlich nur die längerzeitig Verurtheilten dem eigentlichen peni-
tentiären Regime unterworfen (Schule etc. etc.). Bei den
Kurzzeitigen soll die Strafe durch Abschreckung wirken.

Rückfällige werden nicht strenger behandelt. Untersuchungsgefangene, auch Schuld- und Kostengefangene (die
wegen Nichtzahlung ihrer Gerichtskosten Haft erstehen müssen) haben gemäss Art. 29 des Gesetzes vom 21. März 1859
ihre eigenen Stationen und besondere Reglements. Diejenigen,
welche den auf 50 Ct. per Tag festgesetzten Verpflegungs-
beitrag zahlen, erhalten bessere Zellen. Freilich ist, wie
überall, die Trennung nach Quartieren nur bei den Männern
möglich gewesen. Die wenigen Weiber haben nur ein einziges Quartier.

Der grösste Theil der Gefangenen wird auf der Schusterei,

Schneiderei und Weberei beschäftigt. Lehrzeit hiefür 12 und
resp. 3 und 6 Monate. Ausserdem wird auch Schreinerei,
besonders in Louvain, Dreherei, Buchbinderei, Cartonagear-
beit, Selbendflechten, Schlosserei betrieben und allerlei Hausarbeiten. Die Eintheilung zu den Gewerben erfolgt nach
gleichen Grundsätzen wie in Bruchsal. Der Arbeitsbetrieb
geschieht, die Arbeiten für's Haus und andere Anstalten ausgenommen, für die Armee oder auf Rechnung von Unternehmern.

Der Gesundheitszustand in den von mir besuchten Zellengefängnissen ist ein ganz ausgezeichneter, die Kranken-
stationen waren fast überall leer; doch ist zu bedenken, dass
die Alten, Gebrechlichen, zur Einzelhaft Untauglichen nach
dem Zuchthaus in Gent geschafft werden.

In diesem Hause ist dann der Procentsatz der Kranken
selbstverständlich bedeutend; die Todesfälle werden in den
Gemeinschaftsanstalten auf 2—3 Procent angegeben, wogegen
in den Zellen nur 1—2 Procent gezählt werden.

Seelenstörungen in den Zellengefängnissen 0,63, in den
Gemeinschaftsanstalten 0,61 Procent.

Die Gefangenzahl hat sich seit 1856 auf die Hälfte reducirt. Die Reduction der Strafe durch Einzelhaft muss freilich hiebei in's Auge gefasst werden.

Die Strafgesetzgebung und eigentliche Organisation darf
ich als bekannt voraussetzen; die existirenden Dienstweisungen enthalten in letzterer Beziehung Alles so umfassend,
vollständig und fein geordnet, dass dem nur der Zustand
der neuen Gefängnisse selbst gleich kommt.

Wie bereits oben bemerkt, sollen indess die Dienstord-
nungen einer Revision unterzogen werden. Eine wesentliche
Aenderung werden sie dabei kaum erleiden.

An Literatur resp. Druckschriften ist hierher zu notiren:
Réglement concernant le personel des fonctionaires et em-
    ployés des prisons. Bruxelles 1857. Hiezu arrêté royal
    v. 13. August 1875.
Réglement de la maison pénitentiaire cellulaire de Louvain.
    Bruxelles 1860.
Réglements particuliers de Louvain. Bruxelles 1868.

Réglement de la maison de sûreté à Anvers: Bruxelles 1857.

Réglements particuliers d'Anvers: Bruxelles 1858.

Réglement de la maison de force à Gand. Bruxelles 1850.

Réglement de la maison pénitentiaire des femmes à Namur.
Bruxelles 1849.

Réglement de la maison pénitentiaire des jeunes delinquants
à St. Hubert. Bruxelles 1847.

Notice sur l'application de l'emprisonnement cellulaire de Belgique (Rapport der Commission für den Londoner internationalen Congress) Bruxelles 1872.

Die Rapporte des Administrators der öffentlichen Sicherheit und der Gefängnisse an den Justizminister.

Durch die Revision der Reglements dürften insbesondere die Aufsichtscommissionen mit ihren vom König ernannten Mitgliedern an ihren Rechten, resp. Pflichten nichts einbüssen; sie werden fortfahren, den gesammten Dienst zu controliren, — zu überwachen. Bekanntlich muss nicht nur der Vicepräsident die Anstalt mehrmals jährlich visitiren, sondern eine Abtheilung von 3 Mitgliedern, die monatlich wechselt, hat mindestens einmal wöchentlich alle Zweige des Dienstes zu visitiren, Zellenbesuche zu machen, etwaige Beschwerden entgegen zu nehmen etc. Strafbefugnisse hat aber auch da der Aufsichtsrath nicht, auch keine besondere Cognition bezüglich der Bediensteten. Dagegen nimmt er die Jahresberichte der Beamten in Empfang und legt sie vor.

Jedes Gefängniss hat einen eigenen Direktor nebst dem nöthigen übrigen Personal.

Die Gehaltsverhältnisse der Beamten sind durch das erwähnte königl. Decret vom 13. August 1875 neu geregelt. Hiernach beziehen:

1 Directoren:

|   |   |   |
|---|---|---|
| a. der Centralanstalten | . . | 4000—6000 Frs. |
| b. der m. de sûreté in Brüssel | . | 3200—4000 „ |
| c. der andern Gefängnisse | . | 2200—3100 „ |
| 2. Directeurs adjoints | . . . | 3400—3800 „ |
| 3. Geistliche der Zellengefängnisse | . | 700—2600 „ |
| 4. Aerzte | . . . . . | 500—2600 „ |
| 5. Lehrer | . . . . . | 350—2600 „ |

6. Oberaufseher  .  .  .  .  1800—2200 Frs.
7. Aufseher  .  .  .  .  .  1100—1450  „

Eigene Geistliche functioniren an allen Zellengefängnissen, an den Grösseren mehrere, im pénitencier zu Löwen
3. (Die Bevölkerung ist fast ungemischt katholisch).

Sämmtliche Weiberabtheilungen sind von Schwestern,
die unter dem Director stehen, besorgt.

## III. Bauten, Einrichtung.

Die Zellengefängnisse sind fast durchweg sehr schön,
fast zu luxuriös, meist in gothischem, resp. englisch-gothi-
schem Styl, und von Backstein, Gewänder, Ecksteine, mitunter auch ganze Façaden von Sandstein (weiss) oder von
Blaustein ausgeführt. (Blaustein ist ein, mit Quarzadern
durchzogener, sehr harter Kalkstein, der in Belgien viel vorkommt). Die Wohnungen der Bediensteten befinden sich regelmässig am Eingang, mit der Ringmauer fast in einer
Flucht und der da befindlichen schönen Façade ist mitunter
die Zweckmässigkeit der Wohnung geopfert worden. Verschiedene Anstalten haben indess mehrere Thore. Die Umfassungsmauern sind sehr hoch (Normalhöhe 6 Meter = 20
Fuss bad.); sie umschliessen in der Regel einen innen ziemlich stark verbauten Raum. Die Gesammtanlage, bezüglich
deren man schliesslich zu einer Art Normalgestalt gekommen
ist, ist nur zu winklicht, das Ganze zu eng und für den Zutritt der Luft nicht offen genug.

Alle neuen Gefängnisse sind mit rechtwinklicht gestellten Flügeln und 3stöckig erbaut.

Innen und aussen sind die Gefängnisse a l l e mit einer
beispiellosen Propretät gehalten, es fehlt an keinem Zoll der
saubere Anstrich oder die blanke Herrichtung.

In den D a c h c o n s t r u c t i o n e n findet man eine grosse
Mannigfaltigkeit. Neuerlich ist man dahin gekommen, die
Dächer alle mit Schiefer zu decken, die in Belgien leicht zu
haben sind, und legt diese Schiefer auf Eisensparren mit
Messingdrahtgeflecht. Der Preis dieser Dächer stellt sich auf
16 Frs. 50 Cent. für den ☐Meter, während Zinkbedachung
auf 20 Fr. komme.

Die Sprechzimmer für Besuche haben noch immer und allenthalben die bekannte, belgische Einrichtung (Normalmaasse 3 M. hoch, 1,50 M. tief und 1,35 M. breit.) Obschon anscheinend für Platz in den Gefängnissen genügend gesorgt ist, und zur Zeit meines Besuches viele Gefangenenräume leer standen, haben doch die neueren Gefängnisse ausser den Zellen noch „Locaux de désencombrement", d. h. Säle und Alcoven, Schlafzellen, ähnlich wie in Plötzensee, meist aus Eisen construirt, für den Fall der Ueberfüllung, um davon für ganz kurzzeitige Gefangene Gebrauch machen zu können.

Für Gefangene, die zum Tod verurtheilt sind, hat man ganz besonders feste Zellen, die an den Wänden, theilweise sogar an den Decken mit Bohlen beschlagen sind. Indess wurde bekanntlich seit der belgischen Unabhängigkeitserklärung kein Todesurtheil mehr bestätigt.

Die Arrestzellen sind dunkel, wenn auch gewöhnlich nicht vollkommen finster; sie bestehen aus einem Raum etwa von der Grösse einer Zelle, der aber quer in der Mitte durch eine starke Bohlenwand mit Thüre unterschlagen ist, so dass sich ein Vorplatz vor dem eigentlichen Arrest befindet, und Letzterer ausser der Lagerstätte nur wenig Raum bietet. Es ist dies eine gute Einrichtung für strengen Arrest.

An den gewöhnlichen Zellen sind die Thüren meist so beschaffen, dass die Schlösser in die Thüren eingelassen sind. Der Schlüssel zum Zellenschloss öffnet auch die Klappe, d. h. Letztere hat ein Schloss für diesen Schlüssel passend. Die Klappen sind regelmässig weiter unten, als bei uns. Es hat mir dies zwar zugesagt, weil auf diese Art das Austheilen der Speisen leichter geht und überhaupt Alles leichter durch die Oeffnung hineingebracht werden kann. Immerhin scheint mir die Einrichtung nicht unbedingt nachahmungswerth, weil man dabei den Gefangenen, sein Gesicht und seine Geberden beim Oeffnen der Klappe nicht so gut vor sich hat, als bei höher liegender Klappe. Die Beobachtungsöffnungen sind fast durchweg nach unserem älteren (2ten) Muster. Die Thürengewänder haben vielfach für den Anschlag der Thüre einen Vorsprung. Dies lässt sich indess wohl nur bei dem belgischen harten Blaustein durchführen. Die Zellenthüren sind innen mit Eisenblech beschlagen (4 Millim. dick) und das Blech ringsum mit eisernen Rahmen befestigt. Die Zellenboden sind gewöhnlich aus Backstein, mit Oelfarbe angestrichen.

Schon Ducpetiaux hat in seinem Werke „Des conditions etc. etc. 1857" S. 17 das Stauben der Backsteine hervorgehoben und statt der Letzteren Asphaltbeleg oder Holzboden vorgeschlagen.

Stevens in seinem neuesten Werke verlangt, dass desshalb die Backsteine gefirnisst sind. Bei dem niederen Personalstand in den belgischen Gefängnissen und dem meist einfachen Gewerbsbetrieb lässt sich dies durchführen. Im Uebrigen zieht auch Stevens (S. 15) Cement, Asphalt oder härter gebrannten Stein (Mettlacher!) vor. Von der Haltbarkeit des Asphaltbelegs habe ich gerade nicht den besten Begriff bekommen.

Abtrittsvorrichtungen hat man in den Zellen auch gar mancherlei; die zum Drehen werden ferner nicht mehr angebracht.*)

Zellenfenster bieten nichts Nachahmungswerthes. Normalhöhe 0,70 M., Breite 1,10 M., Thüre 1,95 hoch, 0,75 breit. Beobachtungsöffnungen 1,55 über dem Boden.

Die in den Zellen verwendeten Tischbettladen sind gegen die früher üblich gewesenen Hängematten ein grosser Fortschritt. Sie sind auch entsprechender, als die deutschen Muster. Unsern Verhältnissen werden sie trotzdem nicht entsprechen, weil für den Gewerbsbetrieb das Aufklappen der Bettstätten und des Tisches mehr Platz gibt und für die meisten Gewerbe dieser Tisch nicht taugt. Die Tischbettlade ist genau beschrieben und mit Zeichnungen illustrirt in einer kleinen Broschüre von Stevens: „Notice sur une couchette-table en fer, Louvain, Valinthout frères 1871."

---

*) Es unterliegt keinem Zweifel, dass Ausbrüche des Wassers in den Leitungsröhren der belgischen Anstalten zu der Anbringung der Abtritte in den Spazierhöfen den Anlass gaben. Diese Ausbrüche und das dadurch verursachte Eindringen des Wassers in die Mauern machte schwierige und kostspielige Herstellungen nöthig. Man schreibt es aber der schlechten Beschaffenheit der betr. Röhren zu.

Die **Kirchen**, übereinstimmend mit dem übrigen Bau
meist gothischen Styls, liegen fast alle im Centrum; gewöhnlich bildet eine Stalls-Abtheilung auch die Schule.
Die Stalls sind vielfach sehr eng, mit schmalen Sitzen und
hoher Vorderseite, so dass der Gefangene dort nur den
Kopf zeigt.

Die **Küchen** haben alle gewöhnliche Heizung. Dabei
befinden sich meistens Zellen für die Hilfsarbeiter; die Deckel
der Kochkessel sind regelmässig mit Kettenzügen aufzuheben.

Die **Kost** ist im Allgemeinen gut. Morgens wird jeden
Tag Kaffee, d. h. Absud von Cichorie gereicht; im Uebrigen
habe ich das Reglement nicht speciell hieher notirt, weil in
Belgien die Landessitte, nach welcher sich die Kost richten
muss, eine andere ist, und desshalb für uns die belgische
Art kaum ein Interesse hat. In den Specialreglements ist
indess das Nähere hierüber zu finden.

In den belgischen Gefängnissen sind noch die **Brief-
kasten** zum Ablegen von schriftlichen Beschwerden von
Gefangenen und das Gebot, leise zu sprechen, zu treffen.
An den Wänden der Corridore steht angeschrieben:

„On est prié, de parler avec la voie basse."

Was die Spazierhöfe anlangt, in welche die Gefangenen täglich 1 Stunde lang einmal geführt werden, so ist
deren Einrichtung sehr verschieden; meistens sind die Einzel-
Abtheilungen mit vielen Schling-, Häng- und andern Pflanzen geziert, was sie recht freundlich macht. Die Gefangenen
haben Erlaubniss, dort ihre Pfeife zu rauchen.

Aus dem Besichtigen dieser Höfe habe ich die Ueberzeugung gewonnen, dass folgende Beschaffenheit eines Spa-
zierhofes die beste ist:

Die Form der Anlage bildet nicht einen ganzen, sondern nur den Theil eines Kreises, wenig mehr als die Hälfte.
Der Aufseher befindet sich in einem geschlossenen Raum in
der Mitte zu ebener Erde. In der Mauer dieses Raumes ist
für jeden Hof ein Schlitz etwa 1 M. hoch und 20 Cm. breit,
und durch ein Fenster derart geschlossen, dass der Gefangene
nicht hinein, der Aufseher aber gut hinaussehen kann. Ausserhalb des Beobachtungsraumes um denselben herum zieht

sich der bedeckte Gang für die Zugänge zu den Einzelhöfen hin. Hier wäre es nun am besten, wenn die Thüren zu den Einzelhöfen nur aus Eisengittern bestünden. Solche müssten nicht ganz am Ende, sondern zur Verhütung von Communicationen ein wenig weiter eingerückt sein. Sofern es aber wegen des Luftzugs bedenklich erscheint, diese Einrichtung zu treffen, wären die Einzelhöfe mit geschlossenen, aber möglichst durchsichtigen Thüren zu versehen. Im Uebrigen wären die Schutzdächer ähnlich wie in Bruchsal herzustellen, vielleicht aus Glas; die belgische Art, solche am breiten Theil des Spazierhofs anzubringen, scheint mir zu viel Licht und Luft zu nehmen. Für die Abtritte in den Spazierhöfen kann ich mich auch nicht begeistern. Die Staketen an den Spazierhöfen brauchen keinenfalls über Brusthöhe zu gehen. Normalmaasse der Spazierhöfe in Belgien: 13—15 M. lang, 5,50 M. äussere Breite, Mauerhöhe 2,45 M.

Aufmerksam machen möchte ich noch bezüglich der Gesammtanlage der Gefängnisse auf etwas, was in dem Normalplan und bei vielen Gefängnissen, namentlich auch bei dem pénitencier in Löwen vorkommt; es ist dies der Umstand, dass sich die Corridore nach dem Centrum zu verengen, wodurch zwischen den Flügeln im Centrum Platz gewonnen und die Uebersicht von dem Centralobservatorium aus trotzdem nicht beeinträchtigt wird. Freilich ist dies bei Gefängnissen, die man mit ganz offenen Centralhallen errichtet, nicht nachahmungswerth, weil dadurch die Uebersicht von den verschiedenen Standpunkten aus, die gerade nicht vollkommen im Centrum liegen, benachtheiligt ist

Bezüglich der Einrichtung von Küchen, Bäckereien, Wasch- und Badeanstalten muss ich auf die Spezialberichte verweisen.

Im allgemeinen Theil muss ich nur noch die Heizungs-Ventilations- und Wasserleitungseinrichtungen berühren.

Ueber Heizung und Ventilation ist zu bemerken:

Anfänglich wendete man bei den belgischen Gefängnissen das s. g. englische Heizsystem, das System von Pentonville an, d. h man leitete Röhren mit heissem Wasser bis zum Parterre und von da sollte dann die erwärmte Luft durch Canäle in den Mauern in die Zellen aufsteigen. Dieses System erwies sich als ungenügend und hat fast alle Nachtheile einer Luftheizung — die Wärme vertheilt sich ungleich und ungenügend.

Besser genügte das später angenommene System, wornach man die Röhren mit dem warmen Wasser in die Zellen selbst leitete. Dieses System findet sich in Löwen, Mecheln, Brügge, Antwerpen und Courtrai; ferner in dem noch nicht eröffneten Gefängnisse Namur.

Den Vorzug hat von Seiten aller competenten Personen in Belgien die Art der Heizung, wie sie in Löwen durchgeführt ist. Nur pflegt man in den neueren Gefängnissen die Röhren nicht in den Boden der Zelle, sondern 50 Çentim. über denselben, vorn unter dem Fenster zu legen und einen eisernen Kasten darüber zu machen, welchen man verschliessen und öffnen kann, und dessen Wand gegen die Zelle hin mit Löchern durchbohrt ist. Auf diese Art strömt allerdings die Wärme besser in die Zellen, als wenn die Röhre im Boden liegt; allein der Kasten stört im Anblick bedeutend und nimmt viel Raum ein; auch bietet er trotz der abhältigen Decke doch einen Standpunkt für das Fenster. Damit ist ein Gegenstand zum Hüten weiter geschaffen.

Die Heizungs- und Ventilationseinrichtungen im Besondern sind folgende:

Die Caloriferes liegen im Souterrain und bestehen aus cylinderförmigen, aufrecht stehenden Wasserbehältern, in deren Mitte geheizt wird.

Von diesem Wasserkessel steigen oben 2 Röhren senkrecht auf in die Hauptventilationsröhren und führen das heisse Wasser direct in das Specialreservoir, das oben im 3. Stock unter dem Zug-Kamin für jeden Apparat placirt ist.

Von diesem Reservoir führen sodann wieder 3 Röhren senkrecht herunter zu jedem Stockwerk, daselbst in horizontaler Richtung durch die Zellenreihen und dann wieder denselben Weg zurück durch die Zellen, endlich in das Hauptreservoir, den Kessel. Die Röhre mit warmem Wasser passirt also 2 mal die Zelle, auf dem Hin- und auf dem Herweg, und ist so angebracht und verwahrt, wie oben beschrieben

4 *

Die Röhren sind beim Austritt aus dem Spezialreservoir und beim Eintritt in das Hauptreservoir mit Ventilen versehen. Man kann die Zellenreihe auf jeder Seite eines Stockwerks ausschalten. Ebenso, ist es möglich, alle Zellen auszuschalten und die Caloriferes nötbigenfalls auch im Sommer zum Behufe der Ventilation allein in Thätigkeit zu setzen.

Unten an den Röhren sind Hahnen zur Entleerung angebracht.

Im Fenster ist eine Ventilationsöffnung von $^{30}/_{44}$ Cm. Weite angebracht; ausserdem ist eine ähnliche Oeffnung in der Mauer, welche die frische Luft von aussen in den Eisenkasten zu den Heizröhren führt.

Die verdorbene Luft geht in eine ganz oben in der Wand befindliche Oeffnung in einem Canal von $^{22}/_{22}$ Weite, der in der Zellenwand gegen den Corridor angebracht ist. Der Zug geht hier in der entgegengesetzten Richtung von der Heizungsvorrichtung her. Der Ventilationscanal führt oben in den Hauptcanal, der waagerecht auf dem Speicher hinführt, und seinerseits wieder in das senkrechte Kamin mündet, unter dem das oben erwähnte Spezialreservoir angebracht ist, und durch welches auch die Rauchröhre zieht. Die Weite des Hauptventilationscanals muss so gross sein, als die Weite der einzelnen Canäle für die Zellen zusammen beträgt, welche darein münden. Ausser der oben in der Zelle angebrachten Ventilationsöffnung noch eine 2. unten in diesen Canal münden zu lassen, wie dies in manchen belgischen Gefängnissen vorkommt, wird nicht rationell sein. Die Ventilationsöffnungen der Zellen sollen niemals geschlossen sein.

Ueber die Wasserversorgung sagt Stevens in seinem neuesten Werke:

„Das System . für die Vertheilung des Wassers in die Zellen ist im Prinzip vorzüglich, in der Anwendung lässt es aber viel zu wünschen übrig. Löwen und Antwerpen waren bei der Eröffnung nicht genügend mit Wasser versorgt und man musste dort neue Brunnen graben. Die Leitung musste gänzlich umgestaltet werden und hat jetzt noch wesentliche

Mängel. Es sind über die Leitung folgende Regeln aufzustellen:

a. Sie muss für jeden Flügel vollständig getrennt sein;

b. Brunnen und Pumpe müssen aussen unter den Spazierhöfen bei jedem Flügel vorhanden sein;

c. die Wasserbehälter auf den Speichern müssen mit Fall vom Centrum gegen die Spazierhöfe aufgestellt und unter sich durch Communicationsröhren verbunden sein;

d. die Einzelbehälter (für jede Zelle) müssen 15—20 Liter halten;

e. eine Abflussröhre für das überfliessende Wasser muss am letzten Behälter jeder Reihe angebracht werden und nach dem Innern des Gefängnisses führen;

f. die Wassergalerie soll genügend hoch und breit und gegen Frost geschützt sein;

g. Brunnen und Pumpe sollen im Centrum zur Speisung der Caloriferes vorhanden sein. Diese Pumpe soll gleichzeitig im Notbfall auch zur Speisung der Röhren in dem einen oder andern Flügel dienen können."

Es leuchtet ein, dass Stevens ein grösseres Zellengefängniss im Auge hat, wo das Wasser nicht aus einer allgemeinen Leitung, sondern von unten bezogen wird, und wo die Spazierhöfe am Ende der Flügel liegen.

Die Einrichtung zu Hannover wird, ausgenommen die Forderung von besonderen Brunnen und Pumpen für jeden Flügel, den Intentionen von Stevens vollkommen entsprechen; die Einzelreservoirs haben aber dort einen Gehalt von 27 Liter.

## 4. Schlussbemerkung.

In Brüssel besuchte ich auch den Herrn Administrator der öffentlichen Sicherheit und der Gefängnisse, Berden, sowie Herrn Stevens, Generalinspector der Gefängnisse.

Herr Berden bemerkte, dass das System der Heizung in Löwen als das Beste erfunden worden und daher, mit den in meinem Berichte bereits oben bezeichneten Modificationen, bei den Neubauten zur Anwendung gelange. Maschinen mit Dampfkraft hält Herr Berden für die Oeconomie und

Beschäftigung in den Gefängnissen weder für nöthig, noch auch — und dies theilweise wegen der damit verbundenen Gefahr — für zweckmässig. Derselben Ansicht war auch Herr Stevens, sowie das gesammte Personal der Strafanstalten, soweit ich mit denselben verkehrte. Die Ventilation anlangend, bemerkte Herr Berden, sei man noch nirgends zu einem vollkommenen künstlichen System gekommen Ueberall habe man indess die Fenster, soweit thunlich, zum vollständigen Oeffnen eingerichtet und lasse allenthalben auch in den alten Gefängnissen weitere Ventilationsöffnungen anbringen.

Was die Nachttöpfe anlange, so habe man in einigen Anstalten Portativsystem mit Drehvorrichtungen (tabernakelartig, wie die Einrichtung in der Küche der Weiberanstalt Bruchsal) angebracht. Dieselbe sei aber zu theuer, 1 Stück 120 Frs., und zu complicirt, öfterer Reparaturen bedürftig. Insoweit also nicht Schwemmsystem mit Closets zur Anwendung komme, könne man mit Rücksicht auf die Abtritte in den Spazierhöfen selbst Lucken für die Nachttöpfe derart anbringen, dass solche nur von innen in der Zelle zugänglich seien.

Von Herrn Stevens, der leider schon am 2. Tage nach meiner Ankunft in Brüssel eine Dienstreise nach Arlon unternehmen musste, habe ich Weiteres, als was bereits in seinem Werke enthalten ist, nicht vernommen.

## II. Einzelne besuchte Gefängnisse.

### 1. Arlon.

Maison d'arrêt et de justice, 95 Zellen, eröffnet 8. Okt. 1870. Derzeitige Bevölkerung an Männern und Weibern 40.

Das Ganze ist in Kreuzform gebaut, vorn ein Hof, zur Seite desselben Wohnungen, dann Flügel der Verwaltung, Centralhalle, rechts und links Gefängnissflügel, hinten ein Ausbau für Schule. Kirche über dem Verwaltungsbau. Das Ganze macht, zumal innen, den Eindruck grösster Eleganz.

Corridore sind mit Asphalt belegt, an einer Stelle war solcher verdorben, früher einmal von der Sonne aufgeweicht. Die Galerien sind 0,$^{90}$ breit, haben Boden von Schiefer, die eisernen Geländer sind 1,$^{30}$ hoch.

Die **Kirche** ist sehr hübsch, in rein goth. Styl gebaut. Die Stalls darin sind, wie fast überall, kein Muster; eng, mit schlechten Sitzen, vorn meist sehr hoch hinauf geschlossen. Fenster von schön façonirtem Eisen. Altar gothisch von Holz.

**Zellen** sind im Ganzen gut, das Fenster jedoch zu klein. Thüre mit Schloss und Klappe wie im allgemeinen Theil beschrieben; das Schloss hat indess keine schiefe Ebene am Riegel, kann aber doch, und zwar auch innerhalb zugeklappt werden. Diese Construction ist jedenfalls nur bei einem so harten Material, wie Blaustein möglich und bei Sandstein undurchführbar.

Die **Aborte** mit Drehvorrichtung. Wie im allgemeinen Theil bemerkt, haben diese Einrichtungen allerlei Nachtheile; sie sollen auch der Sicherheit und Verhütung der Communication nicht günstig sein.

**Glockenzug** durch die Wand; die Zellen-Nummer springt aussen auf einem Blech vor, erscheint aber gleichzeitig auch noch auf einer Tafel am Ende des Flügels.

Die **Krankenzellen** sind sehr comfortabel, Tisch, Stuhl, Nachttisch, Glasflasche, Trinkglas, Waschgeschirr von Porzellan (Steingut). Sie sind am Ende des einen Flügels so gelegen, dass zwischen Flügel und Krankenhaus ein heller, luftiger Gang durchgeht.

Die **Aufseherzimmer** sind sehr hübsch, geräumig, mit heruntergehenden Fenstern.

Für die **Nachtwache** steht ein gepolsterter Fauteuil zur Verfügung.

Die **Küche** wird von den Männern besorgt; Dampf dabei keiner angewendet.

**Bäckerei** und **Waschanstalt** nicht vorhanden; 2 Badezellen.

Für das Pumpen des **Wassers** befinden sich 2 offene Stalls im Parterre des Corridors. Beide liegen zur Seite der Pumpe, und sind mit Schwungrädern versehen. Gleich bei der Pumpe theilt sich die Leitung in 3 Abtheilungen, für Trinkwasser, für Küche und für Bäder. Jede wird für sich geöffnet oder geschlossen. Eine Glocke zeigt an, wenn die

betreffende Station genügend versorgt ist. Auf dem Dach-
boden die Wassergalerie mit einer Abtheilung für jede Zelle
— es soll der Inhalt 12 Liter sein, scheint aber mehr.
Nöthigenfalls wird für die Reservoirs täglich 2 Mal gepumpt.

Heizung wird durch 3 Caloriferes besorgt, soll aber
trotzdem ungenügend sein; es ist noch das ältere (englische)
System.

Der Director hat in seinem Bürcau einen eisernen Ofen.
Dampf wird in keiner Weise zum Betrieb verwendet.

## 2. Brüssel,
### Männergefängniss.

Die Anstalt ist älter, auburn'sches System, für ca. 300
Gefangene. Es dient für Untersuchungs- und Strafgefangene,
wenn Letztere nicht mehr als 3 Monate haben. Für diese
Strafgefangene und für Militärs sind eigene Abtheilungen
vorhanden. Schlafzellen sind ziemlich gut, meist oben und
vorn mit Drahtgeflecht.

In der Männeranstalt wird auch für die Weiber gekocht,
mit Ausnahme der Krankenkost.

Auch das dabei liegende

## 3. Brüssel,
### Weibergefängniss,

mit 103 Zellen, ist älter, eröffnet 1. Aug 1850. Es hat auch
60 Schlafzellen. Es ist nach Tongres das älteste Zellengefängniss. Es hat 2 Flügel, welche durch die Oecconomiege-
bäude mit einander verbunden sind. Galerie mit Schiefer
belegt. Fenster sind klein.

Die Weiber kochen ihre Krankenkost und waschen für
beide Anstalten.

Die Wasserleitung geht auch hier schon in die Zellen,
und dient auch zum Spülen der Closets; Dampf wird nirgends
angewendet.

Die Heizung geschieht durch heisses Wasser. Die
Röhren laufen über den Thüren der Zellen hin in einem
Canal, der durch ein durchlöchertes Eisen die Wärme abgibt.
Für Ventilation ist durch 2 Oeffnungen gesorgt, die eine in

der Aussenwand, die andere in der Wand gegen den Corridor hin. Beide sind mit durchlöcherten Eisen geschlossen.

Bei der Beschäftigung wird nirgends Dampf angewendet.

Beide Gefängnisse stehen unter einem Director. Die Aufsicht in dem Weibergefängnisse besorgen, wie überall bei den Weibern, Schwestern.

## 4. Louvain,
### Maison d'arrêt,

204 Zellen, eröffnet am 1. Mai 1869, 28 Schlafzellen. Derzeitiger Gefangenstand 163. Es werden hier auch Strafen bis zu 2 Jahren verbüsst (vergl. oben).

Das Gefängniss ist nicht, wie ursprünglich projectirt war, innerhalb der Ringmauer des Pénitencier, sondern in grösseren Dimensionen in der Rue Marie Therese unweit der Eisenbahn erbaut worden.

Einer der kürzeren Flügel ist die Weiberabtheilung.

Der ganze Bau ist im gothischen Styl aufgeführt.

Galerien mit Schieferboden.

Observatorium zu ebener Erde im Centrum.

Kirche, im Centrum vom 2. Stock an mit 4 Abtheilungen Stalls zwischen den Flügeln, heizbar; goth. Fenster, hübscher eichener, goth. Altar mit eisernem Crucifix.

Schule gesondert, recht geräumig, 28 Stalls, die breiter und oben weiter offen sind, als bei den meisten andern Stalls in den belg. Gefängnissen; es gehen hier auch Gänge zwischen den Stalls durch. Die Schule wird von der Centralheizung geheizt.

Zu den Spazierhöfen führen gedeckte Gänge; das Centrum derselben ist oben theilweise mit Glas gedeckt; der Aufseher steht zu ebener Erde. Die Thüren der Einzelhöfe sind geschlossen; die Fenster zur Beobachtung sind mit Stramin überzogen. Schutzdächer quer auf der äussern Seite der Abtheilungen. Die Küche hat gewöhnliche Heizung.

Waschanstalt wie im Pénitencier. Brod wird von Pénitencier bezogen. Zum Baden kupferne Wannen.

Das Wasser wird 2 mal täglich in die Reservoirs gepumpt; für jeden Flügel ist eine Pumpe mit Reservoir unter dem Dach eingerichtet; jede Pumpe hat im Parterre ihre 2 offenen Stalls für die Pumper; für die Controle, dass der Apparat gespeist ist, existirt auch hier ein Glockenzeichen.

Wasserhahn alter Construction in jeder Zelle; Wassergalerie mit Einzelabtheilungen.

Eine eigene Maschine von 3 Pferdekräften liefert das warme Wasser für die Waschanstalt und die Bäder; sie speist auch den Trockenraum. Die Maschine wird von einem Maschinisten und einem Gefangenen bedient. Weitere Funktionen versieht sie nicht.

Heizung, offenes Heisswassersystem, englische Heizung, d. h. die Wasserröhren erwärmen die Luft, welche durch Canäle in die Zellen steigt. Der Director bestätigt das Ungenügende dieser Einrichtung. Unter jedem Flügel ein Calorifer.

Ventilation auch durch eine Oeffnung, die in der Zelle vorn unter dem Fenster im Zickzack durch die Wand geht; die Oeffnung ist aussen mit einem Gitter versehen, innen verschliessbar.

Nachttopf ein Blechhafen in Drehvorrichtung, also Portativsystem.

## 5. Louvain,
### Pénitencier,

634 Zellen, eröffnet am 1. Oktober 1860, für männliche Gefangene von mehr als 1 Jahr Strafzeit, ohne Unterschied der Strafgattung, auch für lebenslängliche. Disposition dieses renomirten Gefängnisses ist aus dem darüber erschienenen Werke zu ersehen.

Die Lage ist recht gut, doch liegt das Erdgeschoss des eigentlichen Gefängnisses etwa 20 Treppen tiefer als das der Verwaltung, was im Interesse des Dienstes zu bedauern ist, und leicht anders sein könnte, wenn man nämlich die Verwaltung auf die andere Seite gelegt hätte. So liegt das Erdgeschoss des Gefängnisses auf demselben Niveau, wie der Keller unter dem Verwaltungsbau, die Bäder und die Waschanstalt.

Der Eingang befindet sich am Boulevard de Jodoigne. Beim Entree sind zwei Thürme, rechts und links Wohnungen für Director und Unterdirector; dann folgt ein viereckiger

Hof, rechts und links davon Victualienkeller, darüber Verwaltung, auch ein anstossender Querbau. Hierauf kommt der dreieckige Hof, zu dessen Seite Bäder und Aufnahmslocalitäten im Souterrain, dann Corridor, dabei Wascherei im Souterrain. Durch den Corridor gelangt man in's eigentliche Gefängniss. Dieses hat 6 Flügel, 2 grosse und 4 kleine; Erstere mit 150, Letztere mit 78 Zellen. Diese Construction macht mehr Stationen und mehr Aufseher nöthig, als wenn 4 grosse Flügel da wären, die dann auch rechtwinklich stehen könnten. 10 Spazierhöfe mit 12 und 7 Einzelabtheilungen, 6 am Ende der Flügel, 4 dazwischen, alle nur Kreisausschnitte. Die Beobachtungslocale der Spazierhöfe am Ende der Flügel sind gleichzeitig Aufseherzimmer. Zu den kleinen Spazierhöfen führen gedeckte Gänge.

Für die Schildwache besteht ein gesonderter Rundgang innerhalb der Ringmauer, derselbe ist gleichzeitig Verbindungsgang zwischen den Spazierhöfen.

In dem sehr hellen Centrum befindet sich zu ebener Erde: Observatorium, oben Kirche, die Stalls in den Zwischenräumen ringsherum, im 2. und 3. Stock 5 Abtheilungen, weiter aussen Küche mit Zubehör, Bäckerei, Schlaf- und Esszimmer der Aufseher.

Jeder Flügel kann vom Centrum durch Gitterthor abgesperrt werden.

Die Corridore sind mit Asphalt geplattet; man sagt, dass derselbe nie geschmolzen sei.

Die Corridore sind oben schön gewölbt, in den grösseren Flügeln 4 Lichtöffnungen, am Ende Freitreppen (für den Dienst des Spazierhofs.) Galerien mit Schieferplatten.

Die Kirche im Centrum hat ihre Stalls, wie oben bemerkt, im II. und III. Stock, darunter ein Centralobservatorium, von dem man nach den Flügeln und nach den Stalls sieht.

Die Kirche ist hübsch und hat eine Orgel. Eine Abtheilung der Kirchenstalls bildet die Schule. Die Unterrichtsstunden werden in 6 Classen ertheilt, davon 3 für vlämisch, 3 für französisch Redende.

Die Zellenthüren sind ausser mit dem gewöhnlichen Schloss noch mit einem besonderen Riegel zum doppelten Verschluss versehen. Sie können von Innen nicht zugeklappt werden.

Die Boden der Zellen sind roth angestrichen. Beleuchtung mit Gas. Wasser in jeder Zelle zum Waschen. Die Abortsitze schliessen durch einen Deckel, der in einer mit Wasser gefüllten Rinne aufliegt. Abholung von innen.

In den Krankenzellen derselbe Comfort, wie in den andern Anstalten, eiserne Bettstatten etc.

Ueber die Lage des Krankenhauses will ich den Gewährsmann Stevens, der auch langjähriger Director von Louvain war, sprechen lassen. Er sagt:

„Die Placirung der Krankenanstalt ist sehr schlecht; denn durch die Erbauung von 2 Stockwerken zwischen den Flügeln A. und F. hat man die Hälfte der Zellen dieser Flügel verdunkelt und der Luft beraubt.

Das Krankenhaus hat keinen Garten und um zu demselben zu gelangen, muss man einen engen und schwierigen Gang passiren und zwei Treppen von 20 Stufen steigen. Man begreift die Schwierigkeiten, die dadurch für den Transport der Kranken und Leichen entstehen.

Endlich, welche Schwierigkeit, wenn Einer das Bein gebrochen hat, oder in ähnlicher Weise unbehilflich ist, oder, wenn der Kranke, sich an dem Geländer haltend, 40 Stufen steigen muss, um in den gewöhnlichen Hof (und von da wieder hinauf) zu kommen. — Wenn man aus Furcht vor Ansteckung die kranken von den gesunden Gefangenen so weit als möglich entfernt hat, that man daran gewiss gut; aber ist es nicht eigenthümlich, dass man die Wirkung dieser Ansteckung mehr für die Gefangenen, als für die Angestellten fürchtete, und dass die Krankenanstalt dem Administrations-Gebäude angefügt, d. h. über die Arbeitszimmer des Directors und seines Adjuncten gelegt wurde? Diese beiden Beamten nehmen die Mitte in den Krankheitseinflüssen ein, von denen man klüglich die Gefangenen entfernen zu müssen glaubte. Sie befinden sich genau über dem Dampfkessel und unter den Krankenzellen."

Die **Spazierhöfe** haben am schmalen Theile offene Gitterthüren; Dach wie anderwärts quer am breiten Theil. Die Spazierhöfe sind vielfältig mit Blumen und Pflanzen aller Art geziert. Aborte befinden sich darinnen nicht.

Die **Küche** (im Centrum) hat gewöhnliche Feuerung (Nebenbei: es wird hier wöchentlich einmal Schweinefleisch gereicht.) Die Küche ist etwas klein und hat keine Pertinenzen. Man klagt darüber, dass sich trotz aller Gegenmittel der Dampf mit dem Speisengeruch zu sehr im Haus verbreite.

Die **Wascherei** hat 7 Waschzellen, jede mit 1 kupfernen Kessel zum Kochen der Wasche mit Dampf und mit 1 Waschzuber. Es ist auch ein Hydroextracteur da, der durch einen Gefangenen vermittelst eines Schwungrads getrieben wird. Eine Trockenanstalt mit Coulissen, die durch Dampf erwärmt wird.

Eine Dampfmaschine, die durch 1 Maschinisten und 1 Gefangenen bedient wird, liefert das warme Wasser, resp. die Dämpfe zum Waschen, Trocknen und zum Baden. Weitere Functionen versieht sie nicht.

Auf 100 Gefangene rechnet man einen Wascher. Die Wascher erhalten keine besondern Rationen an Essen; gegentheils die Beschäftigung sei so gesund, dass Scrophulöse dabei gesunden und desshalb gewöhnlich dazu eingetheilt werden.

Die **Bäckerei** (ebenfalls im Centrum) hat einen Backofen mit Boden zum Drehen (System Rolland), eine Teigknetmaschine mit gewundenen, gegen innen spitzen Eisen, die den Teig zerreissen (System Bolland); der Trieb der Letzteren geschieht durch einen Gefangenen mit einem Schwungrad. Da hiebei zwei Uebersetzungen vorhanden sind, geht die Bewegung des Teigkneters sehr langsam. Es fehlt auch hier an Nebenräumen, und sind desshalb Magazine für Mehl, Brod und Kohlen zu weit entfernt. Ebenso dringt von da auch der Backgeruch in's Haus.

**Wasserversorgung** wie im M. d'arrêt. Die Pumpen sind in den Spazierhöfen; 2 Gefangene, durch eine Mauer getrennt, pumpen an einer Pumpe. In den Zellen ist die

Leitung des Wassers mit Blech verkleidet. Man hat nicht immer genügend Wasser.

Die Heizung wird von 9 Caloriferes besorgt, 1 in jedem kleineren, 2 in jedem grösseren Flügel; 1 für die Krankenanstalt, jeder bestehend in einem grossen, aufrecht stehenden Cylinder. Das Detail ist im allgemeinen Theil beschrieben.

Der Canal für die Ventilation ist in der Mauer gegen den Corridor und hat unten und oben in der Zelle eine Oeffnung.

Beschäftigung bekannterdinge fast ausschliesslich für's Militär; Anfertigung von Mänteln, Röcken, Hosen, Mützen, Schuhen. Doch wird auch Schreinerei, Schlosserei, besonders für andere Strafanstalten (zumal neugebaute) betrieben. Die Arbeitslocale der Schlosser im Souterrain sind recht sauber. In einer Zelle fand ich eine Presse für Buchbinder, die durch ein Schwungrad getrieben wird.

Jede Zelle hat ihr eigenes Trousseau mit der Zellennummer. Wie es möglich ist, solches jedem darin befindlichen Gefangenen anzupassen, ist mir unerfindlich; der mich begleitende Directeur adjoint konnte mir in dieser Hinsicht keine befriedigende Auskunft geben. Für uns, zumal bei der bestehenden Ueberfüllung und dem dadurch bedingten öfteren Wechsel der Zellen, wäre eine solche Einrichtung unmöglich.

Die Gefangenen gehen auf Filzsohlen.

Gebäude und Dienst machten auf mich den Eindruck des zu complicirten Der Dienst ist indess sehr exact. Gegen das etwas stark Winklichte des Baues lobe ich mir die prächtige Einfachheit Bruchsals.

Die Gefangenen können bei gutem Betragen 3 mal wöchentlich Bier erhalten und dürfen, wie anderwärts, in den Spazierhöfen rauchen.

Procentzahl der Kranken $0_{,66}$, der in den Jahren 1861 bis 1870 Gestorbenen $1_{,29}$; letztere in Bruchsal $1_{,40}$, was günstig erscheint, weil theilweise alle Categorien da waren, theilweise die Hilfsanstalt mitgezählt ist.

Von denjenigen, die vorher noch in keinem Gemeinschaftsgefängniss waren, zählt man $4_{,66}$ %, von den andern $30_{,36}$ % Rückfällige. Selbstmorde sind selten, wie bei uns.

## 6. Malines.

Maison d'arrêt, 93 Zellen, eröffnet 1874. Gefangene auch bis zu 3 Jahr Strafdauer. Gegenwärtige Bevölkerung 57, darunter 5 Weiber.

1 Director, 1 Commis, 1 Adjutant, 3 Aufseher, 1 Portier, 1 Geistlicher, Letzterer mit 1600 Fr. Gehalt.

Der Gesammtplan ist so ziemlich conform mit dem Normalplan; die kleinen Zwischenflügel enthalten ausser Krankenhaus auch Schuldgefangene. Sprechlocale vorn rechts und links mit den üblichen Einrichtungen.

Observatorium im Centrum unter der Kirche; Corridore mit Asphalt belegt, der aber auch an einem Orte schon verdorben war; Oeffnungen im Parterreboden nach dem Souterrain sind mit Glasplatten bedeckt.

(In einem Gasthof zu Gent fand ich eine sehr dicke Glasplatte, die auch im Boden eingefügt war, zerbrochen, weil etwas Schweres darauf gefallen war. — Dortselbst traf ich auch als Läufer auf den Stiegen das Camptulicon, mit dem man sehr zufrieden war. — (vergl. Blätter für Gefgn.-Kunde, Band I., Heft 2, Seite 10 unten).

Aus dem Zimmer des Directors führen Sprachröhren zum Oberaufseher und in die Weiberabtheilung

B ü r e a u x sind noch nicht vollständig fertig, theilweise aber, wie die Wohnung des Directors, mit sehr eleganten Füllöfen versehen. Elegante Cheminées mit eleganten Oefen spielen überhaupt in den Dienst- und Wohnzimmern der Gefängnisse eine grosse Rolle.

K i r c h e im Centrum; eichener, hübscher Altar, 3 Abtheilungen Stalls, 2 für Männer, 1 für Weiber; Harmonium.

Eine Abtheilung mit 26 Stalls dient auch als S c h u l e.

In den Z e l l e n sind die Fenster $2_{,10}$ M. über dem Boden; Tischbettladen.

Für Bäder-, Wasch- und Trockenanstalt ein eigener Calorifer. Die Rauchröhre des Apparats zieht in Windungen unten durch den Waschtrockenraum. Dieser hat ganz schmale, $0_{,16}$ M. breite Coulissen, die oben der Länge, resp. Tiefe der Coulisse nach, Röhren von etwa 6 Cm. Dicke haben. In diesen Röhren laufen eiserne Stangen von entsprechender Dicke, die bis heraus in den Vorplatz führen. Die Coulissen hängen nun mit den Röhren in diesen Stangen und ist so das Herausziehen äusserst bequem. Es scheint mir das Ganze eine sehr practische Einrichtung.

Jede Waschzelle hat ihre eigene Kesselheizung (diese ähnlich wie die Kochkessel) mit Wasserleitung. Bei der Waschanstalt existirt ein eigener Desinfectionssaal, wo das Weisszeug auf Lattenpritschen gelegt und Dämpfe von Chlorkalk darunter gemacht werden.

In einem besonderen Souterrainlocal steht der eigentliche Desinfectionsapparat. Dies ist ein grosser Kasten von Eisen mit eigener Heizung. Zwei Röhren von Eisen, vorn zu beiden Seiten, führen von dem Feuerungsraum die Hitze ein, die bis auf 80 Grad gebracht wird. Der Kasten hat vorn Thüren und innen mehrere Hacken zum Aufhängen und eine Pritsche zum Legen.

Heizung: Normalsystem. Es sind 3 Caloriferes vorhanden, auf jeden kommen 30 Zellen. Man braucht darin Winters täglich 150 Kilo Steinkohlen.

Der Director lobt die Einrichtung und sagt, dass die Wärme in den Zellen stets auf 13—14 Grad R. gebracht werden könne.

## 7. Anvers.

Maison de sûreté, 314 Zellen, 18 Alkoven, eröffnet am 14. Oktober 1857.

Die Männer bleiben hier bis zu 5 Jahren, längerzeitig Verurtheilte kommen nach Louvain. Weiber bis lebenslänglich. Jährlich gehen ca. 3400 Gefangene durch die Anstalt, darunter ca. 235 Weiber.

Ueber Baulichkeiten ist ein Werk von Dumont vorhanden (Wien Förster 1859). Das Ganze umschliesst ein sehr grosses Areal und dieses sei jetzt, nachdem ringsum gebaut ist, eine Million Francs werth. Die Lage ist insofern nicht gut, als gerade die schlimmsten Elemente der Bevölkerung die umgebenden Stadtviertel bewohnen. — Ueberdies ist die Lage zu tief, so dass die Abzugscanäle tiefer liegen, als die der Stadt. Das Abwasser muss desshalb in eine Cisterne geleitet werden, die im Centrum liegt; von da wird es vermittelst einer Pumpe in einen Canal gehoben, der mit den äusseren Canälen in Verbindung steht. Es leuchtet ein, dass dieses mit den grössten Missständen verbunden ist.

Obwohl das Gefängniss schon 18 Jahre besteht, ist Alles schön und wie neu. Die Corridore sind mit Asphalt belegt. Im Corridor-Centrum steht eine grosse Feuerspritze.

Pistole für Solche, welche die Kosten zahlen, findet sich auch hier.

Kirche im Centrum, 3 Abtheilungen Stalls.

An dem Zellenschloss ist eine geheime Vorrichtung, ein kleiner Knopf, der zurückgeschoben werden muss, wenn das Schloss unter doppeltem Verschluss liegt, sonst öffnet der Schlüssel nicht. Die Klappe in der Zellenthüre hat eine Feder, so dass sie beim Aufschliessen von selbst hervorspringt.

Das Fenster ist ganz zum Oeffnen eingerichtet, mit festgemachtem eisernem Stab zum Oeffnen; allein es sind ausser dem gewöhnlichen Fenstergekrems noch ein Drahtgitter und 3 eiserne Querstäbe angebracht. Die Heizröhren liegen vorn unter dem Fenster im Boden. Der Director sagt zwar, dass er die Wärme auf 12—14 Grad R. bringe. Da er aber die neuere Einrichtung, die Röhren über den Boden zu legen, für besser hält, wird die seinige den Anforderungen nicht vollkommen entsprechen.

Die Beschäftigung ist auch hier nur für das Haus, für die Armee und für Unternehmer. Schusterei, Schneiderei (1 Nähmaschine vom Staat), Zwirn- und Spulmaschinen von Unternehmern; Fabrication von Zöpfen aus einer Art von Schienen (Weiden); Selbendflechterei für Unternehmer; für einen solchen arbeiten auch 7 Maschinen zur Herstellung von Tricot. An derselben sind oben die Spulen auf einer kreisrunden Scheibe, darunter die Webereinrichtung derart, dass der Gefangene nur zu drehen braucht, worauf sodann der Tricot unten an der Scheibe in schlauchförmiger Gestalt fertig herauskommt.

## 8. Gand

### Maison de sûreté.

325 Zellen, 60 Schlafzellen für Männer, desgl. für Weiber, eröffnet am 1. September 1862.

Bau aus Backsteinen. Neben dem Hauptthor gehen noch 2 Thore durch die Ringmauer in die Höfe.

Die Flügel sind oben hoch gewölbt, haben grosse Oberlichter und breite Fenster an der Stirn; Letztere bis zum Parterre herunter.

Dachconstruction von Eisen, aber mit Holz belegt.

Freitreppen in den Flügeln von Eisen, doch existiren auch Treppen von Stein in der Wand am Anfang der Flügel.

Sprachzimmer nach allgemeinem Muster; Souterrain ist dunkel.

Büreaux wie überall sehr hübsch ausgestattet; Cheminées, eiserner Ofen davor, mit sehr eleganter Feuerungseinrichtung.

Die Kirche ist derart im Centrum angebracht, dass der Altar auch von den Flügeln aus sichtbar ist. Die Stalls sind zwischen den Flügeln und sehr klein. Ein Observatorium für Flügel und Stalls unter dem Altar.

Zwischen den Stalls sind hier schmale Durchgänge. Der Zugang zum Altar führt über eine Brücke. Eingang der Gefangenen von jedem Flügel gesondert. Die Kirche ist hübsch im gothischen Style errichtet und hat ein Harmonium; das Ganze ist recht übersichtlich.

Für Männer und Weiber besondere Schulen; von den Räumen, in denen sich die Kirchenstalls befinden, gehen Ventilationsöffnungen durch die Wand in's Freie.

Spazierhöfe nicht im Kreise, sondern gerade nebeneinander. Dies scheint nicht zuzusagen, da man es nur noch in ältern Gefängnissen trifft.

### Gand

### Maison de force.

Auburn'sches System mit einer Zellenabtheilung für eigentliche Einzelhaft von 153 Zellen. Raum für 1200 Gefangene; derzeitige Bevölkerung 200 Männer. Gesammtbaukosten 16,700,000 Fr.

(Vergleiche hierher, besonders über die Geschichte des Hauses: Vischers, Notice sur la construction de la maison de force de Gand, Bruxelles 1872).

Hier gilt, mit Ausnahme im Zellenbau, die Strafe nicht als Einzelhaft; es sind da vorzugsweise die zur Einzelhaft Untauglichen untergebracht.

Was zunächst das Zellenquartier anlangt, so bildet solches ein ungleichseitiges Viereck, von dem 3 Seiten mit Zellen bebaut sind, so dass an den äussern Seiten die Corridore, an den innern die Zellen sind. An der 4. kleinsten Seite sind Kirche, vor derselben Spazierhof. An jeder Ecke des Corridors befindet sich eine eiserne, offen liegende Treppe. Ueberall geripptes Glas.

Die Kirche des Zellengefängnisses hat 152 Stalls, schönen eichenen Altar, Glasgemälde in den Fenstern.

Es sind an verschiedenen Orten Ventilationsöffnungen in der Mauer angebracht. Der Plafond der Kirche ist nieder gewölbt. Die Zellen sind sehr geräumig, haben sehr grosse Fenster, welche ganz geöffnet werden können. Der Glockenzug geht durch die Wand; jede Zelle hat aussen eine eigene kleine Glocke. Tisch und Stuhl frei in der Zelle.

In den Ecken des Zellenbaues sind grössere Zellen für Kranke.

Der Spazierhof hat ungefähr die Beschaffenheit, wie ich sie im allgemeinen Theil geschildert. Die Schlitze bei dem Beobachtungsstandpunkt sind mit dichtem Drahtgeflecht geschlossen und haben ausserdem noch Fenster mit mattem Glas; in Letzterm sind aber runde Stellen, an denen das Glas hell und gut durchsichtig ist.

Jeder der Zellengefangenen (z. Z. 50) kommt täglich 1 Stunde in Hof; alle Höfe (auch die der Gemeinschaftlichen) sind mit vielen Blumen etc. bepflanzt, die Einzelhöfe vorn mit Schlingpflanzen fast geschlossen.

Küche, Bäckerei und Waschanstalt in der älteren Abtheilung.

Für Wasserversorgung der Zellen 2 Pumpen, besondere Wasserreservoirs für jede Zelle von 12 Liter Gehalt.

Heizung durch 2 gemauerte Caloriferes, offenes Heiss-

5*

wassersystem, derart, dass die Röhren im Corridor laufen und die Wärme durch Canäle in die Zellen abgeben. Die Wärme sei im Mittel 13 Grad; Heizöffnung in der Zelle unten, 1 Fuss über dem Boden. Ventilationsröhren in den Zwischenwänden.

Man verbrauche im Ganzen für jeden Calorifer 200 Kilo Kohlen per Tag.

Aborttöpfe von emaillirtem Eisen, Syphons, Deckel schliesst in Wasserrinne. 12 Nähmaschinen und Schreinerei im Betrieb.

Was nun die übrige Anstalt betrifft, so hat sie noch weitere 7 Abtheilungen mit 6 Kirchen; grosse, schöne, luftige, helle, gewölbte Säle und eine Menge Schlafzellen im Souterrain. Die Gefangenen sind nach Gewerben in den Sälen vertheilt und mindestens zu 5 Jahren, grösstentheils aber lebenslänglich verurtheilt. Die Lebenslänglichen sind fast alle in Gemeinschaft. Die Schlafzellen haben keine Fenster; die daran befindlichen Thüren sind aber so beschaffen, dass sie im Sommer nur aus einem Gitter bestehen.

Die Kirche des benützten Flügels dient zugleich als Refectorium und ist dann der Altar abgesperrt. Die Kranken haben jenseits des Altars eine besondere Kirchenabtheilung, in die sie direct von ihrem Spital eingehen.

Obschon eine Dampfmaschine vorhanden und für Kirche und Wäscherei eingerichtet ist, wird solche doch nicht benützt. Die Dämpfe derselben haben eine etwas lange Leitung (100 Meter). Die Küche und Waschküche sind mit gewöhnlicher Heizung eingerichtet. Bei einem mittleren Gefangenenstand von 600 brauchte man für Dampfheizung täglich 600 Kilo Kohlen, bei der gewöhnlichen Heizung 100 K. Eine Mühle ist vorhanden, aber nicht im Betrieb.

Bäckerei, Ofen System Rolland. Teigknetmaschine ohne Spitzen, mit gewundenen breiten Eisentheilen zum Kneten.

Die Säle haben gewöhnliche Ofenheizung. In den (sehr bevölkerten) Krankensälen stehen die Betten sehr weit auseinander und sind durch Vorhänge von einander getrennt —

eine sehr zweckmässige Einrichtung —, wenn man so viel Platz hat.

Auch die grosse Krankenküche hat gewöhnliche Heizung.

Eine Controlluhr von Sacre in Brüssel, zum Ziehen, fest, findet sich, wie in andern Strafanstalten, auch hier.

Die Gefangenen sind in 3 (Conduiten-) Classen getheilt und die Classification in dem Refectorium angeschlagen. Bei der Beschäftigung traf ich u. A. 6 mechanische Webstühle zur Herstellung von Mützentuch. Sonst ist bei der Beschäftigung nichts Bemerkenswerthes.

Der ältere, aber sehr erfahrene und practische Director that 2 Aussprüche, die mir sehr einleuchteten: 1. Dampf ist für die Industrie, nicht für die Strafanstalten und 2. Das Beste ist des Guten Feind.

## 10. Bruges.

Maison de sûreté, 368 Zellen, eröffnet den 27. Januar 1851, mit einem neueren Anbau.

Gefangene auch bis mit 5 Jahren Strafdauer. Gegenwärtiger Gefangenenstand 147, darunter 27 Weiber.

Der Bau im Allgemeinen bietet nichts Besonderes. Der Boden des neuen Anbaues ist mit Schiefer belegt, der des älteren Baues mit Asphalt.

Das Heizsystem war hier ganz besonders deutlich zu sehen, indess nützte dessen Studium nichts; es war offen gelegt, um durch ein verbessertes ersetzt zu werden. Das alte System ist das der Luftcanäle, die ihre Wärme von Warmwasserröhren erhalten. Die Wärme erwies sich aber als zu gering, wesshalb man gerade damit beschäftigt war, mehr und weitere Röhren zu legen und Caloriferes nach dem System Amberger von de la Croix in Gent aufzustellen. Wie sich dies unter den hier vorhandenen Verhältnissen bewährt, muss sich erst zeigen. Das System ist ein offenes Heisswassersystem; der Calorifer ist etwas anders, als beim Normalsystem; er ist offen, ein stehender Cylinder, nieder, von einer Form ähnlich wie ein Bienenstock. Von diesen Caloriferes werden zunächst zwei aufgestellt. Es sind in der ganzen Anstalt 4, davon 1 für die Weiber.

Auch bezüglich der Ventilation wird hier versuchsweise eine Aenderung getroffen; die Einrichtung schliesst
sich dem Normalsystem an.

## 11. Courtrai.

Maison d'arrêt, 105 Zellen, eröffnet den 12. Juli 1856,
gegenwärtiger Gefangenenstand 50, 6 Weiber.

Bei meinem Eintritt in die Strafanstalt wurde ich jeweils
in das Zimmer des Aufsichtsraths geführt. Bereits oben habe
ich erwähnt, dass diese Zimmer alle recht comfortabel, selbst
elegant eingerichtet sind.

In Courtrai hatte ich etwas mehr Zeit beim Verweilen
in diesem Zimmer und habe dabei noch bewundert, wie hier
ein Verzeichniss der Inventarstücke des Zimmers und eine
Menge der detailirten Reglements da an den Wänden aufge-
hängt sind.

Der Director hat eine schöne, sehr geräumige Dienstwohnung von 6 Zimmern, Speisekammer und grosse Küche.

Der Bau, etwas älter, sicht trotzdem gut aus, Alles
prächtig erhalten; die Corridore sind mit Schiefer geplattet,
sehr wenige davon zerbrochen.

Krankenzellen haben Betten mit Blechwandungen;
Heizung ist da keine.

In den Höfen viele Pflanzen.

Die Spazierhöfe haben keine Abtritte; der Standpunkt
des Aufsehers in der Mitte der Einzelhöfe, zu ebener Erde;
ist ganz frei, nur überdacht, und in den Thüren zu den
Einzelhöfen befinden sich Beobachtungsöffnungen.

## 12. Tournai.

Maison d'arrêt, 204 Zellen, 34 Schlafzellen, eröffnet den
28. Oktober 1871. Derzeitiger Gefangenenstand 130 (bis 3
und 4 Jahre).

Das Gebäude ist ganz nach dem Normalplan gebaut
und theilt dessen Vorzüge und Mängel, insbesondere das nahe
Aufeinanderstellen der Gebäulichkeiten.

Das Gefängniss steht ziemlich weit von der Stadt und
ist in sehr hübschem gothischen Style ausgeführt, besonders
auch die Centralhalle und Kirche.

Der Director, der früher ein Gefängniss innerhalb einer Stadt leitete, beklagt die grosse Entfernung von der Stadt sehr.

Bemerkenswerth ist ein Aba zur besseren Beleuchtung des Souterrains.

Im Innern eine Feuerspritze.

Der Normalplan ist auch insofern durchgeführt, als die Querflügel nur eine Zellenreihe haben, und die kleineren Flügel für Kranke und Schuldgefangene mit den besseren Zellen aufgebaut sind.

S c h u l e besonders, die Thüren der Stalls sind hier den unsern ähnlicher.

Aborte mit Drehvorrichtung.

D a m p f a p p a r a t für die Waschanstalt, wo die Wasche mit dem Dampf gekocht wird und für die Bäder.

Der Director glaubt, dass bei Anwendung von Dampfwärme dies nie auf grössere Entfernung geschehen dürfe, da sonst die Dämpfe zu sehr erkalten, und damit die Einrichtung zu theuer wird; dass dagegen auf die Nähe auch die Kraft zu benützen wäre, insbesondere für's Wasserpumpen.

## 13. Mons.

Maison de sûreté, 305 Zellen, 65 Schlafzellen, eröffnet 1. November 1867, gegenwärtiger Personalstand 205.

Der Bau steht vor, aber nahe bei der Stadt und ist ebenfalls im gothischen Styl aufgeführt.

Für Nachttopf Drehvorrichtung; in der Zelle Wasserleitung.

Die Krankenzellen haben die Heizungsart des Normalplans.

S p a z i e r h ö f e am Ende der Flügel mit gewöhnlichem Dach und mit geschlossenen Holzthüren für die Einzelabtheilungen. Die Beobachtungsfenster sind mit Stramin bezogen. Abtritte in den Spazierhöfen, eine Grube für je 2, die alle 6 Wochen geleert werden muss.

K ü c h e mit gewöhnlicher Heizung, 3 Kessel, einer für

Kaffee. Pumpbrunnen in der Küche. Der Boden ist mit Asphalt belegt, aber auch schon tüchtig geschmolzen.

Für Waschanstalt und Bäder ein Dampfapparat mit 6 Pferdekräften, dabei eine Handwasserpumpe. 4 Waschzellen, in denen kupferne Kessel sind, wohin der Dampf zum Kochen geleitet wird; Waschzüber; Trockenraum mit breiten Coulissen.

Wasserleitung wie gewöhnlich; an einer Stelle scheint sie durchgebrochen zu sein, die Wand zeigte einen grossen nassen Fleck.

Die Wasserreservoirs für die Zellen sind sehr gross; die Wassergalerien schön gewölbt, hoch und gangbar.

Heizung wird sehr gelobt und soll Winters durch's ganze Haus eine angenehme Wärme verbreiten. Es ist das ältere System, geschlossenes Heisswassersystem, Caloriferes im Ganzen an Zahl 3, deren jeder täglich (für 100 Zellen) 140—150 Kilo Kohlen braucht.

## 14· Lüttich.

Maison de sûreté, 261 Zellen, 20 Schlafzellen; Männerquartier eröffnet den 1. Januar 1851, Weiberquartier den 8. August 1853. Derzeitiger Personalstand 200 Gefangene bis 5 und 6 Jahre.

Das Gebäude ist ebenfalls im gothischen Style aus Backsteinen aufgeführt, bildet aber einen einzigen Trakt in gerader Richtung, die Weiberabtheilung durch eine Zwischenmauer geschieden. Die Ecksteine und Gewänder sind hier von weissem Sandstein. Drei Thore, 2 Schildwachen vor dem Haus, das ganz inmitten anderer Häuser, von denselben aber durch Strassen abgegrenzt, liegt.

Die Ringmauer ist 7 Meter hoch, hatte früher einen Umgang oben, der aber, weil dort nie ständige Schildwachen, sondern nur Patrouillen der Aufseher gingen, seinen Zweck nicht erfüllte, vielmehr ohne ständige Bewachung gefährlich und desshalb aufgehoben wurde.

Alle Röhren laufen offen auf der Wand. Boden der Corridore und Galerien von Schiefer.

Kirche in gothischem Styl, schön gemalt, über dem

Altar ein Fenster mit Glasgemälde. Altar vergoldet mit Altargemälde. Stalls ohne Zwischengänge.

S c h u l e wird in der Kirche gehalten.

Z e l l e n haben Boden von Asphalt; auch hier laufen alle Röhren offen.

Mein Führer, der Adjutant (Director sehr alt) meinte, die Asphaltboden seien den Steinboden in den Zellen vorzuziehen und die Drehvorrichtung begünstige die Communication.

Da derselbe in Tournai fungirte, bis solches ganz eingerichtet war, wird sein Urtheil von Belang sein.

Spazierhöfe von zweierlei Form, solche in geraden Reihen nebeneinanderliegend und im Halbkreis am Ende der Flügel. Erstere sind sehr gross und haben das Dach auf der Seite. Bei Letzteren ist der Gang zwischen Beobachtungsraum und Höfen ganz offen. In der Mauer des Beobachtungslocals sind schiessschartenähnliche Oeffnungen. An den Einzelhöfen sind Gitterthüren.

Im Gewerbsbetrieb sah ich u. A. eine kleine Druckmaschine, die 1600 Francs und eine Papierschneidmaschine, die 1100 Frcs. kostete; Letztere schneidet mit einer Pressung den grössten Pack Dütenpapier entzwei.

Die Maschinen sind von Uyterilst in Brüssel.

## 15. Namur.

130 Zellen, noch nicht eröffnet, im Bau nahezu vollendet.

Der Normalplan ist hier ziemlich genau festgehalten. Innerhalb der Ringmauer ein Rundgang. Bau von Backsteinen, Wohngebäude von Blaustein.

In den Spazierhöfen sind zwei Schutzdächer, das eine beim Eingang, das andere am breiten Theil; die Höfe haben auch noch die hohen Gitter.

Centrum nicht sehr hell.

Zellenfenster mit 3 dicken Querstäben versehen. Heizung ganz nach Normalplan.

Die Strafanstalt liegt ausserhalb der Stadt hinter dem Bahnhof, diesem aber wohl etwas zu nahe.

Diese Mittheilungen, welche bezüglich der einzelnen Strafanstalten in sehr abgekürzter Form gegeben sind, kann ich hier nicht schliessen, ohne der zuvorkommenden und überaus freundlichen Aufnahme zu gedenken, die ich allenthalben, sowohl in Brüssel bei den Herren Administrateur Berden und Generaldirector Stevens, als auch bei den einzelnen Directoren, resp. deren Stellvertretern, besonders jener in Brüssel, Antwerpen, Malines, Gent, Courtrai, Tournai, Arlon und Brügge, gefunden habe. Nur der Director des Pénitencier in Louvain, der sehr beschäftigt zu sein vorgab, machte hiervon eine nicht gerade rühmliche Ausnahme; sein Benehmen war sehr kühl und reservirt.

Durch Herrn Administrateur Berden hatte ich auf meine Bitte schon vor der Abreise aus der Heimath eine Erlaubnisskarte zum Besuch der Gefängnisse mit grösster Bereitwilligkeit ausgefertigt erhalten.

Indem ich hier den gedachten Herrn, nicht minder aber meiner hoh. Staatsregierung für Bewilligung der Reisekosten öffentlich meinen Dank ausspreche, kann ich nicht umhin, das ausgezeichnete Gefängnisswesen Belgiens, dieses auch sonst so schönen und interessanten Landes, Jedem, der sich darum interessirt, zum eingehenden Studium als ein sehr fruchtbringendes warm zu empfehlen.

# Verzeichniss
## der belgischen Gefängnisse.

| Ordnungs-Zahl | Bezeichnung der Gefängnisse. | Zeit der Eröffnung. | Zellenzahl. | Schlaf- od. Weiberzellen für Männer. | Baukosten im Allgemeinen Francs. | Kosten einer Zelle Frs. | Bemerkungen. |
|---|---|---|---|---|---|---|---|
| 1 | Gent, Zuchthaus | im 18. Jahrh. | 153 | viele | — | — | Zellen 1865 gebaut, viele Schlafzellen. |
| 2 | Namur, Weiberstrafanst. | — | — | — | — | — | älter. |
| 3 | Brüssel, Männergefängn. | — | — | — | — | — | älter. |
| 4 | St. Hubert, für Jugendl. | — | agricol | — | — | — | älter, für nicht gerichtlich Verurtheilte. |
| 5 | Tongeren, M. d'arrêt und de justice | 1. Jan. 1844 | 42 | 7 | — | 151856 | 3615 | |
| 6 | Brüssel, Weibergefängn. | 1. Aug. 1850 | 103 | — | 60 | 402804 | 3910 | |
| 7 | Marche, M. d'arrêt | 16. Dez. 1850 | 19 | — | — | 71934 | 3786 | |
| 8 | Lüttich, M. de sûreté | Männ. 1 Jan. 1851 Weib. 8 Aug. 1853 | 261 | 8 | 12 | 1131506 | 4335 | |
| 9 | Brügge, M. de sûreté | 27. Jan. 1851 | 365 | — | — | 1051527 | 2880 | Bruges. |
| 10 | Dinant, M. d'arrêt | 1. Juli 1853 | 42 | 8 | — | 163141 | 3884 | |
| 11 | Verviers, M. d'arrêt | 1. Aug. 1853 | 58 | 8 | 3 | 205808 | 3548 | |
| 12 | Charleroi, M. d'arrêt | 1. Jan. 1854 | 105 | 12 | 6 | 350014 | 3333 | |
| 13 | Courtrai, M. d'arrêt | 12. Juli 1856 | 105 | 13 | 13 | 408413 | 3889 | |
| 14 | Antwerpen, M. de sûreté | 4. Okt. 1857 | 314 | 18 | — | 1220160 | 3885 | Anvers. |
| 15 | Hasselt, M. d'arrêt | 2. Febr. 1859 | 73 | 8 | 4 | 279233 | 3825 | |
| 16 | Löwen, pénitencier | 1. Okt. 1860 | 634 | — | — | 1892941 | 2985 | |
| 17 | Gent, M. de sûreté | 1. Sept. 1862 | 325 | 60 | 36 | 1286171 | 3803 | |
| 18 | Dendermonde, M. d'arrêt | 14. Aug. 1863 | 161 | 10 | 9 | 560310 | 3480 | Thermonde. |
| 19 | Bergen, M. de sûreté | 1. Nov. 1867 | 305 | 43 | 22 | 1176748 | 3858 | Mons. |
| 20 | Löwen, M. d'arrêt | 1. Mai 1869 | 204 | 22 | 6 | 840087 | 4118 | Louvain. |
| 21 | Arel, M. d'arrêt und de justice | 8. Okt. 1870 | 95 | 6 | 2 | 418000 | 4400 | Arlon. |
| 22 | Tournai, M. d'arrêt | 28. Okt. 1871 | 204 | 25 | 9 | 895000 | 4387 | |
| 23 | Huy, M. d'arrêt | 9. März 1872 | 53 | 8 | 3 | 280000 | 5283 | |
| 24 | Mecheln, M. de sûreté | 1874 | 93 | — | — | — | — | Malines. |
| 25 | Neufchateau, M. d'arrêt | 1874 | 35 | — | — | — | — | |

# Die Hilfskasse der Officianten bei der Strafanstalt zu Zwickau.

Wie so manche andere Einrichtung, so hat sich auch die bereits im Jahre 1854 vom Herrn Geheimen Regierungsrath d'Alinge in Zwickau für die Officianten der dortigen Strafanstalt in's Leben gerufene „Hilfskasse" als eine höchst practische und zugleich wohlthätige Institution erwiesen.

Dieselbe bezweckt die gegenseitige Hilfe der g. dachten Beamten in Zeiten der Noth durch Geldvorschüsse gegen geringe Zinsen oder auch durch Gewährung baarer Unterstützung.

Wohl haben sich in neuerer Zeit die Gehaltsverhältnisse auch der unteren Anstaltsbeamten nicht unwesentlich gebessert, aber trotzdem sind solche Fälle, wo ein Beamter bei aller Solidität, namentlich infolge aussergewöhnlicher Familienereignisse, schwerer und anhaltender Krankheiten, plötzlicher Todesfälle etc. sich in die peinliche Lage versetzt sieht, fremde pecuniäre Hilfe in Anspruch nehmen zu müssen, noch immer nicht selten.

Wie tröstlich alsdann für einen Beamten, wenn er die Beruhigung haben kann, bei dringendem Geldbedarf nicht fremden Personen, ja wohl gar gefährlichen Wucherern in die Hände fallen zu müssen, wenn er weiss, wo er sofort und ohne besondere Opfer bringen zu müssen, sichere Hilfe finden kann.

Gedachte Hilfskasse ist nach unserer Ueberzeugung eine Institution, welche, da sie namentlich das materielle Wohl der Aufseher im Auge hat und vor Allem geeignet ist, deren Berufsfreudigkeit, die Cardinaltugend jedes Beamten, zu erhalten, beziehentl. zu fördern, in keiner grösseren Anstalt fehlen sollte.

Wie wohlthätig sich dieselbe für die Unterbeamten der Strafanstalt Zwickau erwiesen, ist daraus zu ersehen, dass während der letzten 10 Jahre 24,741 M. Vorschüsse, 1780 M. Unterstützungen bei ehrenvoller Entlassung und 540 M. 80 Pf. ausserordentliche Unterstützung aus genannter Kasse, deren Bestand Ende 1866 auf 692 Thaler und Ende 1876 auf 1976 Mark sich belief, gewährt worden sind.

Zur weiteren Orientirung lassen wir für diejenigen der geehrten Leser dieses Blattes, welche sich für gedachtes Institut interessiren, im Nachfolgenden die in dem Statut der oben erwähnten Zwickauer Hilfskasse enthaltenen Hauptbestimmungen folgen:

1. Unter Genehmigung des Königl. Ministerii des Innern bilden die Officianten der Strafanstalt Zwickau durch freiwillige Einzahlungen eine Kasse, um nach Gründung eines Fonds den einzelnen Mitgliedern bei dringendem Bedarf mit Geldvorschüssen gegen geringe Zinsen oder durch baare Unterstützungen aushelfen zu können.

Dieser Fond wird durch ein Eintrittsgeld von 2 M. per Mitglied, sowie durch eine monatliche Steuer von 50 Pf. gebildet. (Das Königl. Ministerium des Innern gewährte, nachdem das Dekret wegen Bestätigung der Statuten einer Hilfskasse der Officianten bei der Strafanstalt Zwickau vom 21. März 1854 ausgefertigt und vollzogen war, zur Vergrösserung des Fonds sofort bereitwilligst einen unverzinslichen Vorschuss von 300 M. Gegenwärtig zahlt jedes neue Mitglied der Zwickauer Hilfskasse Summa Summarum 11 M. 50 Pf. Eintrittsgeld incl. der monatl. Steuer.)

2. Wer ein Darlehen aus der Casse vorgestreckt erhalten will, hat sich desshalb unter Angabe der Ursachen an den Vorstand der Hilfskasse zu wenden, und nach dessen Bewilligung gegen Ausstellung eines vom Vorstand contrasignirten Schuldbekenntnisses, in welchem die dargeliehene Summe und die Rückzahlungstermine genau angegeben sein müssen, den Betrag von dem Kassirer in Empfang zu nehmen.

Die am ersten Tage jeden Monats abzuführenden monatlichen Rückzahlungen sind im Schuldbekenntnisse so festzusetzen, dass das empfangene Darlehen, einschliesslich der Zinsen, binnen Jahresfrist wieder zur Kasse geflossen ist.

Wenn ein Mitglied bei ausserordentlichen Fällen die stipulirte monatliche Rückzahlung nicht zu bewirken im Stande ist, hat solches wenigstens 8 Tage vor Ablauf des Termins dem Vorstande hierüber unter Angabe der Anstandsursachen Anzeige zu machen, worauf von dem Letzteren eine Fristverlängerung gewährt werden kann, was auf dem Schuldbekenntnisse ausdrücklich zu bemerken ist. Wer aus Nachlässigkeit säumig bei Rückzahlung eines Darlehens ist, gesteht ohne Weiteres zu, dass durch Gehaltsinhibition die Deckung folgen kann.

Als Maximum eines Darlehens wird vorläufig die Summe von 30 M. festgestellt, welche Summe, sofern es der Kassenstand erlaubt, bis auf 75 M. erhöht werden kann.

Nach erfolgter Rückzahlung des Darlehens ist das Schuldbekenntniss quittirt an den Aussteller zurückzugeben.

3. Jedes Darlehen ist vom Monat des Empfanges bis einschliesslich desjenigen Monats, in welchem die Schuld vollständig getilgt worden, zu verzinsen. (Seit 1860 ist der Zinsfuss von 4 auf 2 Prozent ermässigt worden.)

4. Der Austritt kann, insofern er nicht durch das Ausscheiden aus dem Dienste der Anstalt bedingt ist, unter einvierteljähriger Vorauskündigung erfolgen. Als Kündigungstermine werden die letzten Tage der Monate März, Juni, September und Dezember bestimmt. Solchen Falles ausscheidende Mitglieder erhalten das bis zu ihrem Austritt Gezahlte, excl. Eintrittsgeldes, restituirt.

Verlässt ein Mitglied den hiesigen Anstaltsdienst, so muss der Austritt unter Rückgabe der eingezahlten Beiträge, incl. des Eintrittsgeldes, erfolgen. Bei dem Ableben eines Mitgliedes werden die eingezahlten Beiträge, incl. des eingezahlten Eintrittsgeldes an dessen Wittwe oder in deren Ermangelung an dessen hinterlassene eheliche Kinder zurückgegeben; sind solche aber nicht vorhanden, so verfallen die bezüglichen Beiträge der Kasse.

Die Restitution der eingezahlten Beiträge, beziehentl. des Eintrittsgeldes braucht in keinem Falle sofort zu erfol- ·

gen, es ist vielmehr diese Restitution im etwaigen Mangel
eines ausreichenden Kassenbestandes nur von den zunächst
eingehenden Geldern zu bewirken.

Wird dagegen ein Mitglied in Folge irgend eines Vergehens aus dem Anstaltsdienste entlassen, so wird dasselbe
aller Ansprüche an die Hilfskasse verlustig.

5. Sobald der baare Kassenbestand über 60 Mark an-
gewachsen, so wird der Ueberschuss in Raten von 30 Mark
zinsbar sicher angelegt.

6. Die Hilfskasse steht unter Oberaufsicht der Anstalts-
Direction. Die Angelegenheiten werden durch einen Vorstand und eine Deputation von 3 Mitgliedern geleitet.

7. Bei der Wahl für gedachte Funktionen gilt die re-
lative Stimmenmehrheit; bei Stimmengleichheit entscheidet
die des Vorstandes. Alle 2 Jahre finden neue Wahlen statt.
Die Gewählten bedürfen der Bestätigung des jedesmaligen
Anstalts-Directors.

8. Dem Vorstand liegt die Leitung aller vorkommenden
Geschäftsangelegenheiten ob. Alle Zuschriften, Anträge, sowie Anmeldungen neuer Mitglieder und Abgangsanzeigen
sind an ihn zu richten. Dem Vorstand liegt ferner ob, alle
schriftlichen Arbeiten zu besorgen und vollständige Akten,
sowie die Namensliste der Mitglieder mit Bemerkung der
Eintritts- und Abgangszeit zu führen. Nur die Auslagen für
Papier etc. werden aus der Kasse verrechnet. In Abwesenheit des Vorstandes fungirt das älteste Mitglied der Deputation.

9. Die Deputation vertritt die Angelegenheiten der
Hilfskasse dem Vorsteher gegenüber, sie hat darauf zu sehen,
dass von Letzterem den Bestimmungen der Statuten allenthalben genau nachgegangen werde.

Dem Vorsteher steht es frei, mit der Deputation Berathungen vorzunehmen.

10. Die Kassengeschäfte werden in der Regel durch den
Geldrechnungsführer der Anstalt, wenn er sich hierzu bereit
finden lässt, besorgt und von ihm alljährlich Rechnung abgelegt. Sollte derselbe die Uebernahme dieser Funktionen
ablehnen, so ist selbige einem der Deputationsmitglieder zu

übertragen. Alle Zahlungen müssen in einem anzulegenden Journale sofort gebucht werden.

11. Die Jahresrechnung wird von der Anstalts-Direction geprüft und von allen Mitgliedern der Hilfskasse unterschriftlich justificirt.

12. Sobald die Summe der eingezahlten Beiträge und Eintrittsgelder die Höhe von 600 Mark erreicht hat, ist mit fernerer Einzahlung von denjenigen Mitgliedern Anstand zu nehmen, welche von Gründung der Hilfskasse an gesteuert haben; später eingetretene Mitglieder haben ihre Beiträge so lange fortzuzahlen, bis der Gesammtbetrag des Eingezahlten die Höhe der von den erstgenannten Mitgliedern gesteuerten Beiträge erreicht hat.

13. Die Hilfskasse kann nur durch einstimmigen Beschluss sämmtlicher Vereinsmitglieder aufgelöst werden, in welchem Falle der Kassenbestand, — soweit er wirkliches Eigenthum der Mitglieder ist — pro rata vertheilt wird.

14. Bei entstehenden Meinungsverschiedenheiten oder Misshelligkeiten und bei Zweifeln über die Deutung der Statuten unterwerfen sich unbedingt ohne irgend welche Ausflüchte alle Mitglieder ausdrücklich den Entscheidungen des jedesmaligen Anstalts-Directors.

15. Wenn der Fond die Höhe von 300 Mark erreicht hat und ein Kassenbestand von mindestens 150 Mark vorhanden ist, so tritt folgende Bestimmung in Kraft:

Ist ein Mitglied durch Krankheit und Todesfälle in der Familie oder sonst in sehr bedrängte Lage gerathen, so können auf Antrag, nach kameradschaftlichem Ermessen von zwei Drittheilen sämmtlicher Mitglieder, Unterstützungen bis zu 30 Mark aus der Kasse verabreicht werden. (Diese Bestimmung hat am 1. Januar 1860 folgenden Zusatz erhalten: Der Betrag, bis zu welchem die vorgenannten Unterstützungen gewährt werden können, wird bis auf Weiteres auf 75 Mark erhöht.)

Eine gleiche, jedoch nur einmalige Unterstützung kann, so lange der Fond die Höhe von 600 Mark behält, im Falle vorliegenden Bedürfnisses jedem Mitgliede der Hilfskasse, welches nach mindestens zehnjähriger Dienstzeit bei der An-

stalt ehrenvolle Entlassung erhält, ingleichen den Hinterblie-
benen — Ehefrau und eheliche Kinder — eines im Dienste
verstorbenen Mitgliedes zuertheilt werden.)

16. Der jedesmalige Director der Strafanstalt übernimmt
die Vertretung der Hilfskasse in allen rechtlichen Angelegenheiten den Mitgliedern und Dritten gegenüber. —

Wir übergeben diese Notizen der Oeffentlichkeit mit
dem aufrichtigen Wunsche, dass die bewährte Institution einer Hilfskasse auch anderwärts Beifall und Nachahmung
finden möge.

Zwickau, im März 1877.

J. Burkhardt,
Anstalts-Inspector.

# Besserungs- und Straf-Anstalten für Jugendliche.

Aus dem uns gütig mitgetheilten Reise-Bericht des Hauslehrers J. Spitzmüller am Landesgefängniss zu Bruchsal über seine Wahrnehmungen beim Besuche der Strafanstalten zu Heilbronn und Cöln, sowie der jugendlichen Erziehungs- und Besserungsanstalt zu Boppard in der Rheinprovinz entnehmen wir Folgendes:

Nachdem mir am 17. August 1876 von Hohem Ministerium eine Reiseunterstützung für den Besuch auswärtiger Strafanstalten angewiesen wurde, trat ich zu diesem Zwecke die Reise am 10. September 1876 an und besuchte zunächst die Anstalt St. Martin zu Boppard am Rhein.

Die Rheinprovinz hat zwei solcher Besserungsanstalten: eine für die kath. Confession zu Steinfeld im Regierungsbezirk Aachen und die für die evang. Confession zu Boppard. Jene zu Steinfeld zählt ungefähr 200 Zöglinge beiderlei Geschlechts, die zu Boppard dagegen nur etwa 50.

I. Die im ehemaligen Kloster zu St. Martin in B o p p a r d eingerichtete Erziehungs- und Besserungsanstalt ist bestimmt zur Aufnahme jugendlicher Personen beiderlei Geschlechts (evangelischer Confession), welche wegen eines Verbrechens oder Vergehens in Gemässheit des § 42 des Strafgesetzbuchs vom 14. April 1851, resp. des § 56 des Reichstrafgesetzes zur Aufbewahrung in eine Besserungs-Anstalt verurtheilt worden sind.

Die Zöglinge sollen in derselben herangebildet werden zu guten, fleissigen und nützlichen Mitgliedern der menschlichen Gesellschaft, durch Gottesfurcht, Zucht, Unterricht und Anleitung zur Arbeit; die Knaben durch Erlernung eines

Handwerkes, soweit dazu in der Anstalt Gelegenheit zu verschaffen ist, damit dieses sie befähige, nach ihrer Entlassung selbstständig ihren Unterhalt zu verdienen; die Mädchen durch Unterweisung im Nähen, Stricken, Flicken und in allen Wirthschaftsarbeiten.

Ein Vorsteher (Lehrer) verwaltet und leitet die Anstalt. Diesem Inspector ist coordinirt als Oberbeamter ein Geistlicher; ihm subordinirt ein zweiter Lehrer, eine Arbeitslehrerin für die Mädchen, die Aufseher für die Knaben und das Dienstpersonal. Die Gesundheitspflege überwacht der Hausarzt.

Der Vorsteher ist befugt, diejenigen Arbeiten in Garten, Feld und Haus, für welche das Dienstpersonal nicht ausreicht, durch Fremde gegen Taglohn verrichten zu lassen. Der zweite Lehrer hat den grössten Theil des Schulunterrichts zu ertheilen, ausserdem auch beim Vergeben der Arbeiten und bei Beaufsichtigung derselben mitzuwirken.

Der Arbeitslehrerin liegt sowohl die Anleitung zu den weiblichen Arbeiten, als auch die Aufsicht über die Mädchen nach Anordnung des Vorstehers ob.

Die Aufseher haben die Beaufsichtigung der Knaben zu führen, wenn nöthig, im Unterrichten auszuhelfen und die Handwerke zu leiten.

Als Hausgeistlicher fungirt der evangelische Pfarrer zu Boppard.

Die Aufnahme eines Zöglings erfolgt durch eine Verfügung der Regierung, in deren Bezirk der Knabe oder das Mädchen in eine Besserungsanstalt gerichtlich verurtheilt worden ist. Einer solchen Verfügung müssen angeschlossen sein: ein Urtheilsauszug, vollständige Personalnachrichten, ein Geburtsschein und ein Impf-Attest. Ausserdem sind bei der Einlieferung das Signalement und ein Gesundheitsattest vorzuzeigen.

Nach der Aufnahme eines Zöglings wird derselbe ärztlich untersucht, gebadet, eingekleidet und nach erfolgtem Eintrag in die Personalstandstabelle dem Hausgeistlichen und den übrigen Beamten der Anstalt angezeigt. Der Vorsteher hat genaue Erkundigungen über die persönlichen und die Familienverhältnisse eines jeden neu aufgenommenen Zög-

6*

lings, sowie über das Betragen vor der Haft von den Behörden einzuziehen und genaue Personal-Acten anzulegen.

Die Zöglinge essen und schlafen in Abtheilungen mit je einem Aufseher in der Mitte, dessen Bett in den Schlafsälen durch eine spanische Wand mit Beobachtungsfenstern umgeben ist. Im Schlafsaal brennt die ganze Nacht Licht, so dass die Zöglinge vom Aufseher gut überwacht werden können.

Bekleidung, Beköstigung und Bettung erfolgt nach den Etatsätzen. Die Sommerkleider bestehen für die Knaben in Drillanzügen, die Winterkleider sind aus halbwollenem dunkelm Stoffe gefertigt.

Der Gesundheitspflege wird in der Anstalt grosse Aufmerksamkeit geschenkt.

Die Säle des Hauses werden fleissig gelüftet und gereinigt.

Die Zöglinge haben jeden Tag eine Stunde Turnen, im Sommer dürfen sie bei günstiger Witterung im Rheine, an dessen Ufer der Anstaltsgarten stösst, baden; an Sonntagen machen in der Regel ein Lehrer und ein Aufseher mit denjenigen, welche sich während der Woche brav gehalten haben, einen grösseren Spaziergang; auch wird ein grosser Theil der Zöglinge zur Arbeit auf dem Anstaltsgelände verwendet.

Für die Leibesreinigung sind Badekabinete und Waschsäle vorhanden.

Die Haus-Strafen unterscheiden sich in leichte und schwere und sind:

    a. leichte: 1. Oefteres Heranziehen zu häuslichen Verrichtungen während der Freizeit.
              2. Stuben - und Schularrest während den Freistunden und den Spaziergängen.
    b. schwere: 1. Schmälerung der Morgens- und Abend-Suppe.
              2. Dessgleichen des Mittagsessens.
              3. Einzelhaft während der Frei- und Arbeitszeit mit stärkerer Beschäftigung.

4. Verweigerung von Besuch und Briefschreiben.

5. Zeitweise Entziehung von Spargeldern
nach Ermessen des Vorstandes.

6. Bei den Knaben körperliche Züchtigung mit der Ruthe.

Ueber vollzogene Strafen wird ein Strafverzeichniss
geführt.

Der Antrag zur Entlassung eines Zöglings aus der
Anstalt wird von dem Inspector bei der Königl. Regierung
zu Coblenz gestellt.

Hiefür sind jedoch folgende drei Punkte massgebend:

1. Es muss der Zögling sowohl im Unterricht, als in
Erziehung die nöthige Reife erlangt haben und confirmirt sein.

2. Er muss durch sein Betragen gezeigt haben, dass
er sich gebessert hat und für die menschliche Gesellschaft
tauglich ist.

3. Es muss ein Unterkommen für ihn bestimmt sein.
Hinsichtlich des letzten Punktes wird von dem Vorsteher
sehr gewissenhaft verfahren.

Haben die Jünglinge noch Eltern, so werden sie in der
Regel wieder an diese zurückgegeben, wenn man annehmen
darf, dass sie bei ihnen nicht wieder verdorben werden. Sind
aber keine Eltern oder Fürsorger vorhanden, denen die Aufsicht über den zu entlassenden Zögling anvertraut werden
darf, so wird von dem Vorstande für ein anderweitiges Unterkommen gesorgt.

Grundsatz ist, dass für einen Zögling, auch wenn er
im Unterricht die Reife und die nöthige Erziehung erlangt
hat, dennoch seine Entlassung so lange nicht beantragt wird,
bis für sein Unterkommen gesorgt ist.

Ungefähr ein Jahr nach der Entlassung wird vom Vorstande in den Gemeinden nach dem Betragen eines jeden
entlassenen Zöglings gefragt und die Antwort auf die Anfrage
den Personalakten angeschlossen. Es soll dies nach Aussage
des Inspectors auf das Betragen der Zöglinge eine gute
Wirkung haben. In der That werden auch nur Wenige,
etwa 10—20 % rückfällig.

Endlich muss ich gestehen, dass die Anstalt selbst sowohl, als auch die musterhafte Ordnung in derselben den besten Eindruck auf mich machte.

Das Gebäude, ein ehemaliges Kloster, ist zweistöckig und hat zwei grosse Seiten-Flügel mit einem geräumigen Hofe in der Mitte. An das eine Eck ist eine kleine Kirche angebaut, welche, mit einer schönen Orgel versehen, zur Abhaltung des Gottesdienstes und der gemeinschaftlichen Hausandachten benützt wird. Das Gebäude ist wohl eingefriedigt, aber keineswegs von einer hohen Mauer umgeben. Die Thüre ist geschlossen; das Oeffnen aber wird während der Freizeit von einem Zögling besorgt. Man bestimmt dazu natürlich nur solche, die man als zuverlässig hält.

An den Hofraum stosst ein sehr grosser, ummauerter und zur Anstalt gehöriger Garten. Derselbe wird von den Zöglingen unter Aufsicht des Lehrers oder eines Aufsehers bewirthschaftet. In diesem Garten werden alle für die Anstalt erforderlichen Gemüse gepflanzt und der Ueberschuss wird verkauft. Aus allem dem geht hervor, dass es sowohl dem Inspector als dem zweiten Lehrer und dem übrigen Personal an Arbeit nicht fehlt und dass sie grosse Verantwortlichkeit auf sich haben.

Die Anstalt hat Säle und drei Isolirzellen. Das Nähere über Zeiteintheilung etc. ist aus der unten abgedruckten Tagesordnung zu ersehen.

II. Die Strafanstalt zu Heilbronn besuchte ich am 27. September.

Die jüngeren und ordentlicheren Jugendlichen (etwa die Hälfte) haben zwei gemeinschaftliche Schlafsäle im zweiten Stockwerk desselben Gebäudes, in deren Mitte ein Aufseherzimmer mit Beobachtungsfenstern sich befindet. Diese arbeiten am Tage in dem grossen Arbeitssaale des dritten Stockwerkes. Die etwas älteren Jugendlichen sind in den, um diesen Arbeitssaal herum liegenden Schlafzellen untergebracht und arbeiten auch in den Zellen, aber bei offenen Thüren. In diese Zellen werden nun gewöhnlich solche versetzt, welche im Saale das Sprechen nicht lassen können. Hier befinden sie sich auch in Einzelhaft, aber doch können sie in den Saal sehen und der Saalaufseher kann sie ganz gut überwachen. Die Schlimmsten endlich und gewöhnlich solche, welche das 18. Lebensjahr schon überschritten haben, befinden sich im oberen Stockwerke eines hiefür bestimmten Zellenflügels. Diese Einrichtung soll sich nach Erfahrung der Anstaltsverwaltung bisher recht gut bewährt haben, so dass keine weitere Einrichtung gewünscht wird. Der erwähnte grosse Arbeitssaal hat, da er sein Licht von oben erhält, den Vortheil, dass die Sträflinge keine Gelegenheit zum Hinausschauen haben.

Den Schulunterricht erhalten die Jugendlichen von den Erwachsenen getrennt und zwar in drei Classen. Der zweite Lehrer der Anstalt ertheilt denselben. Sie sind so eingetheilt, dass die jüngsten der Schüler etwa 30 bis 40 die erste Classe bilden, und diese erhalten wöchentlich 16 Stunden Unterricht. Diese Schulunterrichtszeit soll ein Aequivalent für den Volksschulunterricht sein. Die beiden andern, also die zweite und die dritte Classe der Jugendlichen, erhalten wöchentlich je 6 Stunden Unterricht.

In der Kirche haben die Jugendlichen ihre Sitze vor den Stalls und von den Erwachsenen gesondert, so dass sie jene nicht sehen können.

Statt des Mittagsspaziergangs haben sie durch einen Aufseher, der früher Feldwebel war, jeden Tag eine Stunde sogenanntes Exerciren (d. i. Frei- und Ordnungsübungen.)

III. Vergleiche ich schliesslich das Gerichts- und Strafverfahren bezüglich der Jugendlichen, wie solches in der preussischen Rheinprovinz üblich, mit Baden und Württemberg, so ergibt sich: In Preussen, wenigstens in der Rheinprovinz, wird der grösste Theil der jugendl. Verbrecher wegen mangelnder Erziehung und wegen Nichtbesitzes der nöthigen Einsicht für die Strafbarkeit der Handlung freigesprochen und alsdann auf unbestimmte Zeit zur Unterbringung in eine der beiden in der Provinz bestehenden Besserungsanstalten bestimmt.

Durch dieses Gerichtsverfahren, wornach der §. 56 des Reichs-Straf-Gesetz-Buches in den meisten Fällen zur Anwendung kommt, bleiben alsdann für die Strafanstalten haupt-

sächlich die schlimmsten Subjekte, die bedeutende
Verbrechen begangen haben, oder gar schon rückfällig geworden sind, übrig.

In Baden und Württemberg dagegen werden eben fast
alle jugendlichen Verbrecher nach §. 57 des Reichs-Straf-
Gesetz-Buches zu Gefängnissstrafe verurtheilt und alsdann
in den für Jugendliche bestimmten Strafabtheilungen untergebracht. Warum also der §. 56 und insbesondere der
Schlusssatz desselben in unserer Gerichtspraxis so wenig angewendet wird, mag seinen Grund darin haben, weil in Baden keine staatliche Besserungsanstalt vorhanden ist, wohin
man derartige junge Leute schicken kann. *)

Dass aber bei den obwaltenden Umständen unter den
jugendlichen Sträflingen viele sind, welche Unterricht und
Erziehung auf längere Dauer nöthig hätten, das zu behaupten haben die Anstaltslehrer, welche täglich mit ihnen umgehen, das beste Recht und davon dürften auch die Herren
Richter überzeugt sein.

Desshalb können unsere Strafanstalten die Besserungs-
anstalten nicht ersetzen, denn:

1. In der Besserungsanstalt weiss der Zögling, dass die
Zeit seiner Entlassung von seinem Betragen, vom Fleiss und
vom Fortschritt in der sittlichen Besserung abhängt, und
dieses Bewusstsein ist für ihn ein starker Hebel zur Aenderung seines Lebens, es ist für ihn ein Stachel zur Auf-
weckung aus geistiger Versumpfung. Wie ganz anders ist
es dagegen bei dem Gefangenen?

In die Strafanstalt ist der Verbrecher auf bestimmte
Zeit verurtheilt, er weiss somit den Tag seiner Entlassung.
Man kann ihm daher nicht dadurch Muth zur ernstlichen
Bekehrung, zu Fleiss und Folgsamkeit machen, dass man
ihm sagt, der Zeitpunkt seiner Entlassung hänge von seiner
Besserung, seinem Eifer und guten Willen ab. Auch die
vorgesehene urlaubsweise Entlassung mit $^3/_4$ der Strafzeit ist
nur wenig geeignet, auf die Jugendlichen ermunternd ein-

*) Anmerkung. In Sachsen-Anhalt hat man mit der Rettungs-
anstalt zu Waldau einen Vertrag abgeschlossen bezüglich der Unterbringung solcher jugendlicher Verbrecher.

zuwirken, da sie bei kurzer Strafdauer gar nicht angewendet werden kann. Der Gefangene wird also nur schwer zu dem ernsten Vorsatze, sich gründlich zu bessern, kommen, da er viel zu viel darüber nachdenkt, was er nach seiner Entlassung treiben will und da er weiss, dass er zur festgesetzten Zeit doch entlassen werden muss, wie er sich auch betragen habe.

2. Gerade die jugendlichen Verbrecher mit geringerer Verschuldung werden zu einer verhältnissmässig kurzen Strafdauer, in der Regel von einigen Monaten — selten zu einem Jahre und darüber verurtheilt. Nun frage ich: Kann nach den Erfahrungen der Pädagogik in solch kurzer Zeit ein ungebildeter junger Mensch sich die nöthigen Kenntnisse erwerben, kann er, bevor man ihn nur recht kennt, zum Besseren erzogen worden sein? Kaum hat man ihm vielleicht anfangs auf den Nerv gefühlt, so ist seine Strafzeit abgelaufen und er muss wieder in Freiheit gesetzt werden; aber wie lange wird er sich in der Freiheit halten? — und dies ist der 3. Punkt.

3. Die Besserungsanstalt kann ihre Zöglinge so lange unter ihrem Dache behalten, bis ein Unterkommen für sie ausfindig gemacht ist, falls sie ihren Eltern nicht anvertraut werden können, oder vielleicht keine Eltern mehr haben — und das thut sie —. Ja es kann der Besserungsanstalt sogar die Befugniss eingeräumt werden, ihre urlaubsweise entlassenen Zöglinge, die sich in der Freiheit nicht gut bewähren sollten, wieder zurückzurufen.

Bei den Strafanstalten ist dies anders: die Verwaltung bittet in der Regel vor der Entlassung das Bezirksamt und dieses die betreffende Gemeinde um Fürsorge für den jugendlichen Menschen. Da wird denn gewöhnlich zugesagt, weil die Gemeinden nicht anders können. Wenn aber alsdann ein solcher Waisen-Sträfling inzwischen entlassen wird, so ist er eben meistens genöthigt, wieder in dieselbe Umgebung zurückzukehren, in welcher er vielleicht zuvor gefallen ist. Wer nimmt sich da des Knaben an? Alles sagt: „Der ist im Zuchthaus gewesen" und Niemand will sich um ihn kümmern. Manchmal haben die Leute auch nicht ganz unrecht; denn während einer so kurzen Strafzeit legen nicht alle ihre Fehler ab. Endlich aber, wenn der Junge sich verachtet sieht und nirgends ein Unterkommen finden kann, probirt er, ob es nicht auch ohne zu arbeiten geht; er streicht alsbald unter dem Vorwande, Arbeit zu suchen, umher, vergisst die Vorsätze, die er sich vielleicht seiner Zeit in der Strafanstalt gemacht hat — und nur zu oft versündigt sich ein solcher abermals an der menschlichen Gesellschaft.

Endlich möge wohl bedacht werden, dass ein aus der Besserungsanstalt entlassener Jüngling jedenfalls noch mehr Furcht vor der Strafanstalt hat, als ein solcher, der bereits eine Strafe erstanden hat und nun weiss, dass es in der Strafanstalt eigentlich doch nicht so gefährlich zugeht, wie man sich vom Gefängniss oder Zuchthaus gewöhnlich Vorstellungen macht, sondern dass man auch im Gefängnisse noch menschenwürdig behandelt wird.

Aus dem bisher Erwähnten geht hervor, dass die Anwendung des § 56 des R.-St.-G.-B. für die in Folge mangelnder Erziehung oder fehlender Fürsorge Gefallenen eine grosse Wohlthat ist; denn in einer gut eingerichteten Besserungsanstalt ist ihnen die beste Gelegenheit geboten, sich von ihrem Falle zu erheben.

Unterricht und eine ernste Erziehung, wobei (wie oben ersichtlich) nöthigenfalls selbst die Ruthe nicht fehlen darf, sind jedenfalls die sichersten Mittel, einem verirrten Knaben auf den rechten Weg zu helfen. Und die Fürsorge, welche die Besserungsanstalt auch ihren entlassenen Zöglingen angedeihen lässt, ist ganz geeignet, die Gebesserten auf dem Wege des Gesetzes zu erhalten.

---

# Tages-Ordnung
### für die Knaben-Abtheilung der Erziehungs- und Besserungs-Anstalt zu St. Martin bei Boppard.
## 1. Im Sommer.
#### A. An den Wochentagen.

5½ Uhr: Läuten mit der Hofglocke zum Aufstehen der Zöglinge, Ankleiden, Beten, Waschen, Vertheilung zu den

Arbeiten; die Grösseren zu Arbeiten in den Werkstätten und in Feld und Garten, die Kleineren zum Reinigen der Lokale. Dann Vorbereitung zur Schule.

7 Uhr: Läuten zum Frühstück. Vorbereitung zur Schule.

8 Uhr: Läuten zur gemeinschaftlichen Hausandacht. Dann Schulunterricht bis 10 Uhr.

10¼ Uhr: Läuten zum Antreten der Zöglinge und Vertheilung zu den Arbeiten bis 12 Uhr.

12 Uhr: Läuten zum Mittagessen; bis 1 Uhr Spielen.

1 Uhr: Läuten zum Arbeiten der Zöglinge und Vertheilung zu den Arbeiten bis 4 Uhr.

4 Uhr: Läuten zum Vesperbrod. Bei gutem Wetter vor dem Essen Baden im Rhein, sonst Turnen oder Spielen bis 5 Uhr.

5 Uhr: Läuten zum Schulunterricht bis 7 Uhr.

7 Uhr: Läuten zum Abendessen. Dann Lernen, Lesen, Schreiben. Vor dem Schlafengehen Abendandacht.

9 Uhr: zu Bette.*)

Am Mittwoch-Nachmittag: Schrubben der oberen Gänge und der Treppen.

Am Samstag-Nachmittag: Schrubben aller Locale. Um 4 Uhr grosse körperliche Reinigung der Zöglinge und Wechsel der Leibwäsche. Dann Schulunterricht. Um 7 Uhr gemeinschaftliche Hausandacht.

### B. An Sonn- und Fest-Tagen.

6 Uhr: Läuten zum Aufstehen der Zöglinge, Ankleiden, Beten, Waschen.

7 Uhr: Choralgesang der Zöglinge im Corridor.

7½ Uhr: Frühstück. Dann Lernen der Aufgaben für den Religions-Unterricht.

---

*) Anmerkung: Die Einrichtung, dass die Zöglinge erst um 9 Uhr zu Bett gehen und am Abend unter Aufsicht ihre Schulaufgaben anzufertigen haben, ist sehr zu loben und verdient auch in den Strafanstalten für Jugendliche eingeführt zu werden, vorausgesetzt, dass eine Trennung der Jugendlichen von den Erwachsenen vollständig durchgeführt ist. Insbesondere nützlich könnte diese Einrichtung dadurch werden, dass der Hauslehrer während dieser Zeit ab- und zuginge und hiebei belehrend und ermunternd auf die jungen Leute einwirken würde.

9½ Uhr: Gemeinschaftlicher Gang zum Hauptgottesdienste. Nach der Kirche Lesen oder Spielen.

12 Uhr: Läuten zum Mittagessen. Dann freie Beschäftigung.

3 Uhr: Gemeinschaftlicher Gang zum Nachmittagsgottesdienste.

4 Uhr: Vesperbrod. Dann grösserer gemeinschaftlicher Spaziergang auf die Berge und in den Wald.

7 Uhr: Abendessen. Dann Spielen oder Lesen.

9 Uhr: Abendandacht und zu Bette.

## 2. Im Winter.

### A. An Wochentagen.

6 Uhr: Läuten zum Aufstehen der Zöglinge, Ankleiden, Beten, Waschen, Kehren der Lokale, Vorbereitung zur Schule.

7½ Uhr: Läuten zum Frühstück. Vorbereitung zur Schule.

8 Uhr: Läuten zur gemeinschaftlichen Hausandacht. Dann Schulunterricht bis 10 Uhr.

Die folgenden Tageszeiten an den Wochentagen, sowie Mittwoch und Samstag Nachmittags wie im Sommer.

### B. An Sonn- und Fest-Tagen.

6½ Uhr: Läuten zum Aufstehen der Zöglinge, Ankleiden, Beten, Waschen.

7½ Uhr: Choralgesang der Zöglinge im Corridor.

8 Uhr: Frühstück. Dann Lernen.

9½ Uhr: Gemeinschaftlicher Gang zum Hauptgottesdienste. Dann freie Beschäftigung.

12 Uhr: Läuten zum Mittagessen.

1 Uhr: Gemeinschaftlicher Spaziergang.

3 Uhr: Gemeinschaftlicher Gang zum Nachmittagsgottesdienste.

4 Uhr: Vesperbrod. Dann bis 6 Uhr Spielen und freie Beschäftigung.

6 Uhr: Vorlesen bis 7 Uhr.

7 Uhr: Abendessen. Dann Lernen, Lesen oder Spielen.

9 Uhr: Abendandacht und zu Bette.

Aelteren Zöglingen wird es gestattet, an allen Abenden eine halbe Stunde länger aufzubleiben.

# Correspondenz.

Aus Schleswig-Holstein. (Unlieb verspätet.) Der Kgl. Ober-Staats-anwalt in Kiel hat am 8. März 1876 folgende Circular-Verfügung an die Gefängnissvorsteher der Provinz Schleswig-Holstein mit Lauenburg er-lassen: Nachdem der Abschluss der Arbeitsverdienstkassen der gericht-lichen Gefängnisse des Departements stattgefunden hat, nehme ich Veranlassung, unter Bezugnahme auf die in den Vorjahren mitge-theilten Ergebnisse des Arbeitsbetriebes, namentlich auch auf meine Circular-Verfügung vom 10. März 1875 — J. Nr. 1898 — die Resultate des General-Abschlusses der Arbeitsverdienstkassen für das Jahr 1875 zur Kenntniss der Herren Gefängniss-Vorsteher zu bringen, mit dem Auftrage, hiervon in geeigneter Weise auch den Ihnen unterstellten Gefängniss-Beamten die erforderliche Mittheilung zu machen:

Die allgemeinen Verhältnisse haben gegen das Vorjahr 1874 nur insofern eine Aenderung erfahren, als das amtsgerichtliche Gefängniss in Glückstadt mit ultimo Mai 1875 aufgehoben, dagegen am 1. Mai 1875 das gerichtliche Strafgefängniss in Glückstadt eröffnet worden ist, in welchem letzteren sowohl die Untersuchungs-, als auch die Strafge-fangenen des Amtsgerichts Glückstadt Aufnahme finden.

Die Ergebnisse des Arbeitsbetriebes sind im Jahre 1875 überaus erfreulich gewesen und übersteigen selbst meine grössten bisherigen Erwartungen. Sie entspringen nicht allein der gegen das Vorjahr ge-steigerten Zahl der Hafttage, welche wesentlich der Zurückführung der früher in der Provinz Hannover detinirten langzeitigen Strafgefangenen zuzuschreiben ist, und der grösseren Concentration der Arbeit in dem Strafgefängnisse zu Glückstadt, sondern zum sehr grossen Theile der vermehrten Umsicht und dem gesteigerten Interesse der Herren Gefäng-niss-Vorsteher und der Gefängniss-Beamten, der grösseren Güte der Arbeit, der erhöhten Nachfrage und der Steigerung der Arbeitslöhne.

Nur hierdurch ist es möglich gewesen, dass selbst in den Anstal-ten, in welchen erheblich weniger Hafttage und wesentlich nur ganz kurze Strafen verbüsst wurden, sich trotz dessen eine Steigerung der Erträge sichtbar gemacht hat, z. B. in Kiel und Schleswig. Da die Arbeit für die gerichtliche Arbeitsverdienst-Kasse in dem Strafge-fängnisse zu Glückstadt erst in der zweiten Hälfte des Monat Mai v. J. begonnen hat, so ist für das laufende Jahr eine erhebliche Steigerung des Arbeitsverdienstes in Aussicht zu nehmen, ohne dass m. E. eine erhebliche Verminderung desselben bei den kreisgerichtlichen und amtsgerichtlichen Gefängnissen zu erwarten stände.

Im Einzelnen hebe ich Folgendes hervor: Es ist an Arbeitsverdienst aufgekommen 1875: a. in 52 kreis- und amtsgerichtlichen Gefängnissen mit 98879 Arbeitstagen netto 31214 M. 82 Pf., d. i. mehr gegen das Jahr 1874 mit 96663 Arbeitstagen: 1952 M. 28 Pf. und mehr gegen das Jahr 1873: 7101 M. 89 Pf., b. in dem Strafgefängnisse zu Glückstadt seit Mitte Mai 1875, also in nicht vollen 8 Monaten 22891 M. 81 Pf. Der Arbeitsverdienst beträgt mithin insgesammt 54106 M. 63 Pf. also gegen das Jahr 1874 mehr 24844 M. 09 Pf.

Die ausserordentlich grosse Hebung der Gefängnissarbeit wird noch anschaulicher, wenn man erwägt, dass die Progression der Erträge seit dem Jahre 1868, in welchem zuerst mit einiger Regelmässigkeit — wenigstens in den grösseren Anstalten — gearbeitet wurde, sich nachstehend herausstellt:

1868 Hauptbetrag 6214 M. 19 Pf., 1869 7033 M. 68 Pf., 1870 9502 M. 16 Pf., 1871 12908 M. 70 Pf., 1872 22263 M. 46 Pf., 1873 24112 M. 93 Pf., 1874 29262 M. 54 Pf., 1875 54106 M. 63 Pf. (Kreis- und Amtsgerichte 31213 M. 82 M., Strafgefängniss Glückstadt 22891 M. 81 Pf.)

Auch in der Zahl der Gefängnisse, in welchen Arbeit betrieben wird, hat sich eine sehr erhebliche Zunahme gezeigt.

Während 1874 nur in 39 Anstalten gearbeitet wurde, beträgt die Zahl der arbeitenden Anstalten 1875: 53, also mehr 14. Der Arbeitsbetrieb ist neu eingeführt in den Gefängnissen zu Blankenese, Uetersen, Ahrensburg, Reinbeck, Plön, Burg, Albersdorf, Hohenwestedt, Cappeln, Eckernförde, Garding, Nordstrand, Wisbye, Tinnum. Die Arbeit in einzelnen dieser Gefängnisse war zwar nur eine gelegentliche, resp. vorübergehende; ich hoffe aber, dass es den Herren Gefängniss-Vorstehern gelingen wird, durchweg einen möglichst regelmässigen Betrieb einzuführen. Lobend anzuerkennen ist die Einführung des dauernden Betriebes in den Gefängnissen zu Blankenese, Burg, Uetersen und Ahrensburg. Namentlich in Blankenese und Burg ist mit sehr gutem Erfolge gearbeitet worden.

Nicht gearbeitet ist speciell nur in 14 Anstalten, d. i. in den amtsgerichtlichen Gefängnissen zu Elmshorn, Trittau, Schönberg, Oldenburg, Neustadt, Nortorf, Friedrichstadt, Pellworm, Glückstadt, Leck, Niebüll, Wyck, Rödding und ausserdem: Crempe (welches letztere übrigens bisher stets Arbeitsverdienst aufgebracht hat). Der Grund hiefür liegt in den besonderen Verhältnissen des letzten Jahres, besonders der sehr geringen Frequenz. Elmshorn und Crempe führen fast alle Strafgefangene in das sehr nahe liegende Strafgefängniss in Glückstadt ab.

Aussenarbeit erfolgte in 40 Anstalten, gegen 1874 also mehr

in 11 Anstalten, wobei an Kosten 76 M. 94 Pf. erwachsen sind, welche aus dem Arbeitsverdienste vorweg entnommen wurden.

Unter dem Arbeitsverdienst der amts- und kreisgerichtlichen Gefängnisse mit 31214 M. 82 Pf., des Strafgefängnisses zu Glückstadt mit 22891 M. 81 Pf., befinden sich an Verdienst der Aussenarbeit 7488 M. 74 Pf., und resp. 0 M. 0 Pf., und an Ueberschüssen, welche durch besondere Umstände veranlasst sind: 547 M. 12 Pf., und resp. 2 M. 16 Pf., so dass der sonstige (Innen-) Arbeitsverdienst beträgt 23178 M. 96 Pf. und resp. 22889 M. 65 Pf., zus. 46068 M. 61 Pf.

Der Arbeitsverdienst betrug nach Maassgabe der Zahl der Arbeitstage (incl. der Vorschüsse der Arbeitsverdienstkasse für häusliche Arbeiten, Vorarbeiter, Werkmeister etc.) im täglichen Durchschnitt pro Kopf 1874 30,$_{29}$ Pf. Dagegen 1875: a. bei den amts- und kreisgerichtlichen Gefängnissen 31,$_{51}$ Pf., b. bei dem Strafgefängniss in Glückstadt 49,$_{54}$ Pf., c. Gesammt-Durchschnitt 37,$_{90}$ Pf., 1875 also mehr 7,$_{102}$ Pf.

Besonders erheblich stellt sich der Durchschnitt ferner dar bei den kreisgerichtlichen Gefängnissen zu Kiel, mit 17632 Arbeitstagen 46,$_{49}$ Pf., Itzehoe mit 4710 Arbeitstagen 37,$_{94}$ Pf., Schleswig mit 4890 Arbeitstagen 43,$_{18}$ Pf. und Flensburg mit 10784 Arbeitstagen 47,$_{19}$ Pf.

Die durchschnittlichen Verpflegungskosten des einzelnen Gefangenen pro Tag und Kopf (Beköstigung, Medizin, Heizung, Reinigung etc.) haben sich gegen das Jahr 1874 von 64,$_{15}$ Pf., auf 65,$_{81}$ Pf., also um 1,$_{66}$ Pf. gesteigert; dennoch ist das Verhältniss des Arbeitsverdienstes zu diesen Kosten ein günstigeres, als im Vorjahre, da über die Hälfte dieser Kosten durch den Arbeitsverdienst gedeckt werden.

Der Arbeitsverdienst vertheilt sich auf:

1. das Strafgefängn. in Glückstadt mit 234 Köpfen täglichen Durchschnitts*) . . . 22891 M. 81 Pf.,
2. die 5 kreisgerichtlichen Anstalten mit zusammen 260,$_{99}$ Köpfen täglichen Durchschnitts . 25199 M. 06 Pf.,
3. 47 amtsgerichtliche Anstalten mit zusammen 116,$_{449}$ Köpfen täglichen Durchschnitts . 6015 M. 76 Pf.

54106 M. 63 Pf.

Unter den letztgedachten amtsgerichtlichen Anstalten befinden sich fünfzehn, deren tägliche Durchschnitts-Frequenz nur bis 1 Kopf schwankte, — 14 über 1 bis 2 Köpfe im täglichen Durchschnitt, 6 über 2 bis 3 Köpfe im täglichen Durchschnitt betrug, — und 7, bei welchen die Frequenz im täglichen Durchschnitt zwischen 3 bis 4,$_{43}$ Köpfen, dem höchsten Bestande dieser Gattung, schwankte. Die Anstalten zu Uetersen mit 1,$_{18}$ Köpfen täglichen Durchschnitt haben 63 M. 64 Pf., Bargteheide mit 2,$_{4}$ Köpfen 162 M. 22 Pf., Ahrensburg mit 2,$_{189}$ Köpfen 54 M. 75 Pf., Bordesholm mit 0,$_{71}$ Köpfen 46 M., Plön mit 0,$_{52}$ Köpfen

---

*) In dieser Centralanstalt werden bereits Gefängnissstrafen von 14 Tagen ab und alle Strafen von 6 Wochen resp. 2 Monaten ab verbüsst.

38 M. 40 Pf., Neumünster mit 2,54 Köpfen 40 M. 29 Pf., Lütjenburg mit 1,48 Köpfen 39 M. 30 Pf., Burg mit 4,18 Köpfen 237 M. 65 Pf., Marne mit 1,37 Köpfen 59 M. 28 Pf., Eddelack mit 0,49 Köpfen 27. M. 50 Pf., Sonderburg mit 1,7 Köpfen 165 M., und zwar fast ohne jede Aussenarbeit verdient.

Der Verdienst an Aussenárbeit bei diesen Anstalten beträgt zusammen nur 24 M. 87 Pf.

Besonders hervorzuheben sind die Verdienste folgender Anstalten: Altona hat nur mit sehr beschränkter Innenarbeit mit täglicher Frequenz von 118 Köpfen 7997 M. 09 Pf. aufgebracht, Kiel mit 61 Köpfen 8212 M. 80 Pf., Itzehoe mit 26,43 Köpfen 1788 M. 06 Pf., Schleswig mit nur 17,90 Köpfen 2111 M. 70 Pf., Flensburg mit 38,26 Köpfen 5089 M. 41 Pf., Strafgefängniss in Glückstadt, (wie bereits oben erwähnt), mit 234 Köpfen 22891 M. 81 Pf., ferner: Ranzau mit 1,39 Köpfen 93 M. 05 Pf., Bramstedt mit 2,94 Köpfen 216 M. 49 Pf., Preetz mit 1,81 Köpfen 140 M. 65 Pf., Meldorf mit 2,86 Köpfen 149 M. 74 Pf., Blankenese mit 7,15 Köpfen 518 M. 54 Pf., Pinneberg mit 12,96 Köpfen 686 M. 82 Pf., Wandsbeck mit 10,04 Köpfen 609 M. 58 Pf., Segeberg mit 6,16 Köpfen 276 M. 14 Pf., Kellinghusen mit 0,52 Köpfen 84 M. 48 Pf., Husum mit 3,09 Köpfen 179 M. 40 Pf., Hudersleben mit 7,45 Köpfen 550 M. 95 Pf. u. s. w.

Begründete Beschwerden über die Beeinträchtigung der freien Arbeit sind bisher niemals vorgekommen.

Von dem aufgekommenen Arbeitsverdienste sind verrechnet:

1. Staatsantheil . . . . . 17955 M. — Pf.
2. Antheile der Gefangenen, bei deren Entlassung zahlbar . . . . . . 16606 M. 67 Pf.
3. Remunerationen der Gefängniss-Oberbeamten, Inspectoren und der bei dem Arbeitsbetriebe beschäftigten Aufseher . . . . 9112 M. — Pf.
4. Unterstützungsfonds für hilfsbedürftige Kinder verstorbener Justizbeamten . . . 10191 M. 83 Pf.

An Remunerationen.sind in Folge des sehr günstigen Ergebnisses des Verdienstes bewilligt: an Ober-Beamte Beträge bis zu 600 M., an Aufseher Beträge bis zu 150 M., im Ganzen an 132 Beamte nach Massgabe der Erträge der einzelnen Anstalten.

Se. Excellenz der Herr Justiz-Minister hat unseren Bestrebungen für Hebung des Gefängnisswesens und für Besserung der Lage der Gefangenen neuerdings öffentlich im Hause der Abgeordneten mit uns hochehrender Anerkennung gedacht. Um so mehr ist es mir eine Pflicht, den sämmtlichen Herren Beamten der Gefängniss-Verwaltung meinen besonderen Dank und meine lebhafte Anerkennung auszusprechen.

Giehlow.

Kiel, im Dezember 1876. Wie aus früherer Mittheilung hervorgeht, hat das Gefängnisswesen in Schleswig-Holstein einen ganz besonderen Aufschwung genommen. Es ist hieher auch die Gründung eines Schutzvereins und eines nordwestdeutschen Gefängnissvereins zu notiren. In ersterer Beziehung ist es dem ebenso eifrigen, als höchst verdienstvollen Bemühen des Kgl. Oberstaatsanwalts Gieblow gelungen, einen „Centralverein zur Fürsorge für entlassene Strafgefangene und Corrigenden in der Provinz Schleswig-Holstein und dem Herzogthum Lauenburg" in's Leben zu rufen, der sich sofort einer äusserst zahlreichen Betheiligung zu erfreuen hatte. Die definitive Constituirung des Vereins erfolgte am 11. Februar 1876 und ging derselben folgende Aufforderung vom 2. Februar voraus:

Kiel, 2. Februar 1876. Nachdem in letzter Zeit durch die definitive Eröffnung der neuen Männer-Strafanstalt zu Rendsburg, durch die Einrichtung der Korrektionsanstalt in Glückstadt und eines daselbst für die Provinz Schleswig-Holstein und Lauenburg hergestellten gerichtlichen Strafgefängnisses für Männer und Weiber eine einheitliche Vollstreckung der durch die Gerichte der Herzogthümer gefällten Strafurtheile von Zuchthaus-, Gefängniss- und Haftstrafen und der Nachhaft der Corrigenden in Vollzug gesetzt ist und nachdem auch für die gleichmässige Vollstreckung kürzerer Gefängniss- und Haftstrafen durch die Errichtung der neuerbauten kreisgerichtlichen Gefängnisse in Kiel, Altona und Itzehoe, sowie durch Einrichtung einer grösseren Anzahl von amtsgerichtlichen Centralgefängnissen im Bereiche der ganzen Provinz Schleswig-Holstein Sorge getragen worden ist, hat sich immer lebhafter das Bedürfniss geltend gemacht, für die Unterbringung der entlassenen Strafgefangenen allseitige Fürsorge zu tragen. Nicht nur das Gebot der Menschenliebe, sondern ebenso auch die Rücksicht auf das öffentliche Wohl, Ordnung, Gesetzlichkeit und Sicherheit der Bewohner rechtfertigen diese Bestrebung. Das Letztere gilt namentlich für die zahlreichen, im Korrektionshause zu Glückstadt detinirten Landstreicher, Bettler und Arbeitsscheue.

Die Erfahrung lehrt, dass gerade die erste Zeit, in welcher der Strafgefangene oder Corrigende wieder in die Gesellschaft zurücktritt, ihm die grösste Versuchung, Demüthigung, Noth und Sorge bietet, dass die besten Vorsätze oft allein an der Schwierigkeit scheitern, sich selbst, ohne fremde Beihülfe, ein Unterkommen und ehrlichen Erwerb, die Mittel zur Erhaltung seiner oft während der Zeit seiner Haft in Armuth versunkenen und geistig und körperlich zurückgekommenen Familie zu sichern. Dann folgen so leicht neue und schwerere Verbrechen den früheren, das Elend häuft sich und in dem schon früher Gesunkenen schwindet die Scham der Schande mit der Hoffnung auf Besserung seiner Existenz zugleich.

Die Bestrebungen unserer Gefängniss-Verwaltungen und der Korrektionsanstalt sind seit Jahren mit Ernst darauf bedacht gewesen, bei den Strafgefangenen und Korrigenden die Gewöhnung und wenn möglich auch die Liebe zur Arbeit zu unterhalten, resp. zu erwecken. Nicht nur in dem Zuchthause, sondern auch in den gerichtlichen Gefängnissen und in der Korrektionsanstalt gilt die Arbeit als das erste und sicherste Mittel zur Zucht und Besserung, zur Versöhnung des Bestraften mit der Aussenwelt, und man ist ernstlich bemüht, jeden Gefangenen möglichst je nach seiner früheren Handtierung oder nach seiner Neigung und Fähigkeit während der Strafzeit zu beschäftigen und wieder zu einem ehrlichen Erwerbe vorzubereiten. In den zahlreichen grossen und kleinen gerichtlichen Gefängnissen werden über fünfzig verschiedene Arten der Beschäftigung ausgeführt.

Es ist in sehr erfreulicher Weise gelungen, die Theilnahme der Bevölkerung für diese Bestrebungen nicht allein durch Abnahme der Gefängnissarbeit, sondern auch durch die Gewährung von Gelegenheit zur Arbeit Seitens des Publikums zu erwecken. Die Erträge der Arbeit kommen zu einem wesentlichen Theile den Gefangenen bei ihrer Entlassung zu Gute und die Verwaltung der Strafanstalt zu Rendsburg hat durch zinsbare Belegung der Arbeitsverdienstantheile während der Strafzeit der Gefangenen einen sehr erheblichen s. g. Zinsenfonds gebildet, dessen Zinsen wiederum zur Unterstützung hülfsbedürftiger entlassener Sträflinge bestimmt sind.

An diese vorbereitenden Massregeln der Gefängn.-Verwaltungen anknüpfend, kann für die Sicherung der Zukunft entlassener Sträflinge viel Gutes geleistet und ein grosser, weiten Kreisen der Bevölkerung nutzbringender Erfolg bewirkt werden. Theilweise sind derartige erfreuliche Bestrebungen bereits in der Provinz, z. B. in Kiel in der Gesellschaft freiwilliger Armenfreunde, in den Gefängn.-Vereinen zu Husum, Altona, Wandsbeck, Meldorf, Burg, Albersdorf u. a. O., in den Asylen in Flensburg und in der Blome'schen Wildniss und anderen Stiftungen zu Tage getreten und haben segensreiche Erfolge aufzuweisen. Die Thätigkeit dieser Vereine ist indess zu vereinzelt und nothgedrungen zu sehr auf die lokalen Verhältnisse des Orts ihres Bestehens angewiesen, als dass sie dem bei der erheblichen Vermehrung der Strafthaten und der um sich greifenden Entsittlichung vieler Schichten der Bevölkerung täglich mehr hervortretenden Bedürfnisse des Einzelnen und des Gemeinwesens Genüge leisten könnte. Es kommt daher darauf an, nach ihrem Beispiele in grösserer Ausdehnung über die ganze Provinz eine Vereinigung gleichgesinnter und einflussreicher Männer aller Stände und Berufsklassen hervorzurufen, welche geneigt und im Stande sind, an ihrem Wohnorte und im Bereiche ihrer Wirksamkeit, sobald die Aufforderung in einem einzelnen Falle an sie herantritt, für das Unterkommen einzelner entlassener Strafgefangenen und Korrigenden Sorge zu tragen. Geldbeiträge sollen nicht erfordert, sondern voraussichtlich aus den Beständen der Arbeitsverdienst-Kassen der Gefangen-Anstalten selbst, resp. aus öffentlichen Mitteln der Provinz beschafft werden. Der Anspruch, welcher an die Theilnehmer des zu bildenden Vereins gerichtet wird, soll vielmehr nur auf ihre thätige menschenfreundliche Beihülfe und auf ihren Rath bei Unterbringung der entlassenen Unglücklichen und darauf sich erstrecken, zunächst die Erträge ihres Arbeitsverdienstes (welchen sie bei Entlassung aus der Strafhaft erhalten) für sie nutzbar zu machen, resp. zu verwahren und zu verwalten, ihnen lohnende Arbeit zu verschaffen, unter gegebenen Umständen ihr sittliches Verhalten in angemessener Weise zu überwachen, sie zu ermutigen und ihnen event. auch durch Unterstützung aus den Fonds der Anstalten beizustehen.

Die Unterzeichneten hoffen, dass diese Bestrebungen auch bei vielen ihrer Mitbürger Anklang finden werden und ersuchen zunächst Ew..... Sich zu einer Berathung über die Art und Weise, in welcher ein für die gesammte Provinz thätiger Verein zur Fürsorge für entlassene Strafgefangene in's Leben zu rufen und selbstständig durchzuführen sein würde,

am 11. Februar 1876 (Freitag) Nachmittags zwei Uhr im Saale des Hauses der freiwilligen Armenfreunde hierselbst, Schuhmacherstrasse Nr. 18 (80) 1 Treppe hoch,

mit ihnen zusammen zu finden.

Die allgemeinen Grundzüge, nach welchen sich der Verein zu bilden haben dürfte, sind im Entwurfe beigefügt.

von Ahlefeld, Landes-Director. Dr. Ahlmann, Banquier. Bitter, Regierungs-Präsident. Bockelmann, Director des landwirthsch. General-Vereins. Gieblow, Ober-Staatsanwalt. Hach, General-Sekretär. Jensen, General-Superintendent. Jess, Pastor. Krohne, Strafanstalts-Director in Rendsburg. Mathiessen, Landrath a. D. v. Nostiz, Regierungs- und Ober-Präsidialrath. Graf E. zu Rantzau-Rastorf, Landtagsmarschall. Reiche, Kreisgerichtsrath. Freiherr von Scheel-Plessen, Oberpräsident für Schleswig-Holstein. v. Stemann, Regierungsrath a. D.

Die in der Versammlung vom 11. Febr. festgesetzten Statuten lauten:

Statut des Central-Vereins zur Fürsorge für entlassene Strafgefangene und Corrigenden in der Provinz Schleswig-Holstein und dem Herzogthum Lauenburg.

1. Zweck des Vereins. Es besteht eine freie Vereinigung von Männern in der Provinz Schleswig-Holstein (und dem Herzogthum Lauenburg), welche sich verpflichten, für die Fürsorge der Unterbringung der in dem Bereiche der Provinz verurtheilten Strafgefangenen zur Zeit ihrer Entlassung aus den Gefängnissen innerhalb der Herzogthümer Schleswig-Holstein (und Lauenburg) thätig zu sein und ihnen auch später durch Rath und That beizustehen.

2. Verfassung. Ordentliches Mitglied wird jeder Einwohner der Provinz Schleswig-Holstein, welcher in der konstituirenden Versammlung seinen Beitritt erklärt oder später durch Wahl des ständigen Aus-schusses aufgenommen wird.

7*

Der Verein besteht aus den Mitgliedern und einer grösseren Anzahl von Vertrauensmännern in den verschiedenen Distrikten (Amtsgerichtsbezirken) der Provinz. Geldbeiträge werden weder von den Mitgliedern noch von den Vertrauensmännern erfordert.

3. Wohnsitz und Wahl der Mitglieder etc. Der Central-Verein hat seinen Sitz in Kiel. Vereinslokal ist das Haus der Gesellschaft der freiwilligen Armenfreunde daselbst. Der Centralverein wählt einen Vorsitzenden und einen aus 10 Mitgliedern bestehenden ständigen Ausschuss, welcher dem Vorsitzenden zur Seite steht. Die Wahl findet alljährlich im Januar, an einem durch den Vorsitzenden zu bestimmenden und vorher bekannt zu machenden Tage auf drei Jahre statt. Die Wahl erfolgt durch Stimmenmehrheit. Jedes Vereinsmitglied und jeder in der Versammlung anwesende Vertrauensmann des Vereins, zu welchen die Mitglieder der bereits bestehenden Localvereine zur Fürsorge für entlassene Sträflinge sämmtlich gehören, hat volles Wahl- und Stimmrecht. Die Provinzial-Chefs der Gefängniss-Verwaltung (Ober-Präsident, Regierungs-Präsident, Ober-Staatsanwalt, der Landesdirektor) und die Directoren der Strafanstalt zu Rendsburg, des Strafgefängnisses zu Glückstadt und des Korrektionshauses daselbst haben das Recht, den Versammlungen des Vereins und des ständigen Ausschusses beizuwohnen und mündliche und schriftliche Anträge zur Berathung des Vereins zu stellen.

4. Der Vorsitzende des Vereins, der von ihm bestellte Schriftführer und die Ausschussmitglieder haben ihren Wohnsitz in Kiel. Der Vorsitzende hat in Behinderungsfällen einen Stellvertreter aus der Zahl der Ausschussmitglieder zu bestellen.

5. Geschäftsverwaltung. Die Angelegenheiten des Vereins werden, soweit sie nicht der General-Versammlung und dem Vorsitzenden vorbehalten sind, unter Leitung des Letzteren vom Ausschusse verwaltet. Die Vertheilung der Geschäfte erfolgt durch gegenseitige Uebereinkunft.

6. Der Vorsitzende des Vereins, resp. dessen Stellvertreter nehmen die ihnen zugehenden Anträge der ad. 3 gedachten Directionen der Centralanstalten, resp. der Gefängnissvorstände der einzelnen kleineren gerichtlichen Kreis- und Amtsgerichts-Gefängnisse auf Unterbringung einzelner Gefangenen entgegen und vermitteln unter Beihülfe des Schriftführers und der Mitglieder des ständigen Ausschusses die hiezu erforderliche Thätigkeit und Wechselwirkung der Lokalvereine und Vertrauensmänner (s. u. § 7).

Ständiger Ausschuss. Der ständige Ausschuss tritt zeitweise auf Aufforderung des Vorsitzenden unter dessen Leitung zu Berathungen zusammen. Einzelne Vereinsmitglieder können von dem Vorsitzenden zu diesen Berathungen zugezogen werden. Jedes Vereinsmitglied und jeder Vertrauensmann haben hiebei freien Zutritt.

Generalversammlung. Alljährlich in der ersten Hälfte des Januar findet auf Aufforderung des Vorsitzenden eine General-Versammlung des Vereins statt, zu welcher die Mitglieder und Vertrauensmänner schriftlich oder durch öffentliche Bekanntmachung in den Organen der Gesellschaft (s. u. § 15) aufgefordert werden sollen und die im § 3 gedachten Vorstände, sofern sie nicht Mitglieder etc. sind, eingeladen werden sollen.

Rechnungslegung. Generalbericht. In der Versammlung gibt der Vorsitzende einen Ueberblick über die Gesammtthätigkeit und die Erfolge des Vereins, es erfolgt die Rechnungslegung über die Ausgaben des Vereins, die Wahl einer Decharge-Kommission etc. Anträge, welche allgemeine Vereinsangelegenheiten betreffen und Abänderung der Statuten sind Gegenstände der Berathung in der General-Versammlung.

7. Vertrauensmänner. Zur Unterbringung der Entlassenen, zur Verschaffung lohnender Arbeit, zu deren Unterstützung (wenn Gelder und sonstige Effekten dem Verein von ausserhalb zugänglich gemacht werden) etc. bedient sich der Verein, resp. dessen ständiger Ausschuss der Beihülfe der Lokalvereine und der Vertrauensmänner des Central-Vereins und setzt sich zu diesem Behufe geeigneten Falles mit den Geistlichen und Kirchenvorständen in Verbindung. Um die erforderliche Anzahl der Vertrauensmänner zu erhalten, sollen auf Vorschlag der Vereinsmitglieder, resp. auf Anregung der Provinzial-Gefängniss-Vorstände in den verschiedenen Distrikten der Povins achtungswerthe und einflussreiche Männer der verschiedensten Stände — namentlich auch Landleute und Handwerksmeister — ohne Unterschied der politischen und religiösen Richtung aufgefordert werden, in dem Bereiche eines bestimmten Bezirks (etwa des Amtsgerichtsbezirks ihres Wohnortes) oder im Bereiche ihres Einflusses überhaupt, den Bestrebungen des Vereins, bei Unterbringung, Unterstützung (s. o. im Eingange dieses §) etc. einzelner Gefangenen auf geschehene Aufforderung (§ 6) ihre guten Dienste zu leisten und zu dem Ende mit dem Vorstande des Vereins oder auch den Gefängniss-Directionen direkt in Verbindung zu treten, das Resultat ihrer Bemühungen dem Central-Verein mitzutheilen und von Zeit zu Zeit über die Lage und Führung des Entlassenen Bericht zu erstatten. Die Zahl der Vertrauensmänner, die Auswahl derselben und die Grösse der einzelnen Bezirke erfolgt nach den Umständen und Bedürfnissen.

8. Zeitdauer der Verpflichtung. Jedes ordentliche Mitglied und jeder Vertrauensmann sichert seine Beihülfe dem Central-Verein für die Dauer von drei Jahren zu. Erfolgt dann bei dem Vorstande keine Austrittserklärung, so gilt die Verpflichtung für das nächste Jahr und so fort.

9. Verkehr mit den Gefängnissdirectionen. Die Thätigkeit des Centralvereins wird veranlasst hauptsächlich durch die Anträge der Directionen der grösseren Anstalten und der Verwaltungs-Vorstände der kleineren gerichtlichen Gefängnisse, sie tritt ferner ein auf Antrag

der Entlassenen selbst oder deren Familienglieder, der Vereinsmitglieder, der Vertrauensmänner oder sonstiger zuverlässiger Männer, wohlthätiger Vereine etc. Sie bleibt beschränkt auf die Fürsorge für (ganz und resp. nur vorläufig) entlassene Sträflinge. Zu letzteren werden auch jugendliche Verbrecher gerechnet, gegen welche der Richter keine Strafe ausspricht und sie ihrer Familie oder einer Besserungsanstalt überweist (§ 56, 55 Straf-Gesetz-Buchs), dessgleichen Taubstumme im Falle des § 58 Straf-Gesetz-Buchs.

10. Der Antrag auf Vermittelung des Central-Vereins muss wo möglich ein Vierteljahr vor der Entlassung des Gefangenen gestellt werden und neben einer genauen Charakteristik desselben: Alter, Religion, Geburtsort, Familien- und Vermögens-Verhältnisse, frühere und letzte Bestrafung, Signalement, Heimaths-Verhältnisse, Militär-Verhältnisse etc., die Angabe seiner Führung während der Haft, seiner Anlagen, Kenntnisse, früheren Handtirung, seines letzten Aufenthalts vor seiner (letzten) Bestrafung, seiner Beschäftigung während der Haftzeit und des Betrages seines für ihn verwendbaren Arbeitsverdienstes enthalten. Die Polizeibehörde, welcher der Arbeitsverdienst etwa ausgezahlt ist, sowie der Betrag desselben ist genau anzugeben. Es ist ferner bestimmt anzuführen, welchen Ort oder Bezirk der Provinz der zu Entlassende zu seinem künftigen Aufenthaltsorte gewählt hat, oder ob und mit welchen Beschränkungen dem Verein die Wahl des künftigen Wohnorts überlassen wird. Eine Unterbringung ausserhalb der Provinz Schleswig-Holstein, resp. des Herzogthums Lauenburg wird in der Regel durch den Verein nicht vermittelt. Gelingt es dem Verein und seinen Organen, ein geeignetes Unterkommen für den zu Entlassenden zu ermitteln, so theilt derselbe dieses dem betreffenden Gefängniss-Vorstande mit und bezeichnet hiebei Zeit, Ort und Person für die erste Meldung des Entlassenen. Letzteres geschieht auch (auf Antrag), sofern sich bis zur Zeit der Entlassung kein Unterkommen ermitteln liess.

11. Verkehr mit den Vertrauensmännern. Der Antrag auf Unterbringung (§ 10) kann auch von den betreffenden Directionen direkt an einen Lokalverein oder an einen der Vertrauensmänner des Vereins gestellt werden, insonderheit wenn der Gefangene einen bestimmten Aufenthaltsort wählt. Es muss indess hiervon gleichzeitig dem Vereins-Vorstande Nachricht gegeben werden. Gelingt dem betreffenden Vertrauensmann (resp. Lokalverein) die Unterbringung nicht, so hat er rechtzeitig die Beihülfe des Central-Vereins zu beanspruchen und die requirirende Gefängn.-Verwaltung hiervon zu benachrichtigen. Etwaige Auslagen des Vertrauensmannes für Porto, Botenlohn etc. erstattet der Central-Verein.

12. Verkehr mit den Provinzial-Chefs der Gefängnisse und des Korrektionshauses. Die Provinzial-Chefs der Verwaltung, der Provinzial- und Lokal-Gefängnisse und Arbeitshäuser werden deren Vorstände mit Anweisung über die Form und die Regelung des Verkehrs mit dem

Central-Verein versehen. Sie werden hiebei auf die Wünsche des letzteren Rücksicht nehmen und dafür Sorge tragen, dass dem Verein jede zulässige Auskunft bereitwilligst und prompt ertheilt wird.

13. Mitglieder-Verzeichniss. Jede Gefängniss-Direction etc. erhält alljährlich ein Verzeichniss der Mitglieder des Central-Vereins, der mit ihm in Verbindung stehenden Lokal-Vereine, der Vertrauensmänner, der Statuten und resp. der eingetretenen Aenderungen. Gleiche Mittheilungen erhalten die obgenannten Provinzial-Verwaltungs-Chefs.

14. Kosten. Zur Bestreitung der Druckkosten, Korrespondenz, Schreib- und Botenlohn etc. ist ein Beitrag des Zinsenfonds der Arbeitsverdienstantheile, resp. ein Zuschuss der Gesellschaft der freiwilligen Armenfreunde in Kiel in Aussicht genommen.

15. Veröffentlichungen. Die Veröffentlichungen der Beschlüsse etc. erfolgen theils durch direkte Zusendungen, theils durch die Hauptzeitungen der Provinz.

16. Form der Erlasse. Der Verein zeichnet seine Erlasse: Central-Verein zur Fürsorge für entlassene Strafgefangene und Korrigenden der Provinz Schleswig-Holstein und Lauenburgs.

Im Auftrage: Der Vorsitzende.

Wie man hieraus ersieht, weicht der Verein in mehrfachen Beziehungen von den meisten übrigen derartigen Vereinen in seiner Organisation etwas ab. Der Schwerpunkt ist in das Zusammenwirken der Aufsichtsbehörden, Gefängnissdirectionen mit dem Centralverein und dessen Organen: Lokalvereinen, Vertrauensmännern etc. gelegt. Die mitwirkende Thätigkeit und der Einblick des Laienelements in die Gefängnissverwaltung ist erleichtert und erweitert und sachlicher Kritik der Weg gebahnt, das kirchliche, an sich so hochbedeutende und wichtige Element, hat eine gleichberechtigte Stellung darin.

Der für die Sache unermüdlich thätige Herr Oberstaats-Anwalt Gieblow hat unterm 17. Februar 1876 folgendes Schreiben an die Gefängniss-Vorstände erlassen:

„Wie Ew. Wohlgeboren bereits durch die öffentlichen Blätter wahrscheinlich zur Kenntniss gelangt sein wird, hat sich am 11. d. M. hier in Kiel ein Central-Verein zur Fürsorge für entlassene Strafgefangene und Corrigenden der Provinz Schleswig-Holstein (und event. Lauenburgs) constituirt. Derselbe hat, wie das in der Anlage beigefügte Programm vom 2. Februar d. J. und die gleichfalls nebst Mitglieder-Verzeichniss beigefügten Statuten ergeben, den Zweck, den bereits zu gleichen Zwecken bestehenden Local-Vereinen der Provinz ihre Thätigkeit zu erleichtern, für Bildung neuer und Erweiterung der bestehenden Lokal-Vereine thätig zu sein und zu dem Ende zunächst in allen Distrikten der Provinz, in welchen Lokal-Vereine noch nicht bestehen oder der erforderlichen Kräfte entbehren, Vertrauensmänner zu suchen, an welche sich die Gefängniss-Vorstände, die Directionen der Strafanstalten etc. und ev. der Central-Verein selbst zur Beschaffung eines

Unterkommens oder lohnenden Erwerbs für die entlassenen Sträflinge und Korrigenden, zur Vertheilung von Unterstützungen etc. wenden oder deren Beirath und' sonstige thätige Hülfe in Anspruch nehmen können. Der Central-Verein soll ferner die Wechselwirkung der Lokal-Vereine und Vertrauensmänner unter sich und mit den Gefängniss-Vorständen unterhalten und ein Mittelglied zwischen den Provinzial-Aufsichts-Behörden der Gefängnisse und dem betreffenden Vereinswesen bilden.

Es liegt völlig ausserhalb der Tendenzen des Central-Vereins, irgend welchen Eingriff in die selbstständige und freie Thätigkeit der Lokal-Vereine, resp. der Vertrauensmänner auszuüben, ebenso wird derselbe seine volle und freieste Selbstständigkeit gegen büreaukratische Einflüsse irgend welcher Art aufrecht zu erhalten wissen. Sein Zweck ist ein wohlthätiger und auf die Hebung der sittlichen Zustände der Provinz gerichteter und soll allen seiner Fürsorge anheimgegebenen entlassenen Strafgefangenen, ohne Rücksicht auf deren Religion, Confession, Sprache, Nationalität und politische Richtung zugewendet werden.

Ew. Wohlgeboren werden nicht verkennen, wie nothwendig und förderlich die obgeschilderte Vereinsthätigkeit für die Interessen einer geordneten Gefängniss-Verwaltung sein kann und wie sehr dieselbe mit den Pflichten der letzteren, zu welchen die Fürsorge für das weitere Fortkommen der entlassenen Sträflinge unzweifelhaft gehört, harmonirt. Es ist daher die Pflicht der Gefängniss-Aufsichtsbehörden, diese Zwecke zu fördern und richte ich das ergebene Ersuchen an Ew. Wohlgeboren, den Bestrebungen des Vereins Ihre persönliche Unterstützung angedeihen zu lassen. Namentlich werden Ew. Wohlgeboren diese Unterstützung dadurch bethätigen, wenn Sie bemüht sein wollen, mir mitzutheilen, in welcher Weise etwa die Thätigkeit der Ihrem Amtsbezirke bereits angehörenden Lokal-Vereine unterstützt und ergänzt werden könnte und welche Männer von erprobter Einsicht, Einfluss und Redlichkeit etwa in Ihrem Amtsgerichtsbezirke geneigt sein möchten, einer Aufforderung des Central-Vereins, ihm event. als Vertrauensmann im Sinne des § 7 der Statuten seine thätige Beihülfe zu schenken, zu entsprechen. Da nach §§ 3. 43. alin. 2 der Gemeinde-Ordnung der evangelisch-lutherischen Kirchengemeinden vom 16. Aug. 1869 (Reg.-Amtsblatt S. 291) der Kirchen-Vorstand vorzugsweise die Pflicht hat, für die entlassenen Sträflinge der Gemeinde Fürsorge zu treffen, so werden Sie ersucht, geeigneten Falles bei Stellung Ihrer gefälligen Vorschläge vorher mit diesem in Verbindung zu treten, gleichzeitig aber werden Ew. Wohlgeboren gefälligst ihr Augenmerk ganz vorzugsweise auf die Armenpfleger in den politischen Gemeinden und ferner solche Personen zu richten haben, welche in ihrer Eigenschaft als Fabrikanten, Bauunternehmer, Kaufleute, Vorsteher grösserer Büreau's, Handwerksmeister, Landleute etc. vorzugsweise geeignet sind, selbstthätig Hülfe zu schaffen. Geldbeiträge für den Central-Verein werden nicht verlangt,

wohl aber guter Rath und persönliche Mitwirkung. Selbstredend wird
andererseits an den Einzelnen ein Anspruch auf Mitwirkung nur sehr
selten herantreten, so dass die übernommene Verpflichtungen nicht von
besonderer oder gar in der Berufsthätigkeit der Einzelnen störender
Einwirkung sein können.

Da die Eröffnung der Thätigkeit des Vereins wesentlich von den
von Ew. Wohlgeboren mir zu machenden Mittheilungen abhängig ist,
so darf ich einer gefälligen Rückäusserung in nicht zu langer Zeit
entgegensehen."

Diese Zuschrift hat bei allen Gefängnissvorständen ohne Ausnahme eine ganz erfolgreiche Theilnahme gefunden.

Die Königl. Ministerien des Innern und der Justiz in Berlin, sowie die Centralbehörden der Provinz haben dem Unternehmen alsbald
ihre Anerkennung gezollt. Der Herr Justizminister hat ausdrücklich
die Bildung des Vereins mit lebhafter Freude begrüsst und die Gewährung reichlicher Mittel aus Justizfonds für denselben zugesichert.

So wurde es möglich, die Thätigkeit des Centralvereins schon
am 22. April 1876 mit sicherer Aussicht auf Erfolg zu eröffnen. Die
Theilnahme, welche derselbe über die ganze weit ausgedehnte, in vielfacher Beziehung höchst verschiedenartig bevölkerte Provinz und in
allen Ständen gefunden, ist hocherfreulich und über alle Erwartung
gewesen. Der Richterstand und die Kirchenvorstände haben einmüthig
darin gewetteifert, das Streben für den Zweck des Vereins zu beleben.
Schon mit der Eröffnung zählte der Verein 355 Mitglieder und 14 Lokalvereine; der Beitritt vieler weiterer Vertrauensmänner und die Constituirung anderer Lokalvereine war in sicherer Aussicht.

Dabei hat sich die in Schleswig-Holstein bestehende Gerichtsorganisation und die sonst in Preussen nicht vorkommende Centralisation
der gesammt-gerichtlichen Gefängnissverwaltung in den Händen einer
direkten Aufsichtsbehörde, des K. Oberstaatsanwalt, ganz besonders
bewährt.

Was den nordwestdeutschen Gefängnissverein anlangt,
so luden der Ober-Staatsanwalt Giehlow in Kiel, der Strafanst.-Direktor
Krohne in Rendsburg und der Strafanstaltsdirektor Grumbach in Hamburg auf den 15. November nach Altona aus Schleswig-Holstein, dem
nördlichen Hannover, Mecklenburg, Oldenburg und den Hansestädten
alle Diejenigen ein, welche sich der Gefängnissreform thätig annehmen
wollen, insbesondere Oberbeamte von Strafanstalten, Richter, Staatsanwälte, Anwälte, Verwaltungsbeamte, Geistliche u. s. f. „Bei der grossen
Verschiedenheit der Ansichten über die Prinzipien des Strafvollzugs
und seiner Organisation" heisst es in dem erlassenen Einladungsschreiben „ist es die Aufgabe sowohl Derer, welche sich in irgend einer
Weise mit dem Strafvollzuge befassen, als aller Derer, welchen eine
Heilung der Schäden unseres Volkslebens am Herzen liegt, von denen
Verbrechen und Strafe Kunde gehen, zur Klärung der Ansichten über

den Strafvollzug beizutragen und das Interesse für eine gesunde Gefängnissreform zu wecken." Zunächst soll berathen werden über die „Reorganisation des Gefängnisswesens in Deutschland" und über „Aufgabe der Gesetzgebung für die Reform des Strafvollzuges in ihrer Selbstbeschränkung."

Die Versammlung fand wirklich Statt und bildet sich dabei der Verein. Wir werden hierüber später berichten.

**Berlin**, 28. Jan. 1877. Der Abg. Eberty hat ein ganzes Dutzend Fragen über die Reform des Gefängnisswesens an den Minister des Innern gerichtet, um darauf bezügliche Resolutionen in der Etatsgruppe zu stellen. Der Gegenstand ist in der Fraktion der Fortschrittspartei von dem Antragsteller ausführlich erörtert worden. Bei der Budgetkommission wurden in der Etatgruppe für das Ministerium des Innern die Anfragen und Anträge des Abg. Dr. Eberty eingehend behandelt. Dieselben betrafen die Beschäftigung der Sträflinge in den Strafhäusern, die Anstalten für Unterbringung verwahrloster Kinder, die Rückfälle (deren Zahl in Preussen erschreckend gross ist), die Uebertreibung des Zellensystems, die öffentlichen Arbeiten der Sträflinge namentlich beim Landbau, sowie die Statistik der Strafanstalten, über welche interessante Aufschlüsse, namentlich im Vergleich zu England, gegeben wurden. Beschlüsse wurden nicht gefasst. Entsprechende Anträge werden jedoch im Hause gestellt werden. Ein Gesetzentwurf, betr. die Ausführung des § 55 des Reichs-Strafgesetzbuches wird nach der Erklärung des Regierungskommissärs noch in diesen Tagen dem Landtage zugehen.

**Berlin,** im Januar 1877. Abgeordnetenhaus. (7. Sitzung vom 25. Januar. Berathung des Etats des Justizausschusses.) Zu Titel 5 (Antheil an dem Arbeitsverdienst der Gerichts-Gefangenen 483,350 Mark) rügt Abg. Röckerath die Art und Weise, in welcher gegenwärtig von der preussischen Gefängnissverwaltung die Arbeit der Gefangenen einem Gross-Industriellen in Entreprise gegeben und zu deren Privatvortheil unter empfindlichster Schädigung der Kleinindustrie und des freien Handwerks ausgebeutet werde.

Abg. Eberty: Die Klagen der Industriellen und der Handwerker über die nicht gerechtfertigte Concurrenz durch Beschäftigung der Gefangenen sind im vollsten Masse begründet. Die Sache ist geradezu zu einer Calamität für das Land geworden. Ich habe von jeher die in Irland und England mit so grossem Glück durchgeführte Beschäftigung der Gefangenen an öffentlichen Werken befürwortet. In England beträgt der Prozentsatz der Rückfälligen unter den Verbrechern 5—7 Prozent, in Preussen aber 78 Prozent (Hört!), das ist eine schwerwiegende und schneidige Verurtheilung des bei uns herrschenden Systems. Ich behalte mir vor, beim Etat des Ministeriums des Innern ausführlich auf diesen Gegenstand zurückzukommen.

Regierungskommissär Geh.-Rath Starke erwidert, dass das in England adoptirte System sich nur durchführen lasse bei Gefangenen, die zu langjähriger Gefängnisstrafe verurtheilt seien. Die Vergebung der Gefängnissarbeit an Industrielle erfolgte nur nach sorgfältiger Prüfung der Verhältnisse und unter Forderung aller Garantien sowohl im Interesse der Gefängnissverwaltung wie der Gefangenen selbst. Insbesondere bei der gegenwärtigen industriellen Krise sei der Vortheil der betreffenden Unternehmer sehr problematisch; viele von ihnen würden gewiss, wenn sie könnten, von ihren Verträgen sich entbinden lassen.

Die Position wird genehmigt.

**Berlin,** im Februar 1877. Abgeordnetenhaus. (12. Sitzung vom 3. Februar.) Bei dem Gefängnisswesen beantragen Abg. Eberty und Genossen, die Regierung aufzufordern:

I. Im nächstfolgenden Etat eine genaue Nachweisung darüber vorzulegen, wieviel aus jeder ihrer einzelnen Einnahmequellen der Strafanstalts- und Gefängnissverwaltung zugeflossen, und zwar:

a) aus dem Arbeitsverdienst der Gefangenen, 1. für den eigenen Bedarf der einzelnen und sämmtlicher Anstalten, 2. für eigene Rechnung der einzelnen und sämmtlicher Anstalten zum Verkauf, 3. für Dritte gegen Lohn,

b) von Erträgen aus der Feld- und Gartennutzung der einzelnen und sämmtlicher Anstalten: 1. der Anstalten selbst, 2. soweit diese verpachtet sein sollten: an Pachtzins, 3. an erstatteten Unterhaltungskosten, unter Angabe, wie diese erwachsen und worin sie bestehen.

II. Zum Zwecke der Lieferung der Nachweisungen zu 1: a) ein Zusammenwirken der Ministerien des Innern und der Justiz eintreten zu lassen, b) die Mitwirkung der Polizeiverwaltung eintreten zu lassen, insbesondere um die Ursachen der Verbrechen und Vergehen, — durch Ermittelung der Familien-, Nahrungsverhältnisse und der gesellschaftlichen Stellung der Sträflinge, — ans Licht zu stellen.

III. Die vergleichende Statistik des Gefängnisswesens durch Austausch der Gefängnissstatistik Italiens, Grossbritanniens und Frankreichs mit unserer staatlichen Gefängnissstatistik zu fördern.

Ferner: „Bei der Unterbringung verwahrloster Kinder in Erziehungs- und Besserungs-Anstalten vorzüglich die Beschäftigung dieser Kinder beim Landbau in das Auge zu fassen."

Endlich: „Bei der Beschäftigung der Gefangenen statt der fabrikationsmässigen Beschäftigung der Gefangenen soviel als möglich die Beschäftigung derselben bei öffentlichen Werken, insbesondere beim Landbau eintreten zu lassen."

Die gesetzlich gleichmässige Regelung des Strafvollzugs für das Deutsche Reich muss auf den Reichstag übergehen. Denn sie ist eine Consequenz der Rechtseinheit in Beziehung auf das Strafrecht und das Strafverfahren. Dies spricht auch der Beschluss des Reichstages vom Dezember 1876, welcher auf die hierbei maassgebenden Bestimmungen des Strafgesetzbuches verweist, aus. Die Verwaltung des Gefängniss-

wesens innerhalb dieser Grenzen gebührt den einzelnen Staaten aus
dem äusseren Grunde, weil sie die Mittel dazu zu bewilligen haben,
aber auch aus dem Innern, weil dieser Verwaltungszweig von der den
Einzelnstaaten zustehenden Volkserziehung mit berührt wird. Die
preussische Verwaltung der Strafanstalten und des Gefängnisswesens
überhaupt entspricht ebenso wenig den finanziellen als den Cultur-, insbesondere den Erziehungsinteressen des Staates. Zahlen entscheiden
hier. Die Rückfälligkeit beträgt 78 Procent, die Gefängnisse reichen
nicht mehr aus, um die Zahl der zu Verhaftenden aufzunehmen. Dies
steht mittelbar im Zusammenhange mit den Einnahmen der Strafanstaltsverwaltung, mit denen wir es hier zu thun haben. Soweit die Verdin-
gung der Arbeitskräfte stattgefunden, ist dadurch der freien Arbeit eine
Concurrenz entgegengestellt, welche unwiderruflich zum Nachtheile der
freien Arbeit wirkt. Denn die Gefangenen werden vom Staate erhalten,
Kost und Wohnung liefert ihnen der Staat. Dass hierdurch der Wett-
kampf ein ungleicher wird, wer wollte das leugnen? Aber für die
Besserung der Gefangenen lässt sich ausserdem kein schlechterer Plan
ersinnen, als der der verdungenen fabrikmässigen Beschäftigung der
Gefangenen. Erlangen sie die Freiheit wieder, so thürmen sich ihnen
die grössten Schwierigkeiten entgegen. Ihre Erwerbsfähigkeit hängt
davon ab, dass ein Fabriksherr sie in seiner Werkstatt aufnimmt; ohne
solche Gunst sind sie verloren. Der Textilindustrie wird dadurch eine
nicht unbedeutende Concurrenz, nämlich allein in den Strafanstalten
von 3729 Arbeitern und Arbeiterinnen, den Buchbindern eine solche von
1718, der Industrie der Holz- und Schnitzstoffe von 2978, der der Bekleidung und Reinigung von 2895 (darunter 1104 Schuhmacher) entgegengestellt. Wie sollen hierbei die freien Arbeiter bestehen? In
welcher Weberei, in welcher Holzschnitzwerkstatt werden aber andrer-
seits die entlassenen Gefangenen Aufnahme finden? Dass aber die
Verbrecher durch solche Beschäftigung nicht gebessert werden, das
lehrt, um dies zu wiederholen, die erschreckende Zahl der Rückfälligkeit, welche, ausser in Italien, wohl in keinem Lande der Christenheit
ihres Gleichen findet. Erschreckend ist diese Zahl nicht blos, weil
viele menschliche Seelen nach wie vor dem Verderben Preis gegeben
werden, — sondern auch wegen der immer mehr zunehmenden Unsicherheit. Einbrüche, das ist bekannt, werden von Dieben von Profession,
fast immer von mehrmals Bestraften verübt. Der Grund hiervon liegt
in dem Mangel an Einheit in der Verwaltung — und in der daraus
entspringenden Systemlosigkeit. Die Macht ist getheilt zwischen den
Ministern der Justiz und des Innern, und in den verschiedenen Strafanstalten herrschen verschiedenartige Systeme, von der ungebundensten
Vermischung der Gefangenen bis zur übertriebensten Einzelhaft, mit
allen ihren längst von der Wissenschaft und der Erfahrung verurtheilten
Auswüchsen, den Kappen, den Betstühlen, den Spazierhöfen. Die Miss-
erfolge liegen vor und schwerlich wird man irren, wenn man die System-

losigkeit der Verwaltung als eine mitwirkende Ursache bezeichnet. Dieser Systemlosigkeit zu begegnen, einen klaren Ueberblick über die Gefängnissverwaltung zu liefern, darauf sind meine Anfragen und daran sich anknüpfende Anträge gerichtet. Die Anfragen und Antworten sind geeignet, Licht über die Strafanstaltsverwaltung zu verbreiten. Die nächstliegende Verwendung der Arbeitskräfte sollte da für den eigenen Bedarf der Anstalt sein. Auf die darauf gerichtete Anfrage ist die königliche Staatsregierung die Antwort schuldig geblieben. Strafanstaltsverwaltung und Polizei befinden sich beide in der Hand des Ministers des Innern. Aber die Staatsregierung hat es nicht für gut befunden, diese Kräfte zu combiniren, um die Ursachen der Verbrechen zu ermitteln. Darauf kommt aber doch Alles an. Die Polizei ist aber viel mehr im Stande als die Strafverwaltung und das Gericht, den Ursachen der strafbaren Handlungen nachzuspüren und zu ermitteln, inwiefern sie in den Familien-, Berufs- und Erwerbsverhältnissen zu suchen sind. Die Berichte des Metropolitan und der Citypolizei in London liefern glänzende Ergebnisse in dieser Beziehung. Dass die mangelhafte Erziehung Hauptursache des Verbrechens ist, hat die königliche Staatsregierung anerkannt und auf meine Anfrage einen Gesetzentwurf zur Ausführung der Paragraphen des Strafgesetzbuches vom 26. Febr. 1876 über Unterbringung verwahrloster Kinder in Erziehungs- und Besserungsanstalten in Aussicht gestellt. Der Quelle aller Verbrechen nähert man sich hierdurch. Wird ein solcher Gesetzentwurf, wie zu erwarten steht, vorgelegt, so wird alles darauf ankommen, die richtige Methode bei der Heilung des Uebels anzuwenden. Diese wird hauptsächlich in der Beschäftigung der Kinder beim Landbaue bestehen; das System der Beschäftigung jugendlicher Verbrecher beim Ackerbau hat sich in der ganzen Welt als Hilfe bringend bewährt. Nur wenn man den Ursachen des Verbrechens nachgeht, wozu Unification der Verwaltung, Verbindung der Polizeikraft mit denen der Strafanstaltsverwaltung Noth thut, nur wenn man die Verbrecher so beschäftigt, dass sie nach ihrer Entlassung auf eigenen Füssen stehen können, wenn man die Wissenschaft der Gefängnissstatistik und der Beschäftigung der Gefangenen bei öffentlichen Werken befördert, wird es möglich sein, der immer mehr zunehmenden Fluth der Verbrechen, welche die Sicherheit des Bürgers gefährdet und den Staat in seinen rechtlichen und sittlichen Grundlagen erschüttert, einen Damm entgegenzuwerfen. Darauf sind meine Anträge, welche ich bitte, einzeln zur Abstimmung zu bringen, gerichtet, und bitte ich, denselben ihre billigende Zustimmung zu verleihen.

Abg. Götting: Im Allgemeinen bin ich mit den Ausführungen des Abg. Eberty einverstanden, aber in Bezug auf einen Punkt möchte ich Sie warnen, seinem Rathe zu folgen, das ist in Bezug auf die Herbeiführung einer Verminderung der Zahl der Rückfälle von Verbrechern. Ich habe mir genau die Statistik durchgesehen und habe nach den Resultaten derselben nur den Schluss ziehen können, dass der Grund der

grossen Anzahl von Rückfällen lediglich in dem System der gemeinschaftlichen Haft zu suchen und eine Besserung nur dadurch zu schaffen
ist, dass man das Zellensystem anwendet, ein System, das ja nicht mit
dem der Einzelhaft zu verwechseln ist. Der Kollege Eberty führt uns
vor, dass in Preussen 78 Prozent Rückfälle stattfinden, während diese
Zahl sich in England und Irland nur auf 70 Prozent beläuft. Es ist
jedoch hierbei zu berücksichtigen, dass die preussische Statistik die
Rückfälle ganz anders berechnet, als die englische. In England und
Irland werden diejenigen Verbrecher, welche die sogenannten Urlaubs-
scheine erhalten und dieselben verwirkten, unter eigener Rubrik aufgeführt und kommen nicht in die Rubrik der Rückfälligen, und ausserdem
ist zu bemerken, dass 75 Prozent der entlassenen Verbrecher auswan-
dern. Die Erfahrung spricht entschieden gegen die Auffassung des
Abg. Eberty, als ob eine Verminderung der Rückfälle durch Arbeit im
Freien herbeigeführt werden könne und ich möchte ihn da speziell auf
Italien hinweisen, in welchem Lande der Prozentsatz eben so gross ist,
wie in Preussen. Die einzige Besserung kann durch den Unterricht
erzielt werden, und der ist nur möglich innerhalb der Gefängnisse. In
Irland spricht sich ein mit den Sachen Vertrauter dahin aus, dass man
wohl grossartige Bauten mit Hilfe der Gefangenen ausgeführt habe,
aber nur auf Kosten der Moral derselben. Bei den gemeinschaftlichen
Arbeiten ausserhalb treten sie in Verkehr mit dem Publikum, vor Allem
aber mit einander, und an eine ernste Besserung ist nicht zu denken.
Ein Verbrecher lernt vom andern nur neue Schlechtigkeiten und man freut
sich dessen. It is here very comfortable, schrieb in Irland ein Verbrecher an den andern — like in a farmery. Thatsache ist ferner, dass
Verschwörungen und Complotte fortwährend bei den Arbeitern im
Freien vorkommen, und wenn man den finanziellen Gesichtspunkt berücksichtigt, so kostet die Arbeit im Freien bedeutend mehr, als die
Arbeit im Innern, weil man, um Verschwörungen zu verhindern, hinter
jeden Gefangenen zwei Aufseher stellen müsste. Desshalb kann ich
nur dringend ersuchen, bei dem Zellensystem, zu welchem wir glück-
licherweise übergegangen sind, stehen zu bleiben. (Beifall.)

Regierungskommissär Geh.-Rath Illing: Der Vorredner hat im
Wesentlichen den Standpunkt vertreten, welchen die Regierung eingenommen hat. In Betreff der Beschäftigung der Gefangenen wird die
Regierung in Uebereinstimmung mit den Wünschen des Landtages bei
ihrem bisherigen System verharren und auf die Vorschläge des Abg.
Eberty nicht eingehen. In den Jahren 1872—1874 haben wir 2000
Cigarrenarbeiter, 1800 Weber und 1000 Schuster beschäftigt. Dieselben
haben den betreffenden Industriezweigen keine nennenswerthe Concurrenz bereitet, wenigstens im Gegensatz zu derjenigen, welche sie ihnen
auch auf freiem Fusse bereitet hätten. Es ist auch billig, dass die
Sträflinge einen Theil ihrer Unterhaltungskosten abarbeiten und zudem
steht nach einer Schätzung der Reichsenquetekommission, welche ich

noch für zu hoch gegriffen halte, die Arbeit von zwei bis drei Sträflingen gleich der eines freien Arbeiters. Die Arbeit wird im Wege der
Submission an den meistbietenden und sichersten Entrepreneur auf
längere Zeit vergehen. Solche Entrepreneurs sind aber bei den vielfachen Schwierigkeiten, welchen die Gefängnissarbeit unterworfen ist
nicht leicht zu finden. Wir haben auch bessere Resultate wie in Irland
erzielt. In den Jahren 1872—1874 verdiente ein Sträfling bei uns nach
Abzug der Unkosten durchschnittlich etwas über 31 Thaler jährlich und
kostete etwas über 70 Thaler. In Irland verdiente er 1 Pfund 8 Schil-
linge und kostete 35 Pfund. Der Verdienst betrug also etwa ein Vier-
tel des unsrigen, während die Kosten drei Mal so hoch waren wie bei
uns. Die Beschäftigung in der Landwirthschaft wird nach Möglichkeit
erstrebt, sie ist jedoch auch nach der Ansicht der Commission des
Reichstages wegen der vielfachen dabei sich bietenden Schwierigkeiten
äusserst selten durchzuführen.

Die Discussion wird geschlossen und sämmtliche Einnahme-Po-
itionen genehmigt, dagegen die Anträge Eberty abgelehnt.

**Berlin,** im Februar 1877. Abgeordnetenhaus. (17. Sitzung vom
10. Febr.) 10 Uhr. Am Ministertische Graf zu Eulenburg, Geh. Räthe
v. Kehler, Illing, Herrfurth, Haase u. A.

Nachdem der Bericht über die Verwaltung des Hinterlegungsfonds
für das Jahr 1876 der Budgetkommission überwiesen, setzt das Haus
die Etatsberathung des Ministeriums des Innern bei dem Capitel „Strafanstalten" fort.

Hierzu beantragen:

1) Abg. Knörcke: die Regierung aufzufordern, die Lehrer an
den Strafanstalten im Gehalt mit den Strafanstalts-Inspektoren gleich-
zustellen;

2) Abg. Zimmermann: die Regierung aufzufordern, das Verfahren bei der vorläufigen Entlassung der zu längerer Zuchthaus- oder Gefängnissstrafe verurtheilten Civilpersonen mit Rücksicht auf die statistischen Ergebnisse für die Jahre 1873, 1874 und 1875 einer besonderen
Prüfung zu unterwerfen.

Abg. Eberty: Die ungeheuren Kosten zur Repression der Verbrechen haben nicht den gewünschten Erfolg. Die Zahl der Verbrecher
nimmt weit über das Verhältniss der Zunahme der Bevölkerung und die
Zahl der Rückfälle in erschreckender Weise zu, wie ich dies bereits
früher ausgeführt habe. Rücksichtlich der einheimischen Verhältnisse
haben meine Aufgaben keine Anfechtung erfahren, nur in Beziehung
auf England hat sie der Abg. Götting bestritten. Gleichwohl sind auch
die letzteren aus den besten und neuesten amtlichen Quellen geschöpft,
während die Ausführungen des Abg. Götting, einer einseitigen Partei-
schrift entlehnt, von dem competentesten Richter auf dem Gebiete des
Gefängnisswesens, dem Professor v. Holtzendorff, für veraltet erklärt
worden. Es ist aber für die preussische Verwaltung von höchstem In-

teresse, die wahren Ergebnisse der englichen Strafanstaltsverwaltung um ihrer günstigen Resultate willen zur Nacheiferung kennen zu lernen. Nach den von den Directoren der Strafanstalten in England an den Secretary of State for the home department erstatteten und von diesem dem Parlamente vorgelegten Bericht vom Juli 1874 ist schon seit 1855 die Zahl der Verbrecher, im umgekehrten Verhältniss zu der Zunahme der Bevölkerung, stets im Abnehmen; ebenso verhält es sich mit dem Prozentsatz der Rückfälligkeit, besonders seit den Jahren 1870—1873. Die neuesten Verhandlungen des Congresses der Gefängnissbeamten und der Freunde der Gefängnissreform, der in Brighton am 5. Oktober 1875 stattgefunden, bestätigen denselben erfreulichen Fortschritt. Nach jenen amtlichen Berichten betrugen die Kosten für die 10,676 in diesen Strafanstalten aufbewahrten Gefangenen 342,158 Pfund Sterling, der Arbeitsverdienst und zwar ohne Berechnung des Werths der Arbeit im Dienste der Strafanstalt 222,043 Pfund, es bleibt mithin ein Kostenbetrag pro Kopf von nur etwa 11 Lstr. jährlich. Jener Arbeitsverdienst wird grösstentheils, nämlich mit 144,000 Lstr. aus öffentlichen Werken gewonnen, wozu noch 48,476 Lstr. aus dem Erlös für Gefängnissbauten treten. Dies sind die Hauptquellen des Arbeitsverdienstes. Diese nützliche Beschäftigung der Gefangenen hat man immer im Auge behalten, damit sie nicht nur einen grossen Theil der Kosten ihres Unterhaltes decken, sondern auch von dem Gesichtspunkte: die Gefangenen nach ihrer Entlassung in den Stand zu setzen, sich ihren Unterhalt selbst zu verdienen. Man hat sich ferner bestrebt, die grösste Mannigfaltigkeit der Beschäftigungszweige für die Gefangenen ausfindig zu machen, damit sie nicht der freien Arbeit eine ungerechtfertigte Concurrenz machen. Ebenso unzuverlässig wie in Beziehung auf englische sind die Angaben des Abg. Götting in Beziehung auf italienische Verhältnisse. Ich weiss nicht, woher er die Notiz entnommen, dass in Brindisi, Assisi, Genua und Padua grosse landwirthschaftliche Anstalten zur Beschäftigung der Gefangenen bestehen. Der Bericht der italienischen Gefängnissstatistik für 1874 bestätigt seine Angaben nicht. Nur soviel ergibt diese amtliche Statistik, dass in Padua und Brindisi Bewahranstalten für jugendliche Verbrecher aus eingezogenen Klostergütern gebildet worden sind. Diese, sowie die Ackerbauanstalten auf den Ligurischen Inseln Pantellaria, Gorgona und Lampedusa haben sich ausserordentlich bewährt. Im Allgemeinen leidet aber Italien an denselben Schäden wie Preussen. Das gleiche Anwachsen des Verbrecherthums und der Unsicherheit steht hiermit im Zusammenhange. Der Redner empfiehlt schliesslich die Annahme der Anträge Zimmermann und Knörke. Die Gewinnung tüchtiger Lehrkräfte für die Strafanstalten sei der wichtigste Hebel für die Besserung der Gefangenen.

Abg. Knörcke: Im vorigen Jahre hat der Abg. Techow darauf hingewiesen, wie die Stellung und das Gehalt der Strafanstaltslehrer dringend einer Aufbesserung bedürfe. Trotzdem die Regierung dies

Bedürfniss anerkennen musste, ist seitdem nichts in dieser Richtung geschehen. Ich empfehle daher dem Hause dringend die Annahme meines Antrages.

Abg. Techow kann gleichfalls den Antrag des Vorredners nur dringend befürworten. Von den 137 Gefängnissinspektoren in Preussen gehen nur 21 aus dem Offizierstande, für die dieses Amt nur ein Durchgangsposten zu Directorstellen sei, alle übrigen aber aus dem Unteroffizierstande hervor; trotzdem sei eine so bedeutende Differenz zwischen ihrem und dem Gehalte der Lehrer zu Ungunsten der Letzteren.

Regierungskommissär Geheimrath Illing erklärt sich gegen den Antrag.

Nachdem der Abg. Kiesel den Antrag Knörke als durchaus gerechtfertigt nochmals empfohlen, erhebt der Abg. Röckerath darüber Beschwerde, dass man in vielen Gefangenen-Anstalten den katholischen Gefangenen einen altkatholischen Lehrer gegeben habe.

Abg. Zimmermann empfiehlt seinen Antrag, welcher der Justizkommission, während der Antrag Knörke, weil er eine Mehrbelastung des Etats involvirt, der Budgetkommission überwiesen wird.

Beim Titel 7 „Strafanstaltsverwaltung" beklagt sich Abg. Dr. Baehr, Kassel, dass ein in Kassel schon 1872 begonnener und damals als ein dringendes Bedürfniss anerkannter Gefängnissbau schon seit längerer Zeit völlig unterbrochen worden, so dass man fürchten müsse, dass er nächstens zur Ruine werden würde.

Minister Graf zu Eulenburg erklärt, dass der Regierungskommissär augenblicklich nicht genügend informirt sei und dass die Regierung desshalb sich die Antwort vorbehalte.

Berlin, im August 1876. Unter der Ueberschrift „Gesetzliche Fürsorge für jugendliche Uebelthäter" bringt die „Prov.-Corr." folgenden Artikel:

„Die deutsche Gesetzgebung in Bezug auf die Behandlung von Verbrechern kindlichen Alters zeigte vor Einführung des Reichs-Strafgesetzbuches eine bedauerliche Vielgestaltigkeit. In den meisten deutschen Ländern war durch das Strafrecht eine Altersgrenze für die Zurechnungsfähigkeit festgehalten, obwohl grosse Verschiedenheiten in der Bestimmung der Altersstufe bestanden, von welcher ab die strafrechtliche Verfolgung jugendlicher Uebelthäter zulässig sein sollte. Dagegen war in dem früheren Strafrecht Preussens und Bayerns der Grundsatz zur Geltung gelangt, dass ein gerichtliches Verfahren gegen jugendliche Verbrecher ohne Rücksicht auf eine Altersgrenze im Allgemeinen statthaft und im einzelnen Falle das bei dem Thäter anzunehmende Unterscheidungsvermögen für das Urtheil über die Strafbarkeit massgebend sein sollte. Indessen war auch unter der Herrschaft dieses strafrechtlichen Grundsatzes die Scheu vor der Bestrafung kindlicher Missethäter so allgemein, dass die Straflosigkeit von Personen unter zwölf Jahren durchgehends als Regel galt.

Das Strafgesetzbuch des Deutschen Reiches vom 15. Mai 1871 hat diese Altersgrenze für die Zurechnungsfähigkeit und Strafbarkeit zur allgemein giltigen Vorschrift erhoben, da es im § 55 die Bestimmung enthält, dass, wer bei Begehung einer Handlung das zwölfte Lebensjahr nicht vollendet hat, wegen derselben nicht strafrechtlich verfolgt werden kann. Es liegt dieser Vorschrift die Ueberzeugung zu Grunde, dass die Grenzlinie des zurechnungsfähigen Alters zwar nicht für alle Kinder gleichmässig festzustellen ist, dass aber die gesetzliche Bestimmung einer solchen Altersgrenze mit weniger Nachtheilen verbunden ist, als wenn die Zurechnungsfähigkeit in jedem einzelnen Falle geprüft werden soll.

Neuerdings ist durch die vielfach wahrgenommene Zunahme der Vergehen gegen die Strafgesetze von Seiten jugendlicher Personen dem erwähnten Gegenstande wieder die allgemeine Aufmerksamkeit zugewendet worden. Einzelne Stimmen haben die Angemessenheit des in dem Strafgesetzbuch aufgestellten Grundsatzes überhaupt in Frage gestellt und Aufhebung des § 55 befürwortet, während in weiteren Kreisen die Ansicht sich Bahn brach, dass auf anderem Wege Abhilfe zu suchen sei. Der letzteren Ansicht sind nach allseitiger Erwägung die Reichsbehörden beigetreten. Zunächst wurde in Betracht gezogen, dass Klagen über zunehmende Verwilderung der Jugend schon zu früheren Zeiten und während der Geltung anderer strafrechtlicher Grundsätze laut geworden sind. Ferner wurde auf die Beobachtung Gewicht gelegt, dass vorzugsweise die Eigenthums-Verletzungen durch Personen im kindlichen Alter zugenommen haben. Gerade auf diesem Gebiete liegt die Vermuthung nahe, dass von den Verbrechen der Kinder oft die Eltern oder andere Verwandten, die Gewalt über sie haben, hauptsächlich Vortheil ziehen und dass letztere, wenn sie nicht gar die Kinder unmittelbar durch eigentliche Anstiftung zu Gesetzesübertretungen missbrauchen, doch durch Ermunterung oder schuldhaftes Geschehenlassen an der strafbaren Handlung betheiligt sind. Zur Begründung dieser Ansicht dient die Thatsache, dass namentlich die Fälle sich mehren, wo Kinder bei Entwendung von Feldfrüchten und Walderzeugnissen, bei Uebertretung von steuergesetzlichen Vorschriften und dergleichen mehr betroffen werden. Es leuchtet ein, dass in solchen Fällen eine über die Altersgrenze der Zurechnungsfähigkeit hinwegsehende Strenge des Gesetzes nicht die eigentlichen Schuldigen treffen würde. Im Allgemeinen aber wird anerkannt, dass die Missethaten jugendlicher Verbrecher fast immer aus schlechter Erziehung, aus Mangel an Zucht und Aufsicht herzuleiten sind, dass daher solche Fälle in dem Alter, welches noch der Erziehung zugänglich ist, die Gesetzgebung nicht auf Ahndung durch eigentliche Strafmittel, sondern auf Besserungs- und Erziehungs-Anstalten hinweisen.

Auf Grund dieser Auffassungen ist die Vorschrift entstanden, durch welche das Gesetz vom 26. Febr. d. J. den Art. 55 des Strafgesetzbuches ergänzt hat. Nach der übereinstimmenden Ansicht des Bundesrathes und des Reichstages ist der Grundsatz beibehalten worden, dass die strafrechtliche Verfolgung von Kindern unter 12 Jahren nicht stattfindet; doch ist der Zusatz gemacht, dass nach Massgabe der landesgesetzlichen Vorschriften die zur Besserung und Beaufsichtigung geeigneten Massregeln getroffen werden können, und dass insbesondere die Unterbringung in eine Erziehungs- und Besserungs-Anstalt erfolgen kann, nachdem durch Beschluss der Vormundschaftsbehörde die Begehung der Handlung festgestellt und die Unterbringung für zulässig erklärt ist.

Durch den Artikel 55 in der jetzt geltenden Fassung wird also der jugendliche Uebelthäter nicht dem Strafrichter überantwortet, wohl aber wird eine amtliche Fürsorge für denselben in Aussicht genommen. Den Vormundschaftsbehörden ist die Aufgabe zugewiesen, durch ihren Beschluss die Fälle festzustellen, wo die Unterbringung in eine Erziehungs- oder Besserungs-Anstalt angemessen ist. Bei dieser Entscheidung kommt natürlich in Betracht, ob das begangene Vergehen gegen die Strafgesetze, die Person des kindlichen Verbrechers und besonders auch seine bisherigen Lebensverhältnisse für die Anwendung des erwähnten Zuchtverfahrens im öffentlichen Interesse sprechen. Andererseits fällt den Verwaltungsbehörden die Pflicht zu, für zweckentsprechende Ausführung der neuen Gesetzesvorschrift Sorge zu tragen, und hier ist vor Allem die Frage zu prüfen, ob in den einzelnen Ländern Einrichtungen bestehen, die den Ansichten des Gesetzes genügen.

In Preussen war die Fürsorge für verwahrloste Kinder bisher der freiwilligen Privatthätigkeit überlassen. Auch auf diesem Gebiete hat es an Bemühungen der Menschenfreundlichkeit und Barmherzigkeit nicht gefehlt; aber dieselben blieben in ihren Leistungen und Erfolgen vielfach hinter den Anforderungen der Gegenwart zurück. Da das Gesetz ausdrücklich auf den Zweck der Erziehung und Besserung hinweist, während eine eigentliche Bestrafung für das Alter unter zwölf Jahren ausgeschlossen bleibt, so kann im Allgemeinen nicht davon die Rede sein, die Provinzial-Arbeitshäuser für die Unterbringung verwahrloster Kinder zu benutzen. Diese Anstalten dienen zur Strafhaft für Bettler, Landstreicher, arbeitsscheue und ähnliche nach dem Strafgesetz verurtheilte Personen; sie dürften zur gleichzeitigen Aufnahme jugendlicher Uebelthäter selten oder nie brauchbar sein. Ebenso wenig kann es für angemessen erachtet werden, Verbrecher im Kindesalter solchen Anstalten zuzuweisen, die vorzugsweise zur Aufnahme von Kranken, Gebrechlichen oder Blödsinnigen bestimmt sind, da dieselben für die Zwecke der Erziehung durchaus nicht geeignet erscheinen.

In dem Gesetz vom 26. Februar d. J. ist nicht bestimmt vorgeschrieben, in welcher Weise die Unterbringung stattfinden soll, da die Bestimmung darüber zweckmässiger mit Rücksicht auf den einzelnen Fall und auf die örtlichen Verhältnisse als nach allgemeinen Regeln

getroffen werden kann. Die Art der Unterbringung ist daher der pflicht-
mässigen Entscheidung der Behörden anheimgegeben, und naturgemäss
liegt es nahe, die Aufnahme verwahrloster Kinder in bestehende Privatanstalten oder auch in Familien zu bewirken, vorausgesetzt, dass genügende Bürgschaften für eine angemessene Umgebung und Erziehung
vorhanden sind. Wo solche Bürgschaften für eine mit den Absichten
des Gesetzes übereinstimmende Privaterziehung fehlen, da wird die
Behörde auf Gründung besonderer öffentlicher Anstalten Bedacht nehmen müssen. Nach den in Privatanstalten gemachten Erfahrungen würde
es sich empfehlen, solche öffentliche Rettungshäuser nur für eine mässige
Anzahl von Kindern einzurichten. Auch kann die Gesammtzahl der
Zöglinge einer Anstalt in kleinere Gruppen getheilt werden, damit in
annähernder Weise die Vorzüge einer guten Familienzucht bei Beaufsichtigung und Behandlung der einzelnen Kinder erreicht werden.

Die Wichtigkeit der Aufgabe, welche das Gesetz vom 26. Febr.
d. J. im § 55 den öffentlichen Behörden zuweist, ist in ihrem vollen
Umfange von Seiten der preussischen Staatsregierung erkannt worden.
Alle darauf bezüglichen Fragen sind eingehender Erwägung und Begutachtung unterzogen und die erforderlichen Massregeln in der Richtung vorbereitet worden, dass die den Anforderungen der Menschlichkeit und des Staatswohls entsprechende Absicht der neuen Gesetzgebung
nach Möglichkeit zur Verwirklichung gelangen könne.

Berlin, 31. August 1876. Da die durch den Minister des Innern
und den Justiz-Minister erlassene gemeinschaftliche Verfügung vom
19. Februar d. J. hin und wieder auch in Zuchthäusern Anwendung
gefunden hat, so hat der Minister des Innern Veranlassung genommen, die betreffenden Behörden darauf aufmerksam zu machen, dass die
gedachte Verfügung, wie in ihrer Ueberschrift und überdies auch in
dem begleitenden Erlasse vom 24. Februar ausdrücklich gesagt ist, nur
die Vollstreckung der Untersuchungshaft, der Gefängnissstrafe und der Haft betrifft und also bei Vollstreckung der Zuchthausstrafe nicht anzuwenden ist.

Berlin, 26. Sept. 1876. Die preussische Staatsregierung hat seit
einiger Zeit der Regelung des Gefängnisswesens ein besonders
reges Interesse zugewendet, und es wird im Ressort des Handelsmini-
steriums dafür Sorge getragen, dass die baulichen Einrichtungen der
Gefängnisse allen billigen Anforderungen entsprechen. Bei den umfangreichen Baulichkeiten des neuen Strafgefängnisses für Berlin „am Plötzensee", welches zur Aufnahme von 1400—1500 Sträflingen bestimmt und
gegenwärtig beinahe vollendet ist, hat man diese Bestrebungen, namentlich auch in Hinsicht auf Gesundheitspflege, möglichst vollkommen zum
Ausdruck zu bringen gesucht. Ein von Gefangenen angefertigtes Modell
dieser Anstalt ist nebst den dazu gehörigen alle baulichen Konstruktio-
nen darlegenden Zeichnungen und einer erläuternden Denkschrift von
Seiten des Justiz-Ministeriums auf der internationalen Ausstellung von

Gegenständen der Gesundheitspflege etc. in Brüssel zur öffentlichen Kenntniss gebracht worden und es hat die betreffende Jury daselbst über die zweckmässigen Einrichtungen dieser Anstalt durch die Gewährung eines Ehrendiploms eine bemerkenswerthe Anerkennung ausgesprochen.

Vor Kurzem hat der Handels-Minister den mit der Bearbeitung der Justizbausachen betrauten Geheimen Ober-Baurath Herrmann, von welchem auch die allgemeinen Dispositionen zum Bau des Strafgefängnisses am Plötzensee herrühren, zu dem Zwecke nach Belgien entsendet, um die baulichen Einrichtungen einiger in neuerer Zeit dort hergestellten oder in der Ausführung begriffenen Gefängnisse und Justizgeschäftsgebäude näher kennen zu lernen, sowie gleichzeitig alle sonstigen, auf der Ausstellung in Brüssel veröffentlichten, die Gesundheitspflege betreffenden Bauprojekte, Modelle etc. der einzelnen Nationen vom bautechnischen Standpunkte in Augenschein zu nehmen.

Der von seiner Reise inzwischen zurückgekehrte Geheime Ober-Baurath Herrmann hat hierbei Gelegenheit gefunden, über manche bemerkenswerthe innere Anordnungen öffentlicher Gebäude, namentlich aus dem Gebiete der Heizungs- und Ventilations-Anlagen sich zu unterrichten, wovon bei den in nächster Zeit zur Ausführung bestimmten umfangreichen Gerichts- und Gefängnissbauten des preussischen Staats eine zweckentsprechende Anwendung gemacht werden wird.

**Berlin**, 9. Nov. 1876. Im Jahr 1875 hatte der deutsche Reichstag beschlossen, den Reichskanzler aufzufordern, in Gemässheit des Artikel IV. Nr. 13 der Reichsverfassung den Entwurf eines Gefängniss-Gesetzes, betreffend die zu regelnde Strafvollstreckung und die Reform des Gefängnisswesens dem Reichstag baldthunlichst vorlegen zu lassen. Wie der Reichskanzler dem Reichstag jetzt mitgetheilt hat, sind die Vorarbeiten für den Entwurf eines Gesetzes über den Vollzug der Freiheitsstrafen soweit gefördert, dass ihre Beendigung erfolgen kann, sobald die deutsche Strafprozessordnung festgestellt sein wird.

**Berlin**, im März 1877. In der 9. Sitzung des Reichstags vom 14. d. M. gab der Präsident des Reichs-Justizamts, Dr. Friedberg, eine Uebersicht der dem Reichs-Justizamt bevorstehenden Aufgaben. Es sei dies zunächst die Ausarbeitung derjenigen Gesetze, welche nothwendig seien, um die Reichs-Justizgesetze zur Ausführung zu bringen — zuerst der Anwaltsordnung, dann des längst verwiesenen Gesetz-Entwurfs über die Strafvollstreckung, dessen Aufstellung der nächste Gegenstand seiner Sorge sein werde.

**Berlin**, im Nov. 1876. Nach dem deutschen Rchs.-Anz. Nr. 270 vom 15. Nov. 1876 ist von Kgl. Ministerium des Innern in Berlin unterm 17. Juli 1876 eine Verfügung, die Zulässigkeit der Anfertigung von Schneider- und Schusterarbeiten für Mitgefangene in Strafanstalten, ergangen.

**Berlin**, 14. Nov. 1876. Die am Montag Abend im Sitzungs-Saale der Hausvoigtei abgehaltene Versammlung des Vereins zur Besse-

rung entlassener Strafgefangenen beschäftigte sich mit der
Frage der Zufluchtsstätten. Der Verein hatte bereits früher einmal
eine derartige Institution in's Leben gerufen, die sich jedoch nicht bewährt hatte. Derselbe beschloss daher, von der Errichtung einer neuen
Zufluchtsstätte für immer Abstand zu nehmen, aber mit den noch vorhandenen Betten entlassene jugendliche Gefangene, die in eine Lehre
gebracht werden sollen, erforderlichen Falls auszustatten. — Der Verein
diskutirte ferner über die Mittel und Wege, die einzuschlagen seien,
um die gegenwärtige Arbeitsnoth entlassener Gefangenen zu mildern.
Der Verein gedenkt nun wieder darauf zurückzukommen, mit Holzplatz-
besitzern dieserhalb Abkommen zu schliessen. Was die jugendlichen
Gefangenen anlangt, so hatte man diese bisher bei ihrer Entlassung
meist in einer Gärtnerei untergebracht. Auch dies wird jedoch ferner
nicht mehr geschehen können, da der Besitzer jener Gärtnerei beabsichtigt, dieselbe eingehen zu lassen. Von verschiedenen Seiten wurde
bei dieser Gelegenheit darauf hingewiesen, dass, wie sich dies namentlich in Belgien gezeigt habe, vor Allem der Beruf als Seefahrer geeignet für solche junge Leute erscheine. Der Verein musste jedoch von
vornherein Abstand nehmen, auf diese Sache näher einzugehen, da
die Mittel des Vereins zur Ausrüstung junger Leute als Seefahrer nicht
ausreichen.

Berlin, 26. Nov. 1876. Die durch § 38 des Gesetzes vom 8. März
1871, betreffend die Ausführung des Bundesgesetzes über den Unter-
stützungswohnsitz, festgestellte Verpflichtung des Staats zur
Uebernahme der Kosten für den Transport der Korrigenden aus dem Gerichtsgefängnisse in das Arbeitshaus und
für die zu diesem Behufe zu gewährende unentbehrliche Bekleidung
ist nach einem Reskript des Ministers des Innern vom 2. d. M. durch
das Gesetz vom 8. Juli 1875, betreffend die Ausführung der §§ 5 und 6
des Gesetzes vom 30. April 1873 wegen der Dotation der Provinzial-
und Kreisverbände, welches im § 4 sub. 3 die Kosten des Landarmen-
und Korrigendenwesens den Provinzialverbänden zuweist, nicht für aufgehoben zu erachten. Demgemäss sind die gedachten Transport- etc.
Kosten nach wie vor auf Staatsfonds zu übernehmen.

Schon die Bestimmung im § 38 des erst citirten Gesetzes selbst,
welche den Landarmenverbänden die Detention der Korrigenden aufer-
legt, von den desfallsigen Kosten aber ausdrücklich die Kosten des
Transportes der betreffenden Personen in die Korrektionsanstalt und
der dieserhalb nöthigen Bekleidung aufnimmt, deutet darauf hin, dass
letztere Kosten nicht als unter die Kosten des Korrigendenwesens fallend,
sondern als landespolizeiliche Ausgaben angesehen werden sollen.

Hätte nun der § 4 des Gesetzes vom 8. Juli 1875 beabsichtigt,
auch diese, durch eine spezielle gesetzliche Vorschrift dem Staate zur
Last gelegten Transport- etc. Kosten zugleich mit den Kosten des Korrigendenwesens auf die Provinzen zu übertragen, so würde dies un-

zweifelhaft im letzteren Gesetze durch besondere Aufhebung der entgegenstehenden Vorschrift des § 38 des Gesetzes vom 8. März 1871
ausgesprochen worden sein. Da dies nicht geschehen ist, kann nur
angenommen werden, dass auf die Provinzialverbände nur diejenigen
Ausgaben für das Korrigendenwesen, welche nach § 38 l. c. bisher von
den Landarmenverbänden getragen werden mussten, nicht aber die nach
demselben Paragraphen als landespolizeiliche Ausgaben anzusehenden
Kosten des Transportes der Korrigenden in die Korrektionsanstalten
und der hierzu nöthigen Bekleidung haben übergeben sollen.

**Berlin,** 27. Dez. 1876. Zur Beseitigung vorgekommener Zweifel
hat der Minister des Innern Veranlassung genommen, die betreffenden
Behörden seines Ressorts dahin anzuweisen, dass die Beträge der in
den Strafanstalten durch Vollstreckung von Freiheitsstrafen aufge-
wendeten Verpflegungskosten nicht lediglich aus dem Grunde
niederzuschlagen sind, weil gleichzeitig auch Seitens eines Gerichtes die
Zahlung von Kosten aus dem Vermögen des Sträflings verlangt wird
und bei einer vorzugsweisen Berichtigung dieser Kosten jene Beträge
im Konkurs- resp. Liquidationsverfahren ausfallen würden, dass vielmehr für diese Beträge gleichfalls das Vorrecht des § 78 der Konkurs-
ordnung in Anspruch zu nehmen ist.

**Berlin,** im Dezember 1876. Die Frage der Gefangenenarbeit
ist in den parlamentarischen Körperschaften schon oft erörtert worden.
Seit Jahren bildet sie einen Gegenstand der social-demokratischen Agitation. Von dieser Seite war auch eine entsprechende Petition von
Schuhmachern an den Reichstag gerichtet worden mit dem Ersuchen,
„dass durch Regelung, resp. Abschaffung der Zuchthaus- und Gefängnissarbeit die für das Schuhmachergeschäft geradezu erdrückende Konkurrenz beseitigt werde." Dem vortrefflichen Bericht des Referenten
der Petitionskommission, Abg. Jacobi, entnehmen wir über dies Ersuchen
das Folgende: Diese Frage verdiene gewiss an und für sich eine durchaus wohlwollende Aufnahme zu finden. Indessen seien dabei doch irrige
und übertriebene Auffassungen unverkennbar eingeschlichen. Einmal
scheine man zu vergessen, dass in Preussen schon länger als ein Vier-
teljahrhundert folgende Grundsätze für die Beschäftigung der Gefangenen in den Strafanstalten leitend seien: 1) Der Arbeitsbetrieb in den
Strafanstalten muss so eingerichtet sein, dass dadurch dem freien Ge-
werbebetriebe so wenig als möglich entgegengetreten wird;
2) alle Arbeiten, deren die Strafanstaltsverwaltung zu ihren eigenen
Zwecken bedarf, können in den Strafanstalten angefertigt werden; 3)
ausser dem Fall zu 2 ist die Fabrikation für Rechnung der Anstalten,
soweit es zulässig erscheint, ohne einen Theil der arbeitsfähigen Strafgefangenen unbeschäftigt zu lassen, zu vermeiden; 4) Handwerkerarbei-
ten, welche an den Orten, wo die Strafanstalten sich befinden, und in
deren Umgegend betrieben werden, dürfen in der Regel, und wenn
nicht etwa besondere Umstände eine Ausnahme von dieser Regel recht-

fertigen, nicht auf Bestellung, sondern nur für das eigene Bedürfniss der Anstalt gemacht werden. Diese Grundsätze hätten die besondere Billigung des Reichstages gefunden und seien in Folge Reichstagsbeschlusses vom 6. April 1870 allen Bundesregierungen zur Berücksichtigung empfohlen worden und, soviel bekannt, auch allgemein zur Geltung gekommen; das Gegentheil wird in der Petition auch nicht einmal angedeutet. Wäre jenes hier und da nicht der Fall, greife namentlich die Zuchthausarbeit verderblich in den örtlichen Arbeitskreis des Handwerks ein, so sei zunächst bei der betreffenden Landesregierung oder Landesvertretung Beschwerde zu führen. Was den Vorwurf z u b i l l i g e r Ausbeutung der Arbeitskräfte der Gefängnisse betreffe, so sei in Betracht zu ziehen, dass die Strafanstalts-Verwaltungen (so viel wenigstens bekannt) durchweg sich bemühten, die Arbeitskräfte zu den höchsten erreichbaren Preisen unterzubringen, wie dies die öffentlichen Ausbietungen derselben tagtäglich zeigten, und dass sie gewiss von nichts mehr entfernt seien, als von der Absicht einer verschwenderischen Konkurrenz der Billigkeit. Die durchschnittliche Arbeitsleistung der Gefangenen trete aber thatsächlich gegen diejenige der freien Arbeiter, namentlich durch die oft sehr geschwächte Körperkraft, durch Ungeschicklichkeit der ungeschulten Leute, durch Unlust der meisten und durch bösen Willen so mancher so bedeutend zurück, dass man wohl nicht mit Unrecht, insbesondere bei gelernter Arbeit, zwei bis drei Sträflinge erst auf einen freien Arbeiter rechne. Ausserdem unterliegen die Arbeitsunternehmer in einer Strafanstalt eigenthümlichen Beschränkungen und Verpflichtungen, welche bei freien Arbeiten ganz unbekannt sind, z. B. der Verpflichtung, ein bestimmtes Minimum von Arbeitern auch bei gänzlicher Stockung der Geschäfte in Lohn zu halten. Es kommt oft genug vor, dass solche Arbeitsunternehmer um Entbindung von ihren Vertragsverhältnissen dringend bitten. Der Referent geht dann auf die Petitionen näher ein und kommt zu dem Resultat: „Unter den vorstehend dargelegten Gesichtspunkten dürfte die Behauptung von einer für das Grosse und Ganze des Schuhmacherhandwerks „geradezu erdrückenden Konkurrenz der Gefangenenarbeit" doch in einem andern Lichte erscheinen. Das Schuhmachergewerbe leidet wohl mehr unter seiner eigenen inneren Konkurrenz, indem dasselbe ja bekanntlich vielfach die Zuflucht der unbemittelten und ungebildeten Jugend ist, welche sich dem Handwerke widmen will. Die Hebung des Standes unserer Volksschule dürfte in erster Linie dazu beitragen, diesen Zufluss zu mässigen und die Uebersetzung des Schuhmacherhandwerks einzuschränken." „In Betreff des Vorschlags, die Sträflinge vorzugsweise mit landwirthschaftlichen Arbeiten zu beschäftigen, scheinen nicht genügend die entgegenstehenden Bedenken erwogen zu sein, welche sich dahin zusammenfassen lassen, dass einmal das Strafgesetzbuch (§ 15) die Arbeit der Züchtlinge in der Strafanstalt als die Regel bezeichnet und daneben die Beschäftigung ausserhalb der Anstalt nur unter einschränkender Maassgabe zuläßt; — dann ferner für viele Gefangene von Ehrgefühl die öffentliche Schaustellung eine grosse Schärfung der Strafe bilden könnte, — während für die Mehrzahl der Gefangenen die Beschäftigung im Freien kaum eine empfindliche Strafe sein würde. Es kommt das schwerwiegende Bedenken hinzu, dass bei der Arbeit im Freien — als Regel — gegenseitige nachtheilige Einwirkungen der Gefangenen nicht vermieden werden, und die Gefangenen der strengeren Zucht und den moralischen Einwirkungen durch die Beamten und durch den Unterricht entzogen, also die tieferen Strafzwecke verfehlt werden könnten. Endlich steht man der ebenso naheliegenden, wie ernstlichen Frage gegenüber, wie bei vorherrschendem Betriebe der Landwirthschaft die Beschäftigung der Gefangenen während unseres langen Winters in zweckmässiger Weise erfolgen soll. Im Uebrigen liegt es auf der Hand, dass der Uebergang der Strafanstalten zum hauptsächlich land-wirthschaftlichen Betriebe mehr oder minder die gänzliche Umgestaltung derselben und einen ausserordentlichen Neuaufwand von Staatsmitteln erheischen würde. Uebrigens hat auch bisher schon die Beschäftigung der Gefangenen mit landwirthschaftlichen und sonstigen gewöhnlichen Tagelöhner-Arbeiten für Dritte einen nicht unbedeutenden Umfang erreicht: in den preussischen Anstalten wurden während der drei Jahre 1872—1874 durchschnittlich 1140 Männer und 45 Weiber solchergestalt beschäftigt. Jeder verständige Fortschritt in dieser Richtung kann nur erwünscht sein. Doch versicherte ein Mitglied der Kommission aus eigener Erfahrung, dass die Land- und Forstwirthschaft seiner Heimath den Versuch, Gefangene zu beschäftigen, als keineswegs lohnend, z. B. wegen der Kosten der Ueberwachung und Unterbringung, wieder auf-gegeben habe. — Und ist denn der landwirthschaftliche Arbeiter, mit dem der Gefangene in Mitwerbung tritt, nicht derselben Rücksichtnahme werth, wie der Schuhmachergeselle? — Was die Verwendung der Ge-fangenen für die Bedürfnisse anderer Staatsinstitute betrifft, so ist zu erwähnen, dass die Frage, ob die Militärverwaltung es nicht aufgeben könne, die zum eigenen Bedarf erforderlichen Gegenstände in eigenen Werkstätten anzufertigen, unter Anderem in dem Commissions-Bericht Nr. 140. B. der dritten Sitzungsperiode des Jahres 1872, erörtert wor-den, jedoch aus überwiegenden militärischen Bedenken ablehnende Beantwortung gefunden hat. Eine Beschaffung der von der Postver-waltung den Unterbeamten gelieferten Kleidungsstücke durch Zuchthaus-arbeit, statt durch freie Arbeit, dürften die Petenten selbst nicht wünschen." Der Vertreter des Reichskanzleramts gab folgende Erklärung ab: „Es seien aus Anlass der früheren Discussion dieser Frage die preussischen Bestimmungen über die Beschäftigung der Gefangenen zur Kenntniss der übrigen Regierungen gebracht worden. Das Reichskanz-leramt habe keinen Anlass, anzunehmen, dass die berechtigten Interessen der freien gewerblichen Arbeit in den übrigen Bundesstaaten nicht ähnlich wie in Preussen gewahrt würden; in dieser Richtung seien auch

von betheiligter Seite bestimmte Beschwerden nicht an das Reichs-
kanzleramt gelangt. Wenn es die Absicht der Petenten sei, die Regelung der gewerblichen Arbeit in den Strafanstalten innerhalb des
Gebietes der Gewerbegesetzgebung herbeizuführen, so müsse dies abgelehnt werden, weil eine Frage der Gewerbepolitik hier nicht vorliege.
Wenn solches die Absicht der Petenten nicht sei, so könne die Discussion
der Frage nur bei Gelegenheit der Regelung des Strafvollzuges erfolgen.
Soweit es sich aber nur um Abhilfe in bestimmten Beschwerdefällen
handle, müsse in erster Reihe die Prüfung der Verhältnisse und die
Entscheidung der Beschwerde den Landeszentralbehörden vorbehalten
werden." Schliesslich wurde der Antrag des Referenten auf Uebergang
zur Tagesordnung mit allen gegen 5 Stimmen angenommen.

   **Frankfurt a. M.,** 23. Januar 1877. Die dieser Tage stattgehabte
Generalversammlung des **Frankfurter Gefängnissvereins** eröffnete der Vorsitzende, Herr Dr. Ponfick, mit dem Vortrag des achten
Jahresberichts für 1876; nach diesem ist der Verein in stetem Wachs-
thum begriffen — seine Mitgliederzahl ist auf 403 gestiegen — und hatte
sich einer Reihe von zum Theil erheblichen Geschenken und Vermächtnissen zu erfreuen, wurde auch durch Gewährung eines Zuschusses von
M. 500 seitens des hiesigen Kreistages zum ersten Mal aus öffentlichen
Mitteln unterstützt, wie er dies als die erste öffentliche Anerkennung
seines Wirkens zu verzeichnen hat. Die Inanspruchnahme des Vereins hat
wesentlich zugenommen, ganz besonders haben die Unterstützungen der
Familien von Verhafteten eine sehr hohe Ziffer erreicht (über M. 4000
an 70 Familien). 8 Jünglinge und 1 Mädchen wurden während des
Jahres in Rettungsanstalten oder in Lehrstellen (als Sattler, Buchbinder,
Schneider) verbracht; diese sowohl, wie die früher aufgenommenen
Pfleglinge berechtigen grösstentheils zur Annahme, dass sie sich gründlich gebessert haben oder noch bessern werden. Erstes Obdach nach
der Haftentlassung, Kleidung, Zehrpfennig oder dergl. wurde 263 Personen gewährt; vielen derselben wurde Arbeit nachgewiesen. Denjenigen, welche voraussichtlich hier Arbeit nicht finden konnten, wurde mit
einer geringen Reiseunterstützung der Rath gegeben, anderswohin oder
nach Hause sich zu wenden, 23 Personen wurde durch Miethzinszahlung,
Auslösung verpfändeter Gegenstände, Anschaffung von Arbeitsstoff,
Handwerkszeug und dergl. zur Wiederbetreibung eines Geschäftes die
Möglichkeit gegeben. Es sind im Ganzen 391 Fälle erledigt worden,
was eine Ausgabe von M. 8069. 15 Pf. verursachte; die Einnahme betrug
M. 9248. 68 Pf. Das Vermögen des Vereins beträgt jetzt M. 10,869. 70 Pf.
(M. 825 mehr als vor einem Jahre). Dem Kreistag wie allen Freunden
des Vereins wurde warmer Dank für ihre Förderung der Vereinszwecke
ausgesprochen und sie ersucht, dem Verein ihr Wohlwollen zu erhalten,
auch möglichst dessen Freundes- und Mitgliederkreis erweitern zu
helfen. Die zum mündlichen Austausch, wie zur Erörterung den Verein
interessirender Zeit- und Gesetzgebungsfragen von Zeit zu Zeit in

einem Jedermann zugänglichen Lokal abgehaltenen Zusammenkünfte
haben ebenfalls diesem Zweck dienen sollen; eine allgemeine Betheiligung wird lebhaft gewünscht und zu derselben eingeladen. Nach Er-
stattung des Kassenberichts wurde der von einer früher dazu ernannten
Kommission ausgearbeitete Entwurf neuer Satzungen im Ganzen angenommen, nachdem sich über die Zweckmässigkeit der vom Vorstande
beabsichtigten Nachsuchung des Rechts der juristischen Person für den
Verein eine lebhafte Debatte entsponnen und die Majorität sich dafür
erklärt hatte. Hierauf wurde der bisherige Vorstand wiedergewählt und
für den verstorbenen Herrn G. Voges Herr H. Sonnenberg in den
Vorstand, sowie die Herren C. von Frisching und J. L. Blumenthal zu
Kassenrevisoren erwählt. Wir wünschen dem Verein auch ferner bestes
Gedeihen und allseitige Unterstützung in seinem mühevollen und ver-
dienstlichen Wirken.

**Frankfurt a. M.**, 6. März 1877. Letzten geselligen Abend des
Gefängniss-Vereins (Donnerstag, 1. März) sprach Herr Dr. Ponfick
über den Gesetzentwurf, betr. Unterbringung strafmündiger Kinder in
Familien oder Besserungs-Anstalten, welcher vom Herrenhaus bereits angenommen worden ist, während dessen Berathung im Abgeordnetenhaus später erfolgen wird. Der Referent bemerkte, ein solches Gesetz sei durch die Novelle zum Strafgesetzbuch nötbig geworden, da es
in dieser heisse, Kinder unter zwölf Jahren, welche eine Handlung
gegen das Strafgesetz begangen, könnten nach Massgabe der Landesge-
setze in Familien oder Besserungs-Anstalten gebracht werden. Der vorliegende Gesetzentwurf bestimme nun, dass solche Kinder, nachdem der
Vormundschaftsrichter die von ihnen begangene gesetzwidrige Handlung
festgestellt habe, auf Antrag ihrer Eltern oder Vormünder oder aber
der Gemeindevorstände, des Schulinspectors, der Polizeibehörde etc. in
der angegebenen Weise untergebracht werden könnten und — nach
Geschlecht und Confession getrennt — vom 6. bis 15., nöthigenfalls
sogar bis zum 20. Lebensjahr da verbleiben sollten: selbstverständlich
sei hierbei die Unterbringung als Lehrling inbegriffen. Die Kosten
sollen nach dem Beschluss des Herrenhauses, falls die Eltern sie nicht
zu ersetzen vermögen, dem Staat und dem betreffenden Provinzialver-
band je zur Hälfte zur Last fallen. Ein gleiches Verfahren finde gemäss
§ 56 des Strafgesetzbuches statt bezüglich der 12—18 Jahre alten, wegen
mangelnder Einsicht Freigesprochenen und zwar erforderlichen Falls
bis zum 20. Lebensjahr; gegenwärtig seien 604 solche jugendliche
Uebelthäter seitens des Staats in Besserungs-Anstalten aufgenommen.
Die Zahl der im Alter von 6—18 Jahren Stehenden und in staatlichen
oder privaten Erziehungsanstalten zur Besserung Befindlichen betrage
gegenwärtig 7296. Hier bestehe leider noch die Lücke, dass die Unterbringung in eine Anstalt der 12—18 Jahre alten Verurtheilten gesetzlich nicht vorgesehen sei. Aus der Mitte der Versammlung wurde die
Bestimmung bemängelt, wonach bis 150 Kinder in einer Anstalt unter-

gebracht werden können, diese Zahl sei viel zu gross für wohlgerathene, um wie viel mehr also für ungerathene Kinder. Ferner wurde gegen die Unterbringung in Familien auf dem Lande vorgebracht, dass den Kindern da viel müssige Zeit verbleibe und viele schlechte Beispiele ihnen vor Augen kämen. Es wurde in dieser Hinsicht empfohlen, Vereine zu bilden, um die den Familien überwiesenen Kinder unter Aufsicht zu nehmen. Geeignete Familien zu finden, wurde von anderer Seite bemerkt, sei übrigens wohl in Mittel- und Süddeutschland möglich, nicht so leicht aber in Norddeutschland, wo kleine Städte mit Handwerkerbevölkerung weit seltener vorkämen. Der Referent bemerkte noch, dass nach einem Zeitungsbericht das sogenannte Familiensystem, d. h. die Vereinigung von 12—15 Kindern durchzuführen, beabsichtigt werde; da dies im Gesetzentwurf nicht vorgeschrieben sei, so werde es vermuthlich durch die noch zu erlassenden Instruktionen geschehen sollen. Zum Schluss entspann sich noch eine interessante Diskussion darüber, ob es nicht wünschenswerth sei, Erziehungs-Vereine zu gründen, durch welche den Eltern pädagogische Winke betreffs mancher Erscheinungen und Vorkommnisse gegeben würden.

Frankfurt a. M., 21. März 1877. Gestern fand eine gesellige Vereinigung vieler Mitglieder des Gefängniss-Vereins von hier und Bockenheim im Forell'schen Saale zu Bockenheim statt. Nach einigen Begrüssungsworten erläuterte der Vorsitzende, Herr Dr. Ponfick, den Zweck der Zusammenkunft, sprach über Entstehung, Tendenz und Thätigkeit des Vereins, von dessen Erstarken bis zum jetzigen Augenblick, da er bereits 500 Mitglieder mit 4000 M. Jahresbeiträgen zähle. Er bekundete ferner seine Freude über den in Bockenheim gefundenen Anklang und berichtete, dass schon 69 Mitglieder aus der Bockenheimer Stadtgemeinde dem Verein mit einem Jahresbeitrag von ca. 200 M. beigetreten seien. Allseitig wurde diese Mittheilung mit freudiger Anerkennung aufgenommen. Der Vorschlag, in Bockenheim einen Filialvorstand zu ernennen, wurde abgelehnt; dagegen erboten sich die Herren Pfarrer Helfrich und Strobel, Karl Hahn und Dienstbach, jedes bei ihnen einlaufende Unterstützungsgesuch mit der erwünschten Auskunft an den Vorstand des Gefängniss-Vereins gelangen zu lassen. Dieses Anerbieten wurde seitens des Vorstandes mit Dank angenommen. Mit dem Ausdruck der Freude über das Gelingen der bezweckten Annäherung zwischen den Frankfurter und Bockenheimer Philanthropen schied in später Abendstunde die Versammlung.

Düsseldorf, 16. Februar 1877. Folgende Petition des Ausschusses der Rheinisch - Westfälischen Gefängniss - Gesellschaft, betreffend die vorläufige Entlassung von Strafgefangenen, § 23—26 des Deutschen Reichsstrafgesetzbuches, ist an das hohe Haus der Abgeordneten in Berlin ergangen:

Schon im Jahre 1873 hat die Konferenz der Strafanstaltsdirectoren und Beamten bei Gelegenheit der 45. Generalversammlung der Rheinisch-

Westfälischen Gefängniss-Gesellschaft über „die vorläufige Entlassung der Gefangenen und deren Resultate" verhandelt. Schon damals wurde beklagt, dass die auch nach sorgfältigster Prüfung und nach strengsten Grundsätzen gestellten Urlaubsgesuche meist ohne Angabe von Gründen abgelehnt würden. Diese Klage ist in Preussen nunmehr allgemein, und haben wir auf mehrseitig an uns ergangene Anträge hin nicht mehr zögern zu dürfen geglaubt, etwaige Schritte in dieser Angelegenheit in Berathung zu ziehen. Zu dem Ende wandten wir uns an etwa 80 Direktionen der grössten Strafanstalten Deutschlands mit der Bitte um Beantwortung nachstehender Fragen:

1. Wie gross war der Durchschnittsbestand der Gefangenen in der von Ihnen geleiteten Anstalt in den Jahren a. 1871, b. 1872, c. 1873, d. 1874, e. 1875, f. 1876?

2. Wie viele Anträge auf vorläufige Entlassung wurden in den einzelnen Jahren gestellt?

3. a. Wie viele von den gestellten Anträgen wurden in den einzelnen Jahren genehmigt?
   b. Wie viele wurden in den einzelnen Jahren abgelehnt?

4. Welche Gründe wurden bei der Ablehnung angegeben?

5. Welche Vergehen oder Verbrechen hatten die Inhaftirten begangen und welche Strafen zu verbüssen, deren vorläufige Entlassung:
   a. verfügt,
   b. abgelehnt wurde (nach den einzelnen Jahrgängen)?

6. Wie viele von den vorläufig Entlassenen wurden wieder in die Anstalt eingeliefert:
   a. vor Ablauf der ursprünglich über sie verhängten Strafzeit (Zurücknahme der vorläufigen Entlassung)?
   b. nach dieser Zeit?

7. Welches Urtheil haben Sie überhaupt über die vorläufige Entlassung, insbesondere für die Leitung der Anstalt wie namentlich für die Gefangenen?

Aus 88 preussischen vom Königl. Ministerium des Innern ressortirenden und aus 19 nichtpreussischen Strafanstalten ist uns die gründliche Beantwortung der gestellten Fragen in dankenswerthester Weise übermittelt worden. Das Resultat unserer Rundfrage, soweit es hier in Betracht kommen kann, erlauben wir uns in Nachstehendem zusammenzustellen, und bemerken, dass wir bei Feststellung des Durchschnittsbestandes lediglich den Gesichtspunkt der Vergleichung im Allgemeinen im Auge hatten.

In den 38 preussischen Strafanstalten waren im Durchschnitt der 6 Jahre 1871—1876 jährlich detinirt 17686; es wurden von 1871—1876 genehmigt 1917 Gesuche um vorläufige Entlassung, abgelehnt 1429.

Von jenen 1917 vorläufigen Entlassungen wurden nur 49 widerrufen und nur 58 von den vorläufig Entlassenen nach Ablauf ihrer ursprünglichen Strafzeit wegen neuer Vergehen oder Verbrechen wieder in die Anstalt eingeliefert. In den Jahren 1874—1876 wurden von obigen 1917 nur 264 Gesuche genehmigt, dagegen 624 abgelehnt, letztere fast ausnahmslos ohne irgend welche Angabe von Gründen.

In 15 nichtpreussischen Anstalten waren im Durchschnitt der angegebenen Jahre detinirt jährlich 5021 Gefangene, es wurden von 1871—1876 genehmigt 967 Anträge auf vorläufige Entlassung, abgelehnt nur 72. Von jenen 967 vorläufigen Entlassungen wurden 38 widerrufen, 31 Entlassene nach Ablauf der ursprünglichen Strafzeit wegen neuer Vergehen oder Verbrechen wieder in die Anstalt eingeliefert. — Unter den 15 Anstalten sind sogar noch 5, in welchen erst seit dem Jahre 1874 Anträge auf vorläufige Entlassung gestellt wurden. In den Jahren 1874—1876 wurden von den 967 Anträgen 495 genehmigt, und nur 40 abgelehnt; für 9 jener Anstalten ist noch kein einziges Gesuch abgelehnt worden, für 3 nur je eins. Ausserdem wird aus einem kleineren deutschen Staate berichtet, dass bisher nur in einem einzigen Falle ein wohlbegründeter und von der Gefängniss-Verwaltung befürworteter Antrag ablehnend beschieden worden. Ein Blick auf diese Zahlen beweist, welch eine colossale Ungleich-heit in den verschiedenen deutschen Staaten in Ausführung des § 23 des deutschen Reichsstrafgesetzbuches herrscht, ferner wie Preussen in der Gewährung der Urlaubsgesuche allen andern Staaten ausserordentlich weit nachsteht und immer seltener die Gesuche um vorläufige Entlassung genehmigt werden. Diese Ungleichheit dehnt sich auch auf das Verfahren bei Stellung der Anträge auf vorläufige Entlassung aus. (cf. Anlage 1.) Von den von 7 preussischen Strafanstalten mit einem durchschnitt-lichen Jahresbestande von 844, 399, 971, 675, 285, 261, 223 Köpfen ge-stellten Gesuchen wurde im Jahre 1876 keines genehmigt, bei 3 der-selben auch keines im Jahre 1875; in einer Anstalt von durchschnittl. 678 Gefangenen 1875: 3 genehmigt, 17 abgelehnt; 1876: 1 genehmigt, 8 abgelehnt. Die ungleich geringere Zahl der Anträge in den Jahren 1874—1876 im Vergleich mit den Vorjahren liefert zugleich den Beweis, wie die betr. preussischen Anstalts-Verwaltungen nur mit grösster Vor-sicht und denkbarster Strenge Entlassungs-Anträge gestellt haben; dies wird auch ausdrücklich versichert, dennoch Ablehnung und wieder Ablehnung!

Unter den eingegangenen 60 Urtheilen über die vorläufige Ent-lassung sprechen sich nur 3 prinzipiell gegen diese aus, aber — und das ist sehr charakteristisch — nicht auf Grund gemachter Erfahrungen, sondern lediglich in juristischen Raisonnements, welche sich dahin zu-sammenfassen: „die verhängte Strafe ist die Sühne für den verletzten Rechtszustand, desshalb muss sie ganz und voll vollstreckt werden. Eine Milderung der Strafe darf nur Akt der Gnade sein." Vier andere

Urtheile halten die Nachtheile der vorläufigen Entlassung für grösser. als die Vortheile und wünschen sie desshalb möglichst eingeschränkt.

Alle übrigen reden der vorläufigen Entlassung mehr oder weniger kräftig das Wort, wenn auch bemerkt wird, dass die vorläufige Entlassung in den ersten Jahren seit Einführung des Reichsstrafgesetzbuches zu häufig angewandt worden, die Praxis der Gerichte ohnehin eine milde sei; dass Einzelne gewisse Kategorien von Verbrechern ausgeschlossen haben wollen, während sich unter den genehmigten wie abgelehnten Gesuchen fast alle Verbrechen verzeichnet finden, als: versuchter Todtschlag, Kindesmord, Körperverletzung, Strassenraub, Raub, Münzverbrechen, Wechselfälschung, Urkundenfälschung, Diebstahl, Meineid, Unzucht etc. Aus den Urtheilen heben wir in den Anlagen einzelne zur Illustration des Ganzen hervor.

Die vorläufige Entlassung wird bezeichnet als „ein eminentes Besserungsmittel, vielleicht das wirksamste;" „sie wirkt vortheilhaft auf das Verhalten der Gefangenen"; „seit ihrer Einführung ist die Führung der Gefangenen im Allgemeinen eine etwas bessere geworden;" „sie erleichtert die Handhabung der Disciplin"; „die Gefangenen bemühen sich dieser Rechtswohlthat theilhaftig zu werden," „die Gefangenen nehmen sich vom Beginn der Strafe an zusammen und üben dadurch einen günstigen Einfluss auf ihre Mitgefangenen," „welches namentlich in Anstalten mit gemeinsamer Haft von der grössten Wichtigkeit ist," „auf die Zurückbleibenden, den Entlassenen nachzueifern"; „die vorläufige Entlassung ist gar wichtig für das gesammte sittliche und disziplinarische Verhalten aller Gefangenen"; „sie ist eine höchst segensreiche Massregel"; „sie ist sehr geeignet, das Ansehen der Vorstände den Gefangenen gegenüber zu heben und das Vertrauen dieser zu den Vorständen zu fördern."

Ueber die Einwirkung der vorläufigen Entlassung auf das Verhalten des Entlassenen wird gesagt: „sie ist das einzig zuverlässige Mittel, den entlassenen Gefangenen zunächst wieder mit allem Ernste an ein sittliches Verhalten in dem neu beginnenden bürgerlichen Leben zu mahnen"; „sie ist ein wichtiges Hilfsmittel zur Bewährung des Entlassenen in der Freiheit"; „sie ist ein vorzügliches Mittel zur successiven Ueberführung des Sträflings aus der Leitung und Zucht der Anstalt in die Freiheit und zu einer in den Schranken des Gesetzes sich haltenden Benutzung derselben"; „die theoretische Wissenschaft mag viele Einwendungen haben; meine in einem vielbewegten Leben gesammelten Erfahrungen berechtigen mich zu der Meinung, dass die Zahl der Rückfälligen sich erheblich vermindern wird, wenn von der vorläufigen Entlassung ein grösserer Gebrauch als bisher gemacht wird." Zudem ist nicht zu verkennen, wie die Aussicht auf vorläufige Entlassung die Angehörigen, Befreundete des Gefangenen antreibt, das erforderliche gesicherte Unterkommen für den Entlassenen zu suchen,

„die gefährliche Klippe, nach der Entlassung sich einen ehrlichen Erwerb zu verschaffen, wird weit leichter überwunden."

Die Klage über Ablehnung von Entlassungs-Gesuchen fehlt in
den Urtheilen nicht-preussischer Beamten gänzlich, um so lauter,
zuweilen einen bittern Ton anschlagend, geht sie durch die übrigen
Gesuche, ganz besonders darüber, dass fast ausnahmslos
kein Grund der Ablehnung angegeben werde, was zu fordern
die Anstaltsverwaltung doch gewiss berechtigt sei, wenn sie auf's
gewissenhafteste, nach den kleinsten gesetzlichen Vorschriften und
Anordnungen ihre Entlassungs-Gesuche gestellt habe.

„Die vorläufige Entlassung ist lediglich nach hiesigen Erfahrungen
ein Paragraph des Strafgesetzbuches ohne jede Bedeutung für Beamte
und namentlich für Gefangene"; „§ 23 des Strafgesetzbuches ist nur
noch ein Ausnahme-Paragraph für Einzelne;" „die Wirkungen
desselben bereits auf ein Minimum herabgesunken;" „§ 23 ist in der
Praxis nach und nach zur Bedeutungslosigkeit herabgesunken, in demselben Masse nahm der günstige Einfluss auf die Gefangenen ab;" „der
Gefangene fällt durch die Ablehnung in Apathie, wird gleichgültig;"
die Ablehnung ruft Enttäuschung und Misstrauen „auch gegen die Verwaltung", hervor; „von vielen Mitgefangenen wird der, dessen vorläufige
Entlassung abgelehnt worden, der zerstörten Hoffnungen wegen schaden-
froh belächelt;" „die Ablehnung ohne Gründe der nach der sorgfältigsten
Prüfung und eingehendsten Berathung der Verwaltung nach jeder
Richtung gestellten Anträge führt zur Unsicherheit und Unklarheit der
zu befolgenden Prinzipien, wodurch es der Verwaltung unmöglich wird,
ein richtiges Urtheil zu finden;" die Verwaltung verliert dadurch jeden
bestimmten Anhalt für ihre Anträge;" sie will sich durch Stellung
neuer Anträge „dem Gefangenen gegenüber kein Dementi geben."
„Soll es bei dem Bisherigen bleiben, dann wäre es besser,
die vorläufige Entlassung würde wieder gänzlich aufgehoben."

„Besser wäre es gewesen, diese Gesetzes-Arti-
kel niemals zu erlassen, um tausend Hoffnungen und
Ansprüche bei den Gefangenen und ihren Angehörigen damit zu erwecken, als sie hinterher gar nicht
auszuführen und in Folge dessen Unzufriedenheit,
Erbitterung, Klage über Ungerechtigkeit in die
Herzen der Betheiligten zu verpflanzen."

„Am Seltsamsten erscheint es, dass Gefangene ohne Bedenken
zur Begnadigung von denselben Instanzen empfohlen werden konnten,
bei denen die Beurlaubung abgelehnt war", während andererseits Gna-
dengesuche mit Hinweis auf die vorläufige Entlassung abgelehnt werden.

Schliesslich sei noch erwähnt, dass in keinem der eingegangenen
Urtheile der Wunsch ausgesprochen wird, welcher in der jüngst erschienenen Statistik der zum Ressort des Ministeriums des Innern ge-

hörenden Straf- und Gefangen-Anstalten für die Jahre 1872, 1873 und 1874 S. LIX. verzeichnet ist, es möge eine Verlängerung und zwar eine erhebliche Verlängerung der Frist, binnen welcher der Widerruf zulässig ist, herbeigeführt werden.

Aus allem Vorhergehenden ergibt sich, dass eine **Aenderung in dem bisherigen Verfahren unerlässlich nothwendig ist**, schon desshalb, damit die durch das Reichsstrafgesetzbuch herbeigeführte Rechtseinheit nicht illusorisch wird. Ist die Zahl der Rückfälligen eine so erschreckend grosse schon desshalb, **weil unsere Strafanstalten noch so mangelhaft sind, weil es weithin in der bürgerlichen Gesellschaft an thätiger Mithülfe zur Rehabilitirung der entlassenen Gefangenen in traurigster Weise fehlt**, so sollte man wenigstens jeden andern Hebel ansetzen, der in Bewegung zu bringen ist, die Gefangenen zu bessern und ihnen die Rückkehr zu einem ordentlichen Lebenswandel zu erleichtern. Dazu kann das gesetzlich festgestellte Institut der vorläufigen Entlassung, wenn es richtig nach strengen Grundsätzen gehandhabt wird, dienen — das ist **unumstössliche Thatsache, deren Werth** nimmermehr durch verhältnissmässig seltene traurige Erfahrungen geschmälert werden kann.

Demnach erlauben wir uns, ganz ergebenst zu bitten:

1. **Hohes Haus der Abgeordneten wolle die Kgl. Staatsregierung ersuchen: In Uebereinstimmung mit den Regierungen der übrigen deutschen Staaten und zur Herbeiführung einer grösseren Gleichheit in Ausführung des § 23 des Deutschen Reichsstrafgesetzbuches von dem Rechte der vorläufigen Entlassung einen ausgedehnteren Gebrauch zu machen.**

2. **Hohes Abgeordnetenhaus wolle dahin wirken, dass bei allen Ablehnungen der Anträge auf vorläufige Entlassung Gründe der Ablehnung angegeben werden.**

Hochachtungsvollst

**der Ausschuss der Rheinisch-Westfälischen Gefängniss-Gesellschaft.**

Anlage. Auszüge aus den eingegangenen Schreiben. 1. „Nach der diesseitigen Vorschrift muss von der Gefängniss-Verwaltung bei jedem Gefangenen, welcher zu mehr als einem Jahr Strafe verurtheilt ist, sobald er $^3/_4$ derselben und wenn sie weniger als 16 Monate beträgt, sobald er ein Jahr verbüsst hat, wegen seiner vorläufigen Entlassung berichtet werden. In diesem Berichte ist anzugeben, wo der Gefangene, im Falle er nicht auf die vorläufige Entlassung verzichtet, ein Unterkommen mit Beschäftigung zu finden gedenkt, und wie er sich in der Strafanstalt geführt hat, und wird schliesslich alsdann seine vorläufige

Entlassung mehr oder weniger, nur bedingungsweise oder gar nicht befürwortet. Der Bericht wird der Staatsanwaltschaft übersendet, welche ihn nebst ihrem Gutachten und nachdem sie nöthigenfalls die erforderlichen Erkundigungen bei den Heimathsbehörden eingezogen hat, dem Ministerium der Justiz vorlegt. Von dieser höchsten Behörde wird alsdann die vorläufige Entlassung einfach und ohne Grundangabe genehmigt oder abgeschlagen.

Da hier j e d e r Gefangene die Hoffnung hat, vorläufig entlassen werden zu können, wenn er sich in der Strafanstalt gut geführt, so wirkt dieses auf das Betragen der Gefangenen sehr günstig ein."

2. „So wichtig die Frage über die Beurlaubung von Gefangenen auf Grund tadelfreier Führung und wirklich eingetretener Besserung für das gesammte sittliche und disciplinarische Verhalten a l l e r Gefangenen erscheint, ein so mächtiger Sporn in der vorzeitigen Entlassung für ernsten Vorsatz zur Umkehr und nachhaltigen Durchführung dieses Bestrebens für den einzelnen Gefangenen gegeben ist, so tief bleibt es zu beklagen, dass seit 1873 fast alle, auch die nach Gesetz und Verwaltungsvorschriften auf das strengste und peinlichste aufgestellten Urlaubsanträge ablehnend beschieden sind. Im ersten Jahre 1871 dieses neuen gesetzgeberischen Versuchs war man viel zu willfährig alle möglichen, auch die vielleicht recht schwach motivirten, Urlaubsgesuche zu genehmigen, trotz der Erfahrungen, welche auf diesem Felde bereits in England, Sachsen, Oldenburg etc. gemacht worden waren.

Leider schlug man seit 1872, namentlich aber seit 1873, in das vollste Gegentheil um, lehnte auch die gewissenhaftest aufgestellten, nach den minutiösesten gesetzlichen Vorschriften abgemessenen Beurlaubungsgesuche ab, und erregte bei den Gefangenen, ihren Angehörigen und den Beamten der Strafanstalten die üble Meinung, für die Justizbehörden gäbe es gar keine §§ 23—26 des deutschen Strafgesetzbuches mehr.

Es schädigt dies Verfahren die Besserungsaufgaben und Arbeiten und die disciplinarischen Seiten der Gefängnisse und Strafanstalten im hohen Masse und trägt leider unendlich viel dazu bei, dass jetzt fast alle Anstalten überfüllt sind, so dass die schlechten kaum mit Arbeit versehen und in angemessene Zucht genommen werden können, weil noch eine nicht geringe Zahl ordentlicher Leute da sind, die beurlaubt sein könnten, jetzt aber die Räume mit anfüllen helfen, die Arbeitsplätze einnehmen und einen Theil der Zeit und Kräfte des Beamtenpersonals mit in Anspruch nehmen, die viel besser der strengen Kontrolle aller schlechten Elemente zugewandt werden sollten."

3. „Die vorläufige Entlassung halte ich für das wichtigste Stück eines wohlgeordneten und auf Besserung berechneten Strafvollzugs. Für die Leitung liegt in der vorläufigen Entlassung ein vorzüglicher Hebel einer guten Disciplin und eine wirksame Macht des erziehlichen Einflusses auf die Gefangenen.

Für die Gefangenen liegt in der vorläufigen Entlassung eine mächtige Hoffnung, die das Vertrauen in die eigne sittliche Wiedergeburt belebt."

4. „Zum Andern darf nicht ausser Acht gelassen werden, dass die Beaufsichtigung der vorläufig Entlassenen durch die Polizeibehörde meistens eine recht mangelhafte ist. Die Berichte dieser Behörden über die Führung der vorläufig Entlassenen lassen es klar erkennen, wie wenig man sich um dieselben kümmert. Je mehr es gelingen wird, den fraglichen Uebelständen Abhülfe zu gewähren, desto segensreicher wird das in Frage stehende Institut sich erweisen.

Nach den Erfahrungen der unterzeichneten Direction sind viele Gefangene bemüht, sich der Vergünstigung der vorläufigen Entlassung würdig zu beweisen und ihre Führung ist in Folge dessen gut. Wollte man sagen, und man hat es gesagt, es sei dies Motiv zu einer guten Führung nicht lobenswerth, so werde erwiedert, dass die Furcht vor Strafen jedenfalls ein schlechteres und die Aussicht auf Begnadigung kein besseres Motiv ist."

5. „In Betreff des Einflusses, welcher die vorläufige Entlassung auf die Leitung der Anstalt wie auf die Gefangenen übt, so kann ich mich auch nur dahin aussprechen, dass nach meiner Erfahrung derselbe für beide Theile ein sehr wesentlicher g e w e s e n i s t und w i e d e r s e i n w ü r d e, sobald an gehöriger Stelle den wohl erwogenen Vorschlägen Seitens der Direction wieder geneigtes Gehör geschenkt werden würde. — Nicht allein, dass den vielfach so bedauernswerthen Detinirten und ihren Angehörigen die Hoffnung auf eine Milderung der Strafe eine Quelle des Trostes ist, gibt sie Ersteren auch die Kraft zu einer tadellosen Führung während der Haft wie später in der Freiheit und ist die gute Führung um so höher anzuschlagen, als sie mit den damit verbundenen Vergünstigungen einen günstigen Einfluss auf die Mitgefangenen übt und hierdurch wieder die schwierige Handhabung des Strafvollzuges erleichtert."

6. „D i e v o r l ä u f i g e E n t l a s s u n g i s t e i n S p o r n z u r B e t h ä t i g u n g d e r e t w a v o r h a n d e n e n, z u r B e l e b u n g d e r s c h l u m m e r n d e n E n e r g i e.

Ist Dank diesem Sporn die sittliche Willenskraft erwacht, ist sie durch den Hinblick auf den Widerruf zu energischer Bethätigung vielfach und stets mit Erfolg aufgerufen worden, so wird sie beim Ablauf der urtheilsmässigen Strafzeit durch stete Uebung allmählig so erstarkt sein, so wird das Selbstgefühl des Gesunkenen und wieder Aufgestandenen sich so gehoben haben, dass ein Rückfall in's Verbrechen nicht, oder doch sehr viel weniger zu besorgen ist."

7. „Im Uebrigen herrscht hier die Ansicht, dass bei l a n g j ä h r i g detinirt gewesenen, zur vorläufigen Entlassung empfohlenen Gefangenen mehr Gewicht auf ihr Verhalten w ä h r e n d der Haft als auf das Vorleben gelegt werden möge, da einzelne Gefangene es zu wirklicher

9*

Umbildung und Besserung bringen, und wie diesen der Lohn ihres Strebens zu gönnen, so würde zugleich für die andern Gefangenen ein wirksamer Sporn, den Ersteren nachzueifern, gewonnen."

8. „Ich bedaure den Verlauf, den diese Sache genommen hat, um so mehr, als ich überzeugt bin, dass das gesammte Verhalten so manches Gefangenen nicht nur während der Gefangenschaft selbst, sondern auch nach der Entlassung dadurch beeinträchtigt wird."

9. Auch erlauben wir uns zu verweisen auf das hierher Gehörige in den Jahresberichten über das Zuchthaus in Bruchsal in den Blättern für Gefängnisskunde; „Bericht über den Zustand und die Verwaltung der Gefangenen-Anstalten zu Wolfenbüttel während des Jahres 1874 Bl. für Gefängnisskunde IX. Band"; „Einige Bemerkungen über Ergebnisse des Strafvollzugs und Strafpolitik" von Gefängnissdirector Streng in Nürnberg in der Zeitschrift: Der Gerichtssaal 1877, Band XXIX., Heft 1, S. 64 ff.; „Progressive Classification" von Geh. Reg.-Rath d'Alinge zu Zwickau im Königreich Sachsen; Gerichtssaal Band XXVIII., S. 624 (auch im Separatabdruck erschienen). Der Aufsatz schliesst, wie folgt:

„Wie selten man in Sachsen Täuschungen in dieser Beziehung zu beklagen gehabt hat, ergibt sich z. B. bei der Strafanstalt Zwickau aus der kleinen Anzahl, deren sittliche Kraft den Schwierigkeiten eines halbfreien Lebens gegenüber ungenügend gewesen ist. Denn es wurden von den seit Oktober 1862 bis Ende April 1876 eingelieferten 13371 Gefangenen 419 „vorläufig" entlassen, und nur 8, d. i. 1,9 pCt. mussten während ihrer Urlaubszeit, davon 2 wegen übler Führung und 6 wegen neuer Vergehen, wieder eingezogen werden.

Diese vorläufigen Entlassungen setzten in den Stand, wichtigen Anforderungen des socialen Lebens zu genügen. Sie erlaubten der Familie den Versorger, dem Weibe den Mann, den Kindern den Vater wiederzugeben. Wie oft ist schon dadurch der allgemeinen Wohlfahrt genützt! Der Mann hat in der Haft den Werth des Familienlebens schätzen, den Segen einer guten Erziehung begreifen gelernt. Die Familie fiel nicht mehr der Gemeinde zur Last. Die bedingte Entlassung half auch die durch die Bedürfnisse des Strafvollzugs an die Steuerpflichtigen gestellten Anforderungen mindern. Nach den vorerwähnten Beurlaubungen ergeben sich 319 Jahre, 1 Monat, 9 Tage abgekürzte Strafzeit, wir überlassen den Leitern der Statistik den national-ökonomischen Werth dieser 116474 freien Arbeitstage zu berechnen."

**Düsseldorf, 13. Febr. 1877.** Folgende Petition des Ausschusses der Rheinisch-Westfälischen Gefängniss-Gesellschaft betreffend das Gesetz über die Unterbringung von verwahrlosten Kindern in Erziehungs- oder Besserungs-Anstalten ist an die beiden hohen Häuser des Landtages in Berlin ergangen:

Der gehorsamst unterzeichnete Ausschuss der Rheinisch-Westfälischen Gefängniss-Gesellschaft erlaubt sich, dem Hohen Hause nachstehende Punkte zur hochgeneigtesten Berücksichtigung bei Berathung des Gesetzentwurfes betreffend die Unterbringung von verwahrlosten Kindern zu unterbreiten.

1. § 6 Al. 2 des Gesetzentwurfes legt der zuständigen Behörde die Pflicht auf, v o n  v o r n h e r e i n  g l e i c h  b e i  V e r f ü g u n g  d e r  U n t e r b r i n g u n g  e i n e s  K i n d e s  d i e  D a u e r  d e r s e l b e n  z u  b e s t i m m e n, von der zwar Abstand genommen werden, deren Verlängerung aber nicht verhängt werden kann über die Anfangs festgesetzte Zeitdauer; wenigstens ist Letzteres in dem Gesetzentwurfe nicht ausdrücklich ausgesprochen.

Wir gehen von dem Grundgedanken der Motive aus, dass „in Fällen, wo die Erziehung in der elterlichen Familie sich als unzulänglich, unwirksam und schädlich erwiesen hat, der Staat von Amtswegen einschreiten" und die Erziehung auf andere Weise bewirken muss, und zwar nach § 9 des Gesetzentwurfes über die Erziehung des Kindes bis zu dessen 20. Lebensjahre bestimmen kann.  Einer andern Festsetzung der Dauer der Unterbringung eines Kindes bedarf es wohl nicht, vielmehr müsste es im Sinne des Gesetzes selbstverständlich sein, dass der Staat bis zum 20. Lebensjahre des Kindes über dessen Erziehung verfügen kann, sobald seine Unterbringung in einer Familie oder Anstalt ausgesprochen wird.  Diese Auffassung wird um so mehr zulässig und durchführbar sein, als es sich bei Ausführung des § 55 des Deutschen Reichsstrafgesetzbuches durchaus nicht um ein strafrichterliches Erkenntniss, sondern um eine Verwaltungsmassregel handelt. Zudem wird es nur in ganz vereinzelten Fällen möglich sein, annähernd zu bestimmen, wie lange Zeit die Erziehung eines verwahrlosten Kindes bis zur Erreichung des in § 1 des Gesetzentwurfes gestellten Zieles· erheischt, vielmehr wird erst der Erzieher, der an Stelle der Familienhäupter tritt, in der Thätigung des Erziehungswerkes selbst über die zum Abschluss desselben erforderliche Zeit ein Urtheil gewinnen und seine Ansicht den zuständigen Behörden in gewissen Zeiträumen zur Beschlussfassung unterbreiten können. Es entspricht demnach dem in § 56 Al. 2 des Deutschen Reichsstrafgesetzbuches aufgestellten Grundsatze, wenn wir ganz gehorsamst bitten, das hohe Haus wolle dem § 6 Al. 2 folgende Fassung geben: „e r  b e s t i m m t  d i e  E n t l a s s u n g, w e n n  e i n e  A e n d e r u n g  i n  d e n  V e r h ä l t n i s s e n  e i n t r i t t, s o  d a s s  d i e  E r r e i c h u n g  d e s  i m  § 1  g e d a c h t e n  Z w e c k e s  a n d e r w e i t  s i c h e r  g e s t e l l t  w i r d,  o d e r  d i e s e r  Z w e c k  e r r e i c h t  i s t."

2. Es wird unzweifelhaft vorkommen, dass Kinder entlassen werden, bei denen sich über kurz oder lang herausstellt, dass ihre Erziehung den im § 1 des Gesetzentwurfes gedachten Zweck nicht erreicht hat, oder dass die Aenderung in den Verhältnissen, derentwegen ein Zögling entlassen wurde, in Wirklichkeit den darauf gebauten Hoffnungen nicht entspricht. Wir würden es für verfehlt halten, wenn man

unter solchen Umständen zur erneuerten Unterbringung eines Kindes
einen thatsächlichen Rückfall abwarten müsste; wie leicht kann ein
solches Kind bis dahin das 12. Lebensjahr überschritten haben und
demnach gar nicht mehr unter das vorliegende Gesetz fallen. Es wäre
tief zu beklagen, wenn bei Kindern dieser Kategorie die Erziehung im
Sinne des Gesetzes nicht wieder aufgenommen, das Erziehungswerk
nicht weiter fortgesetzt werden könnte. In den Motiven ist es mit Recht
ausgesprochen, dass die Unterbringung der verwahrlosten Kinder in
Anstalten für Landstreicher, Bettler etc. mit den erziehlichen Zwecken
unvereinbar ist, und doch würde eine solche bei Kindern über 12 Jahren nicht selten eintreten müssen, wenn in das vorliegende Gesetz
keine dies hindernde Bestimmung aufgenommen wird. Wir möchten
wünschen, dass alle nach Bestimmungen des § 361 des Deutschen
Reichsstrafgesetzbuches Bestrafte unter 18 Jahren solchen Erziehungs-
und Besserungsanstalten überwiesen werden könnten, wie sie in dem
vorliegenden Gesetzentwurf vorgesehen sind; jedenfalls sollte diese
Wohlthat allen denen gesichert bleiben, die einmal einer solchen Anstalt angehörten, an denen aber das Erziehungswerk als noch nicht
vollendet sich herausgestellt hat. Beispielsweise war in diesen Wochen
ein Knabe von 13¾ Jahr im hiesigen Gefängniss, welcher der Landespolizeibehörde überwiesen war; sein kränklicher Zustand befreite ihn
zunächst von der Unterbringung in der überfüllten Arbeitsanstalt für
Landstreicher, Bettler, Säufer etc. in Brauweiler; ein anderer Bursche
von 16 Jahren, total verwahrlost in der Erziehung, z. Z. im hiesigen
Gefängniss, ist gleichfalls der Landespolizeibehörde überwiesen, für den
nach Ansicht der Anstaltsverwaltung die Unterbringung in einer Erziehungsanstalt das allein Zweckmässige, die Unterbringung in einer
überfüllten Arbeitsanstalt voraussichtlich nur nachtheilig wirken kann.
Gesetzt nun diese beiden Knaben wären früher in einer Erziehungs-
oder Besserungsanstalt auf Grund des vorliegenden Gesetzes untergebracht worden — Niemand wird es läugnen können, dass ihre Zurückführung in eine solche Anstalt am zweckmässigsten sein würde. Ist
die Zurücknahme der vorläufigen Entlassung bei Strafgefangenen möglich, wie viel mehr sollte es diejenige der verwahrlosten Kinder sein,
von denen der vorliegende Gesetzentwurf handelt, sobald sich das
Erziehungswerk als noch nicht vollendet herausgestellt oder die verän-
derten Verhältnisse, in die das Kind zurückgeführt worden, thatsächlich
keine Bürgschaft für Vollendung der Erziehung bieten. Geht man endlich von dem Prinzipe aus, dass nach § 9 der Staat über die Erziehung
eines verwahrlosten Kindes bis zu seinem 20. Lebensjahre bestimmen
kann, so wird es auch keinem gesetzlichen Bedenken unterliegen, wenn
§ 6 des Entwurfs den Zusatz erhielte: „Die Zurücknahme der
Entlassung ist zulässig". Unseres Erachtens erhält nur dann das
Gesetz seine volle Tragweite und bitten wir gehorsamst, Hohes Haus
wolle eine derartige zusätzliche Bestimmung zu § 6 machen.

Vielleicht könnte die Zurücknahme der Entlassung auf demselben Wege wie die Unterbringung nach § 4 erfolgen; ein richterliches Straferkenntniss über einen nach dem vorliegenden Gesetze Untergebrachten müsste zur sofortigen Zurücknahme der Entlassung nach Abbüssung der Strafe ausreichenden Grund bieten. Durch die gesetzliche Zulässigkeit der Zurücknahme der vorläufigen Entlassung würde auch schlechten Eltern oder Vormündern die Möglichkeit genommen werden können, das auf Grund des Gesetzes erzogene Kind unter ihren schlechten Einfluss zu ziehen, es mit seiner Arbeitskraft für ihre Zwecke in unbilliger Weise auszubeuten, kurz das vollendete Werk zu zerstören und das Kind trotz der ihm zu Theil gewordenen guten Erziehung dennoch auf die Verbrecherbahn zu treiben.

3. Wird ein Zusatz, wie der unter Nr. 2 in Vorschlag gebrachte in das Gesetz aufgenommen, so fordert derselbe consequenter Weise eine Bestimmung über die Aufsicht der entlassenen Zöglinge, die auch ohnedies von grösster Wichtigkeit ist, daher auch einen gesetzlichen Grund erhalten sollte. Bekanntlich ist es eine wichtige Aufgabe der Vorstände der Privat-Erziehungs- und Besserungsanstalten wie der Erziehungs-Vereine, in väterlicher Weise ihre entlassenen Zöglinge, die Durchführung der abgeschlossenen Lehrverträge etc. zu überwachen, dem ehemaligen Zögling mit Rath und That zur Seite zu gehen. Alles dies sollte gesetzlich gewissen geeigneten Personen übertragen werden können, wohl am besten auf Gutachten des Anstalts-Vorstandes durch die Behörde, welche die Unterbringung verfügt hat, und dürfte die Beaufsichtigung in den meisten Fällen am geeignetsten durch ein Glied des Waisenrathes, den Ortsgeistlichen, den Lehrer etc. erfolgen. Demnach dürfte es sich empfehlen, in § 6 vor dem beantragten Zusatze „die Zurücknahme der Entlassung ist zulässig" etwa folgende Bestimmung einzuschieben: „er trifft Anordnung über die Aufsicht des entlassenen Zöglings".

4. In der Kette der bestehenden Rettungsanstalten fehlt noch ein Glied, das man bisher schmerzlich vermisst hat, worüber schon wiederholt in Konferenzen verhandelt worden — wir meinen besondere Anstalten für Verwahrloste über 14 resp. 15 Jahre. Es leuchtet ein, dass für diese Kategorie besondere Fürsorge, sei es durch Errichtung besonderer Anstalten oder besonderer Abtheilungen in den Anstalten für Kinder über 14 Jahren getroffen werden muss. Für ältere Kinder wäre auch die Trennung nach Geschlechtern unseres Erachtens das allein Richtige, zumal für die verwahrloste Jugend grösserer Städte, welche das grösste Contingent zur Unterbringung liefern werden, bei denen die sittliche Verkommenheit, besonders in geschlechtlicher Beziehung oft schon so früh einen erschreckenden Grad erreicht hat. Wir glauben es der Erwägung des

Hohen Hauses anheimgeben zu müssen, ob nicht in das Gesetz, etwa
in § 10 Al. 2 diesbezügliche Bestimmungen aufzunehmen seien.

Wenn es zweifelhaft sein kann, ob die vorerwähnten beiden
Punkte im Gesetze zum Ausdruck gelangen sollen, so darf unseres
Erachtens eine andere Bestimmung nicht fehlen, wenn es auch richtig
ist, was über Einzelbestimmungen die Motive zu § 10 ausführen. An
einer andern Stelle ist es nämlich in den Motiven ausgesprochen, dass
„für die Unterbringung der verwahrlosten Kinder die Ueberweisung
in Familien als die naturgemässe und zweckmässigste Art der Erziehung unbedingt vorzuziehen sei". Daraus folgt, dass bei denjenigen
Kindern, welche Anstalten zugewiesen werden müssen, wenigstens nach
Möglichkeit das Prinzip der Familien-Erziehung auch innerhalb der
Anstalt zur Geltung gebracht werden muss. In den bestehenden Pri-
vat-Anstalten mit mehr als 7000 Kindern ist dies Prinzip als das allein
richtige anerkannt, und sind die Zöglinge derselben in Familien-
gruppen getheilt, denen je ein Erziehungsgehülfe zugewiesen ist, falls
die Zahl der Kinder nicht eine so geringe, dass die Hauseltern der
Anstalt sie vollständig überschauen können. Dass die Zahl 150 (§ 10)
als Maximum vorgeschrieben ist, bürgt durchaus noch nicht dafür,
dass eine richtige Erziehung nach Art der Erziehung in der Familie
in der Anstalt das Prinzip bilden soll. Und doch würde „die Erziehung
und Besserung der verwahrlosten Kinder augenscheinlich gefährdet
werden" ohne Durchführung des Prinzipes der Erziehung in Familien
innerhalb der Anstalt. Wir erlauben uns daher schliesslich zu bitten,
das Hohe Haus wolle die Einrichtung der Anstalten nach dem Familien-
System in § 10 durch eine Zusatzbestimmung als das allein geeignete
zum Ausdruck bringen, etwa in folgender Fassung: „dürfen höchstens für eine Kopfzahl von 150 Kindern und müssen nach
dem Familien-System eingerichtet und mit dem erforderlichen etc. ausgestattet werden."

Mit ausgezeichneter Hochachtung
**Der Ausschuss der Rheinisch-Westfälischen Gefängniss-Gesellschaft.**

München, im August 1876. Der Münchner Verein zur Vor-
sorge für entlassene Sträflinge hielt kürzlich seine alljährig
stattfindende Generalversammlung ab, in welcher der 15. Jahresbericht
zur Vorlesung kam. Nach diesem zählt der Verein dermalen 1671
Mitglieder; die Einnahmen pro 1875 betrugen 21,897 fl. 11 Kr., die
Ausgaben 20,654 fl. 21½ Kr. = Activrest 742 fl. 49½ Kr. Das Vereins-
vermögen — darunter ein Anwesen, Thalkirchnerstr. 27 — entziffert
den Betrag von 22,979 fl. 8½ Kr. Im Jahr 1875 wurden von den verschiedenen Straf- und Gefangenanstalten 205 Individuen beim Verein
angemeldet. Von diesen wurden a priori wegen Rückfälligkeit und
Hoffnungslosigkeit auf Besserung 114 zurückgewiesen, es wurden demnach 91 Individuen in Vereins-Obsorge genommen. Von diesen haben
im Laufe des Jahres 9 auf Vereinshilfe verzichtet, 11 wurden rückfällig

und desshalb abgeschrieben und 2 wurden wegen Nichtanmeldung bei
ihren Pflegvätern als Verzicht leistend von der Liste der Pfleglinge gestrichen. Wie oben erwähnt, haben 25 Individuen grössere Unterstützungen im Ausland erhalten, die einen Gesammtkostenaufwand von
4816 fl. 56 Kr. verursachten. Es bleiben demnach von den im Jahr
1875 aufgenommenen Pfleglingen am Ende des Jahres noch 44 in Oh-
sorge, gegen welche bis jetzt keinerlei Klagen laut wurden. Aus den
Vorjahren sind noch 502 Pfleglinge in Obsorge verblieben, so dass mit
den vom Jahr 1875 vorhandenen 44 auf das Jahr 1876 ein Gesammt-
pfleglingsstand von 546 überging. Was den Kreisverein für Oberbayern
betrifft, so betrugen dessen Einnahmen per 1875: 5343 fl. 59 Kr., Ausgaben 5320 fl. 14½ Kr. = Aktiv-Rest 20 fl. 44¾ Kr., der Vermögens-
Ausweis besteht in Werthpapieren in Beträgen von 4000 fl.

**Stuttgart**, 26. Jan. 1877. Wegen der in den Landesgefängnissen
zu Hall und zu Rottenburg vorhandenen Ueberfüllung wurde von Kgl.
Justizministerium mit allerhöchster Genehmigung Seiner Königlichen
Majestät verfügt: die gegen Männer erkannte Gefängnissstrafe wird bis
auf Weiteres auch dann, wenn sie zwar vier Wochen, aber nicht sechs
Wochen übersteigt, in den Bezirksgefängnissen, und erst bei einer sechs
Wochen übersteigenden Dauer in den Landesgefängnissen vollzogen.
Diese Verfügung tritt sofort in Wirksamkeit.

**Stuttgart**, 30. Januar 1877. Nach dem durch den Ausschuss des
Vereins zur Fürsorge für entlassene Strafgefangene erstatteten Rechen-
schaftsbericht pro 30. Juni 1876 beläuft sich der Vermögensstand des
Vereins auf 68,394 M. 24 Pf. und es hat der Verein gegen 3000 Mitglieder. Ihre Majestäten der König und die Königin haben dem
Verein reiche Beiträge zugewendet, und überdiess erhält er aus der
Staatskasse einen ansehnlichen jährlichen Zuschuss. Die übrigen jährlichen Gaben kommen von den Mitgliedern, von Amtskorporationen und
Vermächtnissen, unter welch letzteren namentlich die von den Geschwistern Roscher mit 450 M. hervorragte. Der Verein verbreitet sich
über 62 Bezirke Württembergs, in welchen auch Hülfsvereine gebildet
sind, die, soweit sie nicht eigene Mittel haben, ihre Bedürfnisse aus der
Centralkasse empfangen, und darüber zu wachen haben, dass die gebotenen Mittel wirklich zu dem gebotenen Zweck verwendet werden.
In dem Zeitraum, welchen der Rechenschaftsbericht umfasst, sind 242
entlassene Strafgefangene vom Verein unterstützt worden, damit sie
wieder nützliche Glieder der menschlichen Gesellschaft werden sollen.

**Cannstatt**, im Dezember 1876. Auch hier besteht ein „Bezirks-
Verein für entlassene Sträflinge". Er wurde im Jahr 1860
in Folge einer Berathung bei der Diözesan-Synode von neuem in's
Leben gerufen, so dass der jeweilige Synodal-Ausschuss unter Zuziehung
anderer passender Kräfte das Bezirks-Vereins-Komite bildet. Die Einnahmen des Vereins belaufen sich auf jährliche 50 M. von Mitgliedern
aus hiesiger Stadt. Seine Ausgaben sind verhältnissmässig klein, da

die entlassenen Strafgefangenen unseres Bezirks sich in der Regel
lieber gleich nach Stuttgart an den Zentralausschuss wenden, ehe sie
unsern Bezirksverein in Anspruch nehmen. Da aber immerhin jedes
Jahr in etlichen Fällen unser Bezirksverein helfend eintritt, so werden
wir gewiss alle wünschen, dass auch fernerhin unser verehrlicher Ausschuss den Bezirksverein für entlassene Strafgefangene unter seiner
Leitung und Fürsorge behalten möge.

**Rottenburg,** 28. Dezember 1876. Als vor einigen Jahren die Anzahl der im hiesigen Landesgefängniss Internirten einmal gegen 200
betrug, glaubte man ein seltenes Maximum erreicht zu haben, wie
denn auch das Gefängniss ordnungsmässig kaum für so viele eingerichtet ist. Nachdem dann die Verbrecher gegen das Eigenthum abgetheilt und anderwärts untergebracht worden, bekam man zunächst
wieder Luft. Wenn aber der Gefangenenstand im vorigen Dezember
auf ca 120—130 sich belief, so stellte er sich vor einigen Tagen auf
399. Woher diese enorme Steigerung? In der Hauptsache ist sie
veranlasst durch das neue Reichsstrafgesetz, auf Grund dessen eine
Reihe von Vergehen zur Abrügung kommen, die früher nicht, oder
wenigstens nicht so hoch, dass der Betroffene hier einzutreten hatte,
bestraft wurden. Die Vergehen, um die es sich hier handelt, sind
weitaus in der Mehrzahl Körperverletzungen, Widerstand gegen die
Staatsgewalt, d. h. gewöhnlich gegen den Polizeidiener u. dgl. Die
Körperverletzungen datiren durchschnittlich von Sonntagsschlägereien
in oder vor dem Wirthshaus, wobei sich neuerdings das komplott-
mässige, die Massenschlägerei bemerklich macht. Die Zunahme der
hieher gehörigen Unzuchtsvergehen, insbesondere auch der „unnatür-
lichen", ist schon aus den Schwurgerichtsverhandlungen bekannt. Kurz,
die Quellen, aus denen solch ein Reservoir gespeist wird, fliessen nur
zu reichlich. Und seit es für das Zivil keinen Asperg mehr gibt, bilden zu Allem hin die hier eingewiesenen Beamten, Fabrikanten, Stu-
denten, Barone u. s. w. noch ein ganz eigenthümliches Ingredienz.
Wir wollen nun hier gar nicht reden von der ungeheuren Strafver-
schärfung, die für den Gebildeten darin liegt, dass er mit einer Menge
meist roher Bursche zusammengesperrt wird. (Es gibt hier nur ein
paar zur Einzelhaft geeignete Lokale). Wir wollen nicht davon reden,
dass bei uns Alle an die Gefängnisskost gebunden sind, während in
Preussen die Selbstverköstigung innerhalb eines bestimmten Geldmasses
Jedem frei steht. Wir wollen nicht davon reden, wie solch eine Masse
meist kurzzeitiger Gefangener gehörig beschäftigt und beaufsichtigt
werden kann. Fragen wir nur, wie und wo diese Menge untergebracht
wird Tag und Nacht? Wenn im Winter, wie an Sonn- und Festtagen,
die Arbeit im Freien ganz oder grossentheils wegfällt, vertheilt sich
der ganze Haufe in 5—6 mässig grosse Arbeitssäle derart, dass, je
nachdem Stubenarbeit ist, in ihrem Raume 150—160 Mann beisammen
sein müssen. Da ist vom Sitzenkönnen nicht mehr die Rede, wie über-

haupt von Manchem, was selbst für ein Gefängniss am Platze ist.
Betten hat man vielleicht 180—190, so viel man eben in den Schlafsälen stellen kann. Die übrigen Gefangenen werden in ihren Arbeits-
sälen am Boden auf Strohsäcke gelagert und mit Wollteppichen zuge-
deckt. Denke man sich nun in diesen Verhältnissen vollends den
Ausbruch einer ansteckenden Krankheit, wie vor einigen Jahren, wo
hier die Pocken längere Zeit herrschten. Offenbar handelt es sich hier
um einen Zustand, dem gegenüber um so mehr Abhilfe geboten ist,
als diese Verhältnisse nicht etwa durch ausserordentliche Nothzeiten
u. dgl., sondern gewissermassen durch das Gesetz selbst geschaffen
sind, also etwas Bleibendes darstellen. Wir hören, dass eine höhern
Orts abgesendete Baukommission die Sache zu beaugenscheinigen im
Begriffe steht. Wenn nun auch für den Augenblick allerlei Flickwerk
nicht abzuwenden sein wird, so dünkt uns bei dem ohnedies nur halb
ausgebauten Gefängniss eine dauernde Abhilfe des Nothstandes nur
dann möglich, wenn der Oberbehörde von Seiten der neugewählten
Stände gestattet wird, einen tüchtigen Griff in den Staatsbeutel zu thun,
oder wenn ein Theil der Gefangenen anderwärts untergebracht werden
kann. Es gibt auch bei solcher Ueberfüllung ein Mass, wo es unbedingt heisst: bis hieher und nicht weiter!

Rottenburg a. N., 4. März 1877. Heute Vormittag sahen wir
mehrere Trupps junger Leute mit vergnügten Gesichtern durch die
Stadt dem Bahnhof zu eilen. Wir erfuhren, dass es Bewohner des
Landesgefängnisses waren, welche durch die Strenge der neuen Strafgesetze über Körperverletzungen die Bekanntschaft der Anstalt hatten
machen müssen, und welchen nun, 25 an der Zahl, die Gnade Sr. M.
des Königs die Pforten des Gefängnisses geöffnet hatte. Solche jungen
Leute, meist dem Bauern- und Weingärtnerstande angehörig, sind hier
bei den theuren Preisen der Taglöhner als Feldarbeiter sehr beliebt.
Als solche dürfen sie in Truppen von 10—15 Mann in Begleitung eines
Aufsehers Arbeiten bei hiesigen Bürgern in Hopfengärten u. dgl. übernehmen, womit, wie es scheint, beiden Theilen gedient ist: den Arbeitgebern, welche nicht blos den billigen Taglohn, sondern auch den
Fleiss dieser rüstigen jungen Männer rechnen; den Gefangenen, welche
die Gefängnissluft mit dem Genusse von Gottes freier Natur vertauschen
dürfen.

Hall, 24. März. Das dem Ritterstift Comburg gegenüber auf
einem Vorsprung gesund und hübsch gelegene ehemalige Kapuziner-
kloster St. Gilgen mit seiner alten, in rein romanischem Styl erbauten
Kirche, auch Klein-Comburg genannt, war 1861 in das Eigenthum einer
Kongregation barmherziger Schwestern von der Regel des heil. Franz
von Assisis übergegangen, welche hier längere Zeit ihr Mutterhaus
hatten, dieses aber in den letzten Jahren nach Biberach verlegten und
das Haus nur noch als Filialanstalt benützten. In neuester Zeit hat der
Staat das von den barmherzigen Schwestern in guten Stand gesetzte

Kloster sammt Kirche angekauft, und wird dasselbe zunächst als Filialanstalt des derzeit stark überfüllten Landesgefängnisses eingerichtet
und benützt werden.

**Mannheim**, im Jan. 1877. Anfangs dieses Monats feierte Director
B l e n k n e r dahier sein 25jähriges Dienstjubiläum als Vorstand des
hiesigen Landesgefängnisses. Von Seiten des Grossh. Ministeriums des
Gr. Hauses und der Justiz hatte derselbe ein Anerkennungsschreiben
für sein verdienstliches Wirken erhalten; die Beamten der Strafanstalt
widmeten demselben einen silbernen Pokal. Möchte der tüchtige Beamte
noch manches Jahr in gewohntem Eifer und in ungeschwächter Gesundheit seinem Berufe obliegen!

**Bruchsal**, im Februar 1877. Am 9. d. M. starb dahier im Alter
von 63 Jahren der kath. Dekan und Stadtpfarrer A l o i s S c h u h,
Hausgeistlicher an der hiesigen Weiberstrafanstalt. Derselbe war geboren am 10. Dezember 1813 in Neusatz, Bad. Amts Bühl. Nach Beendigung seiner Studien am Gymnasium in Offenburg und an der Universität Freiburg wurde er am 5. September 1840 zum Priester geweiht.
Als Kaplan wirkte er in Mönchweier, Baden, Gengenbach und Mannheim.
Im April 1851 wurde ihm die Stadtpfarrei Pforzheim übertragen, wo
er zugleich die Pastoration der Heil- und Pflegeanstalt und der Taub-
stummenanstalt besorgte. Seit 1863 wirkte er hier, seit 1868 auch an
der damals hieher verlegten Weiberstrafanstalt. In allen Gebieten
seines Wirkens waltete er seines Amtes mit gewissenhafter Treue,
liebenswürdiger Milde und segensreichem Erfolge. Im Jahre 1871 erhielt er den bad. Zähringer Löwenorden, nachdem er schon früher mit
dem württ. Friedrichsorden dekorirt worden war. Sein Wirken und
seine liebenswürdige Persönlichkeit haben ihm in den Herzen Aller,
die ihn kannten, ein bleibendes Denkmal gesetzt.

**Bruchsal**, im März 1877. Am 1. d. M. waren es 25 Jahre, dass
Oberaufseher G e i l e r am hiesigen Männerzuchthause seinen Dienst
angetreten hatte. Derselbe empfing am Morgen dieses Tages die Glück-
wünsche der Bediensteten, die der höheren Beamten der Strafanstalt
in einem Diplom mit der Mittheilung, dass auch das Gr. Ministerium
des Gr. Hauses und der Justiz ihm in Anerkennung seiner pflichtge-
treuen und umsichtigen Dienstführung während nunmehr 25jähriger
Dienstzeit eine ansehnliche Remuneration zuerkannt hatte. Abends
feierten Berufsgenossen und zahlreiche andere Freunde des Jubilars
das Fest mit einem gelungenen Banket. Möge es dem Oberaufseher
Geiler, der früher schon eine längere Reihe von Jahren beim Gr. Militär diente, und sich da wie dort stets das Zeugniss vorzüglicher und
pflichteifriger Dienstführung erwarb, vergönnt sein, noch recht lange sich
der ihm gewordenen Auszeichnung in Gesundheit und fernerer Pflicht-
erfüllung zu erfreuen.

**Aus Braunschweig**, im März 1877. In der Stadt Braunschweig
ist zu Anfang d. J. ein Verein zur Fürsorge für entlassene Gefangene

in's Leben gerufen, der sich zur Aufgabe stellt, die Beförderung der bürgerlichen und sittlichen Besserung von aus Straf-, Besserungs- und polizeilichen Erziehungsanstalten hülfsbedürftig Entlassenen, in der Regel jedoch nur dann, wenn die letzteren in Braunschweig ihren Aufenthalt nehmen und entweder

1. daselbst schon vor ihrer gefänglichen Einziehung länger gewohnt haben, oder
2. nach Braunschweig aus einer dem Herzogthum angehörenden Anstalt entlassen werden, oder aber
3. von einem auswärtigen Schutzverein oder einer auswärtigen Strafanstalt zur Fürsorge empfohlen sind.

Es ist dieser Verein wohl der erste in Deutschland, der ·verfassungsmässig nicht allein den im engeren Vaterlande Verurtheilten nach der Straferleidung Hülfe am Vereinssitze angedeihen lässt, sondern daneben auch der aus nichtbraunschweigischen Anstalten entlassenen und durch die betreffende Gefängnissverwaltung empfohlenen Gefangenen sich annimmt, und ferner mit verwandten Vereinen in andern Bundesstaaten Beziehungen zu dem Zwecke pflegen will, um denjenigen vormaligen Gefangenen beizustehen, deren Lage die Verlegung des Mittelpunktes ihres wirthschaftlichen Lebens aus dem örtlichen Bezirke des sie beschützenden Vereins in die Stadt Braunschweig oder, umgekehrt, aus der letzteren hinaus als nothwendig oder räthlich erscheinen lässt.

Wie leicht ereignet es sich, dass dem vormaligen Gefangenen an dem Orte seiner Entlassung eine seinen früheren Lebensverhältnissen möglichst entsprechende Beschäftigung nicht verschafft werden kann; wie häufig liegt es im Interesse desselben, einen Platz aufzusuchen, wo er, seiner bisherigen Sphäre entrückt, frei von den beengenden und lähmenden Fesseln alter Bekanntschaften, seine Wiederaufrichtung vollziehen kann; wie oft gebietet die Beweglichkeit und Unsicherheit der heutigen Industrie dem Arbeiter einen plötzlichen Wechsel seines Wohnorts!

Dass der Braunschweiger Verein nicht nur die ortsangehörigen, sondern auch die fremd anziehenden Hülfsbedürftigen in seine Obhut nehmen und dass er hinwiederum seinem eigenen Schützlinge, wenn dessen Interesse seinen Fortgang von Braunschweig erheischt, auch ausserhalb der örtlichen Grenzen des Vereinssitzes das ehrliche Durchkommen erleichtern will, darf als ein erfreulicher Fortschritt in der praktischen Ausbildung des Schutzaufsichtswesens verzeichnet werden.

Es bleibt übrig, dem Wunsche Ausdruck zu geben, dass die nichtbraunschweigischen Strafanstalten bei Entlassung von Gefangenen nach der Stadt Braunschweig die empfehlende Verweisung derselben an den dortigen Schutzverein nicht unterlassen, dass mit dem letzteren die auswärtigen verwandten Vereine, sobald einer ihrer Schützlinge sein Glück in Braunschweig nicht allein suchen will, sondern dort, bei Lage des Falls, unter Beihülfe des Vereins wirklich zu finden auch Aussicht hat, sich gern in Verbindung setzen, sowie endlich, dass dieselben der Fürsprache des Braunschweiger Vereins für einen von dort in ihren Bezirk übersiedelnden Schützling, bei Zusicherung von Gegendiensten, ein geneigtes Ohr leihen möchten!

Vorsitzender des Braunschweiger Schutzvereins ist zur Zeit der Regierungsrath von Kalm, Stellvertreter desselben der Stadtrath Gebhardt daselbst.

**Weimar,** 26. Oktober 1876. Einige Vertreter thüringischer Regierungen — namentlich von Weimar, Gotha, Meiningen, Schwarzburg haben in diesen letzten Tagen Konferenzen in Arnstadt gehabt, welche nach der „Thür. Ztg." sich auf die Errichtung, resp. die Erhaltung gemeinschaftlicher Strafanstalten — des Landesgefängnisses in Ichtershausen und des Zuchthauses in Gräfentonna bezogen.

**Altenburg,** 28. Nov. 1876. Der Landtag des Herzogthums, welcher seit dem 7. April d. J. vertagt gewesen ist, ist für den 5. Dezember zur Fortsetzung seiner Berathungen wieder einberufen worden. Es wird sich der Landtag auch mit der Genehmigung des zwischen den meisten thüringischen Staaten abgeschlossenen Vertrages wegen Einrichtung gemeinsamer Strafanstalten zu beschäftigen haben. Dieselben sollen theils in Gräfentonna, theils in Maasfeld, theils in Ichtershausen eingerichtet werden.

**Meiningen,** 12. Jan. 1877. Der Landtag berieth in seiner gestrigen Sitzung den Vertrag zwischen Meiningen und den übrigen thüringischen Staaten (mit Ausschluss von Rudolstadt) über die Gemeinschaft der Strafanstalten. Derselbe wurde angenommen und zur Ausführung von Bauten in dem künftig gemeinschaftlichen Zuchthause zu Maasfeld ein Kostenaufwand von 168,000 M., für das Arbeitshaus der Ankauf des Schlosses Dreissigacker um 20,000 M. und zu Zwecken der Einrichtung desselben ein Kostenbetrag von 40,000 M. verwilligt.

**Wien,** 20. Nov. 1876. Der Strafgesetz-Ausschuss des Abgeordnetenhauses hat in seiner jüngsten Sitzung die Anträge des Abg. Dr. Josef Kopp, welche im Wesen auf die Beseitigung der Todesstrafe hinauslaufen, angenommen und demgemäss eine wesentliche Veränderung der bezüglichen Absätze des Strafgesetzentwurfs durchgeführt.

**Budapest,** im September 1876. Dieser Tage fand dahier der internationale statistische Congress statt. Die zweite Section erörterte in ihrer ersten Sitzung die „Statistik rückfälliger Verbrecher". Der Referent Yvernès (Paris) gab eine eingehende Darlegung der in den verschiedenen Ländern gebräuchlichen Systeme der Registrirung rückfälliger Verbrecher und empfahl das in Frankreich bestehende und bereits von verschiedenen anderen Staaten adoptirte System der „casiers judiciaires" zur allgemeinen Annahme. Nach diesem System werden die Listen über die Rückfälle an denjenigen Arrondissements-Gerichtshöfen geführt, bei denen die Verbrecher zuständig sind, und die so gesammelten Daten werden dann in der statistischen Section des Justizministeriums in das Centralbuch zusammengetragen. Professor Gneist. wies auf die Schwierigkeit hin, die aus der vagirenden Lebensweise der meisten Verbrecher für die Eintragung am Zuständigkeitsorte erwachse. Anderseits erkannte er die grossen Vorzüge des erwähnten Systems an, für welches sich auch die deutsche Reichsjustiz-Kommission ausgesprochen habe. In die Strafprozessordnung habe sie die betreffenden Bestimmungen nur desshalb nicht aufgenommen, weil sie geglaubt, dass derartige Administrativmassregeln nicht in das Gesetz hineingehören. Gegenwärtig sei die Einführung des Systems der Casiers in Deutschland undurchführbar, weil es noch an geeigneten Organen zur Bewältigung der statistischen Arbeiten fehle, doch werde man nothwendiger Weise für die Zukunft diesem Uebel abhelfen müssen. — Nach längerer Debatte wurde der Antrag des Referenten unverändert angenommen.

**Budapest,** im Dezember 1876. Am 11. d. M. starb dahier im 52. Lebensjahre Ladislaus Csillagh, Richter am obersten Gerichtshof, bis vor Kurzem Ministerial-Rath im K. Justizministerium und Chef des Gefängnisswesens in Ungarn. Csillagh war während seines ganzen Lebens ein eifriger, hingebungsvoller Kämpe des öffentlichen Lebens seines Heimathlandes. Nach mannigfachen Schicksalen wurde er 1867 in das Justiz-Ministerium berufen, wo er als Sections-, später als Ministerial-Rath fungirte. Im Jahre 1875 kam er in den obersten Gerichtshof. Als Chef des Gefängnisswesens besuchte er mit E. Tauffer, jetzt Strafanstaltsdirector in Leopoldstadt a. d. W. im Jahre 1868 und 1869 die bekanntesten Strafanstalten in Deutschland, Belgien, Holland, England, Irland, Frankreich und der Schweiz. Viele erinnern sich von da an die Liebenswürdigkeit und das gewinnende freundliche Wesen des Verblichenen. Derselbe war ein gründlicher Kenner des Gefängnisswesens und seiner Fortschritte, ein eifriger Vorkämpfer der Reformen, ein gerecht denkender und geliebter Chef seiner untergebenen Beamten und ein fein und weich fühlender Mann für alles menschliche Elend, der vieles Gute gefördert hat. Ihn beweinen daher nicht nur seine Familie (eine trauernde Wittwe und 3 unmündige Töchter), zahlreiche Verwandte und Freunde, sondern auch Tausende, denen er ein helfender Retter war, und deren Segenswünsche ihn in's Grab geleiteten.

Aus **Waitzen,** im Januar 1877 erhalten wir nachstehende Schluss-Bilanz für den Gewerbsbetrieb in eigener Regie der königl. ungarischen Landesstrafanstalt in Waitzen mit 31. Dezember 1876.

# Activa.        Schluss-

| Vermögens-gruppen laut Detailausweisen. | Gegenstand. | Werthbetrag | | Bei Gegenüber-stellung der 1. und 2. Rubrik zeigt sich Kapital- | |
|---|---|---|---|---|---|
| | | Bei Beginn des Jahres. | Mit Schluss des Jahres. | Ver-mehrung. | Vermin-derung. |
| | | Fl. xr. | Fl. xr. | Fl. xr. | Fl. xr. |
| I. | Für Materialvorräthe . . . . . . | 3779 80 | 5811 20 | 2031 40 | |
| II. | „ Vorräthe an fertigen Fabrikaten | 2952 10 | 5164 93 | 2212 83 | |
| III. | „ Inventar der Geschäftseinrichtung und Werkzeuge . . . . . . . | 3596 07 | 4285 23 | 689 16 | |
| IV. | „ Geschäfts-Forderungen, Angaben und Darlehen . . . . . . . | 13367 62 | 15090 70 | 1723 08 | |
| V. | „ bei fremden Kassen deponirte eigene Kautionen . . . . . | 470 — | 700 — | 230 — | |
| VI. | „ bei der Budapester „Ersten Vater-ländisch. Sparkasse" nutzbringend angelegte . . . . . . . . . | 10041 66 | 9487 50 | | 554 |
| VII. | „ Baarkassa . . . . . . . . . | 15104 67 | 15499 03 | 394 36 | |
| | Gesammtactiva | 49311 92 | 56038 59 | | |
| | Nach Abzug der nebenseitig ausge-wiesenen Passiven per . . . . | 1557 09 | 1330 27 | | |
| | Verbleibt reines Betriebsvermögen | 47754 83 | 54708 32 | | |
| VIII. | Für Theilabfuhr vom ausgewiesenen Reingewinn an das k. ung. Steuer-amt in Waitzen . . . . . . . | | | 30000 — | |
| IX. | Für geleistete unvorhergesehene Zah-lungen aus früheren Betriebsperioden | | | 89 81 | |
| X. | Für eingegangene Sträflingsverdienste | | | 8993 80 | |
| XI. | „ eingegangene Sträflingsverdienste zu Gunsten des Unterstützungs-fonds . . . . . . . . . . . | | | 142 94 | |
| XII. | „ von Geschäftskomitenten erlegte Kautionen . . . . . . . . . | | | 2515 29 | |
| | Somit zeigt sich beim Activ-Vermögen | | | 49022 67 | 554 16 |
| | Hiezu die gleichartigen Rubriken der Passiva . . . . . . . . . . | | | 395 06 | 11820 27 |
| | Zusammen | | | 49417 73 | 12374 43 |
| | Abgeschlagen die Kapitalsverminderung von der Vermehrung . . . . . | | | 12374 43 | |
| | Verbleibt erzielter Reingewinn aus dem Gewerbsbetrieb der k. ungar. Landesstrafanstalt in Waitzen zu Gunsten der Staatskassa pro 1876 . | | | 37043 30 | |
| | An Erträgniss zu Gunsten der Sträf-linge und des Sträfl.-Unterstützungs-fonds . . . . . . . . . . . | | | 9136 74 | |
| | Somit gesammtes Reinerträgniss . . | | | 46180 04 | |

# ilanz.          Passiva.

| | Gegenstand. | Werthbetrag | | Bei Gegenüberstellung der 1. und 2. Rubrik zeigt sich Kapital- | |
|---|---|---|---|---|---|
| | | Bei Beginn des Jahres. | Mit Schluss des Jahres. | Vermehrung. | Verminderung. |
| | | Fl. \| xr. | Fl. \| xr. | Fl. \| xr. | Fl. \| xr. |
| I. | An Schuld für gelieferte Materialien . | 32 78 | 24 12 | 8 66 | — — |
| II. | „ „ „ „ Waaren . . | 802 — | 556 30 | 245 70 | — — |
| II. | „ zweifelhaften Forderungen (Dubiosen) . . . . . . . . . . . | 312 80 | 325 06 | — — | 12 26 |
| V. | „ Werthverminderung der Materialien und Waaren-Vorräthe . . . . | 183 90 | 67 01 | 116 89 | — — |
| V. | „ Werthverminderung der Geschäftseinrichtung durch gewöhnliche Abnützung . . . . . . . . . . | 179 80 | 213 78 | — — | 33 98 |
| VI. | „ eingegangenen Ueberzahlungen . | 23 81 | — — | 23 81 | — — |
| II. | „ geleistete Angaben bei Bestellungen | 22 — | 144 — | | 122 — |
| | **Gesammtpassiva** | 1557 09 | 1330 27 | | |
| IX. | „ entfallende Verdienste zu Gunsten der Sträflinge . . . . . . . | | | | 8993 80 |
| X. | „ entfallende Zuflüsse zu Gunsten des Unterstützungsfonds . . . . . | | | | 142 94 |
| II. | „ erliegende Kautionen der Geschäftskomitenten . . . . . . . . . | | | | 2515 29 |
| | **Zusammen** | | | 395 06 | 11820 27 |

Die Direction der kgl. ungar. Landesstrafanstalt.

Waitzen, 28. Januar 1877.

**Varga,**      **Hatzinger,**      **Mittermayer,**
Director.      Controllor.      Verwalter.

1. Nicht abgeführte Betriebsüberschüsse vor Beginn des Jahres 1874 . . . . . fl. 8647. 02.

Noch nicht abgeführter Restbetrag des ausgewiesenen Reinerträgnisses pr. 1874 . . fl. 20011. 17.

Dessgleichen pr. 1875 . . . . fl. 4096. 64.

Dessgleichen pr. 1876 . . . . . fl. 7043. 30.

Betriebs-Grundkapital . . . . . fl. 15000. —.

Zusammen fl. 54798. 13.

Hiervon ab die ausgewiesenen unvorhergesehenen Zahlungen früherer Betriebsperioden mit . fl. 89. 81.

Verbleibt staatliches Betriebskapital (fl. 56038, 59. Aktiva, fl. 1330. 27. Passiva) pr. 1876 . . fl. 54708. 32.

2. Im Jahre 1876 waren 122971 Arbeitstage, sonach entfallen vom ausgewiesenen Reingewinn per fl. 37043. 30. auf jeden Sträfling und Arbeitstag zu Gunsten der Staatskassa pro 1876 30,$_{\frac{}{123}}$ Kreuzer; und vom ausgewiesenen Sträflingsverdienste per fl. 8993. 80. auf jeden Sträfling und Arbeitstag 7,$_{\frac{}{313}}$ Kreuzer.

Die Direction der kgl. ungar. Landesstrafanstalt.

W a i t z e n , 28. Januar 1877.

| Varga, | Hatzinger, | Mittermayer, |
|---|---|---|
| Director. | Controllor. | Verwalter. |

Versailles, 14. Nov. 1876. Sitzung des Abgeordnetenhauses. Die Debatte über das Budget des Ministeriums des Innern wird fortgesetzt. Eine längere Debatte knüpft sich an das Kap. 14: Gefängnisswesen. Hr. Guichard klagt über die Konkurrenz, welche die Gefangenanstalten mit ihren 28,000 Insassen der freien Arbeit machten und die schon zu der Schliessung vieler Werkstätten geführt hätten. Als Heilmittel empfiehlt er, die Arbeit der Gefängnisse in Regie zu nehmen und für die Bedürfnisse der Kriegs- und Marineverwaltung zu verwerthen. Regierungskommissär Chopin entgegnet, dass dies doch auch nur wieder eine Konkurrenz für die Privatindustrie wäre. Die letztere finde eine bessere Garantie in den mit besonderer Rücksicht auf sie festgestellten Tarifen der Gefängnissateliers, bei deren Arbeiten übrigens nach Thunlichkeit auch auf das Material von Heer und Flotte Rücksicht genommen werden soll. Herr Nadaud empfiehlt wiederum das System der Betheiligung der Gefangenen an dem Erträgnisse ihrer Arbeit, welches diesen und zugleich dem Staate zum Vortheil ausschlagen würde. Zu einem praktischen Resultate führt diese Debatte nicht; nur wird auf den Antrag des Herrn Laussedat ein von dem Ausschuss gestrichener Kredit von 10,000 Fr. für zwei Bauinspektoren der Gefangenanstalten wieder hergestellt.

Herr Savoye beantragt die Auflösung der landwirthschaftlichen Strafanstalt von Casabianca in Korsika wegen deren Gesundheitsschädlichkeit. Da der Unterstaatssekretär Faye erklärt, dass man zunächst

die Terrains dieser mit grossen Kosten hergestellten Anstalt auszu-
trocknen suche, wird der Antrag abgelehnt.

**Paris,** 27. Nov. 1876. Etwa fünfzig Mitglieder der äussersten
Linken haben im Abgeordnetenhause einen Antrag auf A b s c h a f f u n g
d e r T o d e s s t r a f e eingebracht.

In Erwägung, sagen sie, dass das Recht, eine nicht wieder gut
zu machende Strafe zu verhängen, einen unfehlbaren Richter voraus-
setzt, dass die Gesellschaft mit der Todesstrafe ein übles Mittel anwendet, die dem menschlichen Leben schuldige Ehrfurcht zu lehren und
so den Arm des Mörders zurückzuhalten, dass das Schauspiel des durch
den Henker vergossenen Blutes die verdorbenen Gemüther nur noch
mehr verhärtet und jene Milderung der Sitten verhindert, welche das
Ergebniss der höheren Zivilisation sein soll und an der diese zu erkennen ist, dass die Todesstrafe von den grössten Kriminalisten verurtheilt worden ist, dass die Länder, in denen man sie abgeschafft hat,
sich hierzu nur Glück zu wünschen hatten, dass die Todesstrafe mit
einem Worte in jeder Hinsicht die entgegengesetzten Wirkungen von
jenem hervorbringt, welches sich ihre Anhänger von ihr versprechen,
haben wir die Ehre u. s. w.

**London,** im Dezember 1876. Aus Rom wird dem „Standard" tele-
graphirt, das Barreau von Mailand habe nach einer Debatte mit 8
Stimmen gegen eine die Beibehaltung der T o d e s s t r a f e votirt.

**London,** im Juli 1876. Am 25. d. M. wurde zu London an Wil-
liam Leonard, einem wegen frechen, mitten in London an einer jungen
Dame begangenen Strassenraubes nebst Misshandlung verurtheilten
Verbrecher in Newgate die P r ü g e l s t r a f e vollzogen, die ihm nebst 7
Jahren Strafarbeit zuerkannt war. Dieser Fall ist desshalb hervorzu-
heben, weil der Mensch im Jahre 1870 eine ähnliche Strafe erlitten
hatte, und so einer der Fälle vorliegt, in denen die Prügelstrafe von
Wiederholung desselben Verbrechens nicht abgeschreckt hat.

**London,** 26. März 1877. Letzten Samstag, 24. d. M., spät Abends
brach Feuer aus unter Verhältnissen, die viele Tausende von Zu-
schauern herbeilockten. Das Z u c h t h a u s von C o l d b a t h F i e l d s in
der City brannte. Trotz der grössten Aufregung ist die Sache leidlich
verlaufen. Die Gefangenen mussten aus ihren Zellen entfernt und
dennoch gehütet werden, so dass eine Zeit lang einige hundert der
schlimmsten Persönlichkeiten der Obhut eines Polizeiinspektors nebst
vier Polizisten anvertraut waren, während die Gefängnisswärter mit
Oeffnung der Zellen und Entfernung anderer Verbrecher beschäftigt
waren. Um Mitternacht war die Hauptgefahr geschwunden.

# Literatur.

---

## Die Statistik der preussischen Zuchthäuser.
### (Aus der Norddeutschen Allgemeinen Zeitung.)

Die im Verlage der Decker'schen Ober-Hofbuchdruckerei erschienene Statistik der zum Ressort des Ministerii des Innern gehörenden 55 Straf- und Gefangenanstalten umfasst die 3 Jahre 1872—1874. Sie ist nach demselben Plane aufgestellt wie die früheren Jahrgänge: im Eingange eine erläuternde Uebersicht, statistische Tabellen über die Verhältnisse in den einzelnen Anstalten mit Hervorhebung der Gesammtresultate und am Schlusse eine Sammlung der seit Publikation der letzten Statistik erschienenen Cirkularerlasse. Wir entnehmen aus dem sehr reichhaltigen Material die nachstehenden Notizen als vornehmlich geeignet, das öffentliche Interesse zu erregen.

Der tägliche Durchschnittsbestand aller Gefangenenkategorien hat betragen 1871: 23,631; 1872: 22,362; 1873: 21,716; 1874: 22,326 — also von 1871—1874 Abnahme ca. 6 Prozent. Dagegen ist die Zahl der während der 4 Jahre 1871—1874 Detinirten in einer steigenden Progression begriffen gewesen, 1871: 68,006; 1872: 76,532; 1873: 79,003; 1874: 86,236 — also von 1871—1874 eine Zunahme von ca. 27 Prozent; die Zahl der Untersuchungsgefangenen ist gestiegen um 36 Prozent. Eine Abnahme in der Zahl der Verbrechen und Vergehen hat hiernach in der Periode von 1871—1874 nicht stattgefunden, wohl aber eine sehr bedeutende Zunahme, wie sich auch aus der Zahl der neu eingeleiteten gerichtlichen Untersuchungen ergibt, die betragen hat 1872: 102,077; 1873: 104,878; 1874: 120,400 — also Zunahme in 3 Jahren 18 Prozent. Charakteristisch ist die Zunahme der neu eingeleiteten Untersuchungen in Hinsicht auf die Art der Verbrechen und Vergehen: sie hat bei gemeingefährlichen Verbrechen, bei Verbrechen und Vergehen gegen die öffentliche Ordnung und bei Körperverletzungen in stetiger Progression über 33 Prozent betragen, während die Zunahme der Bevölkerung von 1871 bis zur Zählung von 1875 nur 4,38 Prozent beträgt. Dass es sich hierbei nicht um eine vereinzelte Thatsache handelt, ergibt die zur Vergleichung angeführte Kriminalstatistik des Königreichs Sachsen, wo die Zahl der bei den Gerichten eingegangenen glaubhaften Anzeigen über verübte Verbrechen, Vergehen und Uebertretungen während des Zeitraumes von 1871—1875 in noch erschreckenderem Maasse zugenommen hat; so beispielsweise wegen Widersetzlichkeit gegen Abgeordnete der Obrigkeit um 46,6 Prozent und wegen Erregung öffentlichen Aergernisses durch unzüchtige Handlungen, sowie wegen vorsätzlicher Körperverletzungen um mehr als 100 Prozent.

Nicht weniger betrübend ist die Zahl der Rückfälligen; dieselbe beträgt bei den Zuchthausgefangenen über ³/₄ der Kopfzahl, und hiervon haben mehr als 45 Prozent bereits früher ein oder mehrere Male Zuchthausstrafe erlitten. Die Statistik findet die Erklärung dieser enormen Rückfallszahl einerseits in der Kurzzeitigkeit der Strafen und in der milden Beurtheilung der Rückfälligkeit, andererseits in der unzureichenden Zahl der Isolirräume, sowie in dem mit unserer bisherigen Gerichtsorganisation zusammenhängenden Zustande der kleineren Gefängnisse.

Hinsichtlich des ersteren Punktes werden mehrere sehr auffällige Beispiele angeführt. Ein wegen Diebstahls bereits 9 Mal und darunter 3 Mal mit Zuchthaus bestrafter Verbrecher war beim zehnten Diebstahl zu 8, beim elften zu 9 und, als das Dutzend voll war, beim zwölften Diebstahle zu 10 Monaten Gefängniss verurtheilt worden; — ein zweiter Verbrecher, der bereits einmal wegen Misshandlung bestraft worden war, 1 Mal wegen Unterschlagung und 9 Mal wegen Diebstahls (darunter 4 Mal mit Zuchthaus), ausserdem wegen Bettelns und Landstreichens zu vielen Malen, war beim zehnten Diebstahle zu 9, heim elften Diebstahle zu 4 Monaten Gefängnissstrafe verurtheilt worden; — ein wegen Diebstahls bereits 9 Mal (darunter 2 Mal mit Zuchthaus), ausserdem 1 Mal wegen Hehlerei und 8 Mal wegen Holzdiebstahls Bestrafter heim neunten Diebstahl zu 4 Monaten Gefängnissstrafe; — ein wegen Diebstahls bereits 7 Mal mit Zuchthaus Bestrafter beim achten Diebstahl zu Einem Jahre Zuchthaus etc. Danach ist allerdings der Ausdruck gerechtfertigt, dass bei manchen Stammgästen unserer Gefängnisse die Zeit von einer Bestrafung zur andern eigentlich nur eine Art von Beurlaubung sei, während welcher sie ihr sauberes Gewerbe fortsetzen, und die Statistik hat wohl nicht ganz Unrecht, wenn sie die Frage aufwirft, ob neben den vielen Strafrechtstheorien, die im Schwange sind, nicht auch zu erwägen sein möchte, dass die bürgerliche Gesellschaft einen Anspruch darauf hat, durch die Strafrechtspflege gegen Personen geschützt zu werden, die mit wiederholten und immerwiederholten Diebereien und Betrügereien einen förmlichen Krieg gegen das Eigenthum ihrer Mitbürger führen; jedenfalls aber sei es ungerecht, die Gefängnissverwaltung dafür verantwortlich zu machen, wenn solche kurze Strafen bei guter Verpflegung meisthin ohne irgend welchen Erfolg bleiben.

Die Zahl der Isolirzellen in den Gefängnissen, welche zum Ressort des Ministerii des Innern gehören, betrage nur 3520 für einige 20,000 Gefangene, und diese Zahl reiche häufig nicht hin, um auch nur den dringendsten Anforderungen der Disziplin Genüge zu leisten. Unter solchen Umständen sei es eine schwer zu lösende Aufgabe, die gegenseitige Verschlechterung der zusammengepferchten Gefangenen zu verhüten und eine bessernde Einwirkung behufs Verminderung der Rückfälle zu ermöglichen; die Strafe bewirke oft das Gegentheil von dem, was sie bewirken soll, und es sei nicht ganz unrichtig, wenn man unsere Gefängnisse mit gemeinsamer Haft bisweilen als Brutstätten für Laster und Verbrechen bezeichnen höre.

Einen besonders verderblichen Einfluss übe die gemeinsame Haft in den zur Verbüssung der kurzen Gefängnissstrafe dienenden Gerichtsgefängnissen. Bei 893 derselben (fast 90 pCt.) sei ein besonderer Gefängnissinspektor nicht angestellt und bei 654 nur ein Aufseher, der gleichzeitig als Gerichtsdiener fungirt, der also während der Dienststunden die meisthin unbeschäftigten Gefangenen fast ganz sich selbst überlassen müsse, wo dann die Zeit in vollständigem Müssiggang hingebracht werde mit nichtsnutzigem Reden und Treiben, bei dem die Strolche, an denen es in keinem Gefängnisse fehle, die Vagabunden und Gauner von Profession als Instruktoren das grosse Wort führen. Der Volksmund bezeichne die kleinen Gefängnisse als die Elementarschulen, in denen die Anfänger auf der Verbrecherlaufbahn sich nach der Methode des gegenseitigen Unterrichtes für das Zuchthaus vorbereiten.

Die Statistik erhofft von dem bevorstehenden Strafvollzugsgesetz eine Besserung dieser Zustände und verweist dabei auf den Vorgang von Frankreich, wo durch Gesetz vom 5. Juni 1875 die Isolirhaft als die regelmässige Art der Vollstreckung der Freiheitsstrafen bis zu einem Jahre angeordnet worden sei, und von Belgien, wo man mit Hülfe eines jährlichen Kredits von 672,000 Fr. das Isolirsystem fast vollständig durchgeführt habe.

Das Beamtenpersonal bestand am Schlusse des Jahres 1874 aus 1951 Personen, die zum überwiegend grösserem Theile früher dem Militärstande angehört haben. Die Gehälter der Strafanstaltsbeamten sind seit 1871 wesentlich erhöht worden; es beziehen gegenwärtig (neben freier Dienstwohnung und dem gesetzlichen Wohnungsgeldzuschuss, beziehungsweise Miethsentschädigung) die Directoren an Gehalt 1200—1600 Thlr., die Geistlichen 800—1200 Thlr., die Inspektoren 700—1100 Thlr., die Sekretäre 600—700 Thlr., die Lehrer 500—700 Thlr., die Hausväter 400—533¹/₃ Thlr., die Oberaufseher und Werkmeister 400—450 Thlr., die Aufseher 300—400 Thlr., die Hausmütter und Oberaufseherinnen 350 Thlr., die Aufseherinnen 220—300 Thlr. Ueber Speisung, Bekleidung, Lagerung und Reinigung der Gefangenen ist unterm 20. Januar 1872 und resp. unterm 29. Juli 1874 ein neuer Etat aufgestellt worden. Derselbe ist im Anhange der Statistik mit abgedruckt und entspricht den Anforderungen, die an eine Gefängnisskost zu stellen sind.

Was den Arbeitsbetrieb angeht, so waren von den im Durchschnitte der 3 Jahre 1872—1874 (mit Ausschluss der Untersuchungsgefangenen) täglich detinirten Gefangenen aller Kategorien aus verschiedenen Ursachen (Krankheit, Arbeitsunfähigkeit, Disziplinararrest u. s. w.) unbeschäftigt 1896 oder 9 pCt. Die Beschäftigung fand statt theils für den eigenen Bedarf der Anstalten (rund 26 pCt.), theils für eigene Rechnung der Anstalten zum Verkaufe (0,78 pCt.), theils für Dritte gegen Lohn (rund 73 pCt.) Mit landwirthschaftlichen Arbeiten für die Anstalten waren im Durchschnitt täglich beschäftigt 350, mit landwirthschaftlichen Arbeiten für Dritte und mit Tagelöhnerarbeiten 836, mit Industriearbeiten für Dritte 13,078.

Bei den Industriearbeiten für Dritte waren täglich im Durchschnitte beschäftigt:

Männliche Gefangene mit Cigarrenfabrikation 1891; Weberei 1727; Schuhmacherei 1049; Schreinerei 927; Buchbinderei, Kartonage etc. 746; Schneiderei 368; Bürstenfabrikation 352; Holzleistenfabrikation 330; Gelbgiesserei, Metalldreherei, Klempnerei etc. 322; Schlosserei 300; Sattlerei, Tischlerei und Etuifabrikation 299; Flechterei und Korbmacherarbeit 255; Netzstrickerei 241; Holzschnitzerei 230; Spielwaaren- und Quincailleriewaaren-Fabrikation 202; Band- und Bortenwirkerei, Posamentirerei 196; Eisenwaaren- und Maschinenfabrikation 193; Uhrenfabrikation 186; Gerberei 124; Drechslerei 102; Federreissen 95; Watten- und Filzfabrikation 95; Ketten-, Nägel- und Eisenstiftfabrikation 91; Lithographiren, Notenstechen und Koloriren 83; Holzschneiden und Spalten 78; Korkschneiderei 53; Glas- und Brillenschleiferei 22; Knopffabrikation 21; Strohflechterei 14; Böttcherei 11; Handschuhnäherei 6; mit sonstigen diversen Industriezweigen 435.

Weibliche Gefangene mit Stickerei und Strickerei 370; Näherei und Stepperei 319; Tapisseriearbeit 298; Handschuhnäherei 247; Cigarrenfabrikation 225; Weberei 86; Federreissen 81; Spinnerei 55; Band- und Bortenwirkerei 1; mit sonstigen diversen Industriezweigen 330.

Der Brutto-Ertrag pro Kopf und Arbeitstag betrug im Durchschnitt aller Anstalten und Betriebszweige: bei den Männern, 1872: 5 Sgr. 9 Pf.; 1873: 6 Sgr. 5 Pf.; 1874: 6 Sgr. 10 Pf.; — bei den Weibern, 1872: 3 Sgr. 5 Pf.; 1873: 3 Sgr. 7 Pf.; 1874: 4 Sgr. 1 Pf.

Der Brutto-Ertrag pro Kopf und Arbeitstag belief sich in einzelnen Fällen als Maximum: bei der Bandwirkerei auf 17 Sgr.; bei der Buchbinderei auf 12 Sgr.; bei der Bürstenfabrikation 10 Sgr. 1 Pf.; bei der Cigarrenfabrikation auf 18 Sgr. 3 Pf.; bei der Holzleistenfabrikation auf 8 Sgr. 4 Pf.; bei der Drechslerei auf 13 Sgr.; bei der Ketten- etc. Schmiederei auf 8 Sgr. 6 Pf.; bei der Lithographie etc. auf 27 Sgr.; bei der Sattlerei etc. auf 16 Sgr.; bei der Schlosserei auf 14 Sgr. 6 Pf.; bei der Schneiderei auf 14 Sgr. 9 Pf.; bei der Schreinerei auf 12 Sgr.

10 Pf.; bei der Schuhmacherei auf 13 Sgr. 2 Pf.; bei der Baumwollenweberei auf 8 Sgr. 7 Pf.

Der Durchschnitts-Brutto-Ertrag pro Kopf und Arbeitstag in allen
Anstalten betrug 1874 von der Männerarbeit, bei der Bandwirkerei:
9 Sgr. 9 Pf.; bei der Buchbinderei 5 Sgr. 10 Pf.; bei der Bürstenfabrikation 5 Sgr. 10 Pf.; bei der Cigarrenfabrikation 6 Sgr. 7 Pf.; bei der
Holzleistenfabrikation 8 Sgr. 1 Pf.; bei der Drechslerei 9 Sgr. 3 Pf.;
bei der Sattlerei 8 Sgr. 11 Pf.: bei der Schlosserei 8 Sgr. 2 Pf.; bei
der Schneiderei 7 Sgr.; bei der Schreinerei 7 Sgr. 10 Pf.; bei der
Schuhmacherei 6 Sgr. 10 Pf.; bei der Baumwollenweberei 5 Sgr. 6 Pf.

Der haare Netto-Arbeitsverdienst (d. h. der Brutto-Ertrag der
Arbeit nach Abzug der Verdienstantheile der Gefangenen, sowie der
Aufwendungen für Speisezulagen, Arbeitsgeräthe, Materialien und extra-
ordinären Aufsichtskosten) betrug im Durchschnitt der drei Jahre 1872
bis 1874 jährlich 694,788 Thaler 13 Sgr. 8 Pf. und per Kopf der Ge-
sammt-Gefangenenzahl (die Invaliden und Arbeitsunfähigen mit eingerechnet) 31 Thlr. 12 Sgr. 1 Pf. (gegen 25 Thlr. 26 Sgr. im Jahre 1871
— 25 Thlr. 17$\frac{1}{3}$ Sgr. im Jahre 1845 — 13 Thlr. 17$\frac{1}{3}$ Sgr. im Jahre
1830). Die Gefangenen erhielten an Arbeitsprämien, und zwar die Untersuchungsgefangenen $\frac{1}{3}$ des Brutto-Ertrages mit durchschnittlich 19,892
Thlr. 19 Sgr. 1 Pf. per Jahr, die Strafgefangenen $\frac{1}{6}$ des Brutto-Ertrages mit 155,479 Thlr. 17 Sgr. 1 Pf. per Jahr.

Die Arbeit in den Strafanstalten ist nach Maassgabe der Beschlüsse
der Zweiten Kammer resp. des Abgeordnetenhauses vom 30. Januar
1850 und vom 23. November 1869 eingerichtet, das Nähere ergeben die
im Anhange abgedruckten Verordnungen vom 10. Dezember 1872 und
und vom 3. Februar 1873; sie wird auf Grund öffentlicher Ausbietungen
vergeben und dadurch, wie es in der Statistik heisst, zu einer für Jedermann käuflichen Waare gemacht, die demzufolge das einbringt, was
sie werth ist. Es wird darüber geklagt, dass es, ungeachtet der anscheinend geringen Lohnsätze, oft schwer werde, geeignete Entrepreneurs zu finden und dass in Folge dessen die Sträflinge häufig mit Arbeiten beschäftigt werden müssen, die nur als Nothbehelf gelten können.
Zur Erläuterung ist der Bericht der Petitionskommission des Reichstages vom 15. Dezember 1876 beigefügt, in dem die Arbeit eines freien
Arbeiters der von zwei bis drei Sträflingen gleich gerechnet und die
auffallende Thatsache angeführt wird, dass Land- und Forstwirthe den
Versuch, Gefangene zu beschäftigen, als keineswegs lohnend, z. B. wegen der Kosten der Ueberwachung und Unterbringung wieder aufgegeben haben.

An dem Schulunterricht in den Anstalten nahmen Theil 1872:
7365, 1873: 7491, 1874: 7423 Gefangene; derselbe erstreckt sich vornehmlich auf Lesen, Schreiben, Rechnen und biblische Geschichte; die
Zahl der Bücher in den Bibliotheken betrug 82,834.

Der Isolirung wurden im Jahre 1874 unterworfen 8658 Gefangene.

Die Dauer derselben betrug über 1 bis 2 Jahre in 442 Fällen; über 2 bis 3 Jahre in 130; über 3 bis 4 Jahre in 39; über 4 bis 5 Jahre in 20; über 5 bis 6 Jahre in 13; über 6 Jahre in 25 Fällen. Mit Hülfe der durch den Landtag 1873 und 1874 bewilligten Fonds sind in einer Zahl von Anstalten Schlafzellen (meistentheils in Eisenkonstruktion), behufs der nächtlichen Trennung der Gefangenen eingerichtet worden.

Disziplinarbestrafungen kamen im Jahre 1872: 13,704; 1873: 13,319; 1874: 14,123, mithin auf den Kopf der Gesammtzahl der Detinirten 1874 bei den Männern 0,32, bei den Weibern 24 Prozent. Sie bestanden in Entziehung von Kost oder der Disposition über den Arbeitsverdienstantheil, in einsamer Einsperrung in einer Arrestzelle mit oder ohne Schmälerung der Kost, in Lattenarrest und in körperlicher Züchtigung; letzteres nur bei männlichen Zuchthausgefangenen. Die strengsten Strafen sind in abnehmender Skala verhängt worden — die Lattenstrafe 1871 in 258; 1872 in 215; 1873 in 157; 1874 in 154 Fällen; die körperliche Züchtigung 1871: 222 mal; 1872: 183 mal; 1873: 134 mal; 1874: 104 mal. Wegen Verbrechen und Vergehen, welche während der Dauer der Haft verübt wurden, sind 1872: 21; 1873: 16; 1874: 43 Sträflinge zur gerichtlichen Untersuchung gezogen worden; in der Mehrzahl der Fälle handelte es sich hierbei um Meuterei, Körperverletzung, Widerstand gegen die Beamten und meuchlerischen Ueberfall.

Die Zahl der für Gefangene eingegangenen Briefe betrug 1874: 63,386; die Zahl der abgeschickten 54,183. Besuche fanden statt 1874 bei Männern 6,150, bei Weibern 876.

Die tägliche Durchschnittszahl der Kranken betrug 1872: 976; 1873: 899; 1874: 875, von denen $1/7$ bis $1/10$ nur revierkrank war. Im günstigsten Falle betrug die Zahl der Kranken 0,84 Prozent, im ungünstigsten Falle 12,23 (in einem vereinzelten Falle sogar 18,18) Prozent der Durchschnittskopfstärke. Im Durchschnitte aller Anstalten betrug die Zahl der lazareth- und revierkranken Zuchthausgefangenen 1872: 4,36; 1873: 4,14; 1874: 3,92 Prozent der Durchschnittskopfstärke. Von den im Lazarethe behandelten Krankheiten dauerten 40 bis 47 Prozent bis zu 7 Tagen; 19 bis 24 Prozent 7 bis 14 Tage; 16 bis 19 Prozent 14 Tage bis 1 Monat; 8 bis 9 Prozent 1 bis 2 Monate; $8\frac{1}{2}$ bis 5 Prozent 2 bis 4 Monate; 1 bis $1\frac{1}{2}$ Prozent 4 bis 6 Monate; 0,67 bis 1,24 Prozent 6 Monate bis 1 Jahr; in den übrigen Fällen unter 1 Prozent.

Die Zahl der Todesfälle betrug 1872: 493; 1873: 499; 1874: 449, d. h. etwas über 2 Prozent der Durchschnittskopfstärke. Von den Gestorbenen endeten durch Selbstmord 1872: 9; 1873: 10; 1874: 12; geisteskrank wurden 1872: 75; 1873: 83; 1874: 73, d. h. circa $1/3$ pCt. der Durchschnittskopfstärke. Nach den Anführungen aus der amtlichen Statistik betrug die Zahl der Verstorbenen in Preussen überhaupt 1873: 692,906, d. h. 2,8 pCt. der Bevölkerung; die der Selbstmorde 3490; die der Geistesstörungen 1867: 1 auf je 448 Einwohner. Die Geisteskranken in den Strafanstalten werden, sobald die Krankheit konstatirt ist, in Irrenanstalten untergebracht.

Die Gesammtausgabe der Anstalten betrug im Durchschnitte der 3 Jahre 1872—1874: 2,427,527 Thlr. 11 Sgr. 4 Pf. per Jahr; die Einnahmen 852,123 Thlr. 10 Sgr. 2 Pf., die Verwaltung erforderte mithin einen Zuschuss von 1,575,404 Thlr. 1 Sgr. 2 Pf.; davon flossen aus der Staatskasse 1,563,006 Thlr. 20 Sgr. 5 Pf. Die Einnahme setzte sich zusammen aus dem baaren Netto-Arbeitsverdienst (der Brutto-Ertrag der Arbeit nach Abzug der Arbeitsprämien der Gefangenen, der Speisezulagen bei sehr schwerer Arbeit, der Kosten für Arbeitsgeräthe, Materialien und extraordinairen Aufsichtskosten) 694,788 Thlr. 13 Sgr. 8 Pf.; aus dem Reingewinn bei der Landwirthschaft 38,693 Thlr. 26 Sgr. 2 Pf.; den erstatteten Unterhaltungskosten 60,450 Thlr. 2 Pf. und sonstigen diversen Einnahmen 58,191 Thlr. 2 Pf. Es ergab sich auf den Kopf der Detinirten im Durchschnitt eine Ausgabe von 109 Thlr. 20 Sgr. 2 Pf. und eine Einnahme von 38 Thlr. 15 Sgr. 7 Pf., also ein Unterhaltungskosten-Zuschuss aus der Staatskasse von 71 Thlr. 4 Sgr. 7 Pf. per Jahr und von 5 Sgr. 10 Pf. per Tag, ein Netto-Arbeitsverdienst von 31 Thlr. 12 Sgr. 1 Pf. Die eigentlichen Verpflegungskosten betrugen per Kopf und Jahr im Durchschnitt 43 Thlr. 16 Sgr. 6 Pf., die Bekleidungskosten 7 Thlr. 24 Sgr. 8 Pf., die Kosten für Lagergeräthschaften 3 Thlr. 20 Sgr. 10 Pf., für Reinigung des Körpers, der Wäsche und Lokale 1 Thlr. 11 Sgr. 9 Pf., für Heizung und Feuerung 5 Thlr. 1 Sgr. 5 Pf.

Die Gefangenen besassen an Arbeits-Prämien am Schlusse des Jahres 1872: 226,564 Thlr.; 1873: 221,155 Thlr.; 1874: 213,464 Thlr., in mehr als 20,000 einzelnen Massen, mit einer Zinseinnahme von 8612 Thlr. pro 1874. Sie verwandten davon im Jahre 1874: zur eigenen besseren Verpflegung und zu sonstigen erlaubten Aufwendungen (Bücher etc.) 78,362 Thlr., zur Unterstützung von Angehörigen 7470 Thlr.; bei der Entlassung wurden an sie ausgezahlt 1874: 23,709 Thlr.

Im Laufe der 3 Jahre 1873 bis 1875 sind 354 Zivil- und 56 Militärgefangene gemäss §. 23 des Strafgesetzbuchs vorläufig entlassen und 25 vorläufige Entlassungen wegen schlechter Führung widerrufen worden. Begnadigt wurden im Laufe der 3 Jahre 1872 bis 1874: 552 Zuchthausgefangene, also durchschnittlich 184 per Jahr.

Die der diesmaligen erläuternden Uebersicht beigefügte Klassifikation der Zuchthaussträflinge nach ihren persönlichen Verhältnissen enthält vielfache interessante Daten, aus denen die nachstehenden hervorzuheben sind.

Im Jahre 1874 gehörten von der Gesammtzahl[*]) der detinirten Zuchthaus-Gefangenen (23,599) 14,802 der evangelischen, 8551 der ka-

*) Nach der Zählung vom 1. Dezember 1871 betrug die Bevölkerung des preussischen Staates 24,043,023; darunter 16,019,069 Evangelische, 8,271,357 Katholiken, 325,587 Juden und 27,610 Andersgläubige. In Städten über 10,000 Einwohnern lebten 4,408,864; in Städten unter 10,000 Einwohnern 3,571,910, auf dem Lande 16,662,949.

tholischen Konfession an, 237 waren Juden, 9 andersgläubig. Aus Städten mit mehr als 10,000 Einwohnern stammten her 6225, aus Städten mit weniger als 10,000 Einwohnern 4509, vom Lande 12,865. Es kamen also auf je 1000 Köpfe der evangelischen Bevölkerung 0,92 Zuchthausgefangene, der katholischen Bevölkerung 1,03, der jüdischen Bevölkerung 0,73, der andersgläubigen 0,33 — in Städten mit mehr als 10,000 Einwohnern 1,41; mit weniger als 10,000 Einwohnern 1,26; vom Lande 0,77.

Es befanden sich im Alter von 18 und 19 Jahren: 473; von 20 bis 29 Jahren: 7674; von 30 bis 39: 7394; von 40 bis 49: 4790; von 50 bis 59: 2528; von 60 bis 69: 644; von 70 Jahren und darüber: 96 Zuchthausgefangene.

Es waren ehelich geboren 21,767; unehelich geboren 1832; verheirathet 9526; unverheirathet 14,073. Schulbildung besassen, und zwar höhere 247; vollständige Elementarbildung 5227; mangelhafte 12,740; nur lesen konnten 1793; ohne Schulbildung waren 3592.

Der Klasse der Arbeitnehmer gehörten an und zwar der ländlichen: 7294; der industriellen: 8772; persönliche Dienstleistende waren 3909. Im Militär gedient hatten 5003.

Inländer waren 22,927, Ausländer 672. Von den Inländern kamen im Jahre 1874 in den einzelnen Provinzen auf je 1000 Köpfe der Bevölkerung: in Preussen 1,61 Zuchthausgefangene; in Posen 1,70; in Schlesien 1,25; in Brandenburg 1,10; in Pommern 0,92; in Sachsen 0,89; in Westfalen 0,53; in Hessen-Nassau 0,51; in Hohenzollern 0,46; in Hannover nebst Jade-Gebiet 0,44; in der Rheinprovinz 0,37, in Schleswig-Holstein 0,33.

Es waren verurtheilt wegen Diebstahls und Unterschlagung 15,728; wegen Brandstiftung 1,103; wegen Raub und Erpressung 1,086; wegen Meineid 995; wegen Verbrechen gegen die Sittlichkeit 914; wegen Betrug, Untreue, Urkundenfälschung, Bankerott 715; wegen Mord 625; wegen Körperverletzung 536; wegen Todtschlag 462; wegen Desertion vom Militär 315; wegen Hehlerei 274; wegen Hoch- oder Landesverrath und der übrigen Verbrechen des Th. II. Abschnitt 1—7 des Strafgesetzbuches 205; wegen Kindesmord 197; wegen anderer Verbrechen gegen das Leben (§. 218 flgde. des Str.-Ges.-B.) 163; wegen Münzverbrechen 135; wegen militärischer Vergehen 66; wegen gemeingefährlicher Verbrechen (ausser Brandstiftung) 46, wegen Verbrechen im Amte 22; wegen Verbrechen in Beziehung auf den Personenstand 12.

Die Dauer der erkannten Zuchthausstrafen betrug: Lebenszeit in 890 Fällen; 15 Jahre und darüber in 625; 10 bis excl. 15 Jahre in 980; 5—10 Jahre in 4003; 3—5 Jahre in 3596; 2—3 Jahre in 3822; 1—2 Jahre 6440; 1 Jahr und weniger in 3,243 Fällen. Daneben war erkannt auf Zulässigkeit der Polizeiaufsicht in 16,628 Fällen, auf Verlust der Ehrenrechte in 18,043 Fällen.

Von der Gesammtzahl der Zuchthausgefangenen des Jahres 1874

(23,599) waren bereits früher bestraft 18,203, und zwar einmal: 2,888; zweimal: 2,839; dreimal: 2,999; viermal 2,575: fünfmal 1,967; sechsmal und öfter 4,935. Von den zu Gefängnissstrafe verurtheilten Personen fehlen die Zahlen der Rückfälligkeit; unter den Zuchthausgefangenen des Jahres 1874 hatten 8874 bereits früher Zuchthausstrafe erlitten.

Siebzehnter Jahresbericht über die Wirksamkeit der juristischen Gesellschaft zu Berlin in dem Vereinsjahre 1875—76.

Wie wir aus vorliegendem Jahresbericht entnehmen, so hat die Juristische Gesellschaft in Berlin, deren Mitgliederzahl sich mit 1. April 1876 auf 115 belief, im abgelaufenen Jahre acht Sitzungen abgehalten, in welcher wichtige Fragen aus dem Gebiet der Justiz zur Behandlung kamen. Ueber die von der Gesellschaft gestellte Preisaufgabe: „Entwurf eines Gesetzes über das deutsche Erbrecht u. s. w." waren zwei Arbeiten eingegangen, von denen die eine mit dem Motto: „Frisch gewagt" gekrönt wurde. Als Verfasser ergab sich der Königl. Konsistorial-Präsident Dr. Mommsen zu Kiel, früher Professor der Rechte in Göttingen. Im Weiteren erhalten wir in dem Bericht Mittheilung über den Deutschen Juristentag, die Savigny-Stiftung, die Kasse, Statuten und Mitglieder der Gesellschaft, sowie über die 137. Sitzung derselben, in welcher Herr Geh. Oberpostrath Dr. Fischer einen Vortrag hielt über die Telegraphie und das Völkerrecht.	Sp.

Neunundvierzigster Jahres-Bericht der Rheinisch-Westfälischen Gefängniss-Gesellschaft über das Vereinsjahr 1875/76 zugleich mit dem Berichte über die 50jährige Thätigkeit derselben. Düsseldorf 1876. Im Selbstverlage der Gesellschaft.

Auch dieser Jahresbericht, welcher als Jubiläumsgabe besonders beachtenswerth ist, bietet des Interessanten und Lehrreichen so viel, dass Keiner, der sich für das Gefängnisswesen interessirt, ihn ungelesen lassen sollte. Wir begnügen uns hier damit, darauf angelegentlich aufmerksam zu machen, unter Hinweisung auf Band XI. 1. und 2. Heft dieser Blätter S. 146 ff., wo wir über die letzte Versammlung des Vereins bereits ausführlicher berichtet haben.	Sp.

Bericht über das evangelische Magdalenen-Asyl „Bethesda" zu Boppard am Rhein vom 1. Juli 1875 bis 30. Juni 1876.

Es ist kein Zweifel, dass die Arbeit an den Gefallenen, welche das Magdalenen-Asyl aufnimmt, eine sehr schwierige und, wie der Bericht hervorhebt, oft recht erfolglose ist. Trotzdem ermüden die Arbeiter an diesem Dienst rettender Liebe nicht und richten, anstatt zu verzagen, die Bitte an uns: „Helft uns, dass unser Haus voll werde, helft uns, dass von den 25 Betten für die Asylistinnen nicht immer über ein Drittel leer steht." — Der geschäftsführende Ausschuss besteht aus den Herren: R. Scheffer, ev. Pfarrer, Vorsitzender. G. Rimbach, Inspector, stellvertretender Vorsitzender. L. Redecker, Hauptmann und Kataster-Controleur, Schriftführer. J. Cäsar, Rentner,

Schatzmeister. J. Joost, Rentner, Mitglied des Verwaltungsrathes. Im letzten Vereinsjahr standen 25 Mädchen in der Pflege der Anstalt. Von diesen 25 sind 16 zur Zeit noch in der Anstalt, 9 abgegangen (in Dienst gegangen 3, zu den Eltern zurück 3, fortgeschickt 3). Von den in Dienst Untergebrachten halten sich zwei recht gut, namentlich die Eine, welche als Pflegerin bei einer geisteskranken Dame thätig ist und über welche die günstigsten Zeugnisse eingelaufen sind. Die Dritte ist aus ihrem Dienst wieder ausgetreten, befindet sich aber in Händen, die die beste Bürgschaft für ihre Bewahrung geben. Von denjenigen, welche zu ihren Eltern zurückgekehrt, befindet sich die Eine, ein langjähriger Pflegling der Anstalt, bei ihrem Eintritt im höchsten Grade verkommen, dann unterrichtet und mit 28 Jahren konfirmirt, bei ihrem Vater, einem alten einsamen Manne, dem sie den Haushalt führt, sie schreibt mit dankbarer Liebe und berichtet, dass es ihr gut gehe. Die Zweite hat ihre Verheirathung angezeigt; von der Dritten hat Nichts verlautet. Die drei Fortgeschickten haben das Haus sofort und plötzlich verlassen müssen, die Eine, weil sie die anderen Anstaltsgenossen auf das Schändlichste und Listigste bestohlen hatte, die beiden Andern, weil sie schliesslich den ganzen Geist des Hauses zu vergiften drohten und desshalb auch den andern Asylistinnen gegenüber die Statuirung eines Exempels durchaus nothwendig schien. — Ihrer Heimath nach gehörten von den Pfleglingen: der Rheinprovinz 16, Westfalen 1, Hessen-Nassau 6, Hessen-Darmstadt 2, Summa 25. — Wir theilen den Wunsch, mit welchem der Bericht schliesst: „Der Herr gebe, dass Bethesda in Verbindung mit den 12 Asylen, die heute in Deutschland der Pflege der Magdalenen dienen, treu bleibe in dem Rettungswerk, das ihm vertraut ist.“                    Sp.

Statistische Uebersicht der Verhältnisse der k. k. österreichischen Strafanstalten im Jahre 1874 und 1875.
Die Statistik für 1874 entwickelt ihren Stoff in folgenden 15 Tabellen:

I. Räumliche Verhältnisse.
II. Verwaltungs- und Aufsichts-Personal.
III. Bewegung der Bevölkerung.
III. a. Uebersicht der Maxima, Minima und Media des Belages.
IV. Persönliche Verhältnisse der eingelieferten Sträflinge.
V. Persönliche Verhältnisse der entlassenen Sträflinge.
VI. Unterricht.
VII. Arbeitsbetrieb.
VII. a. Uebersicht der in einem grösseren Umfange betriebenen Arbeiten.
VIII. Krankheiten.
IX. Todesfälle.
IX. a. Uebersicht der Todesursachen.
X. Disciplin.

XI. A. Aufwand (Voranschlag.)

XI. B.  dto.  (wirklicher.)

Der Vorerinnerung entnehmen wir folgende Notizen:

Die Zahl der selbstständigen österr. Strafanstalten ist im Jahr 1874 durch Errichtung einer neuen Männer-Strafanstalt zu Göllersdorf in Niederösterreich auf neunzehn erhöht worden. Dieselbe ist nach dem System der Gemeinschafthaft eingerichtet. Die Kürze der Zeit, wird gesagt, habe die Herstellung eines Zellengefängnisses nicht gestattet.

In sämmtlichen Männerstrafanstalten ist nunmehr für den Schulunterricht durch ein fachmännisch gebildetes Lehrpersonal vorgesorgt.

Die Bevölkerung der Strafanstalten ist im Jahre 1874 abermals gestiegen, und zwar um 482 Männer und 63 Weiber. Die Zahl derjenigen Verurtheilten, welche in den Strafanstalten keine Aufnahme finden konnten, bezifferten sich mit Schluss des Jahres 1874 auf 1905 Köpfe (1813 Männer und 92 Weiber.)

Der Strafvollzug in Einzelhaft kam im Jahre 1874 bei 1124 Verurtheilten während 213974 Tagen in Anwendung, was gegenüber dem Jahre 1873 eine Erhöhung um 404 Verurtheilte und 107,059 Tage ergibt.

Die durchschnittliche Dauer der Einzelhaft jedes einzelnen Zellengefangenen betrug

|  | im Jahr 1874 | im Jahr 1873 |
|---|---|---|
| in der Strafanstalt Stein | 195 | 114 Tage. |
| „ „ „ Karthaus | 225 | 114 „ |
| „ „ „ Karlau | 187 | 181 „ |
| im Allgemeinen | 190 | 148 „ |

hat sich daher gegen das Vorjahr durchgehends erhöht.

Man sieht übrigens aus diesen Zahlen, dass man in Oesterreich mit der Einzelhaft noch sehr vorsichtig und sparsam umgeht, wie etwa mit einem starken Gift, das man nur in homöopathischen Dosen verabreicht.

Auffallend ist, dass die Zellengefangenen im Jahre 1874 sowie im Vorjahre mehr Anlass zu Disciplinarabstrafungen gegeben haben, als die Sträflinge der Gemeinschaftshaft. Doch haben sich diese Bestrafungen auf minder schwere Ausschreitungen erstreckt. Es wäre mit dieser statistischen Notiz der Zellenhaft ein schlimmes Prognostikon gestellt, wenn man nicht annehmen dürfte, dass bei dem Zellensystem eine Reihe leichter Vergehen bestraft werden, die man bei der Gemeinschaftshaft gar nicht entdeckt. Auch ist die Beaufsichtigung dort wohl ziemlich strenger als hier.

Wir beschränken uns auf diese kurzen Mittheilungen aus dem sehr reichhaltigen, die Tabellen nach allen Seiten hin erläuternden Material der Vorerinnerung, welche uns von dem Stand des Gefängnisswesens in Oesterreich im Jahre 1874 ein umfassendes und klares Bild entwirft.

Auch die österreichische Statistik für 1875 ist mit gewohnter
Sorgfalt ausgearbeitet und verdient nähere Beachtung. Zahl und Verfassung der österreichischen Strafanstalten sind darnach im Jahre
1875 unverändert geblieben. Die eingehende Vorerinnerung schliesst
mit folgender nicht unwichtigen Bemerkung: Der Erfolg der wirthschaftlichen Gebarung im Jahre 1875 berechtigt zu der Hoffnung, dass
die Verringerung des Kostenaufwandes der Strafanstalten noch weitere
Fortschritte machen und diese Anstalten dem anzustrebenden Ziele, dass
sie ihre Verwaltungsauslagen zum grösseren Theile aus den eigenen
Einnahmen decken, mit der Zeit werden immer näher gebracht werden.

8p.

Zur Statistik der Kriminalstrafanstalten in der Schweiz im
Jahre 1874. Veröffentlicht vom statistischen Bureau des eidge-
nössischen Departement des Innern. Bern. Verlag von Orell,
Füssli & Comp. in Zürich 1876.

Die schweizerische Statistik ist, — wie der Vorbericht sagt —
auf dem Gebiete des Straf- und Gefängnisswesens bis heute noch nicht
über versuchsweise Anfänge hinausgekommen. Auch die vorliegenden
Beiträge über die Kriminalstrafanstalten der Schweiz im Jahre 1874
wollen nur als Versuch betrachtet sein, den wir übrigens mit Freuden
begrüssen, um so mehr als ein so tüchtiger Anfang einen guten Fortschritt verheisst. Es muss jedenfalls als glücklicher Griff bezeichnet
werden, dass man, namentlich im Hinblick auf die besonderen Verhältnisse der vielgliederigen Republik, die Aufstellung einer Gesammtstati-
stik nicht mehr Einzelnen, oder auch nur dem „Schweizerischen Verein
für Straf- und Gefängnisswesen" überliess, sondern dass das eidgenös-
sische statistische Bureau die Bearbeitung an Hand nahm.

Was der Vorbericht über die Tabellen selbst sagt, ist zur Beurtheilung des Ganzen wichtig genug, um der Hauptsache nach wörtlich
angeführt zu werden. „Wie aus den Ueberschriften hervorgeht", heisst
es hier, „beziehen sich sämmtliche Angaben (ausgenommen bei Lausanne
und bei Sitten) nur auf die Kriminalsträflinge. Es war dies eine nothwendige Folge der gegebenen Formularien, die ausdrücklich blos für
diese einigerichtet waren; wir stehen aber nicht an, das Schiefe dieses
Verhältnisses selbst vollständig zuzugeben und die entschiedene Ansicht
auszusprechen, dass bei einer allfälligen Wiederholung dieser Arbeit
von einer solchen Beschränkung jedenfalls Umgang zu nehmen sei. Abgesehen davon, dass die der Aufstellung einer besondern Klasse für „Verbrecher" zu Grunde liegende Dreitheilung der strafbaren Handlungen
(Verbrechen, Vergehen, Uebertretungen) in einzelnen Kantonen gar nicht
besteht, finden wir auch in allen andern Kantonen keine einzige Strafanstalt, die wirklich nur „Verbrecher" beherbergte, sondern überall die
Sträflinge der verschiedenen Grade (an einzelnen Orten sogar blosse
Zwangsarbeiter), wenn auch in verschiedenen Abtheilungen des Gebäudes, doch unter derselben Direktion, Oekonomie und Verwaltung.

Wie schwierig und künstlich bei solchen Verhältnissen namentlich die
ökonomischen Erscheinungen bloss für einen Bruchtheil der Gefängnissbevölkerung auszuscheiden sein müssen, braucht nicht gesagt zu werden.
Ferner, wenn auch sämmtliche Kantone die Verbrechen von den Vergehen genau abgegrenzt hätten, so ist diese Grenze, namentlich bei gewissen Verbrechen (Diebstahl, Betrug, Körperverletzung u. a.), eben
zwischen einzelnen Kantonen eine ganz verschiedene (so bezeichnet z. B.
Bern den Diebstahl — abgesehen vom ausgezeichneten — als Verbrechen,
wenn derselbe Fr. 300, Freiburg, wenn er Fr. 200 übersteigt, Schwyz,
wenn er Fr. 100 erreicht). Es ist klar, dass bei einer solchartigen
Verschiedenheit die Vergleichbarkeit der einzelnen Kantonsresultate
auf's Aeusserste kompromittirt erscheint, oder in mehrfacher Beziehung
geradezu ausgeschlossen ist." —

Die noch vorhandenen Lücken entschuldigt der Vorbericht damit,
dass eben das betreffende Material absolut nicht erhältlich gewesen sei
und gibt überdies zu bedenken, dass eben aller Anfang schwierig sei.
Wir geben vollständig zu, dass dieses Sprüchwort, wenn irgendwo, so
gewiss auch bei der Anfertigung der Gefängnissstatistik eines Landes
seine Anwendung findet. —

Im Nachfolgenden geben wir den Inhalt der einzelnen Tabellen:

I. Stand und Bewegung der Kriminalsträflinge. Diese
Tabelle enthält die herkömmlichen Rubriken, bei denen uns eigentlich
nur die Rubrik „Entweichung" auffällt, die in einem Jahre in 24 Anstalten die Ziffer 20 zeigt.

II. a. Persönliche Verhältnisse sämmtlicher Kriminalsträflinge. Hier wird gefragt nach der Geburt, dem Lebensalter
beim Eintritt, der Heimat, dem Gesundheitszustand beim Eintritt (und
zwar dem körperlichen und geistigen), nach der Konfession, der Mutter-
sprache, dem Civilstand, dem Vermögen, der häuslichen Erziehung,
Schulbildung, beruflichen Beschäftigung, nach dem Leumund und der
Rückfälligkeit. Rubriken sammt untergeordneten Fragen dieser Tabelle
erscheinen durchaus praktisch, zweckmässig und wohl auch durchführbar. Die noch vorhandenen Lücken werden gewiss späterhin mehr
und mehr schwinden.

II. b. Persönliche Verhältnisse der im Jahre 1874
eingetretenen Kriminalsträflinge.

III. a. Verbrechen sämmtlicher Kriminalsträflinge,
und zwar: Theilnahme,*) (Urheber, Gehilfen, Begünstiger), Verbrechen
gegen den Staat, die öffentliche Ordnung, die Religion, gegen öffentliche
Treue und Glauben, gegen die öffentliche Sicherheit, gegen die Sittlichkeit, gegen Leben und Gesundheit, gegen Freiheit und Ehre, gegen
das Eigenthum, gegen die Amtspflichten. Wir müssen es uns versagen,
auf die ausführlichen und sorgfältigen Unterabtheilungen näher einzugehen und wollen nur noch bemerken, dass natürlich der Diebsthahl die

---

*) Statt dessen wäre vielleicht besser zu sagen : Art der Betheiligung.

grösste Zahl aufweist, nämlich: 870 Männer und 109 Weiber; dann kommen Betrug, Fälschung etc. mit 160 M. und 15 W., dann Brandstiftung mit 134 M., 29 W. u. s. w. —

III. b) Verbrechen der im Jahre 1874 eingetretenen Kriminalsträflinge.

IV. a. Strafart und Strafdauer sämmtlicher Kriminalsträflinge mit folgenden Unterrubriken: Strafart, Dauer der Strafe.

IV. b. Strafart und Strafdauer der im Jahr 1874 eingetretenen Kriminalsträflinge.

V. Disciplin der Kriminalsträflinge. Die Disciplinarvergehen sind folgendermassen rubricirt: Komplott und Meuterei, Ungehorsam und Widersetzlichkeit, Lügen und Betrügen, Unsittlichkeit und Unanständigkeit, Zerstörung und Beschädigung, Entweichung und Versuch.

Die Disciplinar-Strafen bestehen in: Verweis durch den Vorstand, Speisenabzug bei der Arbeit, Arrest mit Kostschmälerung, Dunkelarrest mit Kostschmälerung, Isolirung als Disciplinarstrafe. Dazu kommen noch „übrige Disciplinarstrafen," von denen wir einige besonders hervorheben wollen:

Zürich: Männer: 3 Mal Zwangsjacke; 4 Mal kalte Douche (wohin dieselbe applicirt wird, ist nicht angegeben, voraussichtlich auf's Hirn, was recht probat sein mag.)

Bern straft mit Latte, Springkette, geschlossen, rückwärts geschlossen, Zwangsjacke, Zwangshemd, Handstab, je einzeln oder in mannigfacher Combination. Bei den Weibern: Zwangsjacke, Kugel. —

Freiburg hat 4 Individuen mit Ketten belegt, 8 Individuen mit zusammen 30 Schlägen gezüchtigt.

In Schaffhausen gab's unter den Weibern 1 Mal kalte Douche.

In Tobel wurde 1 Individuum mit 1 Stockstreich gezüchtigt.

In Neuenburg wurden unter Anderem 2 Gefangene mit Bartabschneiden bestraft. —

Tabelle VI berichtet über den Gesundheitszustand und die Sterblichkeit der Kriminalsträflinge, Tabelle VII über die ökonomischen Verhältnisse.

Die Einnahmen betrugen von 24 Anstalten:

| | |
|---|---:|
| von der Landwirthschaft | 25,569 Fr. |
| vom Gewerbsbetrieb | 409,970 „ |
| Vergütung für Kost und Logis | 18,141 „ |
| Staatszuschuss | 361,842 „ |
| Ausserordentliche Einnahmen | 7,837 „ |
| | 823,359 Fr. |

Die Ausgaben betrugen:

| | | |
|---|---:|---|
| für Unterhalt der Gebäude | 21,124 | Fr. |
| „ Landwirthschaft | 1,993 | „ |
| „ Beleuchtung | 26,097 | „ |
| „ Heizung | 58,612 | „ |
| „ Kleidung | 66,757 | „ |
| „ Ernährung | 341,458 | „ |
| „ Gesundheitspflege | 11,582 | „ |
| „ Hausgeräthe | 19,589 | „ |
| „ Kultus und Unterricht | 9,251 | „ |
| „ Steuern und Abgaben | 905 | „ |
| „ Verdienst-Antheil der Sträflinge | 86,620 | „ |
| „ Besoldungen und Sicherheitsdienst | 203,507 | „ |
| „ Burenuausgaben | 8,491 | „ |
| „ Ausserordentliche Ausgaben | 17,373 | „ |
| Total: | 823,359 | Fr. |

Tabelle VIII enthält schliesslich eine Zusammenstellung der ökonomischen Hauptergebnisse.

Wir haben uns bei diesem „versuchsweisen Anfang“ einer Statistik des schweizerischen Gefängnisswesens absichtlich länger aufgehalten, um zu zeigen, dass wir es hier mit einer trotz der noch vorhandenen Lücken sehr fleissigen und sorgfältigen Arbeit zu thun haben, welche alle Anerkennung und Beachtung verdient.          Sp.

Erläuterungen zu dem Modell und den Plänen des neuen Strafgefängnisses bei Berlin (Plötzensee) und den Projectzeichnungen zu einem Geschäftshause für die Untersuchungs-Abtheilung des Stadtgerichts zu Berlin nebst den dazu gehörigen Untersuchungs-Gefängnissen, ausgestellt auf der internationalen Ausstellung für Gesundheitspflege und Rettungswesen zu Brüssel 1876 durch das Königl. Preuss. Justizministerium. Berlin 1876. K. Geh. Oberhofbuchdruckerei. (R. v. Decker) gr. Lex. 8. 99 S. mit 2 Tafeln in Holzstich und 2 desgl. in Steindruck.

Bereits im VI. Band 2. Heft haben wir eine Beschreibung des Strafgefängnisses am Plötzensee gebracht; dasselbe war damals noch nicht vollendet und die Ausführung hat gegen jene Schilderung mannigfache Aenderungen gebracht. Es hat zum grossen Vortheil der Sache bis jetzt eine Belegung des Gefängnisses mit weiblichen Strafgefangenen nicht stattgefunden; freilich ist das früher bezeichnete nördliche Gefängniss noch nicht gebaut; doch scheint eine solche Belegung auch nicht beabsichtigt zu sein. Sodann ist der Aufbau des Gefängnisses für Jugendliche und des 3. Gefängnisses nach dem System der strengen Einzelhaft erfolgt.

Von der Ausstellung des Modells zu Brüssel haben wir bereits in Bd. XI. 1. 2. H. S. 105 Nachricht gegeben. In den Erläuterungen, denen noch eine Ansicht aus der Vogelperspektive und ein Grundriss der Gebäulichkeiten beigegeben ist, wird nun die Anstalt in allen ihren die Gesundheitspflege betreffenden Einrichtungen detaillirt geschildert, so dass man über diese, sowie überhaupt über die ganze Anlage eine vollständige Uebersicht hat. Die Erläuterungen verbreiten sich in 6 Abschnitten über Lage, Disposition, Construction der einzelnen Gebäude, Raumvertheilung, Flächenraum und Luftraum für verschiedene Benützung, Ventilation und Heizung, Wasser und dessen Verwendung, einschlägige Bestimmungen der Hausordnung und endlich den Gesundheitszustand der Gefangenen. Die Schrift ist an und für sich ein Ganzes und enthält in ihren Einzelheiten, besonders auch über Ventilation, Heizung und Wasserversorgung, Mittheilungen, die nicht nur bei Neuanlagen besonderer Beachtung würdig sind, sondern auch von jedem Interessenten, speciell von Strafanstaltsbeamten gelesen werden müssen. Das Project zu einem Local für die Untersuchungsabtheilung des Stadtgerichts und der Gefängnisse hiezu scheint uns ein in seiner Art musterhaftes. Für die verschiedenartigen Bedürfnisse ist hier in der ausgiebigsten Weise gesorgt und die Disposition derart gut angelegt, dass sie zweckmässiger kaum gedacht werden kann. Bei Projecten für ähnliche Neubauten, selbst auch in weniger grossen Städten, findet sich hier ein nicht genug zu schätzendes Beispiel. Das Königliche Justizministerium hat sich durch die Herausgabe dieser Erläuterungen ein grosses Verdienst erworben und die von enormen Vorstudien und eingehender Sachkenntniss zeugenden Daten der allgemeinen Benützung zugänglich gemacht. -  E.

Die Morbidität und Mortalität in den Straf- u. Gefangenanstalten in ihrem Zusammenhange mit der Beköstigung der Gefangenen (mit besonderer Berücksichtigung der Salubritätsverhältnisse und des Kostregimens in dem Strafgefängniss bei Berlin-Plötzensee). Von Dr. A. Baer, Arzt an dem Strafgefängniss bei Berlin (Plötzensee).

Es steht dem Laien nicht zu, obige Schrift nach ihrer medizinischen Bedeutung beurtheilen zu wollen. Vielmehr möchten wir nur die darin niedergelegten Anschauungen in Kürze wiederzugeben suchen, und, soweit dieselben in unserm Bereiche liegen, nöthigenfalls eine oder die andere Bemerkung daran knüpfen.

Verfasser glaubt in seiner Schrift den Beweis liefern zu können, dass die Beköstigung in den Gefangen- und Strafanstalten in vieler Beziehung irrationell sei, und dass aus diesen Missgriffen grosse Schäden für das Leben und die Gesundheit der Gefangenen entstehen müssten und auch entstünden; er glaubt ferner, an den Verhältnissen in Plötzensee zeigen zu können, dass durch ein rationelles Ernährungsregimen

11 *

auch in Gefangenanstalten Salubritätszustände gewonnen würden, wie
sie in den Bestrebungen der humansten Interessen und in dem Sinne
strengster Gerechtigkeit nicht besser zu erzielen sein dürften. —
    Eine genauere Beobachtung der betreffenden Verhältnisse ergibt
nach dem Verf. folgende ganz bestimmte Thatsachen:
    1.) Gefangene erkranken im Allgemeinen viel häufiger als Per-
sonen desselben Alters im Freien unter relativ gleichen Verhältnissen.
    2.) Die Sterblichkeit unter den Gefangenen ist eine beträchtlich
grössere als unter der freien Bevölkerung bei gleichem Alter.
    3.) Gefangene erliegen insbesondere acuten fieberhaften Erkran-
kungen in einem viel höheren Grade als freie Personen desselben Alters und aus denselben Bevölkerungsklassen.
    4.) Gefangene werden, wenn in einer Gefangen- oder Strafanstalt
endemische oder epidemische Krankheiten vorkommen, in erheblich
grösserer Anzahl ergriffen und auch in grösserer Zahl weggerafft, als
in der freien Bevölkerung unter relativ gleichen Verhältnissen; daher
die grosse In- und Extensität, sowie Letalität dieser Krankheiten in den
Gefängnissen.
    5.) Unter normalen Verhältnissen, d. h., wenn die sanitären Ein-
richtungen einer Anstalt die Entstehung und Verbreitung von ende-
mischen und epidemischen Krankheiten nicht zulassen und begünstigen,
ist die häufigste und verbreiteste Todesursache unter den Gefangenen
die Schwindsucht und andere Inanitionskrankheiten (Wassersucht).
    Für diese Behauptungen wird an der Hand eines reichhaltigen
und sorgfältig zusammengestellten statistischen Materials der Beweis
zu erbringen gesucht. Man wird im Blick auf die beigebrachten Nachweisungen, die alle Anerkennung verdienen, nicht sagen können, dass
sich's der Herr Verf. in diesem Punkt leicht gemacht und den Beweis
für seine Thesen nicht geleistet habe. Dagegen ist nun allerdings die
Hauptfrage die, ob diese Zustände in mangelhafter oder unzweckmässi-
ger Gefängnisskost ihren Hauptgrund haben. —
    „So sehr, sagt Verf., die Einzelbedingungen zur Hervorrufung
dieser Thatsachen und Erscheinungen auch von einander verschieden
sind, so ist doch ihnen allen ein Factor gemeinsam, der den Grund-
character zu diesen abnormen Verhältnissen und gleichzeitig die Erklärung für ihr Vorhandensein abgibt. Dieser Factor liegt in der Constitution der Gefangenen, einer Constitution, der früher oder später jeder
Gefangene nach einer längeren Strafzeit mehr oder minder anheimfällt
und die wir als frühzeitigen Marasmus bezeichnen können. Die
meisten Gefangenen — und ich denke hier vorzugsweise an Zuchthausgefangene nach einer nicht kurzen Strafzeit — sehen blass, fahl, schmutzig-
gelb aus, aufgedunsen oder abgemagert." Es wird diese Behauptung
weder bestritten, noch als übertrieben bezeichnet werden können.
    Mit Recht betont Verf. den nachtheiligen Einfluss einer schlechten
Athmungsluft, obwohl er zugibt, dass die modernen grösseren Anstal-

ten in Betreff allgemeiner Reinlichkeit mit einander wetteifern und dass
überall Maassnahmen zum Zwecke der Ventilation und der Beseitigung
der Abfallstoffe in Anwendung kommen.  Ebenso verkennt er nicht die
schädliche Einwirkung des ungewohnten Sitzens bei der Arbeit, der
Gemüthsdepression u. s. w., ganz abgesehen von dem Vorleben der Gefangenen und der Disposition zu Krankheiten aller Art, mit der wir
sie bei ihrem Eintritt in die Anstalten behaftet finden.  Doch legt er
das grösste Gewicht auf die Beköstigung der Gefangenen und wir
können ihm nicht Unrecht geben, wenn er sagt, dieselbe sei in den
meisten Staaten bis in die Neuzeit hinein eine ungenügende gewesen,
und sei es zum grössten Theil noch heute.  Zwei Momente seien jeder
Aufbesserung derselben immer im Weg gestanden, einmal die Meinung,
dass der Gefangene vor Allem so billig als nur irgend denkbar unterhalten werden müsse, und dann die Ansicht, dass derselbe keine Freude,
keinen Genuss an seiner Kost haben dürfe, weil er sonst zu leicht
rückfällig werden könne.  Diese Anschauung hat zwar unseres Erachtens eine gewisse Berechtigung; man kann in dem humanen Bestreben
für das leibliche Befinden des Gefangenen zu weit gehen.  Derselbe darf
wohl auch an der Kost merken, dass er eben im Zuchthaus ist und
nicht in einem Hôtel garni.  Doch darf seine Gesundheit nicht darunter
noth leiden; die Kost darf nicht von der Art sein, dass sie nach und
nach geradezu Leben und Gesundheit des Inhaftirten gefährdet, und
das allein ist es, wofür, wie uns scheint, der Herr Verfasser in nüch-
terner, klarer und überzeugender Weise eine Lanze einlegt.

Wir können die treffliche Broschüre, (ein Separatabdruck aus der
deutschen Vierteljahrsschrift für öffentliche Gesundheitspflege Bd. VIII
Heft IV.) Jedem, der sich für diese Frage interessirt, insbesondere den
Fachmännern bestens empfehlen, und möchten nur noch den Wunsch
aussprechen, dass einmal Einer nach dem Vorbild des Herrn General-
postmeister Stephan auf medizinischem Boden unter dem Wust von
Fremdwörtern etwas aufräumen würde.  Oder sollte es unmöglich sein
die „Morbidität", „Mortalität" „Salubrität", „Intensität" „Extensität",
„Decrepidität" „Vitalität", „Abstinenz" „Letalität" und andere „täten"
zu verdeutschen — unbeschadet der Gelehrsamkeit?                Sp.

Ueber das Besserungswerk der Strafe und die Rückkehr der
    Sträflinge in die bürgerliche Gesellschaft. Vortrag des Strafan-
    stalts-Directors Pockels in der Versammlung des Bürgervereins
    zu Braunschweig am 25. Februar 1876. Wolfenbüttel. Druck
    von C. Th. Bindseil Nachfolger.
Dieser Vortrag hat den Zweck, das tiefgewurzelte Misstrauen des
Publikums gegen den entlassenen Sträfling als solchen in seinem Un-
recht nachzuweisen und dasselbe in helfendes Mitleid zu verwandeln.
Verfasser verfolgt seinen Zweck in geschickter, sachkundiger und über-
zeugender Weise.  Er redet zunächst von den hauptsächlichen Quellen

der Verbrechen und bezeichnet als solche mit Recht die schlechte Erziehung, die materielle Richtung unsrer Zeit und die verschuldete oder
unverschuldete Noth. Dann geht er über zu der Frage: Wie erreicht
die Strafe ihren Zweck? „Die Abschreckungstheorie sei aufgegeben; un-
menschlich harte Strafe verbitterten anstatt zu bessern. Man denke
jetzt daran, die bürgerliche Gesellschaft vor dem vormaligen Sträfling zu sichern durch Besserung desselben. Doch dürfe die Strafe
nicht aufhören, Strafe zu sein und als Uebel empfunden zu werden.“
Wir sind mit alledem einverstanden, möchten nur bemerken, dass man
bei der Besserungstheorie nicht nur an den Schutz der bürgerlichen Gesellschaft denkt, sondern vor Allem den Gefallenen selbst im Auge hat.

Bei der nun folgenden Ausführung über die Mittel der Besserung
sagt der Verfasser u. A. (S. 7) Nachstehendes: „Die Herbeiführung
zwar einer Besserung mit der Wirkung einer wahrhaften Selbstkennt-
niss, einer innerlich vollständigen Bekehrung, darf man von der Gefängnissverwaltung nicht verlangen, denn sie setzt eine sittliche Bildung,
einen religiösen Sinn voraus, den man bei Sträflingen selten vorfindet,
selten erzeugen kann. Der Gefängnissbeamte muss vielmehr das Besserungswerk der Strafe, der Regel nach, schon als erfüllt betrachten,
sobald der Sträfling in Empfindung des Ernstes der Strafe von der Einsicht durchdrungen ist, dass der Weg des Verbrechens zu seinem Verderben führt, dass hingegen ein gesetzmässiger Wandel, die Beherr-
schung seiner bösen Neigungen und Leidenschaften ihm die Aussicht
eröffnet, ein ehrliches Durchkommen zu finden, die verlorene Achtung
seiner Mitmenschen wiederzugewinnen und ein zufriedenes Leben zu
führen. Es ist in der That schon viel gewonnen, wenn der Sträfling
das Verbrechen zwar nicht vom sittlich religiösen Standpunkte aus zu
hassen gelernt hat, wohl aber dasselbe um der Folgen willen bereut
und verdammt, die es für ihn und seine Angehörigen mit sich brachte;
denn auch bei einer solchen unfertigen Busse befindet er sich in einer
Seelenstimmung, die wohl geeignet ist, ihn vor dem Rückfall in gesetz-
widriges Treiben zu bewahren.“ — Ferner S. 8: „Zur Reife kann die Saat
nie schon in der Abgeschiedenheit gebracht werden; Frucht kann die
Saat erst tragen, wenn die Sonne der Freiheit sie bescheint. Ja meine
Herren, wir können im Gefängnisse nicht ein Mehreres erzielen, als den
Vorsatz der Besserung; wir können diesen Vorsatz erwecken und
kräftigen, die Ausführung aber desselben wird bedingt durch die Ge-
staltung der äusseren Lage des Sträflings nach seinem Austritt aus dem
Gefängnisse.“ —

Allerdings, — sagen wir dagegen, — kann und wird man die Bekehrung des Sträflings nicht von der Gefängnissverwaltung verlangen,
auch nicht von dem Geistlichen, auch nicht von der Gesammtheit der
Angestellten des Gefängnisses, denn die Bekehrung eines Menschen ist
nicht Menschen-, sondern Gottes Werk; es wird zu Stande gebracht
durch die Macht des göttlichen Wortes und Geistes. Aber warum sol-

len denn für die Wirksamkeit und Kraft des göttlichen Geistes die Gefängnissmauern ein unübersteigliches Hinderniss bilden? Die Arbeit des Hausgeistlichen, der als ein Werkzeug in der Hand Gottes an den Seelen der Gefangenen zu wirken hat, soll sie ihr Ziel erreicht haben, wenn der Gefangene die Folgen seines Verbrechens bereut und den Vorsatz der Besserung gefasst hat? Es ist in der That noch sehr wenig gewonnen, wenn der Sträfling nur die Folgen seines Verbrechens bereut; das ist nicht die Reue des verlornen Sohnes, sondern eine Judasreue, die leicht zum Strick greift. Auch haben solche Reumüthige, wenn sie im Gefängniss noch so viel jammern und klagen, sobald die schlimmen Folgen ihres Verbrechens aufgehoben sind, häufig Alles bald wieder vergessen; sie probiren's wieder mit dem Weg der Sünde, nur denken sie diesmal vorsichtiger und schlauer zu sein, und so ist der abermalige Rückfall bald geschehen. Nein! Zu einer Besserung, die vor Rückfall schützen soll, gehört eine Aenderung der Gesinnung, eine völlige innere Umkehr, und die ist auch im Gefängniss möglich. Gewiss hat schon Mancher im Zuchthaus die Augen geschlossen, der als ein wirklich gebesserter Mensch und nicht nur mit dem Vorsatz der Besserung aus der Welt geschieden ist, obwohl ihm keine Gelegenheit mehr gegeben war, in der Freiheit Andre von der Wirklichkeit seiner Umwandlung durch die That zu überzeugen. Auch der Schächer am Kreuz konnte seine Sinnesänderung nicht mehr im Leben erproben, war aber sicherlich wahrhaft gebessert; sonst hätte ihm der Herr nicht das Paradies verheissen. Es ist nicht richtig, wenn gesagt wird, in der Abgeschiedenheit der Zelle könne die Saat nicht zur Reife gebracht werden, das müsse die Sonne der Freiheit thun. Wir meinen im Gegentheil: wenn die Saat nicht schon im Zuchthaus tiefe Wurzeln schlägt und zur Reife gelangt, so welkt sie leicht unter dem Sonnenschein der Freiheit oder ein einziger kalter Nachtfrost richtet sie zu Grund. Dass nicht nur ein Vorsatz der Besserung vorhanden, sondern eine wirkliche Besserung, eine innere Umkehr während des Aufenthalts im Gefängniss vor sich gegangen ist, das muss schliesslich allerdings die Freiheit bewähren. Es fehlt aber nicht an gar manchen erfreulichen Fällen, wo man, ohne Herzenskundiger zu sein, von einem Gefangenen sagen kann: er ist nicht nur mit dem Vorsatz der Besserung, sondern als ein gründlich gebesserter Mensch in die Gesellschaft zurückgekehrt und wo dies der Betreffende auch sofort durch die That beweist. —

Mit diesem unserm Widerspruch möchten wir jedoch dem vortrefflichen und gediegenen Referat nicht zu nahe treten, das in dem sehr beachtenswerthen Bestreben gipfelt, edeldenkende und zugleich practische Männer und Frauen um die Gefängnissverwaltung zu schaaren, die bereit wären, auf Anrufen der Verwaltung eine persönliche und werkthätige Fürsorge für entlassene Sträflinge zu übernehmen, und so eine an die Gefängnissverwaltung sich anschliessende grosse Schutzvereinigung zu bilden. 8p.

Bericht über die III. General-Versammlung des Vereins zur Fürsorge für aus Strafanstalten Entlassene zu Görlitz, am 28.
April 1876.

Ein auf den ersten Anblick unscheinbarer Bericht von nur 25
Seiten, aber nichts desto weniger sehr beachtenswerth. Mit Recht hebt
der Vorsitzende des Vereins, Strafanstalts-Direktor von Held in seiner
Ansprache hervor, dass, während das allgemeine Interesse für die Gefängnissfrage fortwährend im Steigen begriffen sei, sich ein Gleiches
in Bezug auf die Vereine, welche sich die Fürsorge für entlassene Gefangene zur Aufgabe gemacht haben, nicht sagen lasse. „Und doch ist
diese Arbeit, so erfolglos sie oft sein mag, von keineswegs geringer
Bedeutung. Auch dem müssen wir beistimmen, was von Held über
das Institut der Polizeiaufsicht sagt. „Ganz besonders ist es dieses Institut, welches nur die Sicherstellung der bürgerlichen Gesellschaft gegen ein präsumtiv schädliches Element im Auge hat, und in diesem
einseitigen Bestreben den Bestraften die Rückkehr zu einem geordneten
Leben erschwert, den beabsichtigten Zweck aber unter dem Einflusse
der ganzen modernen Zeitrichtung nicht einmal erreicht. Wenn auch
die Polizeiaufsicht gegenwärtig nachsichtiger als früher gehandhabt
wird, so kann sie doch die ihr innewohnende Tendenz nie ganz verleug-
nen und ist desshalb vom Uebel." — Wir heben aus der Ansprache
des Vorsitzenden noch folgende Sätze hervor: Der Staat soll sich die
Gründung von Asylen und Rettungshäusern angelegen sein lassen. —
Die Theilnahme der Gesellschaft an dem späteren Schicksal der Gefangenen ist von jeher eine geringe gewesen, zum grossen Theil wohl,
weil die Ansicht, dass Alles, was für sie geschieht, verlorne Mühe sei,
weit verbreitet ist. Dass dies oft der Fall ist, soll nicht geleugnet
werden, ist aber vielfach auf Rechnung vorhandener Hemmnisse und
Mängel in denjenigen Einrichtungen zu suchen, welche vor dem Rück-
falle schützen könnten. Und dennoch sind die erfreulichen Beispiele
vom Gegentheil häufiger, als gemeiniglich angenommen wird; sie kommen nur viel weniger zur öffentlichen Kenntniss, als die vor den Ge-
richtsschranken verhandelten und in der Presse publizirten Rückfälle.
Aehnlich verhält es sich mit der häufig gehörten Klage, dass die Zahl
der Verbrechen in steter Zunahme begriffen sei; vielmehr war in früheren Zeiten die Rohheit viel grösser und wurden überhaupt viel mehr
Verbrechen begangen; sie kamen nur nicht so wie heute zur allgemeinen Kenntniss und blieben viel häufiger straflos als jetzt. —

Sehr nutzreich könnten sich die in Rede stehenden Vereine für
diejenigen Gefangenen erweisen, welche $3/4$ ihrer Strafzeit verbüsst und
wegen guten Verhaltens vorläufig entlassen werden dürfen. Der beur-
laubte Gefangene wird gewiss alle seine Kraft aufwenden, um nicht
von dem, während der Beurlaubung über ihn schwebenden Damokles-
schwert der Zurückführung in Gefangenschaft getroffen zu werden und
er wird, wenn man ihm von Seiten der Vereine helfend unter die Arme

greift, nicht nur die schwerste Zeit leichter überstehen, sondern sich auch gewöhnen, dem redlichen Erwerb nachzugehen; die Gefängissvereine aber könnten jenen vorläufig Entlassenen gegenüber eine wirksamere und erspriesslichere Polizeiaufsicht ausüben, als die gesetzlich noch immer bestehende. —

Der Jahresbericht, der über die Thätigkeit des Vereins im abgelaufenen Jahre Mittheilung macht und der zwar keine grossen Zahlen und bedeutenden Erfolge aufweist, dennoch aber von stiller, segensreicher Wirksamkeit Zeugniss gibt, wurde von Pastor em. Müller erstattet. Ueber den Stand der Kasse berichtete Fabrikant Lange, worauf Pastor Braune, an eine Charakterschilderung Pestalozzi's anknüpfend, mit einem frischen Worte der Ermunterung schliesst, dem er den Dank beifügt gegen Alle, welche die Bestrebungen des Vereins unterstützt haben.

Sp.

Bericht über die IV. General-Versammlung des Vereins zur Fürsorge für aus Strafanstalten Entlassene zu Görlitz am 17. April 1877. Es ist bei diesem Bericht von besonderem Interesse, dass die betreffende Versammlung diesmal von einem Laien, dem Oberst-Lieutenant a. D., Herrn von Sanden, mit einem frischen Wort begrüsst wurde. Er bat, dieselbe Förderung, die man dem Thierschutz angedeihen lasse, auch dem Menschenschutz zu Theil werden zu lassen. Das Resultat der Arbeit des vergangenen Jahres könne als ein günstiges bezeichnet werden, da sich 50% der Männer zufriedenstellend, mehrere sogar tadellos geführt hätten. Von den 4 weiblichen Pfleglingen könne dies leider nicht gesagt werden. — Den Jahresbericht erstattete auch diesmal Pastor em. Müller, das Schlusswort sprach Archidiakonus Horgesell. Wir wünschen dem wackeren Verein ferneres Gedeihen.

Sp.

1) Die Sonntagsentheiligung und das Verbrechen. Von Pastor Schröter in Berlin. Im Selbstverlage der Rheinisch-Westfälischen Gefängniss-Gesellschaft in Düsseldorf. 4. Auflage.
2) Das Moabiter Zellengefängniss, als Spiegelbild aus unsrer Zeit. Von A. Schröter, Pastor am Zellengefängniss in Berlin. Berlin. Verlag von Wiegandt und Grieben. 1877.
3) Die hundertjährige Geschichte der Einzelhaft. Von A. Schröter, Pastor am Zellengefängniss in Berlin. Hamburg 1877. Agentur des Rauhen Hauses.

Der erste obiger Vorträge bespricht die zeitgemässe Frage in frischer, anregender Weise und liefert an der Hand der Statistik und Erfahrung den schlagenden Nachweis des ursächlichen Zusammenhangs zwischen Sonntagsentheiligung und Verbrechen. Allen, die sich für die brennende Frage der Sonntagsheiligung überhaupt interessiren, können wir diesen Vortrag auf's beste empfehlen.

Ein farbenreiches, unsre Aufmerksamkeit von Anfang bis zu Ende fesselndes Spiegelbild rollt der Verfasser auf Grund einer reichen, mehr als zwölfjährigen Erfahrung in seinem „Moabiter Zellengefängniss" vor unsern Augen auf. In meisterhaften Zügen, nüchtern, klar und doch begeisterungsvoll versteht er es, Licht und Schatten zu zeichnen und für seine Sache zu erwärmen, für die er selbst mit ganzer Seele einsteht. Nicht nur Leute vom Fach, auch Solche, die diesem Gebiet fern stehen, werden das Schriftchen mit Befriedigung lesen.

Die hundertjährige Geschichte der Einzelhaft schildert uns zuerst in Kürze die Zustände vor mehr als hundert Jahren, bespricht dann die Persönlichkeiten, deren reformatorischer Einfluss von Bedeutung gewesen ist, sodann die Gefängnissgesellschaften, die Geschichte der Einzelhaft, die Gestaltungen der Einzelhaft, und schliesst endlich damit, dass er die Bedenken dagegen und die Widerlegung derselben, auf die Erfahrung gestützt, zur Sprache kommen lässt. Von besonderem Interesse war uns die Mittheilung, dass die für Preussen aus Räthen der Ministerien der Justiz und des Innern eingesetzte Gefängniss-Commission sich dahin entschieden, dass zu einer erspriesslichen Durchführung der Einzelhaft die Trennung in Kirche, Schule und Spazierhof nothwendig sei und dass die Masken nicht entbehrt werden könnten. Wir sind mit den Ausführungen des Herrn Verf. vollkommen einverstanden und können uns nur darüber freuen, dass er so energisch gegen die Vorurtheile zu Felde zieht, die noch immer gegen die Einzelhaft in weiten Kreisen vorhanden sind.

Sp.

Le nouveau projet d'un code pénal pour les pays-bas et la question pénitentiaire. (Von Pols.)

Von diesem nëuen Entwurf eines Strafgesetzbuchs für die Niederlande, dessen Erscheinen in Aussicht steht, sagt vorliegendes, den Mitgliedern der internationalen Kommission für Gefängnisswesen gewidmetes Schriftchen, dass derselbe sich zunächst speciell an das Recht und die gesellschaftlichen Interessen der Niederlande anschliesse und nur die Darlegung der Prinzipien sei, welche nach und nach in diesem Lande Boden gewonnen hätten, — dass derselbe aber der allgemeinen Bewegung nicht fremd sei, welche fast überall auf dem Gebiete des Gefängnisswesens zu Tag trete. Wir erhalten Auskunft über den gegenwärtigen Stand der Frage in den Niederlanden und über die Geschichte des Entwurfs. Als Holland im Jahre 1810 Frankreich unter dem ersten Kaiserreich einverleibt wurde, führte man daselbst die französischen Gesetze ein und hob die alte Gesetzgebung auf. Nach dem Fall des ersten Kaiserreichs, als Holland wieder seine Unabhängigkeit erhielt, wurden diese Gesetze provisorisch beibehalten. Nachher ersetzte man sie durch nationale Gesetze mit Ausnahme des Strafgesetzbuchs, welches bis jetzt beibehalten wurde. Mehrere Versuche wurden gemacht, verschiedene Projecte ausgearbeitet, aber ohne durchzudrin-

gen, und bis dahin musste man sich mit partiellen Aenderungen begnügen. Während das Strafsystem mehr und mehr einfach wurde, ge-
wann das Zellensystem Schritt für Schritt Boden. Im Jahre 1851 eröffnete man das erste Zellengefängniss in Amsterdam, 1871 baute man
neue Zellengefängnisse und 1874 machte der Justizminister den Vorchlag,
die Zellenhaft auf drei Jahre auszudehnen und sie bei allen zu sechs
Jahren gemeinsamer Haft Verurtheilten in Anwendung zu bringen. Ein
königlicher Erlass vom 28. September 1870 beauftragte eine Kommission
von fünf Juristen mit der Abfassung eines neuen Strafgesetzbuches.
Diese Kommission erfüllte ihre Aufgabe und übergab dem König ihren
Bericht vom 13. Mai 1875, begleitet von einem Strafgesetzbuchsentwurf
mit einer Darlegung der Motive, und von acht andern Gesetzesentwürfen
bezüglich der Einführung des Strafgesetzbuches und einer Revision der
damit in Zusammenhang stehenden gesetzlichen Bestimmungen.

Der Entwurf enthält in drei Büchern und 611 Artikeln eine vollständige Gesetzgebung des Strafrechts, mit Ausnahme des fiskalischen
und militärischen Strafrechts. Im Anhang erhalten wir einen kurzen
Ueberblick über die allgemeinen Bestimmungen, die Delicte und die
Strafen. Aus dem Ganzen geht so viel hervor, dass man mit dem Alten
gründlich aufgeräumt und in jeder Hinsicht die Errungenschaften und
Erfahrungen der Neuzeit nicht unbeachtet gelassen hat.          Sp.

Howard association report. 1875 1876. 5, Bishopsgate street,
    without, London E. C.
    Wie praktisch, verständnissvoll und gründlich sich der bekannte
Howard-Verein die Sache des Gefängnisswesens angelegen sein lässt,
und wie er unermüdlich auf Verbesserung der vorhandenen Schäden
hinarbeitet, dafür liefert der vorliegende Bericht für 1875 einen neuen
Beweis. Es sind eine Reihe interessanter und wichtiger Fragen, welche
sich die Gesellschaft zum Gegenstand eingehenden Studiums gemacht
und über welche sie von verschiedenen kompetenten Seiten her Infor-
mationen eingeholt hat. „Die Inhaftirung junger Kinder" „Strafurtheile",
„Unmässigkeit und Verbrechen", „zweckmässige Gefängnissarbeit", „der
Hausdienst", „Gefängniss-Anomalien," „die Trennung der Gefangenen",
„Verbrecherlisten", „Gebrauch und Hilfe der Presse", „Todesstrafe",
„Prügelstrafe", „öffentliche Ankläger", das sind die wichtigen Themata,
welche der Verein in Behandlung nahm.

Dass es demselben gelingt, anregend und belehrend zu wirken
und auch weitere Kreise für die Sache zu interessiren, das beweist die
nicht geringe Theilnahme, welche die Presse daran nimmt. So finden
wir anerkennende Besprechungen theils über das Ganze der Wirksamkeit der Gesellschaft, theils über die einzelnen von ihr aufgestellten
Prinzipien in einer Anzahl der angesehensten Zeitungen, wie im „Standard," „Echo," „Leeds Mercury," „Morning Advertiser", „Liverpool Mercury," und in der „City Press". Auch neuere Nummern der „Morning

Post", der „Daily News," des „Echo" und anderer grösserer Zeitungen vom Januar d. J. enthalten Besprechungen aus der Feder des Sekretärs der Gesellschaft, des Herrn W. Tallack. Möge die schöne Wirksamkeit des Vereins immer reichere Früchte tragen!

Der Bericht der Howard Gesellschaft für 1876 verbreitet sich ebenfalls in Kürze über wichtige Fragen des Gefängnisswesens, so unter Anderem über die Beschäftigung der Gefangenen, über die Haft junger Kinder, über peinliche Strafen, Todesstrafe, Mittel und Wege, dem Verbrechen vorzubeugen und über den zweiten internationalen Gefängnisskongress. Sp.

Report of the commissioners warden, chaplain, etc., of the Illinois state penitentiary, for the year ending November 30, 1874. Springfield: Strate Journal printing office. 1875.

So grosse Fortschritte auf dem Gebiet des Gefängnisswesens, namentlich seit Einführung der Einzelhaft gemacht worden sind, und seitdem man nicht nur die Bestrafung des Verbrechers als Zweck der Inhaftirung betrachtet, sondern auch und vorzugsweise dessen Besserung, so haben wir doch noch lange nicht ausgelernt. Ja, es bleibt immer von grossem Interesse, in die Verhältnisse fremder Länder und in die grösseren Anstalten, auch in diejenigen mit gemeinsamer Haft, einen Blick zu werfen, auch wenn unsere Zustände völlig andere sein sollten. Obiger Bericht konstatirt zunächst, dass die Zahl der Gefangenen seit dem letzten Bericht (am 1. Dezember 1872 erstattet) von 1255 auf 1353 gestiegen sei, bestehend aus 1338 Männern und 15 Frauen. Die ausführlichsten und allgemeinsten Mittheilungen geben die drei „commissioners", wohl eine Art vom Aufsichtsrath. Darauf folgt die Hausordnung, in 15 Vorschriften zusammengefasst, die uns ein Bild geben von den eigenartigen Verhältnissen jener Anstalt. Der Bericht des Hausgeistlichen spricht kurz über seine „Arbeit am Sonntag", über „Besuche von Freunden etc.", „seine Arbeit während der Woche," über „eine oft aufgeworfene Frage" („Welches ist die grösste Aufmunterung für den Gefangenen zu guten Sitten, d. h. zu beständigem Gehorsam gegen die Gesetze, Vorschriften und Anordnungen?"), ferner über die Bibliothek und die Gefängnissschule. Auch der Lehrer und der Arzt bringen kurze Berichte. Den Mittheilungen des Letzteren ist eine ausführliche Statistik beigefügt, ebenso dem Bericht des Verwalters. Sp.

Congrès pénitentiaire. Session de 1877. 2. Section — 6. Question. Rapporteur M. I. Stevens, Inspecteur général des prisons (Belgique). Bruxelles 1876.

Die betreffende Frage, welche hier in eingehender Weise zur Beantwortung kommt, lautet: Soll die Dauer der Isolirung gesetzlich geregelt werden? Kann die Gefängnissverwaltung, von Krankheitsfällen abgesehen, Ausnahmen zulassen? — Nach dem Herrn Berichterstatter hat das Gesetz allein das Recht, den Strafvollzug zu regeln und die Verwaltung hat sich nur darnach zu richten. Er weist dabei nach, zu welchen Consequenzen die Idee führe, welche auf dem Congress zu Cincinnati vorgeherrscht habe, wornach man den Gefangenen mit einem [i]n's Spital verbrachten Kranken verglich, der nach seiner Heilung zu entlassen sei. Man würde in diesem Fall (S. 4) besondere Gefängnisse haben müssen für diejenigen, die sich für immer als unverbesserlich zeigten. In Betreff etwaiger Ausnahmen von der Isolirung betont der Verfasser die Gleichheit Aller vor dem Gesetz, giebt aber Fälle zu, in denen der Verwaltung eine Ausnahme zu machen gestattet sein müsse, so bei Schwachsinnigen, bei Gefangenen, die mit chronischen, schweren und unheilbaren Krankheiten behaftet seien und bei Solchen, die sich als untauglich für die Einzelhaft erwiesen hätten. — Sp.

1) **Réforme pénitentiaire.** Aperçu sur la législation pénale et les établissements pénitentiaires en Suède par G. Fr. Almquist, directeur général des prisons du royaume. Stockholm, imprimerie de P. A. Norstedt & Fils. 1872.

2) **Föreningen till minne af Konung Oscar I. och Drottning Josephina.** Om räddningsanstalter för värnlösa och fallna, af G. Fr. Almquist. Stockholm 1874. P. A. Norstedt & Söner.

3) **Bidrag till Sveriges officiela Statistik.** Fångvårds — Styrelsens underdåniga berättelse för år 1873. 1874. 1875. Stockholm.

4) (für Norwegen) **Beretning om Bodsfaengslets Virksomhed i Aaret 1875.** Christiania. Trykt i Ringvolds Bogtrykkeri. 1876.

In einem Flugblatt: „la vérité sur l'état des prisons en Suède" hat der Generaldirector der Gefängnisse in Schweden, Herr Almquist, Folgendes veröffentlicht:

Auswärtige Zeitungen und Zeitschriften wie: Galignani's „Messenger", die „Blätter für Gefängnisskunde" etc. enthalten zuweilen Berichte über das Strafwesen und den Zustand der Gefängnisse in Schweden und Norwegen, welche den Leser glauben machen müssen, dass diese Länder, wenigstens Schweden, in jener Beziehung vollständig zurück seien. Man darf nicht die Thatsachen, welche Schweden betreffen, mit solchen, die sich auf Norwegen beziehen, verwechseln, da beide Länder — unter sich sehr verschieden — nur den Souverain und das Departement der auswärtigen Angelegenheiten gemein haben.

Wir empfanden in der That ein peinliches Gefühl, als wir über Schweden, — und das vom Jahre 1875 — folgende Berichte lasen: Der grösste Theil der Strafanstalten sei gemeinschaftlich; es befänden sich Schlafsäle für ca. 130 Gefangene darin; der Gebrauch der Fesseln sei erst ganz kürzlich abgeschafft worden; endlich, die Zahl der Ver-

brecher vermehre sich seit den letzten 3 Jahren beständig. Man sollte
glauben, der Herausgeber dieser Mittheilungen habe ganz allein in
Mitten einer längst verklungenen Geisterwelt gelebt, weil er die wirklichen Thatsachen vollständig auf die Seite setzt. Wir nehmen gern
an, dass ähnliche Berichte nicht den Zweck haben, die Ansicht Auswärtiger über Schweden zu trüben, sondern dass sie vielmehr herrühren von der Unkenntniss der Fortschritte, welche sich in den letzten
Decennien auf diesem Gebiete vollzogen haben; wir betrachten es daher
als eine Pflicht, eine Berichtigung hiermit ergehen zu lassen.

Es ist nicht zu leugnen, dass, wenn man ca. 37 Jahre zurückgeht,
die Gefängnisse in Schweden sich in einem sehr primären Zustande befanden. Es gab damals nur gemeinschaftliche Anstalten und man be-
gnügte sich mit der Thatsache, dass die Sträflinge unter Riegel waren,
ohne im Entferntesten daran zu denken, dass es eine Pflicht der Gesellschaft ist, für dieselben sowohl in körperlicher als in geistiger Beziehung zu sorgen.

Im Jahre 1840 veröffentlichte der Kronprinz, — welcher seitdem
unter dem Namen Oscar I. den Thron eingenommen hat — sein be-
rühmtes Werk: „Ueber Strafen und Gefängnisse", welches in dem schwedischen Gefängnisswesen eine vollständige Umwälzung hervorrief. Heute
steht Schweden jedoch, ohne im Geringsten Anspruch auf den ersten
Platz bezüglich der Reformen in diesem Bereiche machen zu wollen, in
einer Beziehung in erster Reihe mit den grössten und reichsten Nationen. Man hat erkannt, dass es vor Allem wichtig sei, die Verhafteten,
Angeschuldigten und die zu einer Strafe von höchstens 2 Jahren Verurtheilten von den verhärteten und Gewohnheits-Sträflingen vollständig
getrennt zu halten. Zu diesem Behufe hat Schweden schon seit Jahren
eine vollständige Anordnung des Prinzips der Isolirung der Gefangenen
eingeführt. Ein Gesetz vom 30. Mai 1873 verordnet, dass die zu einer
längeren Zwangsarbeit Verurtheilten den sechsten Theil der Strafe, wenigstens 6 Monate, höchstens 12 Monate — beim Beginn der Strafe in den
Zellen verbringen müssen. Seitdem begann die Erneuerung der alten
centralen gemeinschaftlichen Gefängnisse, so dass heute bereits 2 dieser
Anstalten in Zellengefängnisse umgewandelt sind, und eine 3. solche
mit 200 Tag- und 300 Schlafzellen, welche eben im Bau begriffen ist,
nächstes Jahr bezogen werden kann. Schon seit 20 Jahren haben wir
Gefängnisse in Schweden, welche 2000 Zellen enthalten.

Gegenwärtig besitzt Schweden 41 provinziale Zellengefängnisse
und zwei ähnliche Anstalten sehen in diesem Jahre ihrer Vollendung
entgegen. Im nächsten Jahre wird die General-Verwaltung über 3,800
Zellen verfügen, einschliesslich 800 solcher, die zum Schlafen dienen.
Die Central-Gefängnisse enthalten eine grosse Anzahl Arbeitssäle für
die Gefangenen, die, in kleinere Gruppen eingetheilt, unter genauer
Aufsicht stehen. In Anbetracht alles Dessen und im Hinblick auf die

Zahl der Angeschuldigten und Verurtheilten — eine Zahl, welche in den letzten Jahren 4,000 nie überstiegen hat, ist die Zahl der Zellen in Schweden eine verhältnissmässig bei Weitem grössere als in allen andern Ländern des Continents, ausgenommen Belgien.

Das eine der 8 umgebauten Häuser ist für Sträflinge bestimmt, denen die bürgerlichen Rechte nicht aberkannt sind und für jugendliche Gefangene; die beiden Anderen dienen als Besserungs-Anstalten für zeitlich, und nicht bejahrte Verurtheilte. Die 6 anderen centralen, gemeinschaftlichen, jedoch mit einer gewissen Anzahl von Zellen versehenen Anstalten dienen: 3 für Frauen, und 2 für lebenslänglich Verurtheilte; eins dient zur Aufnahme der Bejahrten, und das 6. nimmt die Unverbesserlichen, sowie Solche auf, von deren Zukunft nichts mehr zu hoffen ist. Eine oder 2 dieser Anstalten werden in Kürze mit Zellen versehen. Auch die classenweise Eintheilung glaubte man den heutigen Verhältnissen entsprechend einführen zu sollen, indem man ein System adoptirte, das den Zweck hat, die Besserung des Delinquenten herbeizuführen; ausserdem existiren verschiedene Privatanstalten für verlassene Kinder und jüngere Verurtheilte unter 15 Jahren. Schenkungen, deren voller Betrag sich auf mehr als 1,200,000 Francs beläuft, erlaubten in letzterer Zeit die Gründung von sehr beträchtlichen Erziehungsanstalten, welche denselben Zweck im Auge haben. Zur Unterstützung junger Verbrecher und entlassener Strafgefangenen haben sich gleichfalls in letzten Jahren Schutzgesellschaften in den Provinzen gebildet; ebenso auch eine centrale Gesellschaft. Die Mitglieder derselben zahlen einen geringen Beitrag und diese Gesellschaften erhalten von der General-Verwaltung der Gefängnisse eine Subvention aus einem Theil des Arbeitsverdienstes der Gefangenen.

Unter dem Schutze Ihrer Majestät der Königin besteht ein Zufluchtsort für die entlassenen weiblichen Gefangenen. Die Entlassenen, deren Vermögen nicht genügt, um sie in der ersten Zeit nach ihrer Entlassung zu unterstützen, erhalten die nothwendigen Kleidungsstücke, sowie die nöthigen Mittel, um per Eisenbahn oder Dampfschiffe in ihre Heimath zurückkehren zu können. Es ist schon mehr denn 20 Jahre, dass der Gebrauch der Fesseln in Schweden abgeschafft wurde; jedoch in seltenen Fällen bei sehr heftigen Characteren etc., wendet man die Zwangsjacke oder Fuss- und Hand-Fesseln an, damit die Betreffenden nicht sich oder Anderen schaden; ebenso auch für weite Transporte.

Was nun die Angabe betrifft, es habe sich der Gefangenenstand seit 1870 vermehrt, so ist das ein augenscheinlicher Irrthum. Im Gegensatz zu der dem Fremden mitgetheilten Meinung, constatiren wir eine merkliche Verminderung in den letzten Jahren. Derselbe erreichte 1869 seinen Höhepunkt; in Folge eines allgemeinen Nothstandes, welchem mehrere schlechte Jahre vorangegangen waren, stiegen die Vergehen und Verbrechen bis zu dem besagten Jahre. Seit dieser Zeit jedoch nehmen die Verbrechen in Folge günstiger Erndten, wie die Zahl der zu Zuchthaus Verurtheilten beweist, ab, nämlich: 1869 — 2830 Individuen, 1870 — 1969, 1871 — 1886, 1872 — 1669, 1873 — 1591, 1874 — 1662.

Was die Zahl der Verbrecher und Angeschuldigten anbelangt, so constatirt die Statistik eine alljährige Abnahme: Es waren angeschuldigt, am Ende des Jahres 1869 — 412, 1870 — 340, 1871 — 298 ; 1872 — 284, 1873 — 273, 1874 — 265, 1875 — 235, 1876 — 236. —

Zu Zwangsarbeit auf Lebensdauer waren verurtheilt: Ende 1869 — 943, 1870 — 900, 1871 — 838, 1872 — 774, 1873 — 661, 1874 — 585, 1875 — 576, 1876 — 558.

Auf Zeit: Ende 1869 — 3508, 1870 — 3145, 1871 — 3020, 1872 — 2809, 1873 — 2626, 1874 — 2510, 1875 — 2538 1876 — 2351.

Zu gewöhnlichem Gefängniss: Ende 1869 — 148, 1870 — 136, 1871 — 108, 1872 — 101, 1873 — 123, 1874 — 142, 1875 — 129, 1876 — 123.

In Allem am Ende jenes Jahres 3268.

Es resultirt hieraus, dass wir bei einer Bevölkerung von wenig mehr denn 4,400,000 Seelen, 7,43 Gefangene (Angeklagte und Verurtheilte) auf 10,000 Bewohner haben.

Stockholm, Februar 1877.　　　　Ch. Fr. Almquist.
General-Director der schwedischen Gefängnisse.

Was nun den uns, der Redaction der Blätter für Gefängnisskunde, hierin gemachten Vorwurf anbelangt, so müssen wir zunächst unser Bedauern darüber aussprechen, dass uns so wenig Zeit vergönnt ist, uns mit der ausländischen Literatur und dem Gefängnisswesen andrer Länder zu befassen. Unbekannt sind sie uns nicht. Ueber die norwegisch-schwedischen Zustände speciell haben wir nur Band X. S. 313 einen Artikel aus Galigniani's Messenger mitgetheilt und Band IX. 4 Heft S. 445. 446 an die Besprechung des Werkes von K. D'Olivecrona einige Bemerkungen geknüpft. Auch jener Artikel aus dem englischen Blatte stützt sich auf D'Olivecrona's Werk. In unserer Kritik sagten wir unter Anderem: „Der Verfasser trifft bei Angabe dessen, was fehlt, in der That den Nagel auf den Kopf. Nur darf nicht vergessen werden, dass was für Schweden gelten mag, nicht auch in gleicher Weise auf alle andern Länder seine Anwendung findet, was übrigens von dem Verfasser selbst nicht übersehen wird (cf. S. 95). Er hat es zunächst nur mit seinem eigenen Lande zu thun. Doch enthält das Buch auch für uns beherzigenswerthe Winke und Rathschläge, für die wir dem Verfasser zu Dank verpflichtet sind." Wir glauben die Ansicht des Herrn Justizrath d'Olivecrona, der als Mitglied der höchsten Aufsichtsbehörde die Zustände des Justiz- und Gefängnisswesens doch genau kennen muss, nicht unrichtig aufgefasst und wiedergegeben zu haben. Uebrigens drückt sich eine andere Autorität, Herr Director Almquist, im Vorwort zu seiner „Réforme pénitentiaire" in einer Weise aus, die unser obiges Urtheil nur bestätigt. Er sagt in dieser dem Herrn von Holtzendorff gewidmeten Schrift: Die Gesetzgebung eines Landes und die Strafe, welche es für Verbrechen

verhängt, werden gewöhnlich als Maassstab betrachtet für den Bildungsgrad und die Moralität des Volkes. Welchen Werth dieses Mittel
der Vergleichung auch haben mag, es ist nicht immer hinreichend als
Basis eines vollkommen gerechten Urtheils. Die historische Entwicklung des Volkes und der Gesetzgebung ebenso wie der besondere Zustand der Nation müssen gleicherweise in Betracht gezogen werden.
In gewissen Fällen haben die drakonischen Strafgesetze, welche von
einer früheren Epoche herstammen, und welche den moralischen Eigenschaften des Menschen nicht genug Rechnung trugen, nicht mit einem Schlag zu dem christlichen Geist zurückgeführt werden können,
welcher in neuerer Zeit das Strafgesetz durchdrungen hat und mehr
und mehr durchdringt. Eine solche Aenderung in dem Leben des Volkes kann sich nur allmählig und in längeren oder kürzeren Zwischenräumen vollziehen. Man muss der Masse des Volkes, bei welcher das
Rechtsgefühl sich unter dem Eindruck früherer Zustände entwickelt
hat, Zeit lassen, sich nach und nach an die milderen Gesichtspunkte
der Neuzeit zu gewöhnen und sie sich anzueignen. — Dies findet
besonders auf Schweden und die andern Länder seine
Anwendung, welche in Folge ihrer geographischen Lage
bis in die neueste Zeit mit den andern gebildeten Völkern weniger in Beziehung gestanden sind. Wenn für
denjenigen, der sich an die modernen Ideen gewöhnt hat, die Straf-
Gesetzgebung Schwedens in gewissen Parthien hart erscheint, so
lässt sich doch nicht leugnen, dass das neue Strafgesetzbuch, verglichen
mit der Gesetzgebung, welche bis in die neueste Zeit in Kraft war,
einen grossen Fortschritt bezeichnet. Dieses Gesetz, von dem schwedischen Volke angenommen, würde nicht gerecht beurtheilt werden,
wenn man es unterliesse, die nationalen Verhältnisse und den Zustand
der Entwicklung der Nation in Betracht zu ziehen. Man kann die vorhandenen Fortschritte anerkennen, selbst wenn sie den Vergleich nicht
aushalten mit denjenigen Nationen, welche, von einer älteren Civilisa-
tion begünstigt und in lebhafterem Verkehr mit andern Völkern stehend,
sich die modernen Ideen und die Lösung der wichtigsten socialen Fragen rascher angeeignet haben. (S. 5 und 6). Ferner heisst es S. 17:
„Si l'on ne peut nier qu'en Suède la discipline pénitentiaire ne laisse
beaucoup à désirer, il faut pourtant constater que les efforts con-
stants des autorités tendent vers le but recherché!" — Wir werden
demnach nichts ganz Unrichtiges behauptet haben, wenn wir sagten,
dass in Schweden noch Manches fehle, was andre Länder schon
hätten, und wenn wir dabei in gebührender Bescheidenheit die von
Herrn D'Olivecrona gegebenen Winke und Rathschläge auch für uns
als beherzigenswerth bezeichnet haben. Bedauern würden wir aber,
wenn unsere harmlose Kritik da und dort wirklich dahin missverstan-
den worden wäre, als ob Schweden sich auf dem Gebiet des Gefängnisswesens in einer Art von Stagnation befände. Ein flüchtiger Blick

auf die oben angeführten Werke beweist im Gegentheil, dass das Gefängnisswesen auch im hohen eisigen Norden einem lebhaften Interesse
und einer sorgfältigen Pflege begegnet, und dass die Tendenz stetigen
Fortschritts auf diesem Gebiet überall die herrschende ist. Durchaus
tüchtige Leistungen, die sich jeder ähnlichen auf diesem Gebiet an die
Seite stellen können, sind die officiellen Statistiken der obersten Admi-
nistrativbehörde über das Gefängnisswesen. Die „Vereinigungen“
unter der Protection des Königs Oskar und seiner Gemahlin zeigen,
mit welcher Sorgfalt man den Verwahrlosten und Gefallenen nachgeht.
Beachtenswerth ist der Aasgeberger Jahresbericht, nicht minder die Réforme pénitentiaire von Almquist. Letzteres Werk enthält als Beigabe
die Antwort Schwedens auf die 68 Fragen, die der internationale Congress zu London aufgeworfen hatte und deren Beantwortung uns über
die Gefängniss-Zustände des Landes klaren und deutlichen Aufschluss
gibt. Aus allen Mittheilungen über Schweden erkennen wir indess die
höchst erspriessliche Thätigkeit des derzeitigen Generaldirectors Almquist, dessen Einfluss und Wirken auf diesem Gebiete, dessen hervor-
ragender Begabung, dessen gründlichem Wissen und humaner Gesinnung
wir unsere Anerkennung, wenn auch noch nicht in diesen Blättern ausgesprochen, doch von jeher gezollt haben.                    Redaction.

**Seventh annual report** of the Officers of the Allegheny County
   Work House, to the Inspectors of the County Prisons, for the year
   1876.

Schon um der äusseren Ausstattung willen ist es ein Vergnügen,
diesen Jahresbericht zur Hand zu nehmen; Papier und Druck sind vor-
trefflich. Die Rückseite des vordersten Blattes ist geziert mit einem
Bild des „Allegheny county work house“, das uns in gefälliger Weise
auf den nachfolgenden Bericht vorbereitet. Dieser enthält zunächst
ein kurzes Namensverzeichniss der „officers“ des Hauses. Daran reiht
sich der Bericht der Verwaltung, derjenige des Superintendenten nebst
dem finanziellen Status und statistischen Tabellen, deren eigenthümliche
Anlage und Rubrikenordnung von Interesse ist. Den Schluss bilden die
Berichte des Geistlichen und des Arztes. — Die Zahl der Gefangenen
betrug am 31. Dezember 1875 361. Während des Jahres wurden aufgenommen 1610. Zusammen für das Jahr 1971. Fort kamen: mit Strafende 1422, durch Versetzung 80, auf Befehl des Gerichtshofs 32, begnadigt 11, durch Tod 7, durch Entweichen 3, total 1555. Rest Ende Dezember 76, männliche 361, weibliche 55, total 416. Das Jahreseinkom-
men betrug L. 46,603. 60. Die Ausgabe 51,803. 86, also Deficit L. 5,200
26, was durch die allgemeine Geschäftslage seine Erklärung findet.

                                                            Sp.

# Personalnachrichten.

## 1. Veränderungen.

### a. Baden.

Löhlein, Hauptmann a. D., zum Haus-Inspector der Hilfs-Strafanstalt Kislau ernannt.

Warth, kath. Hofpfarrer in Bruchsal, zum k. Hausgeistlichen der Weiberstrafanstalt Bruchsal ernannt.

### b. Bayern.

Bleyer, Martin, Hausgeistlicher des Zuchthauses München, zum Pfarrer in Schwabing ernannt.

Eign, Verwalter des Zuchthauses Kaisheim, als Verwalter zum Zellengefängniss Nürnberg versetzt.

Kellner, Joh. Ev. Curat, zum Hausgeistlichen an der Gefangen-Anstalt Laufen ernannt.

Roth, ev. Geistlicher der Gef.-Anstalt Zweibrücken zum Pfarrer ernannt.

Schneeweis, Curat, zum Hausgeistlichen des Zuchthauses München ernannt.

Seybold, kath. Hausgeistlicher der Gef.-Anstalt Laufen zum Pfarrer in Niederaschar ernannt.

### c. Elsass-Lothringen.

Rothenban, Freiherr von, Reg.-Assessor beim Bezirks-Präsidium in Strassburg, nach Berlin versetzt.

### d. Mecklenburg.

Bohlken, Inspektor der Strafanstalt Oslebshausen zum Inspector der Landesstrafanstalt Dreibergen ernannt.

Quitzow v., Major z. D. zum commiss. Arbeits-Inspector der Landes-Strafanstalt Dreibergen ernannt.

### e. Oldenburg.

Stuckenborg, kath. Hausgeistlicher der Strafanstalt Vechta zum Seminaroberlehrer in Vechta ernannt.

### f. Preussen*)

Barkow, zum Oeconomie-Insp. der Strafanstalt Sonnenburg ernannt.

---

*) (Berichtigung.) Die in dem 5. Heft gebrachte Versetzung des Directors Kroll von Köln nach Münster & Director Strosser von Münster nach Cöln ist unrichtig.

Brandt, Inspector des Landarmen- & Correctionshauses Strausberg
zum Dirigent des Land-Armen- & Correct.-Hauses Prenzlau
ernannt.

Doll, zum commiss. Sectretär der Strafanstalt Brieg ernannt.

Hülsen von, Pr. Lieut. a. D., Secretär der Strafanstalt Brieg, als commis. Polizei-Inspector an die Stadtvogtei Berlin versetzt.

Kirchbach von, Major a. D., Director der Strafanstalt Graudenz,
als Director an die Strafanstalt Brieg versetzt.

Kühnast, Rendant der Strafanstalt Brieg, als 1. Inspector an die
Strafanstalt Gollnow versetzt.

Plautz, Director der Strafanstalt Lukau, als Director an die Strafanstalt Sonnenburg versetzt.

Schmare, Lieut. a. D., zum Polizei-Inspector der Strafanstalt Graudenz
ernannt.

Torfstecher, Hilfsprediger der Strafanstalt Sonnenburg, als Hausgeistlicher an die Strafanstalt Naugard versetzt.

Werther, Inspector der Strafanstalt Sonnenburg zum Rendant derselben Anstalt ernannt.

Zaglowick, Secretär der Strafanstalt Münster zum Inspector der
Strafanstalt Oslebshausen ernannt.

### g. Sachsen.

Hoffmann, ev. Geistl. der Correct.-Anstalt Hohnstein zum Pfarrer
in Reinhardtsgrimma ernannt.

Lehmann, 2. Hausgeistl. des Zuchthauses Waldheim zum Pfarrer in
Leuben ernannt.

### h. Ungarn.

Csengey, Jos., Gefangenhaus-Inspector Tyrnau, als Inspector an das
Kreisgefängniss Pressburg versetzt.

## 2. Beförderungen.

### a. Bayern.

Böhme, Rechtspractikant, Funktionar und Buchhalter der Strafanstalt
Zweibrücken, zum Verwalter an der gleichen Anstalt ernannt.

Fürst, Dr., Arzt des Zuchthauses München, zum Bezirksarzt ernannt.

Herold Dr., Hilfsarzt der Gef.-Anstalt Zweibrücken zum Bezirks-Arzt
ernannt.

### b. Mecklenburg.

Witt, Oberinspector & Vorstand der Strafanstalt Dreibergen erhielt
den Character als Hofrath.

### c. Preussen.

Fischer, Pr. Lieut. a. D., Inspector beim Bez.-Gefäng. Hammeln, zum
Director der Strafanstalt Graudenz ernannt.

Troito von, Oeconomie-Inspector & Rendant der Strafanstalt Werden zum Director der Erziehungs- & Besserungs-Anstalt Steinfeld ernannt.

### 3. Decorationen.

#### a. Baden.

Ekert, Gustav, Director des Männerzuchthauses in Bruchsal erhielt das Eichenlaub zu dem bereits innehabenden Ritterkreuz I. Cl. des Zähringer Löwen-Ordens.

Eichrodt, Director des Landesgefängnisses und der Weiberstrafanstalt in Bruchsal, erhielt das Ritterkreuz I. Cl. des Zähringer Löwen-Ordens.

Parisel, Oberrechn.-Rath beim Gr. Justiz-Minist. erhielt das Ritterkreuz II. Cl. des Zähringer Löwen-Ordens.

Knapp, Oberaufseher am polizeilichen Arbeitshaus Bruchsal erhielt die kleine goldene Verdienstmedaille.

Kopp, Werkmeister am Männerzuchthaus Bruchsal,

Repple, Werkmeister am Männerzuchthaus Bruchsal und

Rünzi, Krankenaufseher beim Landesgefängniss Bruchsal erhielten die silberne Civilverdienstmedaille.

#### b. Württemberg.

Reber, Oberaufseher am Zuchthaus Ludwigsburg erhielt die goldene Civilverdienstmedaille.

### 4. Pensionirungen.

#### a. Mecklenburg.

Kroner, Inspector der Landesstrafanstalt Dreibergen.

Reinoldt, Inspector der Landesstrafanstalt Dreibergen.

Sprewitz von, Oberinspector, Vorstand des Landesarbeitshauses Güstrow.

#### b. Preussen.

Freytag, Inspector der Strafanstalt Gollnow.

Giersberg, Oberst a. D. Director der Strafanstalt Sonnenburg.

Rönsch von, Director der Strafanstalt Brieg.

#### c. Sachsen.

Marold Dr., Arzt der Correct.-Anstalt Hohnstein.

### 5. Todesfälle.

#### a. Baden.

Schub, Dekan, kath. Geistlicher der Weiberstrafanstalt Bruchsal.

#### b. Bayern.

Schrodt, Reg.-Rath in Nürnberg.

#### c. Oesterreich.

Branovitzer, Anton, Landesgerichts Rath in Olmütz.

#### d. Preussen.

Klinkowström, Graf von, Director des Zuchthauses Celle.

#### e. Sachsen.

Zeissler, I. ev. Geistlicher der Strafanstalt Hubertusburg.

#### f. Ungarn.

Csilagh, von, Ministerial-Rath & Vorstand der Abtheilung für Gef.-Wesen in Buda-Pest.

#### g. Württemberg.

Schlitz, Dr., pr. Arzt in Heilbronn.

~~~~~~~

# Vereinsangelegenheiten.

### Neu eingetretene Mitglieder.

#### a. Baden.

Löhlein, Hauptmann a.D., Haus-Inspector der Filialstrafanstalt Kislau.

#### b. Bayern.

Kellner, Joh. Ev., Curat, Hausgeistlicher der Gef.-Anstalt Laufen.

Schneeweis, Curat, Hausgeistlicher des Zuchthauses München.

Seeberger, Georg, prot. Hausgeistlicher des Arbeitshauses Rebdorf.

Steger, Joseph, rechtskundiger Buchhalter der Strafanstalt Zweibrücken.

#### c. Elsass-Lothringen.

Breymann, Inspector der Knabenbesserungs-Anstalt bei Hagenau.

#### d. Hamburg.

Lottenburger, Gefängniss-Inspector in Hamburg.

#### e. Mecklenburg.

Güstrow, Landes-Arbeitshaus.

#### f. Oesterreich.

Jovic, Arsenius, Director der K. Kroatischen Landesstrafanstalt Sepoglava.

Zatscheck, Johann, Staatsanwalt in Pilsen.

#### g. Oldenburg.

Wehherg, Hausgeistlicher der Strafanstalt Vechta.

#### h. Preussen.

Aachen, Straf- und Arrestanstalt.

Barkow, Oeconomie-Inspector der Strafanstalt Sonnenburg.

Bartz, Hausgeistlicher am Strafgefängniss in Plötzensee.

Bösenberg II., Assistent am Strafgefängniss in Plötzensee.

Celle, Strafanstalt.

Falkenstein von, Hauptmann a. D., Director der Strafanstalt Celle.

Glückstadt, Strafgefängniss.

Gutsche, Inspector & Rendant des Strafgef. Glückstadt.

Helwing Dr., 2. Hausarzt am Strafgefängniss Plötzensee.

Hofmann, Assistent derselben Anstalt.

Hülsen von, Pr. Lieut. a. D., Polizei-Insp. an der Stadtvogtei Berlin.

Jauer, Strafanstalt.

Kleinen, Inspector der Erziehungs- & Besserungs-Anstalt Steinfeld.

Liesow, Oeconomie-Inspector der Strafanstalt Werden.

Lüneburg, Strafanstalt.

Müller, Hauslehrer am Strafgefängniss in Plötzensee.

Rempen, Th., Secretär des Zellengefängnisses Hannover.

Rendsburg, Strafanstalt.

Sagan, Strafanstalt.

Schiebel, Hausgeistlicher der Strafanstalt Sonnenburg.

Schwarzer, Directorial-Secretär am Strafgef. Plötzensee.

Unger, Secretär des Strafgefängnisses Glückstadt.

Werden, Strafanstalt.

### i. Sachsen.

Böttcher, Pfarrer & Anstaltsgeistlicher der Straf- & Correctionsanstalt Sachsenburg.

Peisel, Katechet derselben Anstalt.

Schink, Katechet der Strafanstalt Zwickau.

Wach, Adolf, Dr., Professor des Strafrechts an der Universität Leipzig.

### k. Württemberg.

Störk, Kaplan in Comburg b. Hall.

## Ausgetretene Mitglieder.

### a. Braunschweig.

Kellner, Pastor in Lutter am Barenberg.

### b. Mecklenburg.

Nettelbladt, Baron von, Hauptmann a. D., Inspector des Land-Arbeitshauses Güstrow.

### c. Oldenburg.

Stuckenborg, kath. Geistlicher der Strafanstalt Vechta.

### d. Preussen.

Abels, Reg.-Rath in Münster.

Fiedler, Secretär der Strafanstalt Werden.

Freitag, Inspector der Strafanstalt Gollnow.

Klatte, Pastor, ev. Geistlicher der Strafanstalt Lüneburg.

Villain, kath. Geistlicher der Strafanstalt Ratibor.

### e. Sachsen.

Marold, Dr. Arzt der Corr.-Anstalt Hohnstein.

### f. Ungarn.

Raphanidesz-Boleslav, Pfarrer in Bagonya.

# Inhalt.

# Zur Nachricht.

1. Der internationale Gefängniss-Congress findet nicht 1877, sondern in der 2. Hälfte des Monats August 1878 zu Stockholm statt. Die Subcommission hielt vom 22. bis 25. März 1877 zu Brüssel eine Versammlung. Das Protocoll hierüber und die übrigen Verhandlungen werden wir im nächsten Hefte veröffentlichen.
2. Die diesjährige Versammlung des Vereins der deutschen Strafanstaltsbeamten findet in der Woche vom 10..— 15. September 1877 zu Stuttgart statt. Das Nähere im Programm.

Bruchsal, im Juli 1877.

## Der Vereinsausschuss.

# Blätter

## für

# Gefängnisskunde.

---

## Organ des Vereins der deutschen Strafanstalts-Beamten.

Unter Mitwirkung des engeren Vereins-
Ausschusses redigirt

von

## Gustav Ekert,

Direktor des Zellengefängnisses in Bruchsal, Präsident des Ausschusses des Vereins der
deutschen Strafanstaltsbeamten, Ehrenmitglied des schweizerischen Vereins für Straf- und
Gefängnisswesen, Ritter I. Cl. des Grossh. Bad. Zähringer Löwenordens mit Eichenlaub,
Ritter des Königl. Preuss. Kronenordens III. Cl., Ritter I. Cl. des Kgl. Bayer. Verdienst-
ordens vom heiligen Michael, Ritter des Kgl. Sächs. Albrecht-Ordens, Ritter I. Cl. des
Ordens der Württembergischen Krone.

...............

## Zwölfter Band, 3. Heft.

Heidelberg.
Universitäts-Buchhandlung von G. Weiss.
Druck von J. Grossmann in Bruchsal.
1877.

# Ueber die nothwendige Rückwirkung des Besserungszwecks der Strafe auf die Polizeiaufsicht.

Gutachten für die Vereins-Versammlung 1877 vom Strafanstaltsdirector Pockels.

Die strafrechtliche Institution der Polizeiaufsicht ist auf uns überliefert aus den Zeiten, wo rohe Strafrechtstheorieen noch Geltung fanden, wo die Strafanstalten nur darauf berechnet waren, die Verurtheilten für die Dauer der Strafzeit, neben deren Peinigung, unschädlich zu machen, wo die Verbrecher, nachdem sie abgestraft waren, in die Welt, und zwar gar häufig als erbitterte Feinde der bürgerlichen Gesellschaft und ihrer Einrichtungen, hinausgestossen wurden. Man unterwarf zu jenen Zeiten die als gefährlich erkannten Verbrecher, um dieselben auch über die Dauer ihrer Freiheitsstrafe hinaus unschädlich zu machen, gewissen Beschränkungen und polizeilichen Maassregelungen, die freilich — abgesehen von der bereits durch die peinliche Gerichtsordnung Carl's V., Art. 161, angeordneten Verstrickung — eine gesetzliche Grundlage erst durch die neueren Strafgesetzbücher erhielten, indem diese die gerichtliche Stellung unter Polizeiaufsicht als ein Nebenstrafübel aufstellten und derselben, gemeiniglich, als Folgen beilegten: Die Verstrickung in den Bezirk der Heimathsgemeinde oder aber die Versagung des Aufenthalts an bestimmten Orten; das Verbot, die Wohnung zur Nachtzeit zu verlassen; die Befugniss der Gerichts- und Polizeibehörden zu jederzeitiger Vornahme von Haussuchungen.

Längst haben Klugheit und Humanität zu der Einsicht geführt, dass man die Gefallenen nicht durch unwürdige Grausamkeit am Straforte und durch Verfolgung beim Austritt aus dem Gefängnisse, sondern durch einen zwar strén-

gen, aber gerechten und die B e s s e r u n g anstrebenden Strafvollzug, sowie durch zwar vorsichtige, aber wohlwollende
Behandlung bei Rückkehr in die Gesellschaft unschädlich
zu machen; habe. Diesem Geiste entsprechend sind die heutigen Strafanstalten eingerichtet, durch ihn ist die freie Vereinsthätigkeit wachgerufen. — Das Strafgesetzbuch für das
deutsche Reich hat das Wesen der Polizeiaufsicht erheblich
gemildert, indem darnach einestheils der Strafrichter nur
die Zulässigkeit derselben, und zwar lediglich in bestimmten
vorgesehenen Fällen, als ein Nebenstrafübel aussprechen kann,
während die Vollstreckung dieses Strafübels eine unter Mitwirkung der Gefängnissverwaltung facultativ zu handhabende
landespolizeiliche Maassregel bildet, anderntheils aber die Wirkungen der Polizeiaufsicht, unter Beschränkung ihrer Zulässigkeit auf erwachsene Verbrecher, wie folgt, eingeengt worden sind:

1) dem Verurtheilten kann der Aufenthalt an einzelnen
   bestimmten Orten von der höheren Landespolizeibehörde
   untersagt werden;

2) die höhere Landespolizeibehörde ist befugt, den Ausländer aus dem Bundesgebiete zu verweisen;

3) Haussuchungen unterliegen keiner Beschränkung hinsichtlich der Zeit, zu welcher sie stattfinden dürfen.

Die unverkennbare Absicht des Gesetzgebers, die Praeventivmaassregel der Polizeiaufsicht der nachtheiligen Einwirkung auf das Fortkommen des Observaten nach Möglichkeit
zu entkleiden, findet erfreulichen Wiederhall in den einschlägigen Ausführungsverordnungen der einzelnen Bundesstaaten.
— Prüfen wir die Wirksamkeit der Polizeiaufsicht an sich
und, ob nicht die etwaigen Vortheile derselben durch ihre
Nachtheile überwogen werden.

Vom abstracten Gesichtspunkte der Rechtsphilosophie
aus betrachtet, rechtfertigt das allgemeine Interesse, solche
Leute, welche sich durch ihre Verbrechen, als der öffentlichen Sicherheit und Sittlichkeit gefährliche Subjecte erwiesen
und durch ihr nachfolgendes Verhalten am Straforte keinerlei
Gewähr für gesetzmässige Aufführung gegeben haben, nach
erlittener Strafe in ihrer Bewegung zu dem Zwecke zu be-

engen und zu überwachen, um der bürgerlichen Gesellschaft gegen wiederholte Ausschreitungen dieser Friedensstörer Schutz zu gewähren. Stellt man sich aber auf den rein practischen Standpunkt, erfordert man das auf positiven Wahrnehmungen sich stützende Urtheil der zur unmittelbaren Handhabung der Polizeiaufsicht berufenen Localbehörden, so wird man sich zu bescheiden haben, dass die Polizeiaufsicht ungeeignet ist, die Verbrechen, denen sie bestimmungsgemäss vorbeugen soll, zu hindern.

Vorweg mag daran erinnert werden, dass es unzulässig ist, dem Observaten Beschränkungen aufzuerlegen, welche über die durch das Strafgesetzbuch festgestellten Wirkungen hinausgehen, dass darnach die Polizei nicht das Recht hat, von dem Observaten zu fordern, dass er durch persönliche, von Zeit zu Zeit wiederkehrende Gestellung oder in anderer Richtung zur Erleichterung seiner Ueberwachung beitrage, ihr so zu sagen in die Hände arbeite. Der eine oder der andere Observat gibt wohl durch Nichtsthun, durch Ausschweifungen u. s. w. der Polizei gewissermassen einen Wink, dass er kurz über lang wieder zum Verbrechen greifen werde; es sind dies aber immerhin nur die minder gefährlichen Dummköpfe unter den Verbrechern, auf die der Gesetzgeber es in erster Linie mit dem Institute der Polizeiaufsicht nicht abgesehen haben wird. Die Intelligenz in dem Verbrecherthume, die gefährliche Classe der verschlagenen Gauner von Profession bleibt von den Wirkungen der Polizeiaufsicht unberührt; sie wissen ihre verbrecherischen Pläne von langer Hand her, unter wohlberechneter Täuschung der Polizei, so vorzubereiten, dass diese ihr Vorhaben so leicht nicht wittert, dass nach Ausführung desselben der Verdacht nicht sofort auf sie sich richtet. — Wer die Kraftanstrengungen kennt, welche selbst die wohlorganisirte Polizei einer grösseren Stadt — und auf die grösseren Städte kommt es hier vornehmlich an — häufig zu entfalten hat, um eine winzige Zahl von Verbrechern einigermassen im Zaume zu halten, der wird mir darin beipflichten, dass ihr die reelle, vorbeugende Ueberwachung einer grössern Anzahl von Observaten nicht möglich sei.

**13\***

Gehen wir dazu über, die Wirksamkeit der gesetzlichen Folgen der Polizeiaufsicht einzeln zu beleuchten.

Durch das Verbot des Aufenthalts an einzelnen bestimmten Orten (Ortschaften oder einzelnen Plätzen, Localen etc. etc.) fühlt sich der gefährliche Gewohnheitsverbrecher nicht beengt. Während der moralisch schwache, aber besserungsfähige Gelegenheitsverbrecher durch Untersagung des Aufenthalts an günstigen Gelegenheitsorten vor Versuchungen und vor abermaligem Fall mag bewahrt werden können, hat sie für den Unverbesserlichen höchstens die Wirkung, dass er den Schauplatz seiner Thaten an einen Ort verlegt, an welchem er, wenn fremd, noch ungestörter „arbeiten" kann, als zuvor. — In der Möglichkeit der örtlich freien Bewegung liegt eben ein Hauptgrund für die Erfolglosigkeit der Polizeiaufsicht. Seitdem es zum Aufenthalte und zu Reisen innerhalb des deutschen Reiches eines Reisepapieres nicht mehr bedarf, seitdem jeder Deutsche das Recht hat, innerhalb des Bundesgebietes an jedem Orte sich aufzuhalten oder niederzulassen, wo er eine eigene Wohnung oder ein Unterkommen sich zu verschaffen im Stande ist, seitdem, im Besonderen, auch diejenigen durch § 3 des Gesetzes über die Freizügigkeit unberührt gebliebenen Aufenthaltsbeschränkungen, denen bestrafte Personen nach den Landesgesetzen unterworfen werden konnten, durch das (den Particulargesetzen vorgehende und später als das Freizügigkeitsgesetz erlassene) Strafgesetzbuch ihre Wirksamkeit verloren haben —, steht dem Observaten, in soweit demselben nicht etwa der Aufenthalt an einzelnen bestimmten Orten untersagt worden ist, das ganze deutsche Reich offen. — Es ist bekannt, wie unter denjenigen Sträflingen, gegen welche auf Zulässigkeit der Polizeiaufsicht erkannt worden ist, die besserungsunlustigen, die gefährlichen das Recht der freien Wahl des Entlassungs- und Aufenthaltsorts sich zu Nutze machen: Sie täuschen bei ihrem Austritt aus dem Gefängnisse die Anstaltsverwaltung über das Ziel ihrer Reise und nehmen, nicht selten unter Annahme eines falschen Namens, Aufenthalt in einer anderen Provinz oder in einem dritten Bundesstaate, den Landespolizeibehörden, wenn diese zu solcher meist vergeblichen

Arbeit Lust verspüren sollten, es überlassend, sie behufs etwa beliebiger Verhängung der Polizeiaufsicht aufzusuchen; oder aber, sie umgehen die Polizeiaufsicht dadurch, dass sie bei ihrer Polizeibehörde einen Auslandspass, der ihnen ja mit rechtlichem Grunde nicht verweigert werden kann, erwirken, nicht etwa, um wirklich in das Ausland zu gehen oder doch längerzeitig daselbst zu verweilen, sondern nur, um der Polizei gegenüber zu verduften. — Es erscheint zwar, da die Zulässigkeit der Polizeiaufsicht eine (Neben-)Strafe, die Verhängung der Polizeiaufsicht selbst als eine Vollstreckung dieser Strafe aufzufassen ist, rechtlich zulässig, den betreffenden Sträfling per Schub oder mittelst Zwangspasses, als eines Mittels zur Sicherung der Strafvollstreckung, nach dem Sitze der Landespolizeibehörde, zu deren Verfügung er steht, auf Anfordern derselben zu dirigiren; allein es wird auch hierdurch nichts erreicht, weil eben der so Gemaassregelte nicht gezwungen werden kann, an dem Orte, wohin er dirigirt worden, auch zu bleiben, noch beim Verlassen desselben sich darüber auszuweisen, wohin er gehe.

Die Beibehaltung der Polizeiaufsicht wird ferner nicht geboten durch die dadurch gegebene Möglichkeit, Haussuchungen ohne Rücksicht auf die Zeit vornehmen zu können. Es ist daran zu erinnern, dass die Haussuchung überall nicht eine Praeventivmaassregel gegen drohende Verletzungen des Strafgesetzes, sondern ein Mittel zur Erforschung einer bereits verübten strafbaren Handlung ist, dass die Anordnung von Haussuchungen dem Richter und nur bei Gefahr im Verzuge auch dem Staatsanwalte und der gerichtlichen Polizei zusteht, und dass bei Verfolgung auf frischer That oder bei Gefahr im Verzuge, so wie zum Zweck der Wiederergreifung eines entwichenen Gefangenen die Haussuchungen auch zur Nachtzeit stattfinden dürfen. *) — Es wird nun, da das Gericht sich nicht in Permanenz befindet, die Auswirkung eines richterlichen Haussuchungsbefehls zur Nachtzeit in nur seltenen Fällen möglich, die vom Richter zur Tageszeit angeordnete Haussuchung aber wird in der Regel auch vor

---

*) Es sind hier schon die einschlägigen Bestimmungen der Strafprozessordnung vom 1. Februar 1877 angeführt.

Einbruch der Nacht ausführbar sein. Zur Nachtzeit kommen Haussuchungen wohl fast ausschliesslich nur bei Betretung auf frischer That oder bei Gefahr im Verzuge vor und sind in dieser Voraussetzung, wie vorerwähnt, auch bei den nicht unter Polizeiaufsicht stehenden Personen statthaft. Ueberdies drückt bekanntlich, wenn einmal die Polizei es mit der Auffassung der dehnbaren Begriffe „Betretung auf frischer That" und „Gefahr im Verzuge" gegenüber einer anrüchigen Person weniger genau nimmt, selbst die Gerechtigkeit ein Auge zu!

Die Zweckmässigkeit der dritten gesetzlichen Wirkung der Polizeiaufsicht, nämlich der Ausweisung des verbrecherischen Ausländers, mag nicht bestritten werden; es kann aber, bei Beseitigung der Polizeiaufsicht, die Zulässigkeit der Ausweisung füglich als ein gesondertes Nebenstrafübel beibehalten werden. —

Glaube ich, nachgewiesen zu haben, dass die Polizeiaufsicht, welche früher ein zur Sicherung des öffentlichen Interesses unvermeidliches Uebel gewesen sein mochte, bei der gegenwärtigen Lage der Gesetzgebung nicht nützt, dass also deren Aufhebung schon eine Consequenz ihrer Unwirksamkeit ist, so will ich nunmehr darzuthun versuchen, dass dieselbe denjenigen Bestraften, welche den Willen der Besserung haben, nachtheilig ist, dass sie also mit dem Besserungszwecke der Strafe im Widerspruch steht.

Die Nachtheile der Polizeiaufsicht treten zuweilen schon hervor im Vollzuge der Freiheitsstrafe selbst. Erfahrungsgemäss fühlt sich mancher besserungsfähige Sträfling durch den Gedanken an den ihm bevorstehenden Makel der Polizeiaufsicht, durch die Vorstellung, dass er demnächst der „barschen" Polizei in die Hände gegeben werden solle, von sittlicher Kraftanstrengung zurückgehalten, die Entwicklung einer der Besserung günstigen Stimmung in ihm wird gehemmt; und wenn zwar die Polizeiaufsicht nur nach Anhörung der Gefängnissverwaltung, also mit Rücksicht auf das Verhalten im Gefängnisse verhängt werden darf, so ist doch vom erziehlichen Standpunkte es leicht bedenklich, den Sträfling durch den Hinweis, eben auf diesem äusserlichen Vortheil zur Besserung anleiten zu wollen.

Weit nachtheiliger noch, als die Voraussicht der Polizeiaufsicht, ist die Art, in welcher die letztere selbst gehandhabt zu werden pflegt; sie kann's dahin bringen, dass mit der Entlassung aus dem Gefängnisse, mit dem Augenblicke, wo der Entlassene den sämmtlichen Polizei-Unterbeamten als „ein verdächtiges Subject" vorgestellt wird, die Strafe erst recht angeht. Die Erfahrung zeigt es, wie zuweilen die unteren Polizeiofficianten, von denen ja gewöhnlich das Schicksal des Observaten abhängt, durch Tactlosigkeit, übertriebenen Diensteifer und Wichtigthuerei, wenn nicht gar durch geflissentliche Vexationen, die Polizeigewalt missbrauchen, wie sie von dem Observaten die grösste Unterthänigkeit fordern, wie dessen Thun und Lassen ihnen ein beständiger Gegenstand des Argwohns ist, wie sie sein Vorhaben, ehrliches Unterkommen zu suchen, durch ungebetene Warnung des Arbeitgebers und des Hauswirths vereiteln, wie sie den trotzdem glücklich Untergekommenen durch ihre dem Lohnherrn und Wirthe lästigen Erkundigungen wiederum brod- und obdachlos machen, wie sie den dem Observaten angehängten Makel ausposaunen, so dass die Nebenarbeiter davon hören und mit ihm fortzuarbeiten sich weigern, wie dann selbst der geduldigste Observat dem Auge der Polizeiofficianten sich zu entziehen trachtet, hierdurch aber deren Galle erregt, und wie sie so den entlassenen Sträfling unbarmherzig wieder hinter Schloss und Riegel treiben! Wer hat nicht schon aus den Stimmen der Gefangenen und anderwärts gehört, wie der Vorsteher der Landgemeinde, in deren Bezirk ein Observat Arbeit suchen will, ängstlich bemüht ist, diesen aus dem Orte wieder los zu werden, indem er ihm sagt, dass es dort keine Arbeit gäbe, dass er hier oder da eine bessere Erwerbsgelegenheit finden werde, oder indem er ihn, den Spitzbuben, roh beschimpft! — Das ist das Schicksal, welchem, und zwar der wohlmeinendsten Instructionen der oberen Polizeibeamten ungeachtet, mancher Unglückliche in Wirklichkeit verfällt, daneben aber ein Schicksal, welches bei Rückkehr in das Gefängniss von einem Jeden

— ob mit Grund oder Ungrund, bleibt dem Gefängnissbeamten zum Nachtheile für richtige Behandlung des Sträflings
oft verborgen — als die alleinige und unabwendbare Ursache
des Rückfalls ausgegeben wird. —

Es könnte eingewendet werden, dass der Nachtheil der
Polizeiaufsicht (was zugegeben wird) weniger in Anwendung
der bestimmten gesetzlichen Wirkungen der letzteren, als
vielmehr in Handhabung der polizeilichen Beaufsichtigung
des Treibens der Observaten liege, und dass beim Wegfall
des strafrechtlichen Instituts der Polizeiaufsicht die Befugniss der Polizei zur Ueberwachung bestrafter Personen, wenn
selbige nur nicht in positive Beschränkungen ausarte, immerhin bestehen bleibe, dass also durch Beseitigung der straf-
gesetzlichen Polizeiaufsicht das Schicksal der von der Polizei
für gefährlich erkannten vormaligen Sträflinge kaum werde
berührt werden. Es ist aber etwas wesentlich Verschiedenes,
ob Jemand auf den Grund eines gerichtlichen Titels überwacht, oder aber aus selbstständiger Befugniss der Polizei
beobachtet wird.

Vorwiegend ist es die Offenkundigkeit des Makels
unter welcher der Observat zu leiden hat: Durch ausdrück-
liche Verhängung der Polizeiaufsicht erklärt die Behörde
ihm selbst und dem Publikum, dass er des Vertrauens unwürdig sei, dass man mit ihm keinen Frieden schliessen könne, dass ihm der Kampf angekündigt werde; das Publikum
wird dadurch argwöhnisch, fürchtet und meidet den Gebrand-
markten; der Observat selbst aber, wenn er das Bewusstsein
guten Willens in sich trägt, geräth dadurch, dass er behörd-
lich der öffentlichen Verachtung Preis gegeben wird, leicht
in Erbitterung und Verzweiflung. Anders, wenn man es der
Localpolizei überlässt, zu überwachen, wen und wie sie es
für nöthig hält: Sie kann die Ueberwachung nicht — und
dadurch werden deren Nachtheile vermieden — durch äussere Kundgebungen üben, ihre Maasregeln müssen, wenn
anders sie nicht dem dadurch Betroffenen einen verfolgbaren
Schadensanspruch gewähren sollen, auf verdeckte Beobachtungen und auf vorsichtig schonende Erkundigungen über Er-
werbsverhältnisse, Lebenswandel und Umgang desselben sich

beschränken; die Ueberwachung wird vielleicht (und erst dann kann dieselbe ihren Sicherungszweck voll erfüllen) dem Ueberwachten selbst unbekannt bleiben; es wird das Ehrgefühl desselben nicht herabgewürdigt; der öffentlichen Meinung über seine Vertrauenswürdigkeit wird nicht vorgegriffen.

Nach Allem muss man fordern, dass die Zulässigkeit der Polizeiaufsicht,

> weil deren Vollstreckung ohne die Begehung von Verbrechen zu hindern oder auch nur zu erschweren, der Rehabilitation des entlassenen Sträflings nachtheilig ist, aus der Reihe der Strafmittel gestrichen werde. — In meinen Wünschen freilich gehe ich noch weiter, indem ich behaupte, dass ausserdem die den Polizeibehörden auch ohne gerichtlichen Titel zustehende Befugniss einer Beaufsichtigung vormaliger Sträflinge im nahe beisammenliegenden Interesse der Gesammtheit und des Einzelnen so gehandhabt werden müsse, dass sie nicht nur dem Fortkommen des Ueberwachten nicht hinderlich ist, sondern vielmehr ein seiner Rehabilitation förderliches Mittel bildet. Die Polizei muss sich berufen fühlen, das Publikum über die Mittel zu belehren, die dasselbe anzuwenden hat, um seine Interessen mit denen der vormaligen Sträflinge zu vereinigen, sie soll der Gefängnissverwaltung in deren Streben nach Sicherung der äusseren Zukunft des Sträflings entgegenkommen, soll dem Entlassenen mit Rath und That Beistand leisten, soll da, wo Vereine zum Schutz entlassener Sträflinge bestehen, diese unterstützen und soll sich, sobald ein Hilfsverein den besonderen Schutz und die Wachsamkeit über einen Entlassenen übernommen hat, zu vorbeugenden polizeilichen Zwecken nicht anders einmischen, als nach vorgängiger Verständigung mit dem Vereinsorgane —; eine solche Thätigkeit der Polizei wird geeignet sein, vormalige Verbrecher — unschädlich zu machen!

# Aphorismen aus dem geistlichen Amt an der Strafanstalt.

Von Dr. Alfred Bienengräber, Pfarrer und erstem Geistlichen an
der Königl. Sächsischen Landesanstalt in Zwickau.

## I.

Wer hätte nicht schon erfahren, wie die Seele mit heiligen Schauern der Andacht erfüllt wird, wenn man aus dem
Geräusch der Welt in den stillen Frieden eines schönen Do-
mes tritt, — wie da die zerstreuenden Gedanken ganz von
selbst sich sammeln und die wallenden Wogen des Gemüths
sich ebnen! Desshalb muss auch in der Strafanstalt ganz
besondere Aufmerksamkeit darauf verwendet werden, die
Kirche möglichst würdig zu gestalten und zu schmücken,
damit der Sträfling schon beim Eintritt mit dem Bewusstsein
erfüllt wird: hier ist heiliges Land! Denn in erster Linie
dienen dem Besserungszwecke die sonntäglichen Gottesdienste.
Der Mittelpunkt derselben ist die Verkündigung des Wortes
Gottes.

Es ist ein grosser Irrthum, wenn in einigen Kreisen
noch immer mit einer gewissen Geringschätzung geglaubt und
auch ausgesprochen wird, dass die Ansprüche, welche eine
Sträflingsgemeinde an die Predigt und an den Prediger mache,
viel geringer seien als die von freien Leuten erhobenen; Gerade für die segensreiche Wirksamkeit des Anstaltsgeistlichen
ist die Gabe, gut predigen zu können, das erste unerlässliche
Erforderniss. Es verschwindet ja, Gott sei Dank, die Zahl
der Theologen mehr und mehr, die mit der licentia concio-
nandi auch die licentia legendi glauben erworben zu haben
und desshalb ihre vielleicht sehr sorgfältig ausgearbeitete
Predigt wortgetreu ablesen. Und wäre es eine Predigt von
Ahlfeld oder Gerok, — es würde eine ganz nutzlose Vorle-

sung sein. Soll die Predigt zu Herzen gehen, dann muss sie von Herzen kommen, dann muss der Zuhörer die Ueberzeugung gewinnen, dass das gesprochene Wort sich vollständig deckt mit dem innersten Denken und Sein des Predigers, dass es nichts Erlerntes, sondern etwas Erlebtes und Erfahrenes ist.

Wir dürfen aber auf der Kanzel die Gemeinde auch nicht in die Werkstätte unseres Geistes hineinschauen lassen, sondern müssen ihr, dass ich so sage, das vollendete Kunstwerk vor die Augen stellen. Die Gemeinde soll nichts sehen und erfahren von den Geburtsweben, sondern an dem Geborenen selbst sich freuen und erbauen. Um im Bild zu bleiben: Die Predigt muss das eigenste Kind des Predigers sein. Aller Schmuck mit fremden Federn schadet mehr, als er nützt und erinnert allzusehr an dünne, kraftlose Brühe, auf der ein paar Fettaugen schwimmen.

Auch das Maasshalten in Bezug auf die Zeit, das Einhalten einer ganz bestimmten Zeit für die Dauer der Predigt, darf nicht ausser Acht gelassen werden. Es liegt eine wohl zu beherzigende Wahrheit in dem Paradoxon, dass eine kurze schlechte Predigt besser sei als eine lange gute Predigt. Wenn man bedenkt, dass der grössere Theil der Sträflinge in der Freiheit jahrelang vom Gotteshause fern geblieben ist, dass ein grosser Prozentsatz fast ohne alle Religionskenntnisse, ohne die heiligen 10 Gebote noch zu wissen, in die Strafanstalt eingeliefert wird, dass ein kleinerer Prozentsatz nicht lesen und schreiben kann, dass die Meisten nicht gewöhnt sind einem längeren Vortrag im Zusammenhang zu folgen, dass Viele durch ein wüstes Leben in sinnlichem Genuss auch geistig zerrüttet sind, dann erscheint es als ein unerlässliches Erforderniss, kurz zu predigen, auch in kurzen Sätzen, in knapper Form entsprechend dem bekannten Wort: „auch in der Beschränkung zeigt sich der Meister."

Die Fassungskraft der Sträflingsgemeinde steht aber nicht etwa unter dem Niveau anderer Gemeinden; denn einestheils ist bei Vielen in der Schule des Lebens nachgeholt, was in der Schule der Kindheit versäumt ist, anderntheils ist es eine Erfahrungsthatsache, dass die grössten Verbrecher

oft die besten Naturanlagen besitzen, die nur, anstatt dem
Guten dienstbar gemacht zu sein, dem Bösen sich zugewandt
haben. Sodann ist nicht zu bestreiten, dass in der Strafanstaltskirche eine grössere Aufmerksamkeit herrscht, als in den
meisten andern Kirchen, vorausgesetzt dass die Predigt mit
Salz und nicht mit Morphium. gewürzt ist. Es ist ja auch
natürlich, dass der Sträfling, wenn er die ganze Woche hindurch die Einförmigkeit der Hausordnung mit ihrem regelmässigen Stundenschlag durchlebt hat, schon um der Abwechslung willen gern zur Kirche geht: er hört dort mal etwas
Anderes, als das Commandowort der Aufseher.

Muss es aber im Herzen des Geistlichen nicht ein nie-
derdrückendes Gefühl hervorrufen, wenn er diesen Grund zu
einem willigen Kirchenbesuch als den vorwiegenden bei manchen Sträflingen erkennt?

Gewiss nicht, denn damit ist schon viel gewonnen; wenn
der Sträfling nur erst gern kommt, und sei es auch nur, um
etwas Anderes zu vernehmen als das Einerlei des alltäglichen
Lebens, dann ist das Bedenkliche des Zwanges zum Kirchenbesuch beseitigt, der Sträfling muss zwar kommen, aber diesem Muss entspricht auf seiner Seite die Willigkeit, zu dem
äussern Zwang kommt gar bald eine innere Gebundenheit,
so dass er in der That freiwillig zur Kirche kommt. Ich
glaube, es ist nicht zu viel behauptet, dass kaum einer von
100 Sträflingen von der Kirche zurückbleiben würde, wenn
man den Zwang dazu aufhöbe.

Aus dem bisher Gesagten folgt mit Bestimmtheit, dass
die Predigt wohl durchdacht sein muss und nicht etwa das
Resultat einer flüchtigen Stunde sein darf. Gleichwie für
die Kinder das Beste nur gerade gut genug ist, so muss denen, die aus der Gottentfremdung wieder zu Gott geführt
werden sollen, die wieder lernen sollen als Kinder ihres Vaters im Himmel sich zu fühlen und als solche zu wandeln,
auch in der Predigt das Beste geboten werden, was wir haben.

Worüber aber soll gepredigt werden und in welcher
Weise?

Hoffmann erzählt in Palmer's Pastoraltheologie (2. Auflage, Seite 646), dass in einer Strafanstalt, während einer

Vakanz längere Zeit jeden Sonntag ein anderer Prediger aufgetreten sei; die Wahl des Textes sei frei gewesen, und
hätten die Gefangenen ein ganzes Vierteljahr lang nur Predigten über den verlorenen Sohn gehört.

Nun ist zwar nicht zu leugnen, dass dies wunderbar
schöne Evangelium so unendlich viel Gesichtspunkte bietet,
dass man einen ganzen Band Predigten darüber schreiben
könnte — es ist dies ja auch mehrfach geschehen —, es
soll ferner nicht bestritten werden, dass das Evangelium vom
verlorenen Sohn ein sehr passender Text für eine Predigt in
der Strafanstaltskirche ist, aber doch nicht an jedem belie-
bigen Sonntag. Am Busstag würde kein Sträfling an diesem
Texte Anstoss nehmen, an den meisten andern Sonntagen
wird in seinem Herzen das Dichterwort Wahrheit werden:
„Man merkt die Absicht und man wird verstimmt."

Am richtigsten wird man verfahren, wenn man sich auch
in der Strafanstalt an die vorgeschriebenen Pericopenreihen
hält. Dieselben bieten den Vortheil, dass sie den Hörern
zum Theil schon bekannt sind, dass durch dieselben oft Erinnerungen an eine frühere Zeit, vielleicht an die Kindheit
wach gerufen worden: durch solche Erinnerung wird aber
der Entschluss Luc. 15, 18 viel eher im Herzen hervorgerufen
als durch eine dreizehnmalige Predigt über den verlorenen
Sohn.

Damit soll nicht behauptet werden, dass freie Texte
überhaupt auszuschliessen seien; dann und wann über einen
freien Text zu predigen, möchte zumal in dem Falle wohl
berechtigt sein, wenn der gewählte Text mit der vorgeschriebenen Sonntagspericope in einem nachzuweisenden Zusammenhang steht. Bei jeder ungerechtfertigten Abweichung von
der gewohnten Ordnung sucht der an und für sich miss-
trauische Sträfling nach einem Grunde, wo oft gar kein Grund
ist, und wird dadurch in seiner Andacht gestört, seine Gedanken bekommen eine andere Richtung, und der Segen der
Predigt geht ihm verloren.

Man muss sich überhaupt vor der grundfalschen Meinung hüten, als ob in der Predigt den Sträflingen etwas anders geboten werden müsste oder auch nur geboten werden

dürfte, als 'den freien Leuten', — als ob es ein ganz besonderes Evangelium 'für die sogenannten unbescholtenen Menschen und eine ganz besondere Busse für die Gefangenen gäbe.

Aussprüche wie Luc. 5, 32: „die Gesunden bedürfen
des Arztes nicht, sondern die Kranken," Matth. 9, 13: „ich
bin gekommen, die Sünder zur Busse zu rufen, und nicht die
Frommen", möchten eine derartige Ansicht in ein eigenthümliches Licht setzen.

In der Strafanstaltskirche muss dasselbe gepredigt werden, wie in jeder andern Kirche: Jesus Christus, denn es ist
hier kein Unterschied; es ist Aller zumal Ein Herr, reich
über Alle, die ihn anrufen. Gerade das Evangelium mit seiner lockenden, einladenden Freundlichkeit ist die beste Waffe,
mit der ein Verbrecherherz überwunden werden kann. Man
werde nur nicht müde, immer und immer wieder die Leut-
seligkeit unseres Gottes zu verkündigen, der da will, dass
allen Menschen geholfen werde, der nicht will den Tod des
Sünders, sondern dass er sich bekehre, und lebe. Und dabei muss insonderheit der Strafanstaltsgeistliche zum Wahl-
spruch in seinem Beruf machen: „Niemanden aufgeben!" Auch in dem versunkensten Menschen, auch in dem
am tiefsten gefallenen Sünder ruht noch ein Funke des heiligen Geistes, wenn auch die Asche der Leidenschaften ihn
bedeckt; er trägt noch, wenn auch verunstaltet, die Züge des
göttlichen Ebenbildes.

Freilich darf der Ernst des Gesetzes in der Predigt nicht
fehlen: Gesetz und Evangelium, — aber das eine nicht ohne
das andere.

Die Strafanstaltskirche redet schon eine ernstere Sprache
als jede andere Kirche. Die Sträflingstracht demüthigt schon
an und für sich; es bedarf keiner besonderen Hinweisung:
jeder weiss, wo er ist und wer er ist.

Ein emeritirter Geistlicher, der aus Gefälligkeit einen
erkrankten Strafanstaltsgeistlichen mehrfach vertrat, pflegte
in seinen Predigten, um recht eindringlich das Schwert des
Geistes in die Herzen hineinzubohren, die Sträflinge anzu-
reden: „Ihr Verbrecher, ihr Hurer und Ehebrecher, ihr Spitzbuben und Mörder!" Aufsichtsbeamte haben mir die Ver-

sicherung gegeben, dass es ihnen schwer geworden sei, ein Lächeln zu unterdrücken, und dass die ganze Strenge der Disciplin dazu gehört habe, um den nöthigen Ernst bei den Sträflingen aufrecht zu erhalten.

Dass wir doch auch in dieser Beziehung von dem Herrn Jesu und von den Aposteln die rechte pastorale Klugheit lernten!

Wie freundlich redet der Herr mit der Ehebrecherin, wie gütig ist er gegen den Betrüger Zachäus, welche Liebe offenbart er dem Mörder am Kreuz!

Wie hebt der Apostel Paulus mit Danksagung seine 1. Epistel an die Corinther an, denen er doch nachher recht ernst in's Gewissen redet!

Wie liebevoll schreibt Petrus an die erwählten Fremdlinge hin und her, die er doch auffordert, Bosheit, Betrug, Heuchelei, Neid und Afterreden abzulegen!

Und wer trägt mehr den Stempel des heiligen Geistes: der Johannes, der glaubensstark sprach: „Herr, willst du, so wollen wir sagen, dass Feuer vom Himmel falle und verzehre sie" — oder der Johannes, der glaubensinnig den Gemeinden zurief: „Kindlein, liebet euch unter einander?".

Freilich alle Sentimentalität sei verbannt von der Kanzel in der Strafanstaltskirche. Es ist eine Leichtigkeit, die Sträflinge, zumal die weiblichen, zum Weinen zu bringen, aber man darf solche Thränen nicht ohne weiteres für Zeichen ernster Busse halten. Die Saiten, die zu leicht bewegt werden, ebenso wie die Saiten, die gar keinen Klang geben, hüte man sich anzuschlagen — beides ist vom Uebel.

Was den Sträflingen in der Predigt noth thut, ist dasselbe, was allen Menschen gepredigt werden soll: Jesus Christus, der Welt Heiland, aber der ganze Jesus der Bibel und des Bekenntnisses; nicht der Jesus der Phantasie oder einer ungläubigen Kritik.

Wenn wir von dem unendlichen Erbarmen Gottes in Christo predigen, dann eröffnet sich der Blick in die Nacht der Sünde, auf die Pfade des Verbrechens ganz von selbst; aber es wäre ein homiletischer Fehler, wollte man die eigenthümliche Lage, in welcher der Verbrecher sich befindet, in

den Vordergrund der Predigt stellen, — nur bei besonders
passender Gelegenheit darf sie in der Anwendung mit wenigen markigen Worten berührt werden.

Von selbst wird sich dies als Regel erweisen, wenn,
wie es höchst wünschenswerth ist, die Beamten mit ihren
Familien der Parochie der Strafanstalt zugetheilt sind. Der
Strafanstaltsgeistliche nimmt den Beamten gegenüber eine
ganz andere und zwar die allein richtige Stellung ein, wenn
er gleichzeitig ihr Seelsorger ist, wenn er ihre Kinder tauft,
wenn er ihnen das heilige Abendmahl reicht, wenn er ihre
Todten begräbt. Um die Beamtenfamilien selbst schlingt sich
ein gemeinschaftliches, nicht zu unterschätzendes Band. Und
für die Sträflinge ist es von ganz besonderem Segen, wenn
sie wissen, dass freie Leute mit ihnen in derselben Kirche
sich erbauen, an demselben Altar die Unterpfänder der Gnade
Gottes in dem gesegneten Brod und Kelch empfangen.

Nach meiner Erfahrung besuchen die Familienglieder
der Beamten, soweit sie überhaupt kirchlichen Sinn haben,
sehr gern die Strafanstaltskirche und haben noch nie einen
Anstoss daran genommen, dass sie mit den Sträflingen zusammen — natürlich räumlich geschieden — dieselbe Predigt
hören und dieselben Lieder singen. Ja in der Strafanstalt
Zwickau hat sich seit Jahren die Einrichtung, dass auch der
städtischen Gemeinde die Anstaltskirche geöffnet ist, segens-
reich bewährt.

Der Gesang in der Strafanstalt zeichnet sich gemeiniglich durch besondere Frische, Lebendigkeit und Kraft aus.
Der Pflege des Kirchengesanges ist aber auch eine vorzügliche Aufmerksamkeit zu widmen.

Wie das innere Gemüthsleben zum Ausdruck kommt im
Ton, so wird auch durch die Welt der Töne neues Leben
im innersten Gemüthe wach gerufen. Die Tonkunst spricht
von allen Künsten am unmittelbarsten zum Herzen. Denn
es gibt ein Reich des Gefühls, das der Maler nicht in Farben kleiden und der Dichter nicht in Worte fassen, das allein ausgehaucht werden kann im Ton.

Wer hätte nicht die überwältigende Macht der Tonwelt
an sich erfahren! Die Musik hat einen Ausdruck für die

Jubelklänge der Lust, für die ganze Skala der Leidenschaften, für die Sehnsucht nach stillem Glück und nach ruhmvoller Thatkraft. Wenn diese Kunst dem Ewigen dienstbar wird, wenn der Künstler, dem die Welt der Töne erschlossen liegt, vor Gott die Knie beugt, dann erhebt die Musik die Herzen zu dem Herrn, dann erfüllt sie die Seele der Gläubigen mit heiliger Andacht und wird für die Ungläubigen zu einem Weckruf des Gerichts.

Der erste Eindruck dieser musikalischen Himmelsprache ist überwältigend und bindet das Wort: — der Mensch kann nur schweigen, hören. Wenn sein Herz aber erst erfüllt ist von Tonbildern, wenn in seinem Gemüth der wach gerufene Schmerz, die entzündete Freude erst in eine gewisse Ferne gerückt ist, so dass er sich selbst in der Perspective sieht und über sein Gefühlsleben reflectiren kann, dann findet sich zum Ton das Wort,

> dann hebt dein Geist mein Herz zu dir empor,
> dass ich die Psalmen sing' im höhern Chor, —

dann wird der Ton zum Lied.

Das Kirchenlied, ob es in dem feierlich gleichmässigen Tact langer Töne an unser Ohr schlägt, oder ob es in rhytmischer Gewandung den Preis des Höchsten singt, ist von wunderbarer Macht selbst über die rohesten Gemüther. Wenn auch mancher, der vielleicht lange Zeit in keiner Kirche gewesen ist, nicht gleich einstimmt in die Worte des Liedes, so dürfen wir doch nicht ohne weiteres meinen, dass er ohne Andacht sei; je bewusster er sich aber dieser Andacht wird, desto mehr wird er sich getrieben fühlen mitzusingen: so übt die Welt der Töne einen geheimnissvollen Zauber aus und zwingt oft auch die Feinde Gottes ihn anzubeten im Lied.

Wer wollte danach bestreiten, dass der Kirchengesang in der Strafanstalt auf das sorgsamste gepflegt werden muss, dass man in ihm eine Waffe hat gegen den Feind in der Menschenbrust, gegen die böse Lust und die sündlichen Gedanken?

Wenn die alten Tragiker eine Kartharsis, eine Reinigung und Versöhnung des Gemüths auf Seiten der Zuhörer bewirkten, so gilt dies gewiss in ähnlicher Weise vom christlichen Kirchenlied, das den tiefen Zwiespalt zwischen den sündigen Menschen und dem zürnenden Gott zwar aufdeckt, aber auch die Versöhnung durch die Gnade in Christo unmittelbar offenbart.

Dass auch der Verbrecher etwas von dieser Katharsis an sich erfährt, muss jeder zugeben, der beobachtet hat, mit welcher Andacht, oft auch mit welcher Schönheit in der Strafanstaltskirche gesungen wird.

Vergessen wir dabei nicht die Orgel, von der Immermann im Merlin singt:

> Und wie der Westwind wühlt im reifen Korne,
> So wühlet, stürmet, tost im Meer der Liebe
> Die Orgel mit der Töne brünst'gem Zorne.

Zu solcher Orgel gehört aber auch der rechte Orgelspieler, der nicht handwerksmässig nach einigen mehr oder wenigen passenden Accorden, in denen vielleicht gar eine ihm gerade im Ohr liegende Opernmelodie anklingt, den Choral intonirt, sondern der selbst an seinem Herzen etwas erfahren hat von der Allgewalt der Töne. Der rechte Organist wird sich das Präludium wohl überlegen und wird auch darin zu unterscheiden wissen zwischen den verschiedenen Kirchenzeiten. Schon die gewählte Tonart erlaubt manchmal einen Schluss darauf zu ziehen, ob der Organist seinen schönen Beruf als Kunst auffasst.

Wenn durch die feierliche Stille des Gotteshauses ein langezogener Mollaccord ertönt, auf dem sich eine klagende Melodie erbaut, die mehr von den ernsten Tönen des Bass, als von den hellen Klangfiguren des Discant getragen wird, so ruft der Organist durch seine Kunst die rechte Stimmung wach für ein Lied: O Haupt voll Blut und Wunden!

Eine ganz andere Färbung wird das Präludium gewinnen, wenn im Liede die frohe Botschaft verkündet werden soll: Vom Himmel hoch, da komm ich her! —

Ist es dem Organisten möglich, sich auf das Präludium würdig vorzubereiten, vornehmlich wenn er zur rechten Zeit weiss, welche Lieder gesungen werden sollen, so kann dies in demselben Maasse beim Postludium nicht der Fall sein.

Der gottgeweihte Künstler wird versuchen, den Eindruck, den die Predigt auf die Gemeinde gemacht hat, auf der Orgel in die Sprache der Töne zu kleiden, — wird aber dabei, wie überhaupt beim Orgeldienst, maassvoll verfahren. Ein ungeschickter Orgelspieler kann durch ein weltliches Postludium den Eindruck der besten Predigt abschwächen.

Soll aber die Orgel und das Kirchenlied in der rechten Weise wirken, dann muss der Pastor auch die grösste Sorgfalt auf die richtige Auswahl der Lieder verwenden.

Wie es nicht gleichgültig ist, auf welche Weise gesungen wird, so ist auch wohl zu überlegen, was gesungen werden soll. Nicht jedes Lied passt für jeden Sonntag, auch nicht jede Melodie.

In der Strafanstalt kann aber auch nicht jedes Lied gesungen werden, das an und für sich sehr schön und erbaulich sein mag.

Wie können wir die Vagabonden und Spitzbuben singen lassen:

Lobe den Herrn, der deinen Stand sichtbar gesegnet?

So passend und erbaulich die fünf ersten Verse des Liedes: O Gott du frommer Gott — für die Sträflingsgemeinde sind, so scheint es mir doch der Wahrhaftigkeit zu widersprechen, wenn wir die zu lebenslänglichem Zuchthaus verurtheilten Mörder und andere schwere Verbrecher weiter singen lassen:

Soll ich auf dieser Welt mein Leben höher bringen,
Durch manchen sauren Tritt hindurch in's Alter dringen,
So gib Geduld, vor Sünd' und Schanden mich bewahr,
Dass ich mit Ehren trag all meine grauen Haar.

Um den Kirchengesang würdig zu gestalten, ist in Anstalten, die kein geschultes Sängerchor haben, die Ertheilung einer kirchlichen Gesangsstunde für die Gesammtheit der Sträflinge wünschenswerth. Der Heiligkeit des Ortes darf kein Abbruch geschehen, wenn dieselbe auch in der Kirche abgehalten wird. Es ist dies hier besonders auszusprechen, da es in vielen Strafanstalten an einem grösseren Raum gebricht, in dem die sämmtlichen Sträflinge versammelt werden können. An der kirchlichen Gesangsstunde sollen aber alle

14*

Sträflinge Theil nehmen. Anders verhält es sich mit der weltlichen Gesangsstunde, die in das Schulzimmer gehört.

Die kirchliche Gesangsstunde muss eine Art Erbauungsstunde sein, an der sich auch diejenigen Sträflinge betheiligen müssen, welche behaupten, sie könnten nicht singen. Ich habe es mehrfach erlebt, dass solche Leute ganz hübsch singen gelernt haben.

Man muss berücksichtigen, dass der grösste Theil der neu eingelieferten Sträflinge der Kirche entfremdet, seit Jahren vielleicht nicht zum Gottesdienst gewesen, ohne Kenntniss der Kirchenlieder und ihrer Melodien ist. Es wäre zu viel verlangt, wollte man erwarten, dass diese Leute sofort kirchliche Gesangsenthusiasten sein sollen. Wie kann ich etwas lieben, was mir ganz fern steht, ganz fremd ist!

Aber je mehr die zum Theil in der Kindheit gesungenen Lieder im Gedächtniss wieder erwachen, eine desto grössere Macht gewinnen sie über das Herz. Haben sich erst mal die Ohren für den heiligen Gesang und die Lippen zu demselben geöffnet, dann kann sich auch das innere Gemüthsleben dem Göttlichen und Ewigen nicht ganz verschliessen.

Diese kirchlichen Gesangsstunden werden am passendsten am Sonnabend oder am Sonntag Nachmittag abgehalten. Die eine wie die andere Praxis hat etwas für sich und desshalb auch etwas gegen sich.

Finden die Gesangsstunden am Sonnabend statt, so bieten sie die Möglichkeit, die am kommenden Sonntag zu singenden Lieder durchzuüben; werden die Gesangsstunden auf den Sonntag gelegt, so tritt das erbauliche Element noch mehr hervor.

Ich gebe der letzteren Weise entschieden den Vorzug, weil dadurch in die Langeweile des Nachmittags am Sonntag, worüber viele Sträflinge klagen und die sehr schädlich wirken kann, eine wohlthuende Ermunterung gebracht wird. Ueberhaupt ist ein geordneter Sonntagsunterricht, wie er bei uns in Zwickau seit Jahren freiwillig durch die Beamten ertheilt wird, von unendlichem Segen für die Erziehung und die Disciplin. Doch hierüber ausführlicher mich zu verbreiten, ist einem späteren Hefte, in dem vom Schulunterricht gehandelt werden soll, vorbehalten.

Regelmässig müssen diese Gesangsstunden abgehalten werden, weil die Strafanstaltsgemeinde sehr wechselnd ist, vornehmlich wenn kurze Gefängnissstrafen in der Anstalt verbüsst werden. Desshalb darf der Gesangslehrer nicht müde werden, immer und immer wieder die Melodieen und die liturgischen Gesänge zu repetiren; dann lernen auch die neu eingetretenen Sträflinge leicht und gern.

Auf eines ist beim Gesange in der Strafanstaltskirche noch zu achten: dass derselbe nämlich Gesang bleibe und nicht zum Schreien werde. Mancher Sträfling, dem die Gabe des musikalischen Gehörs fehlt, glaubt, dass er je lauter desto besser singe, und stört damit, wenn auch in bester Absicht, das harmonische Unisono. Hier gilt es bei Zeiten einen Dämpfer aufsetzen. Die Strafanstalt soll erziehlich wirken nach allen Seiten, auch durch den Gesang, — solch Dämpfer aber steht, abgesehen von der Kunst, auch im besondern Dienste der Tugend modestia. Maass halten in allen Dingen, auch in der Kraftäusserung beim Gesang, ist der Ausdruck der wahren Bescheidenheit.

Je mehr aber die kirchliche Zeit zur Stille, zur Sammlung, zur Einkehr auffordert, desto sorgfältiger muss diese zarte Behandlung des Gesanges gepflegt werden.

Am seelenvollsten tritt diese Behandlung der Musik im Dienste der Kirche bei der Feier des heiligen Abendmahls zu Tage. Wenn der Himmel sichtbar auf die Erde sich herniedersenkt, wenn das Göttliche mit dem Menschlichen sich verbindet, wenn das Geheimniss des Sacraments die gläubige Seele mit heiligem Schauer durchweht, dann ist jede schrille Dissonanz doppelt störend, dann müssen die lauten Register der Orgel schweigen, der Gemeindegesang muss in ehrfurchtsvoller Dämpfung auch äusserlich zur Darstellung bringen, dass die Menschenseele tief sich beugt vor der Majestät des Allgegenwärtigen. —

Die Feier des heiligen Abendmahls setzt voraus die kirchliche Abkündigung, die persönliche Anmeldung, die gemeinschaftliche Beichte.

Was zunächst die kirchliche Abkündigung anbetrifft, so dürfte dieselbe wohl in derselben Weise erfolgen, wie in jeder andern Kirche. Nur ist, wenn sich dies irgend ermöglichen lässt, besonders hervorzuheben, dass der Sträfling persönlich in der Amtsstube des Geistlichen sich zu melden hat.

Es ist zu beklagen, wenn besondere Verhältnisse es nöthig machen, dass die Meldung bei einem Aufsichtsbeamten der Strafanstalt geschieht. Jedenfalls aber muss dem Geistlichen bei Zeiten eine Liste der Communicanten vorgelegt werden, damit es ihm möglich ist, diesen und jenen der Sträflinge vor dem heiligen Abendmahl unter vier Augen zu sprechen.

Schon in der form. missae wird als Forderung aufgestellt: episcopo (dem Pfarrer) primum significetur, quinam futuri sint communicantes petantque coena Domini communicari, ut eorum et nomina et vitam cognoscere queat.

Jeder Sträfling, der zum heiligen Abendmahl gehen will, meldet sich desshalb womöglich persönlich bei seinem Seelsorger: und wenn der letztere ihm auch nur die Hand drückt und Gottes Segen wünscht, so ist schon diese kurze Begegnung nicht zu unterschätzen. Aber meiner Erfahrung nach wird es bei solch kurzer Begrüssung nicht bleiben. Denn der Strafanstaltsgeistliche hat nicht nur das Recht, sondern es muss ihm auch heilige Pflicht sein, jeden einzelnen Sträfling, der sich zum heiligen Abendmahl meldet, soweit derselbe dessen bedarf, speciell darauf vorzubereiten. Er steht ja seinen Beichtkindern ganz anders gegenüber, als die übrigen Pastoren ihren Gemeinden.

Während es in der Freiheit, zumal bei grossen städtischen Gemeinden nicht immer möglich ist, dass der Pastor jeden Einzelnen, der sich zum heiligen Abendmahl meldet, persönlich kennt, so ist dies des Strafanstaltsgeistlichen berufsmässige Pflicht; er soll den Seelenzustand der einzelnen Sträflinge zu erforschen suchen und soll sich nicht nur von ihrem Vorleben, sondern auch von ihrer momentanen sittlichen Beschaffenheit ein möglichst klares Bild zu machen suchen. Je ernster er es mit der Erfüllung dieser Pflicht nimmt, desto gewissenhafter wird er auch bei der Anmeldung zum heiligen Abendmahl verfahren.

Wenn man auch in Bezug auf den allgemeinen Gottesdienst, insonderheit bezüglich der Predigt, die Sträflingsgemeinde nicht wesentlich anders behandeln darf, als jede andere Gemeinde, so ist doch in Betreff des heiligen Abendmahls ein prinzipieller Unterschied von vorn herein zu constatiren.

Die Aufhebung alles Zwanges und die unbedingte Freiwilligkeit bezüglich der Theilnahme an der Feier .des heiligen Abendmahls weist darauf hin, dass dies Sacrament als die höchste Wohlthat, die dem Sträfling zu Theil werden kann, angesehen werden muss.

Während sein Wille sonst nach allen Richtungen hin gebunden erscheint, während ihn die Hausordnung auf Schritt und Tritt einengt und ihm vorschreibt, was er zu thun und zu lassen hat, wird der Sträfling im Hinblick auf das Sacrament des Altars dem Zwange der Strafanstalt entnommen, und ihm eine freie Willensäusserung in Wort und That gestattet.

Der Sträfling hört damit gewissermaassen momentan auf Sträfling zu sein, der würdige Abendmahlgast ist „auch in Banden frei.“

Es mag hierbei erwähnt werden, dass es wohl geeignet erscheint, den zu Kettenstrafen verurtheilten Züchtlingen, wenn sie an der Abendmahlsfeier Theil nehmen, bevor sie zur Kirche geführt werden, die Ketten abzunehmen. Ich kann aus früherer Erfahrung versichern, dass die Andacht der betreffenden Sträflinge dadurch wesentlich erhöht wird, schon desshalb, weil, abgesehen von allen andern Gründen, sie augenblicklich das Gefühl der Dankbarkeit beseelt.

Aus den bisher angeführten Gesichtspunkten ist es wünschenswerth, dass der Sträfling persönlich von dem Geistlichen nicht nur im allgemeinen auf die Heiligkeit des Sacraments, sondern speciell auf die grosse Wohlthat aufmerksam gemacht wird, die im heiligen Abendmahl auch den Gefangenen zu Theil wird, damit sie sich sehnen lernen nicht nur nach der äussern Freiheit, sondern auch nach der viel herrlicheren Freiheit der Kinder Gottes.

Aber noch ein anderer wesentlicher Punkt ist dabei in's Auge zu fassen:

Der Apostel Paulus schreibt im 6. Capitel des 1. Briefes an die Corinther: „Lasset euch nicht verführen: weder die Hurer, noch die Abgöttischen, noch die Ehebrecher, noch die Weichlinge, noch die Knabenschänder, noch die Diebe, noch die Geizigen, noch die Trunkenbolde, noch die Lästerer, noch die Räuber, werden das Reich Gottes ererben." Und in dem vorhergehenden Capitel stellt er geradezu das Verbot auf: „So jemand ist, der sich lässt einen Bruder nennen, und ist ein Hurer, oder ein Geiziger, oder ein Abgöttischer, oder ein Lästerer, oder ein Trunkenbold, oder ein Räuber; mit demselben sollt ihr auch nicht essen."

Auf Grund dieser Aussprüche findet sich in einigen Beichtformularen die Verwarnung: „Diejenigen nun, welche mit solchen Sünden behaftet sind und auch davon nicht lassen wollen, mahnen wir vom Tische des Herrn ab und verkündigen ihnen, dass sie so lange unter dem Gerichte Gottes liegen, bis sie sich zu ihm vom Herzen bekehren, wozu ihnen Gott Gnade geben wolle."

Hieraus geht schon hervor, dass eine prinzipielle Ausschliessung sämmtlicher Sträflinge vom heiligen Abendmahl, wie solches in früheren Jahren in einer Strafanstalt in Bern beliebt wurde, für ein grosses Unrecht gehalten werden muss.

Denn wenn der Heiland mit den Sündern zu Tische sass, dann kann der Apostel Paulus mit jenem Ausspruch nicht verlangen, dass wir ein für alle Mal die sacramentale Gemeinschaft mit offenbaren Verbrechern aufgeben.

Sobald der Verbrecher aufrichtig bereut, ernstlich Busse thut und von Herzen Gottes Gnade in Christo sucht, dann hat er Theil an der Absolution: dir sind deine Sünden vergeben. Wenn dies nicht der Fall wäre, so würde das geistliche Amt an der Strafanstalt ganz überflüssig sein.

Wohl aber gibt es in der Strafanstalt Leute, die durch ihren Lebenswandel gezeigt haben, dass sie in ihrer Sünde,

in ihren Verbrechen b e h a r r e n, dass sie, sei es in vorübergehendem Affect, sei es mit verbrecherischer Ueberlegung
nicht etwa blos eine einmalige Sünde begangen haben, sondern dass das verbrecherische Sündigen bei ihnen ein Zustand
geworden ist, in dem die Wurzeln all ihres Denkens und
Sinnens haften. Solche Verbrecher, die vielleicht schon zum
so und so vielten Male in die Strafanstalt eingeliefert sind,
bedürfen einer speciellen Vorbereitung und ernsten Verwarnung, bevor sie zum Genuss des heiligen Abendmahls zugelassen werden können. Sie zurückzuweisen, würde falsch
sein.

Dass auf diese Weise die Entgegennahme der Anmeldung zum heiligen Abendmahl zu einer nicht leichten seelsor-
gerischen Arbeit wird, leuchtet ein; ja es bedarf mitunter bei
einzelnen Sträflingen auch eines grossen Zeitaufwandes. Die
Klugheit und Billigkeit erfordert desshalb, dass bei Bestimmung der zur Anmeldung gewünschten Stunden nicht einsei-
tig der pastorale Gesichtspunkt in's Auge gefasst, sondern
die eigenthümlichen Verhältnisse der Strafanstalt in Bezug
auf Hausordnung und Arbeitsbetrieb wohl berücksichtigt werden. Es ist selbstredend und bedarf desshalb nur dieser
flüchtigen Erwähnung, dass der Geistliche sich hierin mit
der Anstaltsdirection vorher in's Einvernehmen zu setzen hat.

Es scheint mir am geeignetsten, wenn die Anmeldung
zum heiligen Abendmahl entweder in den Stunden erfolgt,
die für den Religionsunterricht bestimmt sind, oder am Sonntag Nachmittag, nachdem Vormittags in der Kirche die Abkündigung stattgefunden hat.

Auf diese Weise kommt der religiöse Character der
Anmeldung am besten zur Geltung, die Arbeitszeit wird nicht
beeinträchtigt, der regelmässige Gang der Hausordnung nicht
unterbrochen, und dem Geistlichen ist volle Zeit gelassen,
mit jedem einzelnen Sträfling, der communiciren will, vorher
eingehend sich zu unterreden.

Sollte jemand in den vorstehenden Ausführungen ka-
tholisirende Tendenzen wittern und an Ohrenbeichte denken,
so würde er sich in einem grossen Irrthum befinden. Aber
das kann nicht in Abrede gestellt werden, dass bei dieser

Einrichtung das Verlangen, eine Privatbeichte abzulegen und früher begangene Sünden vor dem Genuss des heiligen Abendmahls dem Geistlichen zu beichten, mehrfach geweckt worden ist.

So wünschte vor mehreren Jahren eine zu mehrjähriger Zuchthausstrafe verurtheilte Diebin mir ein Geständniss in Bezug auf ein früher begangenes Verbrechen abzulegen. Sie war wegen desselben in Untersuchung gewesen, von den Geschworenen aber frei gesprochen, weil sie es verstanden hatte, so meisterhaft zu weinen, dass dieselben von ihrer Unschuld überzeugt wurden. Auf meine eindringlichen Ermahnungen hat sie nachträglich auch vor Gericht der Wahrheit die Ehre gegeben: die Zusatzstrafe, die über sie in Folge ihres Geständnisses verhängt wurde, ist gewiss nicht ohne Segen für sie geblieben.

Wie aber hat sich der evangelische Geistliche in solch einem Falle bezüglich der Bewahrung des Beichtgeheimnisses zu verhalten?

Dass die katholische Lehre den Priester verpflichtet, das sigillum confessionis — unbedingt und ohne Ausnahme zu bewahren, ist eine Consequenz der Ansicht, dass der Geistliche, dem gebeichtet wird, an Gottes Statt steht. Danach dürfte der Priester das Geständniss eines begangenen Mordes selbst dann nicht zur Anzeige bringen, wenn ein Unschuldiger dadurch von der Vollziehung des Todesurtheils gerettet werden könnte. Nur durch Verweigerung der Absolution kann der Priester auf den Beichtenden einwirken; eine Anzeige, selbst mit Wissen des Uebelthäters, ist ihm nicht gestattet, auch wo es sich um Aufhebung eines fortdauernden Unrechts handelt.

Es ist nicht zu verkennen, dass dieser starren Consequenz ein nicht zu unterschätzender Vorzug innewohnt, nämlich dass der Beichtende seinem Beichtvater mit unbedingtem Vertrauen das ganze Herz erschliessen kann.

Und doch ist das nur ein scheinbarer Vorzug. Denn ein wirklich reumüthiges Herz wird sich nicht damit begnügen können, dem Priester die Sünden gebeichtet zu haben, sondern wird sich dazu angetrieben fühlen, das begangene

Unrecht nach Möglichkeit wieder gut zu machen, selbst auf die Gefahr hin, dass daraus die nachtheiligsten äussern Folgen, vielleicht zur Verurtheilung zu einer längeren Freiheitsstrafe oder zum Tode erwächst.

Auf der andern Seite darf das Beichtgeheimniss nicht zu einer blossen Vertrauenssache verflüchtigt werden, die sich in nichts unterscheidet von einer vertraulichen Mittheilung an irgend einen Laien. Diese Ansicht wird auch dadurch nicht gerechtfertigt, dass, wie Schweizer sagt, „das Amt immer nur positiv zu dem verpflichtet, was auch ohne Amt sittlich aufgegeben wäre."

Der Beichtende muss wissen und dessen auch gewiss sein, dass Alles, was er seinem Beichtvater mittheilt, von demselben unbedingt als heiliges Geheimniss im Herzen bewahrt wird. Nur darf er nicht verlangen, dass der Beichtvater durch Mitwissen zum Hehler werde. Wenn es sich um ein Verbrechen handelt, dessen ungesetzliche Folgen noch fortwähren, oder gar um ein Verbrechen, das wohl geplant, aber noch nicht ausgeführt ist, wenn es sich darum handelt, schweres Unglück von Leib und Leben, von Hab und Gut des Nächsten abzuwenden, dann zwingt die evangelische Kirche ihre Diener nicht, ein Geheimniss zu bewahren, dessen Mittheilung freiwillig erfolgt ist, um unter ganz falscher Voraussetzung das Gewissen zu erleichtern. Aber auch für solch einen Fall ist eine rechtlich und gesetzlich fixirte Bestimmung in Betreff der zu erstattenden Anzeige nicht vorhanden, und zwar mit vollem Recht; denn eine derartige Verpflichtung würde das geistliche Amt zu einer Institution der geheimen Polizei herabwürdigen.

Der Geistliche hat seelsorgerisch auf den Beichtenden einzuwirken und muss ihn zu einem freiwilligen Selbstgeständniss vor dem zuständigen Richter zu bestimmen suchen. Da die Angst des Gewissens gemeiniglich der bewegende Factor gewesen ist, das zu einer Privatbeichte geführt hat, so hält es in den meisten Fällen nicht schwer, den Beichtenden dahin zu bestimmen, dass er der Wahrheit vollständig die Ehre gibt auch dem weltlichen Gericht gegenüber. Zunächst ist ihm klar zu machen, dass seine Reue, seine

Busse, seine Besserung keine wirkliche sei, so lange ihm der
Muth der Wahrhaftigkeit fehle, es ist ihm die Absolution
entschieden zu verweigern, bis er ein offenes, ehrliches Geständniss ablegt. Kommt es aber nicht dazu, so muss der
Geistliche zunächst versuchen, eine Wiederaufnahme der Untersuchung zu erwirken, unter Hinweis darauf, dass ihm sub
sigillo der wirkliche Missethäter seine Schuld gebeichtet habe.
Gelingt es ohne Namensnennung nicht, den wahren Thatbe-
stand zu entdecken, so ist der Geistliche an das Beichtsiegel
nicht gebunden, darf es aber nicht lösen, ohne vorher demjenigen, der ihm gebeichtet hat, davon Mittheilung gemacht
zu haben.

Es erscheint sehr wünschenswerth, zumal in der Strafanstalt, dass der Geistliche seine Gemeinde hierüber vollständig aufklärt. Die geeignete Stelle dazu möchte für die Sträflinge die Schulstube sein, die passende Zeit die Religions-
stunden. —

Es mag hierbei erwähnt werden, dass ein Gefangener
mir einmal in bitterer Weise geklagt hat, wie taktlos der
Geistliche während der Untersuchungshaft in Bezug auf die
ihm vertraulich gemachten Mittheilungen sich benommen habe.
Was er — der Gefangene — dem Seelsorger zu seiner Her-
zens- und Gewissenserleichterung gesagt habe, das sei ihm
am andern Tage vom Untersuchungsrichter fast wörtlich vor-
gehalten worden. Beruht die Angabe des Gefangenen auf
Wahrheit, so würde sich der Pastor allerdings eines schweren
und höchst leichtfertigen Missbrauchs des nicht in seine
Person, sondern in sein Amt gesetzten Vertrauens schuldig
gemacht haben. Gerade bei den besonderen Schwierigkeiten,
mit denen der Geistliche gegenüber den Untersuchungsgefangenen zu kämpfen hat, ist die grösste Vorsicht und Wach-
samkeit zu empfehlen. Der Geistliche ist nicht Untersuchungsrichter, er ist noch viel weniger Polizist oder Ankläger. Er
soll durch seine Person, durch sein Amt, durch sein Wort
bessernd einwirken, soll zu allem Guten, auch zur Wahrhaftigkeit, ermahnen, soll auch Theilnahme für die besonderen Verhältnisse des Einzelnen zeigen, über dem Nebensäch-
lichen aber nie die Hauptaufgabe seines Berufs vergessen

und versäumen: die Arbeit an den Seelen zur Seligkeit. Es wird im Untersuchungsgefängniss durch manchen Geistlichen noch immer viel Zeit vergeudet durch nutzloses Hinhören auf die vielfachen Entschuldigungsgründe und angeblichen Beweise der Unschuld, sowie durch Zwiegespräch mit dem Gefangenen über derartige Dinge, wobei der Pastor oft nur der Spielball eines raffinirten Betrügers ist, der sich nachträglich über ihn lustig macht. In Bezug auf die Spendung des heiligen Abendmahls befindet sich der Geistliche am Untersuchungsgefängniss auch in einer viel schwierigeren Lage als an der Strafanstalt. Es fehlt leider nicht an solchen Gefangenen, die da meinen, ihrem frechen Leugnen den Stempel der Wahrheit geben zu müssen dadurch, dass sie in ostensibler Weise nach dem heiligen Abendmahl verlangen. Da gilt es ernste Verwarnung und vor allem treues Gebet. Man verabsäume auch nicht die nöthige Belehrung über das Sacrament zu geben, da hierüber oft erschreckende Unwissenheit zu finden ist.

Bei den Unterredungen mit den Sträflingen vor der Beichte und dem heiligen Abendmahl fehlt es nicht an hoch erfreulichen wie an tief betrübenden Erfahrungen, an seelsorgerisch sehr zu verwerthenden, auch an psychologisch höchst interessanten Beobachtungen; ein Haschen nach den letzteren ist verwerflich.

Auffallend ist zunächst die grosse Zahl derer, welche das Sacrament des Altars begehren.

Muss zugegeben werden, dass sich dabei auch Heuchelei und gewohnheitsmässiges Christenthum findet, so ist als unabweisbare Pflicht anzuerkennen, dass der Geistliche offene Augen habe, um, wo es nöthig ist, ernst zu verwarnen und das schlafende Gewissen zu wecken.

Auf der andern Seite darf aber nicht ausser Acht gelassen werden, dass auch solche sich finden, die ihre Sünden für grösser halten, als dass sie ihnen vergeben werden könnten. Hier kommt es darauf an Muth zu machen, freundlich und liebevoll zuzureden und immer wieder darauf hinzuweisen, dass Christus für unsere Sünden, für wirkliche Sünden gestorben ist, dass seine Gnade grösser ist als die Sünde der

ganzen Welt, dass er die Sünde zwar hasst in allen ihren
Gestalten, die Sünder aber lieb hat, wenn sie nur zu ihm
kommen mit Reue und Glauben.

Solch verzagte Herzen finden sich am häufigsten in gebrechlichen Körpern, bei denen, welche durch Hurerei oder
Branntwein ihre Kräfte zerstört haben. Wer da meint, dass
die schwersten Verbrecher auch die verzagtesten seien, täuscht
sich sehr.

Eine Classe von Verbrechern sei besonders erwähnt, weil
sie am schwierigsten unter allen Sträflingen zu behandeln
ist, es sind dies die Meineidigen.

Ich habe schon mit vielen Meineidigen verkehrt, aber
erst einen Einzigen kennen gelernt, der den wissentlichen
Meineid eingestanden hat. Dies grauenvolle Verbrechen lastet wie ein Fluch auf dem Verbrecher, der oft durch eine
lächelnde Aussenseite sich und Andere zu täuschen und zu
belügen sucht. Er hascht nach Ausreden, nach Beschöni-
gungen, — einen fahrlässigen, einen leichtsinnigen Meineid
geleistet zu haben, gibt er schliesslich wohl zu, — einen
wissentlichen Meineid auf sein Gewissen geladen zu haben,
leugnet er hartnäckig.

Ob ein Meineidiger, der seine Schuld beharrlich leugnet, zum Genuss des heiligen Abendmahls zugelassen werden
kann, ist eine sehr ernste Frage, die in jedem einzelnen
Falle eine besondere Antwort erfordert. Es ist dabei nicht
zu vergessen, dass, wo nur Indicienbeweise vorliegen, auch
der gewissenhafteste Richter dem Irrthum unterworfen ist.
Für den Geistlichen hat es aber oft sehr grosse Schwierigkeiten, zu einem abschliessenden Urtheil zu gelangen; und
selbst wenn ihm dies möglich ist, so fragt es sich sehr, ob
er sein subjectives Urtheil, selbst wenn die Autorität des
Richterspruches ihm zur Seite steht, als maassgebend betrachten
darf, wo es sich um die Verweigerung des Sacraments handelt.

In solchen Fällen habe ich bei der erstmaligen Meldung
zum heiligen Abendmahl die Betreffenden zu bestimmen gesucht, freiwillig zurückzutreten, sich nochmals ernstlich zu
prüfen, zu diesem Zweck mich öfter aufzusuchen, um zu
rechter Klarheit über ihre eigene Beschaffenheit und über

das Wesen des Sacraments zu gelangen. Haben sie sich
dann bei der nächsten Feier des heiligen Abendmahls wiederum gemeldet, so habe ich, wenn auch mit ernster Verwarnung, ihnen die Theilnahme nicht verweigert.

Jedenfalls wird der Geistliche gut thun in solchen Dingen nicht allein nach eigenem Gutdünken zu verfahren, sondern den vorliegenden Fall zunächst mit dem Director der
Anstalt ernstlich zu erwägen. „Mittelst der Seelsorge, sagt
Nitzsch in seiner practischen Theologie, ist der Geistliche
befugt, dringend von der Communion abzurathen, dagegen
nach Urtheil und Recht auszuschliessen, oder den Communi-
cantenstand zu suspendiren, ist dem Pfarrer verboten. Nur
ein kirchliches Collegium, in welchem der Laienstand mit-
vertreten ist, hat die Vollmacht, mittelst der sogenannten
Grade bis dahin vorzugehen."

Eigenthümlich ist die Erscheinung, dass das Verbrechen
des Mordes im allgemeinen nicht mit der Centnerschwere
auf dem Mörder lastet, wie man wohl anzunehmen berechtigt wäre.

Es fehlt ja nicht an solchen, die unter dem Druck ihres
Gewissens schwer seufzen, aber das sind doch nur Einzelne;
die überwiegende Mehrzahl der Mörder steht auf dem Standpunkt: „Was ich gethan habe, ist nicht mehr zu ändern;
dass ich's gethan habe, thut mir leid; in ähnlichem Falle
würde ich's nicht wieder thun; im übrigen wird mir Gott
meine Sünden vergeben, desshalb kann ich sie mir auch
vergeben."

Bei solchen Leuten gilt es das Sündenbewusstsein zu
wecken, damit sie des Ernstes der Busse nicht verlustig
gehen.

Unter den zum ersten Mal in die Strafanstalt Eingelieferten wird sich alljährlich eine nicht ganz kleine Anzahl
von solchen Leuten befinden, die seit ihrer Confirmation niemals wieder zum heiligen Abendmahl gegangen sind, die
auch über das Wesen und die Bedeutung des Sacraments
ganz im Unklaren sind. Dies hat seinen Grund meistentheils
nicht im bösen Willen, sondern in einem gewissen Indiffe-

rentismus, der vielfach wiederum durch die Lebensverhältnisse erzeugt ist.

So entsinne ich mich eines nicht ungebildeten Mädchens,
die seit ihrer Confirmation der Prostitution ergeben in einem
Zeitraum von 12 Jahren nur sehr selten zur Kirche, niemals
zum heiligen Abendmahl gekommen war. Es war in der
That erbauend, zu sehen und zu hören, mit welcher Heilsbegier sie nach dem Sacrament verlangte, mit welcher Andacht sie es empfing, welcher Segen ihr dadurch zu Theil
geworden ist. Gottes Gnade hat sie zu einem neuen Menschen gemacht, seine Gnade erhalte sie im Guten!

Auch diejenigen Personen, die ein vagabondirendes
Leben führen, bleiben oft lange Jahre vom heiligen Abendmahl fern und liefern auch in der Strafanstalt das verhältnissmässig kleinste Contingent der Communicanten. Ueberhaupt
blickt der wegen Landstreichens und Bettelns eingesperrte
Correctionär mit einer souveränen Verachtung auf seine criminell bestraften Genossen. Er hat Niemand todt geschlagen, er hat nicht gestohlen, — folglich, so lautet sein Sündenbekenntniss, bin ich besser als andere Leute. Mit solchen
Vagabonden, die sich mit dem Wort trösten: „Angesprochen
ist besser als eingebrochen" — ist seelsorgerisch schwer etwas
anzufangen; unter ihnen befindet sich auch gewöhnlich eine
grosse Anzahl, die kein Verlangen nach dem heiligen Abendmahl hat. Werden sie vom Geistlichen ermahnt, das Sacrament nicht zu verachten, so haben sie alle möglichen nichtigen Ausflüchte. Bald sind sie ihrer Meinung nach von den
Aufsehern zu barsch behandelt, bald in ihrer Speisung beeinträchtigt, bald mit Arbeit zu sehr überladen, — und all solch
äussere Misshelligkeiten verstimmen sie und werden als Vorwände benutzt, um ihren Indifferentismus zu beschönigen
und zu rechtfertigen. Ueberhaupt habe ich noch nie einen
unzufriedeneren Menschen kennen gelernt als den Correctionär. Er selbst hält sich für unschuldig, die ganze Menschheit hat sich an ihm versündigt.

Wenn dergleichen Klagen über Arbeit, Beköstigung,
Kleidung, Bestrafung, Behandlung vor den Geistlichen gebracht werden, so wird derselbe zwar zunächst darnach stre-

ben, den Sträfling zu verständigen, im übrigen aber gut thun, derlei Fragen möglichst kurz abzufertigen. Schon wenn er den Anschein erweckt, als könne er bezüglich solcher Aussendinge einen Einfluss ausüben, vergibt er seiner Stellung sehr viel und kommt leicht in eine schiefe Lage zu der Verwaltung und zu den Sträflingen.

Soll das geistliche Amt wohlthätig in der Strafanstalt wirken, soll der Geistliche seinen hohen Beruf mit Liebe und Freudigkeit erfüllen, so muss der Sträfling wissen, dass derselbe machtlos ist in Betreff seines äusseren Wohlergehens. Es liegt ein wahrer Gedanke in dem Ausspruch eines Strafanstaltsdirektors: „Ich schlage grundsätzlich Alles ab, was in Rücksicht auf äussere Vortheile von dem Geistlichen bei mir fürsprechend beantragt wird. Die Religion, die Kirche, den Geistlichen will ich in der Strafanstalt so hoch gehalten sehen, dass der Gefangene keine Frömmigkeit heuchle, um sich einen schnöden äusseren Vortheil zu verschaffen.“ Ist das Grundsätzliche hierin auch übertrieben und wohl nur durch bittere Erfahrungen hervorgerufen, so möchte dieser Ausspruch doch von allen Anstaltsgeistlichen wohl zu beherzigen sein.

Je gewissenhafter und ernster der Geistliche es mit den Pflichten seines Berufes nimmt, desto dankbarer wird er es anerkennen, dass ihm kein Einfluss in Bezug auf die äussere Verwaltung eingeräumt ist.

Ja ich halte es, obwohl es der Praxis in einigen preussischen Anstalten entsprechen soll, entschieden für schädlich und des geistlichen Amtes durchaus unwürdig, wenn der Pastor bei Festsetzung der über die Sträflinge zu verfügenden Disciplinarstrafen eine Stimme hat. Dass ihm derartige Bestrafungen zur Kenntnissnahme mitgetheilt werden; ist höchst wünschenswerth, damit er speciell seelsorgerisch auf den Bestraften einwirken könne. Mitunter wird durch Disciplinarstrafen Erbitterung hervorgerufen: diese Erbitterung zu wandeln in die Erkenntniss, Strafe verdient zu haben, ist Aufgabe des geistlichen Zuspruchs. Ohne diese Erkenntniss keine Besserung. Dem Geistlichen wird diese Amtspflicht aber

sehr erschwert, wenn nicht geradezu unmöglich gemacht, falls
er selbst unter den Richtern gesessen hat.

Ueberhaupt muss alles Polizeiliche von dem Geistlichen
fern gehalten werden, wenn er als Seelsorger mit Lust und
mit Segen arbeiten soll. Ich halte es auch nicht für richtig,
wenn der Geistliche, wie es in einigen Anstalten üblich ist,
die polizeiliche Controle über die Correspondenz der Sträflinge führt. Es ist ja für die specielle Seelsorge von der
grössten Bedeutung, dass dem Geistlichen ein unumschränk-
ter Einblick in den Briefwechsel der Sträflinge gewährt wird.
Dadurch gewinnt er Kenntniss von den Familienbeziehungen,
von der Denk- und Anschauungsweise, von den Wünschen
und Plänen, von den Neigungen und Abneigungen der Gefangenen. Manche Briefe werden dem Geistlichen besondere
Gelegenheit geben zu Unterredungen mit den Sträflingen.
So ist es bei uns Sitte, dass Briefe, welche Familiennach-
richten, seien sie freudiger oder trauriger Art, enthalten, in
der Regel den Gefangenen durch den Geistlichen mitgetheilt
werden. Ja, es würde unsere Gefangenen gewiss doppelt
schmerzlich berühren, wenn ein Todesfall in ihrer Familie
ihnen nicht durch ihren Geistlichen eröffnet würde: sie sind
es so gewöhnt, und ich meine, das ist eine gute Gewohnheit.
Auf der andern Seite halte ich es für eine Unsitte, wenn in
einigen Zellengefängnissen der Geistliche der allgemeine Brief-
träger ist. Einem jüdischen Banquier, dem das Christenthum
ein Aergerniss, — einem socialdemokratischen Agitator, dem
alles Heilige eine Thorheit ist, werden die Briefe richtiger
durch einen Aufsichtsbeamten übermittelt. Ueberhaupt müssen wir uns hüten, unsere Seelsorge aufzudrängen. Wir
sollen nicht müde werden, zu suchen, was verloren ist, aber
dabei doch immer die rechte pastorale Klugheit beobachten.
Mit einem Zuviel schadet man oft mehr, als man nützt. Ich
habe manchen Gefangenen monatelang laufen lassen, ohne mich
äusserlich um ihn zu bekümmern, habe gewartet, ob er
nicht von selbst mal kommen würde, ob nicht irgend ein besonderes Ereigniss mir eine besondere Gelegenheit böte, —
und ich habe bei dieser Praxis oft ganz erfreuliche Resultate erzielt.

Wenn übrigens anerkannt werden muss, dass alles Polizeiliche von dem geistlichen Amt fern zu halten ist, so möchte es auf der andern Seite keine unbillige Forderung sein, wenn für den Geistlichen das Recht in Anspruch genommen wird, bei ausnahmsweisen Wohlthaten; die dem Sträfling zu Theil werden sollen, seine Stimme mit in die Wagschale zu legen, z. B. bei Beurlaubungen oder Begnadigungen. Aber auch in dieser Beziehung ist Maass zu halten und grosse Vorsicht zu beobachten, damit der Heuchelei kein Vorschub geleistet werde. Und das führt mich noch einmal auf das heilige Abendmahl zurück.

Wie schmerzlich, wenn der Geistliche bei der Anmeldung zum heiligen Abendmahl von diesem oder jenem Gefangenen vermuthen muss, dass er nur um irdischer Vortheile willen komme, dass er eine fromme Miene annehme, um durch den Geistlichen äusseren Nutzen zu erlangen! —

Nachdem die Anmeldungsliste zum heiligen Abendmahl abgeschlossen ist, wird der Geistliche gut thun, die Liste derjenigen zu mustern, die sich nicht zum heiligen Abendmahl gemeldet haben, um, falls ihm kein bestimmter Grund bekannt ist, speciell seelsorgerisch auf sie einzuwirken. Man erfährt dabei mitunter ganz eigenthümliche Gründe, die den Betreffenden von der Theilnahme am heiligen Abendmahl zurückhalten. So sagte mir ein Gefangener, der seit seiner Wiedereinlieferung längere Zeit nicht communicirt hatte, er habe bei seiner vorigen Entlassung Gott mit einem Eid gelobt, in der Strafanstalt nicht wieder zum heiligen Abendmahl zu gehen. Es hielt schwer, ihn zu überzeugen, dass er mit solch leichtsinnigem Eide eine Sünde begangen habe, für die er Vergebung suchen müsse, für die er aber auch Vergebung finden könne, wenn er bussfertig und reumüthig danach verlange. Ein anderer Gefangene glaubte eine Sünde zu begehen, wann er communicire, ohne vorher mündlich seine Eltern um Vergebung gebeten zu haben. Derartige Fälle wollen speciell behandelt sein und erfordern genaues Studium der Individualität.

Wie oft aber erscheint die Theilnahme an der Sacra-

15 *

mentsfeier wünschenswerth? Wie oft soll dasselbe überhaupt
öffentlich gespendet werden?

Zu beherzigen ist zunächst die Wahrheit des Sprüch-
worts: rariora cariora. Auf der andern Seite ist aber zu berücksichtigen, dass eine zu seltene Feier erweckten Gemüthern
vielfach keine Genüge leisten würde. Für die Strafanstalt
erscheint im Allgemeinen die in der französischen Schweiz
aufgestellte Forderung zweckentsprechend: que la cène soit
administrée quatre fois l'année, assavoir le plus prochain di-
manche de Noel, à Pasques, Pentecoste et le premier di-
manche de Septembre en automne.

Wer mehrere Male hinter einander sich nicht zum
heiligen Abendmahl meldet, muss von dem Geistlichen gefragt werden, wesshalb er sich davon zurückhalte. Auf eine
regelmässige Theilnahme ist aber nicht zu dringen, weil dadurch dem gewohnheitsmässigen Christenthum ohne innern
Trieb Vorschub geleistet würde, und der Abendmahlsgenuss
leicht zu einem blossen opus operatum herabgewürdigt werden könnte.

Besonderen Fleiss hat der Geistliche auf die Ausarbeitung der Beichtrede zu verwenden. Auf Anwendung des
Beichtformulars sich zu beschränken, wird nur in Ausnahms-
fällen sich rechtfertigen lassen. Gerade die Beichtrede gestattet und verlangt die eingehendste Rücksichtsnahme auf die
besonderen Verhältnisse der Sträflinge. Hier nimmt der Gefangene keinen Anstoss, wenn sein Verbrechen geradezu genannt wird, wenn die Sünden des Mordes, des Diebstahls,
des Meineids, der Hurerei, des Betrugs mit heiligem Ernst
und heiliger Liebe gestraft werden. Doch aber ist in der
Beichtrede auch ganz besonders zu betonen, dass Gottes
Gnade grösser ist, als die Sünde der Menschheit, damit die
verzagten Herzen nicht kleinmüthig werden, sondern glau-
bensvoll Vergebung und Barmherzigkeit suchen.

Ob die Beicht mit der Feier des heiligen Abendmahls
unmittelbar zu verbinden sei oder Tages zuvor stattzufinden
habe, ist eine Frage von nicht nebensächlicher Bedeutung.
Wenn wir es in einer Anstalt nur mit Zellenbewohnern zu
thun haben, ist es wünschenswerth, dass die Beichte am

Sonnabend stattfinde. Aus der Kirche in die stille Zelle zurückgekehrt mit dem Bewusstsein: „dir sind deine Sünden vergeben," wird der Sträfling rechte Musse haben und meistentheils auch in der rechten Stimmung dazu sein, mit heiligem Ernste, mit dankbarem Herzen der Gnade Gottes zu gedenken und mit andächtiger Sammlung zum heiligen Abendmahl sich zu bereiten.

Anders ist es bei Sträflingen, welche sich in Collectivhaft befinden, zumal wenn des Nachts in einem grossen Schlafsaal hundert und mehr Gefangene neben oder über einander schlafen. Da fehlt es dann und wann nicht an Verächtern und Spöttern, an frechen und gottlosen Verbrechern, welche ihren Unglauben offen zur Schau stellen, über das Heilige lästern und die Communicanten mit Hohn überschütten. Hierdurch wird manches fromme Gemüth tief verletzt, manch wankelmüthiges Herz von Gott wieder abgezogen. Wo ist die heilige Andacht, die stille Sammlung geblieben, mit der die Communicanten zur Beichte kamen? Wird nicht manche Seele des Segens des Sacraments verlustig gehen?

Desshalb ist es bei Collectivgefangenen räthlich, die Beichte am Sonntag früh unmittelbar mit dem Gottesdienst zu verbinden, der mit dem heiligen Abendmahl als dem Höhepunkt der gottesdienstlichen Feier schliesst.

Wenn, wie es höchst wünschenswerth ist, die Beamten mit ihren Familien zu einer besonderen mit der Strafanstalt verbundenen Parochie vereinigt sind, werden sie auch in der Strafanstaltskirche an der Feier des heiligen Abendmahls sich betheiligen.

Sollen sie gemeinschaftlich mit den Sträflingen communiciren?

Theoretiker werden diese Frage unbedingt bejahen; denn beim heiligen Abendmahl sollen alle Unterschiede weichen, nur arme Sünder kommen zum Altar, — ob in Beamtenuniform, ob in Sträflingstracht, das macht vor Gottes Augen, der in das Herz hineinsieht, keinen Unterschied. Für den Sträfling aber ist es erhebend zu sehen und zu erfahren, dass er beim Empfangen des Sacraments gewissermaassen aufhört Sträfling zu sein, er freut sich darüber, dass seine

vorgesetzten Beamten mit ihm an dem einen Gnadentische
Jesu Leib und Blut geniessen.

Und doch hat diese Weise in der Praxis mancherlei
Bedenken. Der Beamte wird doch am liebsten mit seiner
Frau, mit seinen erwachsenen Kindern zum Tische des Herrn
gehen. Der Frau, der Tochter des Beamten aber wird es
nicht lieb sein, wenn hunderte von Verbrechern während der
heiligen Weihestunde am Altar des Herrn sie in unmittel-
barer Nähe nicht nur mit neugierigen, sondern wohl gar mit
frechen Augen betrachten. Diesem Gefühl braucht keine
falsche Prüderie zu Grunde zu liegen, sondern es kann und
wird meistentheils hervorgerufen werden durch die ächt weibliche Sittsamkeit und Schamhaftigkeit. Die Sträflinge aber
werden von ihrer Andacht und Sammlung vielfach abgezogen
werden, wenn sie mit den Familiengliedern der Beamten zusammen zum Tische des Herrn gehen.

Sodann ist nicht zu bestreiten, dass die Beichtrede ihr in-
dividuelles Gepräge einbüssen muss, wenn sie gleichmässig
den Sträflingen wie den Beamtenfamilien gilt. Man denke
sich nur die jungen Christen nach ihrer Confirmation zum
ersten Mal in Gemeinschaft mit ihren Eltern, Pathen und
Geschwistern als Communicanten um den Altar versammelt,
— muss die Beichtrede nicht ein anderes Colorit gewinnen,
werden sich nicht unwillkürlich andere Gedanken in den Vordergrund stellen, als der versammelten Sträflingsgemeinde
gegenüber?

Auch ist nicht zu übersehen, dass ein grosser Segen
darauf ruht, wenn die Beamten einer Anstalt, die täglich in
dienstlichem Verkehr mit einander stehen, wo es manchmal
nicht an Reibungen und Rügen fehlt, am Altar gemeinschaftlich das heilige Abendmahl empfangen, ohne von Sträflings-
blicken gemustert zu werden, mit ihren Frauen und Angehörigen zusammen, gewissermaassen eine Familie bildend vor
dem Angesicht des heiligen Gottes. Ich kann aus meiner
Erfahrung versichern, dass diese Communionen der Beamten
mit ihren Familien besonders feierlich und erhebend sind.

Selbstredend muss auch in Bezug auf die Theilnahme
der Beamten am heiligen Abendmahl die unbedingteste Frei-

willigkeit herrschen; aber höchst erfreulich ist es, wenn man sieht, dass die Beamten gern zum Tische des Herrn kommen, dass sie gern zur Kirche kommen, auch wenn der Dienst sie nicht hineinkommandirt.

Der Einfluss, den die Unterbeamten auf die Sträflinge ausüben, ist von eminenter Bedeutung.

Da die Aufseher den ganzen Tag über in genauestem Verkehr mit den Gefangenen stehen, so ist die Erreichung des Strafzwecks zum grossen Theil durch ihre Qualification und ihre Willigkeit bedingt. Es genügt nicht, dass jemand eine Reihe von Jahren den Anforderungen des militärischen Dienstes entsprochen hat, und dass ihm der Civilversorgungsschein ausgestellt ist — zu einem tüchtigen Strafanstaltsaufseher gehört noch mehr. Die Strenge der militärischen Disciplin, die Pünktlichkeit im Dienst, die kurze, knappe, gemessene Form, die dem Soldaten anerzogen wird, ist beim Strafanstaltsaufseher unentbehrliches Erforderniss. Dazu muss er es aber verstehen, dem Gefangenen durch ein ihm entgegengebrachtes Wohlwollen Vertrauen einzuflössen, natürlich mit Ausschluss aller Vertraulichkeit. „Er soll in den Gefangenen stets den Menschen achten und eingedenk sein, dass deren Lage durch die Sorgen um Angehörige, um Weib und Kind, im Hinblick auf die eigene Hülflosigkeit häufig Gemütsstimmungen bedingt, die, wenn ihnen nicht durch angemessene Behandlung Rechnung getragen wird, Erbitterung, ja selbst Verzweiflung, in der Regel aber Ungehorsam, Widersetzlichkeit und fortdauernde Unzufriedenheit herbeiführt" (Hoyns, Blätter für Gefängnisskunde, Band IX, Seite 57).

Der Aufseher muss sich bewusst sein, dass er dazu berufen ist, an der hohen Aufgabe der sittlichen Erneuerung der Gefangenen mitzuarbeiten. Das kann er aber nur, wenn er bei den Gefangenen in höchster Achtung steht. Da die Gefangenen oft eine höhere Bildungsstufe einnehmen als die Aufseher, ihnen auch in nicht seltenen Fällen an Gewandtheit der äusseren Form, an Schlauheit und Geriebenheit überlegen sind, so ist es häufig ein gefährliches Parquet, auf welchem der Aufseher sich bewegt. Nur strengste Rechtlichkeit

unbedingte Treue, tief ernste Gottesfurcht, selbstvergessende
Opferwilligkeit und edle Geradheit des Charakters werden
ihn vor dem Straucheln bewahren. Ein solcher Aufseher wird
zu einem wichtigen Berufsgenossen des Geistlichen; specielle
Seelsorge zu treiben auf eigene Hand, sich in religiöse Ge-
spräche mit den Gefangenen einzulassen, ist für den Aufseher
ein misslich Ding und unterbleibt am besten ganz. Traurig
aber muss es um eine Strafanstalt bestellt sein, deren Aufseher durch Wort und Wandel die nothwendige Achtung
Seitens der Sträflinge verscherzen, die durch Fluchen und
Schimpfen, durch Ueberhebung und Partheilichkeit an den
Kerkermeister einer hoffentlich bald ganz vergangenen Zeit
erinnern.

Soll der Sträfling gebessert werden, so muss die ganze
Strafanstalt mit all ihren in organischem Zusammenhang stehenden Personen und Einrichtungen diesem Ziele zusteuern.

Es liegt nicht im Zweck dieser Zeilen, alle Momente,
die hierbei in Betracht kommen, zu erörtern, sonst müsste
vornehmlich auch auf die erziehliche Bedeutung der Arbeit
hingewiesen werden. Es sind nur Aphorismen aus dem geistlichen Amt. Dieselben wollten zunächst die gottesdienstlichen Handlungen in's Auge fassen. Eng damit verbunden
ist der Unterricht der Sträflinge, — doch hiervon, falls die
geehrten Berufsgenossen erlauben, ein ander Mal!

# Ueber Strafvollzugs-Principien.

## Von Director Sichart.

Um Vieles wichtiger als der Streit über das beste Haft-System erscheint mir die Ermittlung und Feststellung allgemein gültiger Principien für den Vollzug von Freiheitsstrafen. Die wissenschaftliche Erforschung und Untersuchung der Cardinal-Regeln für die Strafvollstreckung hätte zu der Ueberzeugung geführt, dass die Haftweise nur einen Bestandtheil der gesammten Strafbehandlung des Gefangenen bilde und desshalb nach den ganz gleichen Gesichtspunkten wie diese zu bestimmen sei. Die so gewonnene Lehre würde, wie ich überzeugt bin, gedachte Controverse über die Haftform zu einem zeitigen und befriedigenden Abschlusse geführt haben.

Die obersten Grundsätze, nach denen der Vollzug der Freiheitsstrafen einzurichten ist, ergeben sich naturgemäss aus dem Zwecke der Strafe. Die grosse Verschiedenheit der Ansichten, welche in der s. g. Strafrechts-Theorie zum Ausdrucke gelangen, bezieht sich auf die Begründung des Rechtes zu strafen, weniger auf das Ziel und die Absicht der Strafe. Hinsichtlich des eigentlichen Strafzweckes besteht vielmehr im Ganzen und Grossen Uebereinstimmung darüber, dass derselbe im Schutze der Rechts-Ordnung gegen Angriffe und Verletzungen seitens der Bürger zu erblicken sei. Durch die Androhung von Strafen sollen die Staatsangehörigen von Gesetzübertretungen sich abhalten lassen; durch den Strafvollzug, ohne welche jene Drohung leer und nichtig wäre und ihre auf die Gesammtheit des Volkes berechnete Wirkung verfehlen würde, soll überdiess der Angreifer selbst an der Fortsetzung seines Frevels verhindert und von Wiederholung desselben abgehalten werden.

Die Mittel, welche zur Verwirklichung solcher Absicht

dienen, sind zweifacher Art; man kann sie physische und moralische nennen. Die ersteren bestehen darin, dass der Verbrecher in eine Lage versetzt wird, welche ihm die Bethätigung seines rechtswidrigen Willens unmöglich macht oder doch in hohem Grade erschwert. Ueber die in Anwendung zu bringenden moralischen Mittel, welche auf den Willen des Uebelthäters einzuwirken und dessen rechtswidrige Gesinnung in eine gesetzmässige umzuwandeln bestimmt sind, gehen die Meinungen auseinander. Während die Einen sich für Abschreckung entscheiden, lassen die Andern lediglich die Besserung des Verbrechers als den einzig richtigen Weg gelten. Beiderlei Ansichten haben ihre Berechtigung. Dass die Theorien, deren Grundlage sie bilden, in der Praxis sich nicht bewährten, dafür ist die Ursache nur in dem Umstande zu erblicken, dass jede von ihnen von einer einseitigen Betrachtung und Auffassung der Menschennatur ausgeht und dass jede für sich ausschliessliche Anerkennung und Geltung beansprucht.

Die Anhänger der Abschreckungstheorie erhoffen die Verhütung von Verbrechen von Leidenszufügung, von Erregung von Schmerzgefühl und vergessen, dass der Mensch mit geistigen und sittlichen Kräften ausgestattet ist, welche sich zur Förderung des Strafzweckes verwerthen lassen und verwerthet werden sollen.

Die Besserungs-Theorie lässt ausser Acht, dass eine gründliche Sinnesänderung und moralische Umwandlung bei vielen Verbrechern erfahrungsgemäss nicht bewirkt zu werden vermag, dass im günstigen Falle bei einem Theile der Verurtheilten Furcht vor der Strafe, nicht aber Gesetzverehrung sich erreichen lässt, und dass darum der Strafvollzug solchen grobsinnlichen Naturen gegenüber sinnlicher Mittel, auf Leidenszufügung und Auflage von Entbehrungen abzielend, nicht entbehren kann; sie übersieht ferner, dass die Strafvollstreckung durch Ernst und Strenge nicht bloss auf den Bestraften wirken, sondern auch in der Gesammtheit der Bürger Scheu vor Rechtsverletzungen und Furcht vor deren Folgen erregen soll.

Die beiden Lehren sind durch die unerfreulichen Folgen,

welche sich an ihre praktische Verwerthung knüpften, für alle Zeit gerichtet. Die Abschreckung in ihrer Einseitigkeit führte zur Härte und Grausamkeit und erhöhte die Gefährlichkeit der Bestraften; die vorzugsweise im kirchlichen Sinne angestrebte Besserung führte zu krankhafter Humanität und Sentimentalität auf Seite der Strafvollzugs-Organe, zur Selbstgerechtigkeit und Heuchelei auf Seite der Gefängniss-Insassen.

Unsere Ansicht über die leitenden Gesichtspunkte beim Strafvollzuge im Gegenhalte zu den oben besprochenen Lehren lässt sich kurz dahin präcisiren, dass wir zwar ebenfalls Abschreckung und Besserung, aber keines von beiden für sich und ausschliesslich, sondern beide vereint und gleichzeitig angestrebt wissen wollen, und dass wir die beiden Arten von Einwirkung auf den Verurtheilten nicht als selbstständige Strafzwecke, sondern nur als Mittel zur Verfolgung des Einen Strafzweckes, im Schutze der Gesetze oder in Verhütung der Verbrechen bestehend, gelten lassen wollen. Die sicherste Bürgschaft für die Wirksamkeit der von uns empfohlenen Strafvollzugsweise dürfte darin erblickt werden, dass sie die Doppel-Natur des Menschen als eines sittlich vernünftigen und zugleich sinnlichen Wesens berücksichtigt. „Der anerkannte Zweck aller Straf-Einrichtungen" — so äussert sich Crofton — „besteht darin, dass die abschreckenden und bessernden Wirkungen auf das Endziel einer Verminderung der Verbrechen hingeleitet werden."

Die beiden bisher besprochenen Gesichtspunkte bestimmen die obersten und allgemeinen Grundsätze, welche für die gesammte Behandlung der Gefangenen, also insbesondere auch für die in Anwendung zu bringende Haftweise, ziel- und maassgebend sind.

Die Strafvollstreckung entspreche zunächst den Anforderungen strengster

Gerechtigkeit.

Wie das Strafurtheil selbst, so muss auch dessen Ausführung mit der Wage der Gerechtigkeit bestimmt werden; so wenig als vor dem Gesetze und vor dem Richter das Ansehen der Person gilt, so wenig im Urtheile eine Rücksichtnahme auf gesellschaftliche Unterschiede sich aussprechen

darf, eben so wenig darf im Gefängnisse eine verschiedenartige Behandlung der Sträflinge nach ihrer socialen Stellung
Platz greifen.

Mit diesem Satze ist, wie später dargethan werden soll,
die Berücksichtigung individueller Verhältnisse keineswegs
ausgeschlossen.

Wie innig die Unparteilichkeit der Strafbehandlung mit
dem Strafzwecke zusammenhängt, wird uns sofort klar, wenn
wir uns die unvermeidlichen Folgen des gegentheiligen Grundsatzes vergegenwärtigen. Wie kann der Gefangene von Achtung und Ehrfurcht gegen das Gesetz erfüllt werden, wenn
er sehen muss, wie dessen Auslegung von Standesunterschie-
den und seine Anwendung von Gunst oder Laune beeinflusst
wird! Ungerechtigkeit im Strafen vereitelt die Abschreckung
auf Seite der Bevorzugten wie die Besserung auf Seite der
Zurückgesetzten. Darum die gleiche Behandlung im Gefängnisse für Reiche wie für Arme, für Vornehme wie für Geringe, für Hohe wie für Niedere!

Die Gerechtigkeit verlangt aber weiter, dass der Ur-
theilsvollzug sich auf das Innigste an das Gesetz anschliesse,
über dessen Absichten nicht der leiseste Zweifel obwalten
darf. Dieser Erwägung entstammt der gewiss berechtigte
Wunsch, dass das zu erwartende Gefängnissgesetz in der eingehendsten Weise die gesammte Behandlung der Strafgefangenen regeln und der discretionären Gewalt der Gefängniss-
vorstände die zur Fernhaltung jeder Willkür nothwendigen
Grenzen ziehe. Nach meiner Vorstellung müsste, um diese
Absicht zu erreichen, das künftige Gefängnissgesetz allgemein gültige Normen über alle diejenigen Gegenstände aufstellen, welche den Kern und das Wesen der Strafe ausmachen, und deren verschiedenartige Behandlung der Strafe
einen verschiedenartigen Inhalt und Charakter verleihen würde;
ferner müsste dasselbe Bestimmungen darüber treffen, welche
Fälle Ausnahmen von jenen allgemeinen Regeln begründen,
und wie weit aus besonderen Ursachen von diesen abgegangen werden darf.

Den Strafanstalts-Vorstehern bliebe alsdann immer noch
eine sehr weit reichende Befugniss, in so ferne sie darüber

zu entscheiden hätten, ob im gegebenen Falle ein Grund zu einer Ausnahme vorliege, und in wie weit auch denselben die im Gesetze vorgesehenen exceptionellen Bestimmungen Anwendung zu finden haben.

Die Strafe darf ferner weder in ihrer gesetzlichen Fassung noch in ihrer Ausführung auch nur entfernt eine Versuchung zu einer Rechtsverletzung darbieten. Sie soll vielmehr Furcht einflössen und sich desshalb als ein Uebel darstellen, das, wie Feuerbach sich ausdrückt, grösser ist, als die Unlust, die aus dem nicht befriedigten Antriebe zur That entspringt. Sie werde also mit

### Ernst und Strenge

vollzogen. Ueberzeugt von der Wichtigkeit dieses Satzes, sagt Stevens, ein unbedingter Vertheidiger der Einzelhaft: Nous avons pris pour devise: Châtier d'abord, guérir ensuite.

Heut zu Tage bestehen unsere wichtigsten Freiheitsstrafen, Gefängniss und Zuchthaus, der Hauptsache nach in Einschliessung und in dem Zwange, am Straforte nach einer festbestimmten, für alle Gefangenen gleichen Regel zu leben. Die früheren Zuthaten und Schärfungen, auf Erregung von Schmerzgefühl berechnet, mussten einer geläuterten Rechts-Anschauung und einer richtigen Würdigung der Menschen-Natur weichen. Um als ein Uebel empfunden zu werden, richtet sich die Strafe gegen die sinnliche Seite des Menschen; sie bethätigt sich in negativer Weise durch Beschränkung der leiblichen Verpflegung auf das Einfachste und Nothwendigste, durch Hintanhalten oder grösstmögliche Einschränkung von Sinnesgenüssen und in unnachsichtlicher Ahndung jeder Ueberschreitung der Hausregeln. Die Wirkung solcher Zucht können wir Legalität nennen, und verstehen wir darunter diejenige gesetzliche Gesinnung, welche ihren Grund in der Furcht vor den rechtlichen Folgen einer Uebertretung hat.

Damit jener in der Strafe liegende Zwang nicht als allzu grosse Härte oder als Grausamkeit empfunden und auf solche Weise der Besserungszweck nicht vereitelt werde, bekennt sich die rationelle Straf-Vollstreckung zu einem weiteren Grundsatze, welchen wir als den der

## Humanität

bezeichnen können. Wir begreifen darunter jene Gefangenen-
Behandlung, welche die dem Menschen angeborenen und un-
veräusserlichen Rechte auch im Verbrecher anerkennt und
achtet. Dahin gehört vor Allem der Anspruch auf Erhaltung
des Lebens und der Gesundheit, ferner der Anspruch auf Erhaltung, Entwicklung und Ausbildung der geistigen und
sittlichen Kräfte des Gefangenen durch Schulunterricht, gewerbliche Unterweisung, Seelsorge, Religions- und Sittenlehre.
Durch diese Art von Einwirkung wird der Gefahr begegnet,
dass der Gefangene in der Strafe einen Rache-Akt erblicke;
dieselbe erscheint vielmehr als der ernstliche und wohlwollende Versuch, den Verbrecher für Gesetz und Ordnung und
damit für die Gesellschaft wieder zu gewinnen. Die von solchen Bestrebungen erhoffte Frucht ist wahre Moralität oder
bürgerlich gute Gesinnung, beruhend auf der Ueberzeugung
von der Nothwendigkeit und Nützlichkeit der Rechtsordnung
und auf der Liebe und Verehrung gegen die Gesetze.

Eine Gewähr für die richtige Anwendung sämmtlicher
bisher entwickelten Fundamental-Sätze der Strafvollstreckung
liegt in dem Principe der

## Individualisirung.

Dieses, richtig erfasst und verwerthet, verhindert, dass
das summum jus sich nicht in summam injuriam verkehre,
dass Strenge und Ernst nicht in Härte und Grausamkeit ausarte, und dass endlich Menschlichkeit und Milde nicht in
Schwäche und Nachgiebigkeit verfalle.

Es gibt nicht leicht ein Wort, mit dem mehr Missbrauch
getrieben worden wäre, und über welches eine grössere Be-
griffs-Verwirrung herrschte, als über den Ausdruck: „Individualisiren." Wie oft wird derselbe in den Mund genommen,
ohne dass damit ein klarer Gedanke oder das richtige Verständniss verknüpft wird!.

Unter „Individualität" ist die Gesammtheit derjenigen
Merkmale zu verstehen, wodurch sich ein Wesen als Individuum zu erkennen gibt, d. i. als ein Wesen mit eigenthümlichen Eigenschaften und Kräften, wodurch es sich von jedem andern Wesen seiner Gattung unterscheidet.

Individualisiren beim Strafvollzuge heisst nicht anders, als jedem Gefangenen diejenige Behandlung angedeihen lassen, welche im Hinblicke auf seine leibliche wie geistige Eigenart als die zur Erreichung des Strafzweckes tauglichste sich darstellt. Das Individualisiren hat sich also auf die somatische wie auf die psychische Seite des Menschen zu erstrecken, auf Nahrung und Kleidung wie auf Seelsorge und Unterricht, nicht minder auch auf die Haftweise. Jede Seite des Strafvollzuges, sein ganzer Inhalt ist in vollste Uebereinstimmung mit diesem unserm Principe zu bringen.

Die Fehler, welche bei dessen Anwendung nicht selten begangen werden, haben ihre Ursache entweder in einem unrichtigen Urtheile über das Bedürfniss oder in einer ungeschickten Wahl des Befriedigungsmittels. Den richtigen Maasstab für das wahre Bedürfniss, dem durch Individualisiren Rechnung getragen werden muss, finden wir nur im Strafzwecke. Ein Bedürfniss, dessen Nichtbeachtung den letzteren vereiteln oder seine Erreichung erschweren würde, nennen wir ein wirkliches und wahres. Dahin zählen insbesondere die Anforderungen, welche Alter, Geschlecht, Gesundheitsverhältnisse, Körperconstitution, Geistesbildung u. s. f. in Bezug auf Behandlung der Sträflinge erheben.

Eine Ueberschreitung der Grenze liegt schon in der Berücksichtigung von Gewohnheiten, welche nicht selten zu Gunsten von Verbrechern, welche vor ihrer Verurtheilung den höheren Gesellschaftskreisen angehörten, verlangt wird. Gegen diese Forderung erhebt sich eine Anzahl schwer wiegender Bedenken.

Welcher Art müssen diese Gewohnheiten sein, um auf Beachtung Anspruch machen zu können? Unser leibliches wie unser geistiges Leben nimmt im Laufe der Zeit eine bestimmte Richtung an, und bereitet uns ein plötzliches Abweichen von den gewählten Bahnen meist unangenehme und schmerzliche Gefühle und Empfindungen. Der Umgang mit Freunden, das Zusammenleben mit Familienangehörigen ist für viele Menschen ein Herzensbedürfniss, anderen erscheint das Leben ohne Naturgenuss, anderen ohne Kunstgenüsse schaal und werthlos, und dennoch müssen sie mit dem Eintritte in das Gefängniss von diesen Freuden Abschied nehmen.

Mit solchem Verzichte ist sicherlich das Entbehren materieller
Lebensgenüsse, was Stärke anbelangt, nicht in gleiche Linie
zu setzen. Und dennoch soll dem Wunsche nach den letztern
stattgegeben, während die ersteren verweigert werden müssen!

Warum erinnert man sich ferner in der Regel nur bei
dem Gefangenen aus den s. g. besseren Ständen daran, dass
ihm gewisse Lebensgewohnheiten eigen sind, deren Aufgabe
ihm die Strafe ganz besonders erschwert? Hat der gemeine
Mann nicht auch seine Lieblingsgerichte, hängt sein Herz
nicht auch an Spirituosen und Tabak, und mag es ihm nicht
viel schwerer werden, sich über deren Verlust zu trösten,
als dem Manne aus den höheren Ständen, für welchen gerade
in der Bildung und der damit verbundenen richtigeren Le-
bensanschauung ein wirksames und wohlthätiges Gegenge-
wicht gegen die Leiden und Entbehrungen der Gefangenschaft
gelegen ist? Wie verträgt es sich mit der Gerechtigkeit,
dem Einen zu versagen, was dem Andern bewilligt wird?
Wo bleibt der Ernst und die Strenge der Freiheitsstrafe, deren eigentlichen Inhalt gerade das Versagen des Angenehmen und das Beschränken auf das Nothwendige ausmacht,
wenn die blosse Gewohnheit ausreicht, ein Abweichen von
jenem Strafprincipe zu bilden! Eine solche Nachgiebigkeit
ist falsche Humanität, ist Schwäche.

Anders liegt die Sache, wenn die frühere Lebensweise
eines Menschen gewisse Genüsse zu einem wirklichen und
wahren Lebensbedürfnisse gestaltet haben, dessen Vernach-
lässigung unzweifelhafte Nachtheile für die leibliche oder
geistige Gesundheit im Gefolge haben würde. Aus diesem
Grunde kann eine bessere Verköstigung, ja sogar die Verwilligung von Spirituosen und narkotischen Genussmitteln
zulässig, ja nothwendig werden. Eine derart motivirte Ausnahme erfolgt jedoch nicht auf Kosten der Gerechtigkeit,
nicht zu Gunsten eines gewissen Standes, es wird durch sie
nur dem Principe der Individualisirung Rechnung getragen
und damit ein Gebot der Menschlichkeit erfüllt.

Auch die Art des Vergehens kann und darf keinen
Unterschied in der Behandlung der Gefangenen in materieller
Hinsicht begründen. Es ist eine unbillige mit dem gegen-

wärtigen Stande der Gesetzgebung in Widerspruch stehende Forderung, welche an den Gefängnissbeamten gestellt wird und darauf gerichtet ist, dass für die s. g. politischen Verbrecher die über sie ausgesprochene Gefängniss- oder Zuchthausstrafe anders gestaltet werde, wie für die anderen Gesetzes-Uebertreter. Heut zu Tage sind die Fälle nicht selten, welche den Strafvollzugsbeamten bedauern lassen, dass das Reichs-Straf-Gesetzbuch die Zahl der mit Festungshaft bedrohten Gesetzübertretungen so ausnehmend verringert hat. Dieser Umstand berechtigt ihn jedoch auch nicht entfernt, einen durch das Gesetz nicht beabsichtigten Unterschied in der Strafe und auf solche Weise eine Correctur des Gesetzes und des Strafurtheiles eintreten zu lassen. Das Gesetz kennt nur Eine Gefängniss-Strafe, ebenso nur eine und dieselbe Zuchthaus-Strafe für Arme wie für Reiche, für Vornehme und für Geringe, für politische und für gemeine Verbrecher. Eine Berücksichtigung der politischen Verbrecher im künftigen Gefängnissgesetze mag in mehr als in einer Hinsicht erwünscht sein, eine darauf bezügliche Bestimmung würde jedoch aus dem oben angeführten Grunde eine Abänderung des Reichsstrafgesetzbuches bedeuten. Eine von der strengen Regel des Hauses abweichende Behandlung des politischen Verbrechers lässt sich zur Zeit nur dann rechtfertigen, wenn sie ihren Grund in dessen Individualität hat, nicht aber, wenn sie durch eine günstigere Beurtheilung seiner That veranlasst ist.

Vernünftiges Individualisiren verlangt ferner, wie bereits erwähnt wurde, dass Bedürfniss und die zu seiner Befriedigung bestimmten Mittel im richtigen Verhältnisse zu einander stehen. Gegen dieses Gebot wird häufig und schwer gesündigt. So wird dem Gefangenen blos desshalb, weil er einen höhern Grad geistiger Bildung besitzt, nicht selten bessere Nahrung verabreicht, während dem Sträflinge aus den niederen Ständen, mag sein Magen sich noch so sehr der schweren Gefängniss-Kost widersetzen, bezüglich der Verköstigung keinerlei Vergünstigung zu Theil wird. Gehört er ja doch nur den niederen und ungebildeten Volksschichten an! Dieses Verfahren ist ebenso unverständig und ungerecht zugleich, als der Versuch wäre, dem Bedürfnisse nach besserer und leichterer Kost durch vermehrte und gewählte Lecture oder durch Vermehrung von Unterrichtsstunden abhelfen zu wollen.

Erhält der gebildete und unterrichtete Gefangene bessere Nahrung, wie die Mehrzahl der Sträflinge, weil der Gefängnissarzt auf Pflicht und Gewissen erklärt, dass der Genuss der derben und rauhen Gefängnisskost seine Gesundheit bedroht, dann ist die Sache vollständig in Ordnung. Es liegt alsdann lediglich ein Individualisiren nach Maassgabe der Körperconstitution, der Gesundheits-Verhältnisse, die Berücksichtigung einer Nothwendigkeit, nicht aber die Bevorzugung der Bildung vor. Diese an sich erhebt nur Ansprüche geistiger Art, welche ebenso, wie die berechtigten Forderungen des Körpers, befriedigt werden müssen. Die hiezu dienenden Mittel sind aber ebenfalls geistiger Art, sie bestehen in richtiger Auswahl der Beschäftigung, in passender Lecture, Selbstunterricht und dgl.

Eine in neuerer Zeit in Aufnahme gekommene und zu einem besonderen System ausgebildete Lehre ist die Lehre vom graduirten Strafzwange.

Eine nähere Untersuchung dieser Theorie überzeugt uns, dass wir es im s. g. Progressiv-Systeme lediglich mit dem bereits oben behandelten Individualisirungs-Principe, angewandt auf die Strafzucht oder den Strafzwang nach Maassgabe der durch diesen erzielten Legalität, zu thun haben. Die Humanität gebietet, die Strenge der Strafe nicht weiter zu treiben, die Beschränkung der Freiheit nicht höher zu steigern, als der mit der Strafzucht angestrebte Zweck es verlangt; in dem Maasse als diese sich wirksam erweist und Legalität beim Verbrecher sich einstellt, in dem gleichen Maasse soll der Druck der Strafe gemindert, die Zwangslage des Gefangenen erleichtert werden.

Wie die in Vorstehendem entwickelten Gedanken in der Strafvollziehung Anwendung und Verwerthung finden sollen, beabsichtige ich in einer künftigen Abhandlung auszuführen, welche einzelne Materien der Strafvollstreckung, insbesondere solche, über welche noch nicht in allen Punkten Uebereinstimmung erzielt ist, zum Gegenstande wissenschaftlicher Untersuchung machen soll.

# Nordwestdeutscher Verein zur Reform des Gefängnisswesens.

Unseren Bericht im 1. und 2. Heft S. 97 ff. ergänzen wir dem gegebenen Versprechen gemäss in Folgendem. Die dort S. 105 erwähnte Einladung lautete wörtlich:

Nachdem die Gefängniss-Reform in Deutschland vor den grossen politischen und wirthschaftlichen Aufgaben hat zurücktreten müssen, wird sie jetzt endlich wieder in den Vordergrund gestellt, und soll gelegentlich der grossen Justizgesetze durch ein Strafvollzugsgesetz ihre Lösung finden. Bei der grossen Verschiedenheit der Ansichten über die Principien des Strafvollzuges und seine Organisation ist es die Aufgabe sowohl derer, welche sich in irgend einer Weise mit dem Strafvollzuge befassen, als aller derer, welchen eine Heilung der Schäden unseres Volkslebens am Herzen liegt, von denen Verbrechen und Strafe Kunde geben, zur Klärung der Ansichten über den Strafvollzug beizutragen, und das Interesse für eine gesunde Gefängnissreform zu wecken.

Wir erlauben uns daher, Sie zu einer Besprechung über die Reform des Gefängnisswesens auf Mittwoch den 15. November Mittags 12 Uhr im Gebäude des Königlichen Kreisgerichts zu Altona einzuladen.

Unsere Meinung ging dahin, dass an dieser Versammlung Oberbeamte der Strafanstalten, Richter, Staatsanwälte, Anwälte, Verwaltungsbeamte, Geistliche, Mitglieder der Vereine zur Fürsorge entlassener Gefangener, überhaupt Männer, welche ein lebhaftes Interesse für das Gefängnisswesen und die Gefangenen haben, und zwar aus der Provinz Schleswig-Holstein und dem nördlichen Hannover, aus Mecklenburg, Lübeck, Hamburg, Bremen, Oldenburg theilnehmen sollten.

16*

Wenn die Sache Anklang findet, könnte sich daraus vielleicht ein Gefängniss-Verein für Nordwest-Deutschland entwickeln, der jährlich ein oder zweimal sich zu gemeinsamer Berathung und Discussion der einschlägigen Fragen versammelt.

Wir möchten Sie daher bitten, geeignete Persönlichkeiten aus dem Kreise Ihrer Bekanntschaft gleichfalls zur Theilnahme aufzufordern und eine Mittheilung darüber, ob Sie selbst event. die Namen der Herren, welche auf Ihre Veranlassung an der Versammlung Theil nehmen werden, an den mitunterzeichneten Director Krohne bis zum 1. November d. J. gelangen zu lassen.

Wir erlauben uns für die Versammlung folgende Gegenstände zur Berathung vorzuschlagen, ohne damit einer etwaigen andern Bestimmung der Versammlung vorgreifen zu wollen:

1. Neuorganisation des Gefängnisswesens in Deutschland. Eingeleitet durch ein Referat über den augenblicklichen Stand des Gefängnisswesens in Deutschland.
2. Die Aufgabe der Gesetzgebung für die Reform des Strafvollzugs in ihrer Selbstbeschränkung. Ebenfalls durch ein Referat eingeleitet.

Anträge auf andere Gegenstände der Verhandlung werden wir gerne entgegennehmen, dieselben thunlichst vorbereiten und der Versammlung vorlegen.

Kiel, Hamburg und Rendsburg, 1876 Sept. 28.

Giehlow, Grumbach, Krohne,
Oberstaatsanwalt Strafanstaltsdirector. Strafanstaltsdirector.
beim Königl. Appellationsgericht.

In Folge der vorstehenden Einladung hatten etwa 50 Personen ihre Theilnahme an der Versammlung zugesagt. Das Comite hatte dann folgende erweiterte Tagesordnung vorläufig festgesetzt:

I. Begrüssung der Versammlung durch Herrn Oberstaatsanwalt Giehlow.

II. Wahl des Vorsitzenden, des Stellvertreters und zweier Schriftführer.

III. Neuorganisation des Gefängnisswesens in Deutschland.

Referat über den augenblicklichen Stand des Gefängnisswesens in Deutschland mit folgenden Thesen zur event. Verhandlung:

1. Grundlage der Neuorganisation des Gefängnisswesens in Deutschland bildet ein Reichs-Strafvollzugsgesetz, wodurch in erster Linie die einheitliche Organisation des Gefängnisswesens festgestellt wird. Dem Erlass des Gesetzes hat eine parlamentarische Enquête über den Stand des Gefängnisswesens in Deutschland vorherzugehen.

2. Im Reichskanzleramte ist eine Centralbehörde für das Gefängnisswesen zu schaffen. Alle von den Einzelstaaten erlassenen Ausführungsverordnungen, Hausordnungen etc. etc. kommen zu ihrer Cognition; werden sie als nicht mit dem Geiste des Gesetzes in Uebereinstimmung befunden, so entscheidet der Bundesrath über ihre Aufhebung. Sie hat das Recht Enquêten event. an Ort und Stelle unter Mitwirkung der Ministerien der Einzelstaaten anzustellen. Nach den von ihr aufgestellten Formularen sind alljährlich die Gefängniss-Statistiken bei ihr einzureichen; sie erstattet alljährlich dem Bundesrathe über das Gefängnisswesen einen Bericht, welcher dem Reichstage vorzulegen ist.

3. Jeder Einzelstaat erlässt selbstständig die Ausführungsbestimmungen zum Strafvollzugsgesetz; doch ist das gesammte Gefängnisswesen einem Ministerium zu unterstellen und seine Leitung unter dem Minister in die Hand eines mit dem Gefängnisswesen vertrauten Mannes zu legen, dem die nöthigen technischen Räthe, Medicinalrath, Baurath, Strafanstaltsbeamte beizugeben sind. (General-Inspecteur in Belgien, Holland, Schweden, Norwegen).

4. In grösseren Staaten sind unter dem Chef des Gefängnisswesens kleinere Bezirke zu bilden nach Provinzen oder Oberlandesgerichten abgegrenzt. An ihre Spitze ist eine Behörde zu stellen, in welcher der Oberstaatsanwalt, ein Richter, ein Mitglied des Provinzialausschusses und ein Strafanstaltsdirector vertreten sein müssen.

5. Zuchthausstrafen dürfen nur in Strafanstalten, die Gefängniss- und Haftstrafen nur in Gefangenanstalten voll-

zogen werden. Dieselben sind so gross einzurichten, dass
ein rationeller Strafvollzug möglich ist. Die Benützung der
kleinen Gefängnisse ist auf das Aeusserste zu beschränken.
Untersuchungsgefangene sind in Strafanstalten gar nicht, in
Gefangenanstalten nur so lange, und dann stets von Strafgefangenen getrennt, aufzunehmen, als eigene Untersuchungs-
gefängnisse noch nicht vorhanden sind. Männliche und weibliche Strafgefangene sind niemals in derselben Anstalt,
sondern stets in getrennten Häusern unterzubringen. Sind
event. für politische- und Pressvergehen andere Strafen und
andere Strafvollzugslocale zu bestimmen als für gemeine Vergehen?

6. Es ist auf die Einrichtung einer hinreichenden Anzahl von Erziehungsanstalten für Jugendliche Bedacht zu
nehmen, damit es dem Richter ermöglichst wird, die §§. 55
und nov. 56. 57. des Str.-G.-B. zur Anwendung zu bringen.

**Strafanstaltsdirector Krohne.**

IV. Die Aufgabe der Gesetzgebung für die Reform des
Strafvollzugs in ihrer Selbstbeschränkung.

Referat mit folgenden Thesen zur event. Verhandlung:

1. Zur einheitlichen Ordnung des Strafvollzugs ist es
weder nothwendig noch zweckmässig, ein in alle Einzelheiten
des Strafvollzugs eingehendes System gesetzlich festzustellen,
vielmehr genügt es, die wesentlichen Momente der Strafvollstreckung zu normiren.

2. Als solche wesentliche Momente der Strafvollstreckung
sind zu bezeichnen:

a. Die einheitliche Leitung und Organisation des Gefängnisswesens.

b. Genaue Definition der einzelnen Haftarten (Was ist
Zuchthaus,- Gefängniss,- Haft,- Festungshaft-Strafe)
durch Festsetzung allgemeiner Grundsätze.

1) Behandlung der Gefangenen im Allgemeinen (Kost,
Bekleidung, Lagerung, Lectüre, Gottesdienst, Unterricht, Bewegung in freier Luft, Correspondenz, Besuche, Tragen eigener Kleider, Selbstbeköstigung,
Anrede — ob mit „Du" oder „Sie").

2) Die zulässigen Disciplinarstrafen.

3) Beschäftigung und Arbeitsprämien.

c. Festsetzung der Haftsysteme und allgemeine Grundsätze über die Anwendung der Einzelhaft und Gemeinschaftshaft.

d. Formelle Ordnung des Beschwerderechts.

3. Für die gesetzlich festzustellenden Specialitäten der wesentlichsten Momente des Strafvollzugs sind nachstehende Gesichtspunkte maassgebend:

a. Die Strafe muss ein Uebel sein, welches dem Verbrecher in gerechtem Verhältniss zu seiner Verschuldung und in den Grenzen der Humanität zugefügt wird und welche dessen moralische Besserung zu bewirken geeignet ist.

b. Zur Durchführung einer zweckentsprechenden Individualisirung der Gefangenen muss der Gefängnissverwaltung der nothwendige Spielraum belassen werden.

c. Die vorhandenen Zustände der Strafanstalten und Gefängnisse, sowie die Erfahrungen, welche zu einer Uebereinstimmung der Ansichten über die wesentlichen Momente des Strafvollzugs geführt haben, sind einer Berücksichtigung zu unterziehen.

Strafanstaltsdirector Grumbach.

V. Verhandlung und Beschlussfassung über die Frage, ob ein Verein der Gefängnissfreunde für das nordwestliche Deutschland zu gründen sei, event. Constituirung des Vereins.

Die Versammlung war von etwa 100 Personen besucht; der Herr Oberstaatsanwalt Giehlow eröffnete dieselbe, indem er als deren Hauptzweck die Bildung eines Vereins zur Reform des Gefängnisswesens bezeichnete. — Nachdem sodann auf Vorschlag des Comites die Herren Obergerichtsrath Dr. Mittelstädt aus Hamburg zum Vorsitzenden, der Geh. Regierungsrath Lütgen aus Hannover zum Stellvertreter, der Strafanstalts-Oberinspector Wolff aus Rendsburg und Staatsanwaltsgehülfe Beek aus Altona zu Schriftführern gewählt waren, referirte der Strafanstaltsdirector Krohne aus Rendsburg über den gegenwärtigen Zustand des Gefängnisswesens und erklärte die Versammlung sich damit einverstanden, dass zunächst nur die Thesen 1 und 6 zur Verhandlung gestellt würden. Nach eingehender lebhafter Debatte wurden dieselben in folgender Fassung angenommen:

1) Grundlage der Neuorganisation des Gefängnisswesens in Deutschland bildet ein Reichsstrafvollzugsgesetz, wodurch die Einheit des Gefängnisswesens festgesetzt wird.

2) Es ist auf die Einrichtung einer hinreichenden Anzahl von Erziehungsanstalten für Jugendliche Bedacht zu nehmen, damit es insbesondere dem Richter ermöglicht wird, die §§ 55 und nov. 56. 57. des Strafgesetzbuchs zur Ausführung zu bringen. —

Es wurde dann die Debatte über diese Nummer der Tagesordnung geschlossen unter dem ausdrücklichen Vorbehalt, in späteren Versammlungen auf einzelne Thesen derselben zurückzukommen. Darauf wurde die Bildung eines Vereins zur Reform des Gefängnisswesens berathen und einstimmig beschlossen, den Verein zu gründen, und zunächst in seiner Ausdehnung auf das Nordwestliche Deutschland zu beschränken. — Das bisherige Comite wurde beauftragt, 4 Mitglieder zu cooptiren und die weiteren vorbereitenden Schritte zu thun. Auf ergangene Aufforderung erklärten 85 der Theilnehmer der Versammlung ihren Beitritt.

Ueber Nr. 4 der Tagesordnung referirte Strafanstaltsdirector Grumbach aus Hamburg; die Thesen desselben wurden nach eingehender Discussion mit einigen Veränderungen angenommen; nur These 3 a:

„Die Strafe muss ein Uebel sein, welches dem Verbrecher in gerechtem Verhältniss zu seiner Verschuldung und in den Grenzen der Humanität zugefügt wird, und welche dessen moralische Besserung zu bewirken geeignet ist"

wird von der Tagesordnung abgesetzt.

Darauf Schluss der Versammlung; aber nicht der Debatte, welche sich in der zwanglosen Vereinigung der Mitglieder am Abend fortsetzte. Das Comite hat sich dann gemäss des gewordenen Auftrags durch die Herren Landrath Graf von Bernstorff, Lauenburg, Senator Dr. Brütt, Altona, Obergerichtsrath Dr. Föhring, Hamburg, Geh. Regierungsrath Lütgen, Hannover, verstärkt und die Statuten entworfen, welche der im Juli oder October in Hamburg stattfindenden Versammlung zur Genehmigung vorgelegt werden sollen.

Als Gegenstände der Verhandlung sind in Aussicht genommen:

1) Das System der Einzelhaft ist die Grundlage alles Vollzugs der Freiheitsstrafen.

2) In welcher Weise ist die Fürsorge für den entlassenen Gefangenen zu organisiren? —

Kr.

# Mittheilungen über den Zustand und die Verwaltung der Gefangenenanstalten zu Wolfenbüttel während des Jahres 1876.

(Auszug aus dem Jahresberichte der Gefängnissverwaltung.)

### I. Gefangenenpersonal und Bewegung desselben.

#### A. Landesstrafanstalt und Arbeitshaus.

In der Landesstrafanstalt und dem mit derselben verbundenen Arbeitshause war beim Beginn des Jahres der Bestand

| | Zuchthaus M. | Zuchthaus W. | Gefängniss M. | Gefängniss W. | Arbeitshaus M. | Arbeitshaus W. | Ueberhaupt Köpfe. |
|---|---|---|---|---|---|---|---|
| (Bestand beim Beginn) | 110 | 17 | 82 | 11 | 27 | 6 | 253 |
| im Laufe des Jahres sind zugegangen . . . | 87 | 7 | 208 | 40 | 27 | 9 | 378 |
| abgegangen sind . . | 73 | 8 | 62 | 39 | 19 | 6 | 307 |
| Bestand am Jahresschluss | 124 | 16 | 128 | 12 | 35 | 9 | 324 |

Der tägliche Durchschnittsbestand war:

$$\begin{array}{lr} \text{Männer} & 245_{,33} \\ \text{Weiber} & 40_{,61} \\ \hline \text{Köpfe} & 285_{,93} \end{array}$$

Von dem Durchschnittsbestande der Männer entfielen auf das Zellengefängniss 138,07.

Von den im Laufe des Jahres zugegangenen 378 Köpfen waren:

1) nach der Dauer der Strafe und resp. Corrections-Nachhaft

verurtheilt zu (mehr als 6 Wochen) bis 3 Monaten 86

" mehr als 3 Monaten bis 6 Monaten 103

" " " 6 " " 1 Jahre . 63

" " " 1 Jahre bis 2 Jahren . . 83

" " " 2 Jahren . . . . . . 43;

2) nach dem Lebensalter

| | |
|---|---|
| 12 bis 18 Jahre alt . . . | 23 |
| über 18 „ 24 „ „ . . . | 103 |
| „ 24 „ 40 „ „ . . . | 179 |
| „ 40 „ 60 „ „ . . | 67 |
| „ 60 Jahre alt . . . . | 6; |

3) nach dem Familienstande

| | |
|---|---|
| ehelich Geborene . . . . | 310 |
| unehelich Geborene . . . . | 68; |
| verheirathete, geschiedene und verwittwete | 157 |
| unverheirathete . . . . . | 221; |
| kinderlos . . . . . . | 249 |
| mit Kindern . . . . . | 129; |

4) nach den Berufs- und Erwerbsverhältnissen

| | |
|---|---|
| selbstständig Handel-, Gewerbe- und Ackerbau-Treibende . . . . | 34 |
| Gesellen, Lehrlinge und Fabrikarbeiter . | 143 |
| Handarbeiter . . . . . | 107 |
| Dienstboten . . . . . | 42 |
| verschiedenen Berufsclassen angehörig . | 12 |
| ohne Beruf (Ehefrauen und Kinder) . | 40; |

5) nach dem Religionsbekenntnisse

| | |
|---|---|
| Evangelische . . . . . | 345 |
| Katholiken . . . . . | 29 |
| Juden . . . . . | 4; |

6) nach der Staatsangehörigkeit

| | |
|---|---|
| Braunschweiger . . . . . | 261 |
| andere Reichsangehörige . . . | 115 |
| Ausländer . . . . . | 2; |

7) nach dem Sitze des Untersuchungsgerichts resp. der Landespolizeibehörden

| | | | |
|---|---|---|---|
| aus dem Kreise Braunschweig | 189 | od. von 1000 Einw. | $1,_{69}$ |
| Wolfenbüttel | 53 | „ „ „ „ | $0,_{65}$ |
| Helmstedt | 39 | „ „ „ „ | $0,_{72}$ |
| Gandersheim | 34 | „ „ „ „ | $0,_{79}$ |

Holzminden     30 od. von 1000 Einw. $0_{,70}$

Blankenburg    30   „   „    „     „   $1_{,25}$

aus nicht Braunschweigischen Be-

zirken   .    .    .    3.

Von den zugegangenen 342 Sträflingen (also ohne Berücksichtigung der 36 Arbeitshäusler) waren

1) früher noch nicht bestraft . . . 221 od. nach Proc. $64_{,62}$

    vorher bereits bestraft . . . . 121 „   „    „   $35_{,38}$

    und zwar wiederholt rückfällig in

    Diebstahl oder Betrug . . . . 52 „   „    „   $15_{,20}$

2) Diebe . . . . . . . . . . 138 „   „    „   $40_{,35}$

3) auf die Verbrecherlaufbahn gebracht

    durch

    Leichtsinn, Hab- und Genusssucht 162 „   „    „   $47_{,37}$

    Arbeitsunlust . . . . . . . 49 „   „    „   $14_{,33}$

    Aeussere Noth . . . . . . . 12 „   „    „   $3_{,51}$

    Sittenlosigkeit . . . . . . . 27 „   „    „   $7_{,89}$

    Rohheit und Widerspenstigkeit . 54 „   „    „   $15_{,79}$

    Affect mit Trunkenheit . . . . 27 „   „    „   $7_{,89}$

           ohne     „   . . . . 6 „   „    „   $1_{,75}$

    Fahrlässigkeit . . . . . . . 5 „   „    „   $\underline{1_{,46}}$

4) nach Erziehung und Bildungsgrad

    nachweisslich in ihrer Jugend schlecht

    erzogen . . . . . . . . . 83 „   „    „   $24_{,27}$

    des Lesens u. Schreibens unkundig 20 „   „    „   $5_{,85}$

    des Schreibens allein unkundig . 9 „   „    „   $2_{,63}$

Der Jahresbericht liefert im Anschluss an die vorstehend
excerpirten statistischen Tabellen, — veranlasst durch die
in neuerer Zeit wiederholt laut gewordene Klage über Zunahme der Verbrechen und Vergehen überhaupt, wie insbesondere über das Sinken der Achtung vor fremdem Eigenthum und über das Wachsen der Rohheit vergleichende Uebersichten einmal über die Zahl der in den 20 Jahren von
1857 bis 1876 im Herzogthume zur Bestrafung gekommenen
Verbrechen und Vergehen überhaupt, sodann mit Beschränkung auf Diebstähle, Personenbeschädigungen und Unzuchtshandlungen, unter gleichzeitiger Ermittlung deren procentalen

Verhältnisses zu der Einwohnerzahl des Herzogthums.*) —
Diese vergleichenden Uebersichten ergeben, dass im Herzogthum die Zahl der Verurtheilten in einer steigenden Progression nicht begriffen, vielmehr Schwankungen unterworfen
gewesen, im Grossen und Ganzen aber — abgesehen von
dem besonders ungünstigen Jahre 1876 — sich gleich geblieben ist.

Auf die Ursachen der, zumal gegenüber der Abnahme
der Rückfälle, auffallenden Zunahme der Einlieferungen
in 1876 (nämlich von 1000 Einwohnern 0,78, gegenüber dem
20jährigen Durchschnitte von 0,59) werfen die statistischen
Nachweise des Berichts einiges Licht. Es hat darnach der
aussergewöhnliche Zuwachs in 1876, an sich und im Vergleich mit den Vorjahren, vorwiegend stattgefunden:

1) hinsichtlich der Strafart und des erkannten Strafmaasses
   in den Kategorien der Gefängnissträflinge mit kurzzeitiger Strafdauer;

2) hinsichtlich der Art der Vergehen
   bei den aus Leidenschaftlichkeit verübten, insbesondere bei Widerstand gegen die Staatsgewalt, Vergehen gegen die öffentliche Ordnung, Hausfriedensbruch,
   Unzuchtshandlungen und, vor Allem, bei Körperverletzung;

3) rücksichtlich der Lebensstellung der Verurtheilten bei
   Gewerbsgehülfen.

---

*) Der Bericht bemerkt dabei, dass durch die fragl. Uebersichten
ein sicherer Maassstab für Zunahme oder Abnahme der Verbrechen
und Vergehen nicht gewonnen werde, weil

1) neben den stattgehabten Verurtheilungen die Zahl der unentdeckt
   gebliebenen Verbrechen und Vergehen zu berücksichtigen bleibe;

2) die Zusammenstellung sich auf die im Mindestbetrage von über
   drei Monaten geahndeten strafbaren Handlungen beschränke;

3) die Strafgesetzgebung im Laufe des fragl. Zeitraums wesentlich
   verändert und zwar hier milder, dort aber (namentlich in Bestrafung des häufig vorkommenden dritten kleinen, früher poli-
   zeilich bestraften Diebstahls und der unzüchtigen zum öffentlichen
   Aergerniss gereichenden Handlungen) härter sei, als früher,
   wozu noch, pro 1876, die Beschränkung des Begriffs der leichten
   vorsätzlichen Körperverletzungen komme.

Eine Zunahme der Verbrechen und Vergehen aus Eigennutz, insbesondere der Diebstähle hat in dem 20jährigen Zeitraum nicht stattgefunden.

## B. Kreisgefängniss.

Durch das der Verwaltung der Landesstrafanstalt unterstellte Kreisgefängniss gingen im Jahre 1876 73 Gefängniss- und 335 Haftsträflinge, 80 Untersuchungsgefangene und 271 polizeich Arretirte: im Ganzen 759 Köpfe.

Der tägliche Durchschnittsbestand war:  Männer 12,$_{10}$
Weiber 1,$_{68}$
Köpfe 13,$_{68}$

Unter den zugegangenen 408 Gefängniss- und Haftsträflingen befanden sich 176 Braunschweiger, 226 andere Reichsangehörige und 6 Ausländer.

## II. Gefängniss-System.

Die Gefängnissverwaltung hatte in den Collectivhaft-Abtheilungen periodisch, namentlich in den Wintermonaten, mit einem empfindlichen Raummangel zu kämpfen, so dass vorübergehend einzelne Gefängnissträflinge, die im Besitz der bürgerlichen Ehrenrechte sich befanden, mit solchen zusammen gebracht werden mussten, denen diese Rechte abgesprochen waren. Erst im December, durch Verlegung der Weiber in ein isolirt aufgeführtes Gefängniss, wurde der Zustand erträglich. Dieses ebenerwähnte Gebäude, zum Zweck der Benutzung als Kreisgefängniss hergestellt und nur einstweilen — bis zur projectirten Aufführung eines Weiber-Zellengefängnisses — mit Frauen belegt, enthält 20 zur Aufnahme von je 2 bis 6 Köpfen geeignete Gefängnissräume und ist mit Centralluftheizung, Wasserleitung, Waterclosets, Gas und Ventilationsvorrichtung versehen. —

Der Zustand des Zellengefängnisses war nach jeder Richtung hin befriedigend. Die Einzelhaft, consequent durchgeführt, erwies sich auch in 1876 als eine die Handhabung der Ordnung und Disciplin, sowie das geistige und sittliche Interesse des Sträflings wesentlich fördernde Strafform. — Bis zum Jahresschluss hatten 6 Sträflinge, (darunter 5, die bereits vor Eröffnung des Zellengefängnisses, am 1.

November 1873, ihre Strafe in Collectivhaft angetreten gehabt hatten) drei Jahre in Einzelhaft zugebracht; von diesen 6 Sträflingen willigten 5 in die Fortdauer der Zellenhaft für den Rest ihrer Strafe, resp. für die Dauer eines weiteren Jahres. — In denjenigen 3 Fällen, wo im Anschluss an eine im Zellengefängnisse erstandene Strafe eine, nicht unter die Vorschriften über Verurtheilung zu einer Gesammtstrafe wegen mehrerer selbstständiger Vergehen fallende, Gefängnissstrafe in Gemeinschaftshaft zu vollziehen war, erbaten die Zellensträflinge als eine Vergünstigung, jene Nachstrafe ebenfalls in Einzelhaft verbüssen zu dürfen; man kam solchem Wunsche nach.

### III. Verpflegung.

In Anregung des Deutschen Vereins für öffentliche Gesundheitspflege wurde die Kost der hiesigen Gefangenen in Bezug auf Abwechslung, Quantität und auf das Verhältniss der einzelnen Nahrungsstoffe durch einen Chemiker untersucht, um zu ermitteln, ob dieselbe den Anforderungen an eine rationelle Ernährungsweise in allen Beziehungen entspreche. Es waren diese Ermittlungen am Jahresende noch nicht abgeschlossen.

Die gesammte Verpflegung kostet pro Mann und Tag 32,40 Pf., pro Weib und Tag 29,23 Pf.

Von der Vergünstigung, eine den Wochenbetrag von 50 Pf. nicht übersteigenden Theil des Arbeitsverdienstes zur Beschaffung von Genussmitteln verwenden zu dürfen, machten die Gefangenen in dem Umfange Gebrauch, dass pro Kopf und Woche 17,57 Pf. und zwar vorwiegend für Schmalz, Butter, Häring, Käse und für Schnupftabak ausgegeben wurden.

### IV. Gesundheitszustand.

Das Jahr 1876 war in Bezug auf Morbidität sowohl als auf Mortalität ein besonders günstiges.

Im täglichen Durchschnitt waren krank 4,44, d. i. im procentalen Verhältniss zum Durchschnittsbestande der Gefangenen 1,48 %. Die Zahl der Gestorbenen betrug 3 oder, in Procenten der Durchschnittskopfstärke, 1,00 %; die Gestorbenen endeten natürlichen Todes.

Von ansteckenden Krankheiten trat eine Augenentzün-
dung, übrigens mit nur geringer Verbreitung auf; psychische
Störungen kamen gar nicht vor.

## V. Gottesdienst, Unterricht, Bibliothek.

Die Haltung und Aufmerksamkeit der Gefangenen während des Gottesdienstes, sowie beim Religions- und Schulun-
terrichte war zufriedenstellend.

Die Schülerzahl im Zellengefängniss betrug am Jahresschlusse, in 5 Classen vertheilt, 88; Unterricht im Zeichnen
erhielten 23 Gefangene, zumeist Tischler, Schlosser und Bau-
handwerker. In Gemeinschaftshaft wurde Schulunterricht
nur den jugendlichen Gefangenen ertheilt.

Die Gefangenen-Bibliothek erfuhr eine erfreuliche Vermehrung durch Anschaffungen mittelst einer neben dem regelmässigen Ergänzungsfonds extraordinair verwilligten Summe, so, dass sie von 496 Bänden auf deren 634 heranwuchs.

## VI. Besuche und Briefwechsel.

Es fanden bei 183 Gefangenen 444 Besuche von Angehörigen statt.

Die Zahl der für die Gefangenen eingegangenen Briefe
war 754; abgeschickt wurden von 321 Gefangenen 979 Briefe.

Aus öffentlichem Interesse besuchten 26 Personen die
Anstalten.

## VII. Beschäftigung.

Die Gefangenen wurden, insoweit man dieselben nicht
zu Haushaltungsarbeiten, zur Anfertigung und Ausbesserung
von Bekleidungs-, Lagerungs- und Inventariengegenständen,
zur Vornahme von Baureparaturen und zur Bewirthschaftung
der Gartenländerei verwenden musste, für dritte Unternehmer
in folgenden Arbeitszweigen beschäftigt: Tischlerei mit Holzschnitzerei und Dreherei, Tapezirerei, Vergolderei, Korkschneiderei, Spunddreherei, Cigarrenfabrikation, Leinen-, Drell-,
Hanf- und Juteweberei, Bürstenmacherei, Schuhmacherei,
Schneiderei, Cartonagefabrikation, Buchbinderei, Kistenmache-
rei, mit Coloriren von Landkarten und Bleifiguren, sowie
in der Handschuh- und Taschennäherei.

Der das ganze Jahr hindurch auf der wirthschaftlichen Welt lastende Druck wirkte auch auf den diesseitigen Arbeitsbetrieb sehr ungünstig. Man musste den durch Geschäftsstockungen begründeten Anträgen verschiedener Unternehmer auf Einschränkung, resp. Einstellung ihres Betriebes nachgeben und sah sich dadurch in die Nothwendigkeit versetzt, eine grössere Anzahl von in den bezüglichen Gewerken gut ausgebildeten Gefangenen periodisch mit nicht voller Kraft arbeiten zu lassen, beziehungsweise dieselben in anderen Beschäftigungszweigen, die sie erst wieder zu erlernen hatten, unterzubringen. Es kam hinzu, dass der in 1876 aussergewöhnlich starke Zuwachs des Gefangenenbestandes vornehmlich in den Kategorien derjenigen Gefängnissträflinge stattfand, deren Strafdauer nur eine kurzzeitige ist, und welche eigentlich nutzbringend häufig nicht beschäftigt werden können, weil, wenn ihre Lehrzeit vorüber, auch das Ende ihrer Strafzeit bereits gekommen ist.

Der Reinertrag aus den Arbeiten für dritte Unternehmer betrug 60354 M. 29 Pf. und berechnete sich pro Kopf und Tag

in den Männerabtheilungen auf 88,$_{58}$ Pf.

in den Weiberabtheilungen auf 70,$_{28}$ Pf.

Von dem Arbeits-Reinertrage wurden den Gefangenen (mit Einschluss der für eigene Rechnung der Anstalten beschäftigten) an Verdienstantheilen gutgeschrieben 9154 M. 68 Pf. oder: auf den Kopf und Arbeitstag 10,$_{95}$ Pf.

## VIII. Asserratencasse und Unterstützungsfonds.

An Verdienstantheilen und anderen den Gefangenen gehörigen Geldern wurden beim Jahresschlusse 5381 M. 24 Pf. verwaltet; davon sind 3420 M. zu Gunsten der Unterstützungscasse baar belegt.

Der Unterstützungsfond hatte eine Einnahme von 459 M. 38 Pf.; davon wurden 326 M. 5 Pf. zur Equipirung von Gefangenen bei der Entlassung, sowie zur Unterstützung von armen Angehörigen der Gefangenen etc. verwendet. Ausserdem wurden an bedürftige Gefangene bei der Entlassung aus den Kleidervorräthen verabreicht: 9 Röcke, 10 Westen,

9 Hosen, 7 Mützen, 71 Hemden, 57 Paar Strümpfe, 4 Paar Stiefel, 11 Paar Schuhe etc.

An die aus dem Kreisgefängniss entlassenen Individuen verabreichte man im Bedürfnissfalle Schuhe, Hemden und Strümpfe aus den ausrangirten Bekleidungsstücken der Landesstrafanstalt.

## IX. Disciplin.

Die Disciplin war unter den Zellensträflingen ungleich leichter zu handhaben, als in den Abtheilungen für Gemeinschaftshaft. Wegen Uebertretung der Hausordnung wurden im Zellengefängnisse 59 Sträflinge 75 mal, in Collectivhaft 113 Gefangene 248 mal bestraft; es kamen darnach auf den Kopf des durchschnittlichen Bestandes Disciplinarstraffälle: im Zellengefängnisse 0,54, in Collectivhaft 1,68.

## X. Entlassung der Gefangenen. Rückfall.

Die Gefängnissverwaltung wurde von 29 männlichen und 5 weiblichen Gefangenen zur Sicherstellung ihrer äusseren Lebenslage nach der Entlassung in Anspruch genommen; es gelang ihr die Unterbringung derselben, mit Ausnahme von 3 männlichen Gefangenen. In den meisten Fällen konnte man den Arbeitgebern, Dienstherren und Logiswirthen, zu deren Sicherung gegen den ihnen aus schlechtem Verhalten der empfohlenen Gefangenen etwa erwachsenden Schaden, einen Theil des von den Letzteren in der Strafhaft erworbenen Guthabens zur Aufbewahrung geben.

Eine an die Kreisvertretungen und an die in verschiedenen Orten des Herzogthums bestehenden Bürgervereine gerichtete Bitte, aus den einzelnen Bezirken einige qualificirte Persönlichkeiten zu bezeichnen, welche bereit seien, auf Anrufen der Gefängnissverwaltung eine werkthätige Fürsorge für einen in den betreffenden Bezirk entlassenen Gefangenen zu übernehmen, fand allseitig eine günstige Aufnahme; sie führte in der Stadt Braunschweig zur Bildung eines, am Jahresschlusse noch in der Organisation begriffenen, förmlichen Schutzvereins. —

Von den im Laufe des Jahres „vorläufig" entlassenen

14 Sträflingen führten sich, nach den am Jahresschlusse eingezogenen Erkundigungen, 13 lobenswerth, resp. gesetzmässig; der 14. verliess heimlich seinen Aufenthaltsort; seine
Entlassung wurde desshalb widerrufen. —

Während der Jahre 1873 bis einschliesslich 1876 sind
im Ganzen

a. vorläufig entlassen 65 Sträflinge,
b. Widerrufe von vorläufigen Entlassungen erfolgt
wegen strafrechtlicher Handlungen . . 1
wegen Nichtbefolgung der polizeilichen Verhal-
tungsvorschriften . . . . . 5

Von den seit Anfang 1873 vorläufig Entlassenen ist
nach Ablauf der urtheilsmässigen Strafzeit wieder eingeliefert 1. —

In Folge Landesherrlichen Erlasses eines Theiles
der Strafe wurden 1876 entlassen 38 (unter Hinzurechnung
der in den beiden Vorjahren Begnadigten: 72). In der
Mehrzahl dieser Fälle (namentlich bei Begnadigung von
wegen Verbrechen oder Vergehen aus Eigennutz Bestraften,
insofern dieselben moralisch schwach erschienen) wurde an
den Gnadenact der Vorbehalt geknüpft, dass der erlassene
Strafrest in dem Falle nachträglich noch solle vollzogen werden, wenn der Begnadigte eines abermaligen Verbrechens
oder Vergehens innerhalb der Verjährungsfrist sich schuldig
machen werde. Von den mit solchem Vorbehalt im Jahre
1876 und in den Vorjahren Begnadigten wurden wieder
eingeliefert 3. Von den seit Anfang 1873 ohne Vorbehalt
Begnadigten wurde keiner wieder eingeliefert. —

Aus dem Zellengefängnisse wurden in die Freiheit entlassen

1874 . . . 35
1875 . . . 96
1876 . . . 96 Sträflinge;

von diesen 227 Entlassenen wurden bis zum Abschluss des
Jahresberichts (15. März 1877) in die hiesige Landesstrafanstalt oder — soweit es zur Kunde der Gefängnissverwaltung
kam — in auswärtige Gefängnisse wieder eingeliefert

17 *

1874 . . . 1
1875 . . . 8
1876 . . . 13
1877 (bis 15. März) 3
Summa 25 d. s. 11,01. %

Unter den ebengezählten 227 Entlassenen beträgt die Zahl derjenigen, welche vor ihrer Einlieferung zur Einzelhaft nicht schon eine Vorstrafe zu verbüssen gehabt hatten, 69. Von diesen 69 aus erstmaliger Strafhaft entlassenen Zellensträflingen wurde bis zum 15. März 1877 Keiner wieder eingeliefert.

## XI. Kosten der Unterhaltung der Gefangenen.

Die Ausgaben zur Unterhaltung der Oeconomie und für häusliche Bedürfnisse betrugen 57,806 M. 22 Pf.; es entfielen davon auf den Kopf des durchschnittlichen Gefangenenbestandes:

| | |
|---|---|
| Speisekosten . . . . . | 116 M. 96 Pf. |
| Curkosten, Bandagen etc. . . . | 2 „ 94 „ |
| Bekleidung und Leibwäsche . . . | 15 „ 17 „ |
| Reinigung des Körpers, der Wäsche u. der Locale . . . . . | 4 „ 66 „ |
| Lagerung . . . . . . | 5 „ 76 „ |
| Heizung . . . . . . | 24 „ 32 „ |
| Beleuchtung . . . . . | 16 „ 33 „ |
| Utensilien . . . . . . | 6 „ 67 „ |
| so dass die Unterhaltung des Gefangenen im Durchschnitt kostete . . . | 192 M. 80 Pf. |

# Internationaler Gefängniss-Congress.

Protokolle der Sitzungen der vom 22. bis zum 25. März 1877 in
Brüssel versammelten Sub-Commission.

## Protokoll der ersten Sitzung.
### Donnerstag, den 22. März 1877.

1. Die im Jahre 1875 in Bruchsal durch die permanente Commission ernannte Internationale Gefängniss-Sub-Commission versammelte sich heute den 22. März 1877, Morgens 10 Uhr im Justizministerium in Brüssel.

Es waren zugegen: von Holtzendorff, Präsident, Almquist, Pols, Stevens, Yvernès und Dr. Guillaume, Sekretair.

Herr Thonissen, Professor der Universität zu Louvain und Mitglied des Abgeordneten-Hauses., war durch die Sub-Commission eingeladen, in der Eigenschaft als Berichterstatter über eine Frage im Programm des künftigen Gefängniss-Congresses sich an den Discussionen zu betheiligen und wohnt der Sitzung bei.

Der Herr Präsident zeigt an, dass Herr Beltrani nicht vor Morgen Abend in Brüssel ankommen könne, und bittet seine Abwesenheit zu entschuldigen.

2. Der Präsident deponirt auf dem Bureau sein Accreditif, als von Sr. Majestät dem König von Baiern zur Commission Bevollmächtigter. Die Herren Almquist, Yvernès und Dr. Guillaume präsentiren gleichfalls die von ihren resp. Regierungen empfangenen Beglaubigungsschreiben.

3. Die Sub-Commission begibt sich hierauf zu Sr. Excellenz dem Herrn Justizminister Lantsheere und lässt durch ihren Präsidenten für den ihr gewordenen Empfang danken, sowie für das Interesse, welches die Belgische Regierung der Internationalen Gefängniss-Frage widme.

4. Nachdem die Sitzung wieder aufgenommen ist, erinnert der Herr Präsident in seiner Eröffnungsrede an das seit der Zusammenkunft der Commission in Bruchsal Geschehene.

Die Internationale Commission trennte sich damals in der Hoffnung, dass der künftige Congress im Jahr 1877 stattfinden würde, und die Sub-Commission wurde behufs der Vorarbeiten zu demselben ernannt, ohne dass man sich betreffs des Tags und Ortes der Versammlung des Congresses Sorgen machte. Herr Dr. Wines, welcher sich beim Verlassen der Bruchsaler Conferenz vornahm, die Schwedischen Gefängnisse zu besuchen, hatte die Commission um die Erlaubniss gebeten, der Schwedischen Regierung den Wunsch ausdrücken zu dürfen, den nächsten Congress 1877 in Stockholm versammelt zu sehen. Dr. Wines wurde von Sr. Maj. dem König von Schweden sehr wohlwollend empfangen und erhielt die Zustimmung Allerhöchstdesselben zu der Unternehmung. Nachdem Dr. Wines in die Vereinigten Staaten zurückgekehrt war, sandte derselbe sein Circular vom 16. September 1875 aus, in welchem er mittheilte, dass der Gefängniss-Congress im Jahre 1877 in Stockholm stattfinden würde.

Zu derselben Zeit jedoch liess Herr Almquist, welcher sich auf einer Reise in Deutschland und der Schweiz befand, durchblicken, dass sich einer Conferenz in Stockholm im Jahre 1877 ernste Schwierigkeiten entgegenstellten und gab zu verstehen, dass die Regierung seines Landes erst in einer späteren Zeit den Congress gerne dort tagen sehen würde, da ihr die localen Verhältnisse zur Aufnahme der Delegirten der ganzen Welt nicht günstig schienen. Anderseitig erschienen die Berichte, welche während des Monats März 1876 abgeliefert sein sollten, nicht, und die Vorarbeiten sahen sich aufgehalten, so dass diese Ursachen, denen sich die politische Lage Europa's zugesellte, nebst den Vorbeschäftigungen der Regierung, einen Aufschub des Congresses unvermeidlich und nothwendig machten. Herr von Holtzendorff schrieb sogleich an Herrn Dr. Wines, um ihn über die Situation aufzuklären, jedoch des Letzteren Circular war schon expedirt. Herr v. Holtzendorff glaubte den Moment gekommen, die Sub-Commission zusammenzurufen, um Maassregeln, welche die Sachlage geboten, zu treffen; gegen diesen Aufruf haben die H.H. Beltrani und Stevens Einsprache erhoben. Er bittet Herrn Almquist, doch die Auskunft, welche er gegeben, zu vervollständigen, und der Sub-Commission zu sagen, welche Meinung die Schwedische Regierung der Zeit betreffs des künftigen Congresses hege und ob die von ihm gemachten Mittheilungen offiziell seien.

Herr Almquist antwortet, dass Se. Majestät der König von Schweden das höchste Interesse an dem Zwecke nähme, welchen die permanente Commission verfolgt und den Congress schon in diesem Jahr in Stockholm versammelt zu sehen wünsche, wenn die Commission darauf besteht, aber dass er autorisirt sei, der Sub-Commission mitzutheilen, wie gern es seine Regierung sähe, wenn diese Zusammenkunft nicht in diesem Jahre stattfinde, sondern auf eine spätere Zeit verlegt würde. Nach der persönlichen Ansicht des Herrn Almquist würde das Jahr 1879 der günstigste Zeitpunkt für die Versammlung des Congresses in Stockholm sein. Herr Almquist bezeichnet die Schwierigkeiten welche sich dem Empfang des Congresses in einer nahen Zeit entgegenstellten, und gibt Auskunft über den wirklichen Zustand der Gefängnisse seines Landes, indem er auf die Artikel, welche in Journalen veröffentlicht waren und irrige Thatsachen enthielten, erwiedert.

Der Herr Präsident bestimmt die Tagesordnung, und erwähnt des Circulars des Herrn Dr. Wines, in welchem der letztere die Absicht kundgibt, die Commission im Laufe des nächsten Mai's nach Paris zu berufen. Nach den soeben gegebenen Erklärungen des Herrn Almquist wird die Sub-Commission zu bestimmen haben, ob sie Entscheidungen treffen will, welche die Berufung der Commission überflüssig machen, oder ob eine Commissions-Versammlung im nächsten Mai nothwendig und wünschenswerth erscheine.

Falls die Sub-Commission sich einmüthig für eine Verlegung des Congresses auf das nächste Jahr erklärt, so ist es augenscheinlich, dass die Majorität der Commission sich eben hierdurch gegen eine Zusammenkunft der Commission im nächsten Mai aussprechen würde. Indem man ohne zwingende Gründe diese internationalen Versammlungen vermehre, mache man die Regierungen unwillig, erschüttere ferner das Vertrauen zu den Arbeiten der Commission, und schliesslich würde eine Regierung nach der andern sowohl ihre moralischen, als finanziellen Unterstützungen zurückziehen. Uebrigens müsse doch die permanente Commission für alle Fälle zur Festsetzung des Reglements des Congresses, unmittelbar vor Eröffnung desselben, noch einmal versammelt werden.

Herr Pols wünscht vor Allem die Competenz der Sub-Commission bestimmt zu sehen, damit sie sich in den Grenzen bewege, welche ihr durch die Bruchsaler Conferenz gesteckt seien. Nach den Sitzungs-Protokollen der Bruchsaler Conferenz scheint es ihm, dass die Sub-Commission weder über Verlegung, noch betreffs des Zeitpunktes des künftigen Congresses zu entscheiden habe, ohne die Meinung der Commissions-Mitglieder zu Rathe zu ziehen.

Herr Dr. Guillaume ist derselben Ansicht. Nach den durch Herrn Almquist gegebenen Berichten ist es klar, dass der Congress nicht in diesem Jahre in Stockholm stattfinden kann; man muss sich daher ohne Verzug an eine andere Regierung wenden, oder die Versammlung vertagen. Diese und andere Fragen, über welche heute oder morgen entschieden werden wird, können allen Commissions-Mitgliedern auf dem Fragewege unterbreitet werden, worauf jedes Mitglied sein Votum durch Ja oder Nein abgibt.

Auf diese Weise erledigen alle anderen internationalen Commissionen Fragen immer dann, wenn mündliche Verhandlungen nicht nöthig gehalten werden. Er schlägt daher vor, Folgendes zu beschliessen: „Alle Fragen, welche nicht zur Competenz der Sub-Commission gehören, sind den Commissions-Mitgliedern durch Vermittelung des Präsidenten Herrn Dr. Wines, und durch Rundschreiben zur Abstimmung zu unterbreiten."

Gegen diesen Vorschlag wenden die Herren von Holtzendorff,

Yvernès und Almquist ein, dass es wohl weit einfacher sein würde, das Rundschreiben direkt gleich an die Mitglieder der Gesammt-Commission zu senden und die Herrn zu bitten, ihre Antwort oder Votum an Hrn. Dr. Wines zu dirigiren. Auf diesen Einwurf wird erwiedert, dass Hr. Dr. Wines Präsident der Commission und zugleich Vertreter der Sub-Commission sei, mithin derselbe die Mission habe, Bestimmungen der Sub-Commission den Mitgliedern der Commission zu unterbreiten. Wenn man Herrn Dr. Wines die Sitzungs-Protocolle übersende, so werde er schon aus denselben die Meinung der gegenwärtigen Mitglieder, welche dieselben bezüglich der Versammlung hegen, die er auf Mai berufen will, ersehen. Auf jeden Fall wird derselbe einsehen, dass er sein Einladungsschreiben nicht absenden kann, bevor er die Antwort der Commissions-Mitglieder, welche dieselben auf die von der Sub-Commission gestellten Fragen zu geben haben, erhalten hat.

Man kommt überein mit der Beschlussfassung über diese Frage bis zur Ankunft des Herrn Beltrani zu warten.

5. Der Herr Präsident bringt die Frage zur Erörterung, ob die Versammlung des Congresses dieses Jahr stattfinden solle oder ob solcher zu vertagen sei.

Die Herren Pols und Stevens glauben, dass es nicht passend sei, den Congress von Neuem zu vertagen; dass die Zukunft des durch den Londoner Gefängniss-Congress feierlich begonnenen Werkes gefährdet werden würde, wenn man eine Versammlung von Jahr zu Jahr verschiebe, welche überall auf das Jahr 1876 annoncirt war, dann auf 1877 aufgeschoben wurde, und nun wohl erst im nächsten Jahr, oder gar, wie es Herr Almquist wünscht, 1879 statthaben wird.

Man könne nur einwenden, dass die Berichte mangeln. Von sechzehn Fragen, welche das Programm enthält, seien 10 durch die bezeichneten Berichterstatter behandelt worden, und wenn noch nicht alle Berichte veröffentlicht sind, so könne man solche leicht in kurzer Zeit drucken lassen, sowie Berichterstatter finden, welche diejenigen ersetzen, die ihre Arbeiten noch nicht eingesandt haben.

Anderseits bemerkt man, dass dies nicht das erste Mal sei, dass internationale Congresse zu verschiedenen Malen vertagt würden, die Statistik sei Zeuge dafür, ohne dass sich das Interesse der Regierungen sowie des Publikums darin vermindert hätte. Die politische Lage Europa's, sowie die geschäftliche und industrielle Crisis, welche sich in dem grössten Theil der Länder fühlbar macht, erregte die allgemeine Aufmerksamkeit, so dass dem Gefängniss-Congress wohl wenig Interesse entgegen getragen würde, und derselbe weniger Einfluss auf die öffentliche Meinung ausüben werde, als in Zeiten der Ruhe und des Wohlstandes.

Herr Dr. Guillaume schlägt vor, die Versammlung des Congresses sei auf das Jahr 1878 zu vertagen, und Paris als Versammlungsort zu bestimmen. Er motivirt seinen Vorschlag damit, dass er behauptet, die politischen Ereignisse möchten sich gestalten, wie sie wollen, die Weltausstellung würde stattfinden und eine Masse Leute aus allen Ländern an sich ziehen. Während der Ausstellung zu Philadephia habe dort ebenfalls der Nationale Gefängniss-Congress getagt. Er bezweifelt durchaus nicht, dass wenn Herr Dr. Wines der französischen Regierung den vereinigten Wunsch der Mitglieder der permanenten Commission, den Congress in Paris versammelt zu sehen, übermittele, er eine günstige Antwort erhalte. Der nächstfolgende Congress könne dann in Stockholm tagen, zu einer Zeit, die der schwedischen Regierung gelegen sei.

Der Herr Präsident von Holtzendorff glaubt, dass die Italienische Regierung den Congress wohl gern in Florenz tagen sehe, und dass man vielleicht von dorther eine Einladung für dieses Jahr schon empfange, jedoch sei es nöthig, die Ankunft des Herrn M. Beltrani, behufs einer Beschlussfassung abzuwarten.

Die Herren Pols und Stevens sind der Ansicht, dass ein Gefängniss-Congress nicht in einer Stadt tagen solle, in welcher eine Ausstellung stattfinde, da das allgemeine Interesse sich dahin wende, dass sogar das der Congress-Mitglieder abgezogen, und dass der Einfluss, welchen man damit auf die öffentliche Meinung ausüben wolle, beeinträchtigt würde. Sie ziehen auf jeden Fall Florenz als Versammlungsort vor.

Herr Yvernès, welcher betreffs der Meinung seiner Regierung interpellirt wurde, antwortet, dass er keine Instructionen habe, und absolut in dieser Beziehung keine Auskunft geben könne; es wäre auf jeden Fall nothwendig, wenn Paris als Versammlungsort des Gefängniss-Congresses bestimmt würde, dass Herr Dr. Wines im Namen der Commission der französ. Regierung Eröffnungen mache; dieselben würden wahrscheinlich günstig aufgenommen. Falls der Congress aus einer gemischten Versammlung von offiziellen und nicht offiziellen Mitgliedern bestehe, so würde die Regierung nothwendigerweise bedacht sein, auf eine oder andere Weise, hauptsächlich finanziell, zum günstigen Erfolg des Congresses mitzuwirken.

Herr Stevens bemerkt, dass der Regierung des Landes, in welchem sich der Congress vereinige, keine Ausgaben für den Empfang oder für Veröffentlichung der Sitzungs- und Rechenschaftsberichte entstehen dürfen. Man solle allein um die moralische Unterstützung der Regierungen ansuchen, welche zum günstigen Erfolg des Gefängniss-Congresses unerlässlich sei.

Im Verfolg dieser allgemeinen Discussion wird beschlossen, die Ankunft des Herrn Beltrani Scalia abzuwarten, ehe man zur Abstimmung über die verschiedenen Anträge, die gestellt wurden, übergehe.

Die Sitzung wird hierauf um 2 Uhr aufgehoben.

Der Sekretär:  Der Präsident:
Dr. Guillaume.  Dr. Fr. v. Holtzendorff.

# Protokoll der zweiten Sitzung.

Freitag, den 23. März 1877.

Unter dem Vorsitz des Herrn von Holtzendorff.

Es waren zugegen:

Die Herren Almquist — Guillaume — Pols — Stevens — Thonissen — Yvernès.

Die Sitzung wird um 10 Uhr Morgens eröffnet.

1. Das Protokoll der gestrigen Sitzung wird vorgelesen und genehmigt.

2. Der Herr Präsident zeigt an, dass Herr Almquist von seiner Regierung schriftliche Instructionen erhalten habe, welche die Frage betreffs Ort und Zeit der Congress-Versammlung in einem andern Lichte, als in dem der gestrigen Sitzung, betrachten lassen.

Herr Almquist, welcher um das Wort gebeten hatte, erklärt, dass die Instructionen, welche er erhalten, in folgenden Sätzen zusammengefasst werden könnten:

Die Ursachen, welche die Regierung Sr. Majestät des Königs von Schweden wünschen lassen, den Congress aufgeschoben und nicht im August dieses Jahres tagen zu sehen, sind verschiedener Natur. Se. Excellenz der Herr Minister der auswärtigen Angelegenheiten hat schon Herrn Dr. Wines den Umstand erklärt, dass eine Strafanstalt, sowie eine landwirthschaftliche Colonie zur Erziehung junger Sträflinge in diesem Augenblicke im Bau begriffen seien, dass jedoch diese Anstalten nicht bis zur Zeit des Congresses vollendet sein könnten, falls derselbe schon im August dieses Jahres tage.

Man wird leicht ermessen, dass es der Schwedischen Regierung nicht angenehm sein kann, den Delegirten anderer Länder kein Etablissement, das nach modernen Ideen organisirt ist, weisen zu können, daher würde es die Regierung gern sehen, wenn die Congress-Versammlung auf ein oder mehrere Jahre verschoben werde, um dann den Congress-Mitgliedern ein solches präsentiren zu lassen.

Aus diesen Gründen ist Herr Almquist aufgefordert, die Commission zu ersuchen, den Congress nicht in diesem Jahre nach Stockholm zu berufen, jedoch, falls die Commission auf dem bezüglich des Datum's des Congresses gefassten Beschluss bestehe, zu erklären, dass die Regierung Sr. Majestät des Königs von Schweden die nothwendigen Maassregeln treffen würde, um den Congress im Laufe des Jahres 1877 zu empfangen.

Herr von Holtzendorff macht die Mittheilung, dass er gestern Abend einen Brief des Herrn Beltrani empfangen habe. Herr Beltrani glaubt, dass der Augenblick zur Versammlung des Congresses im Jahr 1877, Angesichts der politischen Lage Europa's, wenig günstig sei. Das Publikum würde nur wenig Interesse an den Arbeiten dieser Versammlung nehmen; er hält dafür, solche auf das nächste Jahr zu verlegen und da man immer Stockholm als Versammlungsort bezeichnet habe, auch dabei zu beharren. Sollten sich jedoch der Versammlung daselbst Hindernisse entgegenstellen, so glaubt er, dass die italienische Regierung solche gewiss gern in Rom empfangen werde, aber unter der Bedingung, dass dieselbe auf das nächste Jahr verschoben wird.

Der Herr Präsident glaubt, dass es nothwendig sei, nachdem man Kenntniss über den Inhalt der offiziellen Instructionen des Herrn Almquist, wie über die Ansichten des Herrn Beltrani erlangt habe, die Discussion über die Frage der Vertagung des Congresses von Neuem aufzunehmen. Herr Pols ist der Meinung, dass die Schwierigkeiten, welche die Schwedische Regierung wünschen lassen, den Congress vertagt zu sehen, auch noch im nächsten Jahre bestehen werden. Die Schwierigkeit der Sprache ist ein Hinderniss, welches sich stets darbietet und dieses Hinderniss wird die Mitwirkung der schwedischen Gefängnissbeamten auf ein Minimum herabdrücken, die Mitwirkung, welche wir zu erhalten suchen müssen, wenn wir den Ort des Congresses bestimmen. Die französische Sprache ist wenig in Gebrauch in Schweden und wir konnten uns in London zur Zeit des Congresses überzeugen, welche Unbequemlichkeiten sich betreffs der Uebersetzung der Sitzungsreden darbieten. Er zieht für seinen Theil vor, dass der Congress in einem Lande zusammenkäme, wo die Kenntniss der französischen Sprache eine allgemeine sei.

Herr v. Holtzendorff bemerkt, dass man sich schon auf der Bruchsaler Conferenz für Stockholm ausgesprochen habe, dass überdies die Schwedische Regierung diesem Projecte sehr geneigt sei. Die Sub-Commission müsse folglich diesem ausgesprochenen Wunsche, sowie den soeben gemachten Mittheilungen des Herrn Almquist Rechnung tragen. Nach diesen Berichten unterliegt es keiner Frage, dass man die Congress-Versammlung auf das Jahr 1879, oder auf das nächste Jahr verlegen müsse.

Herr Yvernès, welcher sich zur Zeit des vorhistorischen Congresses in Stockholm befand, hat nicht bemerkt, dass die Kenntniss der französischen Sprache in Schweden geringer sei, als in andern Ländern nicht romanischer Zunge.

Herr Thonissen glaubt, da man bereits in allen politischen wie juristischen Zeitschriften Stockholm als Versammlungsort des 2. Congress bezeichnet, und alle Regierungen hierüber von ihren Delegirten verständigt seien, dass es besser sei, Stockholm als Rendezvous beizubehalten, selbst wenn der Congress auf nächstes Jahr verlegt werden müsse.

Herr Guillaume zeigt an, dass er in Folge der Mittheilungen, die Herr Almquist gemacht habe, seinen in der gestrigen Sitzung gegehenen Vorschlag, betreffs des Versammlungsortes des Congresses, zurückziehe.

Der Herr Präsident bringt folgende Fragen zur Abstimmung:

*1. Soll die Versammlung des Congresses auf das nächste Jahr vertagt werden?*

Für Vertagung stimmen:

Herr Almquist — Dr. v. Holtzendorff — Yvernès und Guillaume.

Dagegen stimmen:

Die H. H. Pols und Stevens.

*2. Ist Stockholm als Versammlungsort beizubehalten?*

Für diesen Vorschlag stimmen:

Herr Almquist — v. Holtzendorff — Stevens — Yvernès und Guillaume.

Dagegen stimmt:

Herr Pols.

3. Der Herr Präsident bringt die Frage zur Erörterung, ob die Commission vor Versammlung des Congresses noch einmal vereinigt werden solle. Er erinnert an den Wunsch, den mehrere Mitglieder auf der Bruchsaler Conferenz geäussert haben, vor dem Congress eine Zusammenkunft stattfinden zu lassen, auf welcher man die eingelaufenen Berichte discutiren und Beschluss darüber fassen könne.

Herr Stevens glaubt, dass, wenn man keine andern Motiven habe, es nicht wünschenswerth sei, die Delegirten aus ihren Verhältnissen herauszureissen. Um eine solche Versammlung zu rechtfertigen, müsse eine Reihe wichtiger Fragen auf der Tages-Ordnung stehen.

Herr Dr. Guillaume ist gleichfalls der Ansicht, dass man nicht ohne praktische Gründe eine Versammlung der Commission veranlassen möge, welche nur mit grossen Kosten und Mühen Seitens der Mitglieder abgehalten werden könne. Er glaubt jedoch, dass es im Interesse des zu verfolgenden Zieles liege, die Commission vor dem Congress noch einmal zu vereinigen; sei es nun um zu zeigen, dass die Thätigkeit der Commission sich niemals abschwäche, und dass, wenn der Congress noch nicht habe stattfinden können, dies nur unvorhergesehenen Umständen, unabhängig von dem Willen der Commission, zuzuschreiben sei. Ehe man die Tages-Ordnung bestimme, nimmt er sich die Freiheit, die Commission mit einer Idee bekannt zu machen, welche geeignet sei, deren Aufmerksamkeit zu erregen, wie das Interesse der Regierungen zu vermehren; dieses Project bezwecke der Commission Statuten und ein Organisations-Reglement zu geben, welche die Befugnisse der Internationalen Gefängniss-Commission, sowie diejenigen des Büreau bestimmen, und schlägt eine Discussion darüber vor. Er glaubt, dass das ein Mittel sei, die Organisation analog derjenigen des Internationalen geodäsischen, statistischen und des Comitee für Post und Telegraphen einzuleiten.

Herr Stevens ist der Ansicht, dass wir keine ähnliche Competenzen haben. Der Londoner Congress hat uns mit einer bestimmten Mission beauftragt, welcher wir nachgekommen sind; wir dürfen nun nicht die Grenzen überschreiten, welche uns gezogen sind.

Herr **Pols** glaubt im Gegentheil, dass die Commission vollständig freie Hand habe, mehr zu thun als ihr vorgeschrieben, und dass
sie das Recht hat, Maassregeln zu ergreifen, welche die Erreichung des
Ziels des Londoner Congresses bezwecken.

Herr **Yvernès** unterstützt den Vorschlag des Herrn Guillaume.
Er hält es für nützlich, dass der nächste Congress über die Ziele und
Organisation der internationalen Commission vollständig unterrichtet sei.

Herr von **Holtzendorff** theilt diese Ansicht und hält die Commission für competent, diesen Antrag zu discutiren und anzunehmen,
ohne genöthigt zu sein, solchen der Discussion des Congresses zu unterbreiten.

Die Sub-Commission beschliesst mit 5 gegen 1 Stimme (Hr. Pols):

1. Die Berufung der Commission vor der Versammlung des Congresses zu verlangen. Der Zeitpunkt wird nach Ankunft des Herrn
Beltrani bestimmt.

2. Das Bureau (H. v. Holtzendorff und Guillaume) mit der Ausarbeitung eines Organisations-Reglements zu beauftragen, um solches der
Commission zu unterbreiten. Das Bureau ist autorisirt, die Herren
Yvernès und Thonissen oder jede andere Person, welche es benöthigt,
zu Rathe zu ziehen.

4. Herr **Almquist** bittet um eine Auskunft bezüglich der Organisation des Congresses. Was das Datum und die Dauer des Congresses betrifft, so resultire aus der Discussion, dass der günstigste
Zeitpunkt für die Congress-Versammlung in Stockholm wohl die letzten
14 Tage des Monats August sein würden. Wenn man die eingeschrie-
benen Programm-Fragen wie die Zahl der Haupt- und Nebensitzungen
addirt, so kann man höchstens 8 Tage für die Dauer des Congresses
bestimmen. Zu diesen 8 Tagen müsse man 4 Tage hinzufügen, welche
die Commissionssitzungen unmittelbar vor dem Congress erfordern, und
2 in gleicher Weise nach demselben. Das Local-Comité, welches sich
in Stockholm organisiren wird, hat die Details des Programms zu bestimmen und kann jeder Zeit das Gutachten der Sub-Commission ein-
holen. Das für den Congress acceptirte Reglement bestimmt (Art. 24)
die Zuziehung eines oder mehrerer Stenographen zur Versammlung.
Herr Almquist macht darauf aufmerksam, dass wenn diese Verfügung
beobachtet werden soll, man Stenographen aus Frankreich, England
und Deutschland kommen lassen müsse, da die schwedischen nur in
ihrer Landessprache berichten können. Nach einer Discussion, in welcher
sich die ausserordentlichen Schwierigkeiten ergeben, die das Organisa-
tions-Comité zu bewältigen hätte, um die Zahl der Stenographen zu
finden, und da ferner die Ausgaben nicht im Einklange mit den Leistungen derselben stünden, wird bestimmt, für diessmal von der Beizie-
hung von Stenographen zu den Sitzungsberichten Umgang zu nehmen.
Wenn das Local-Comité sich der Mitwirkung einiger Personen versichert,
welche die am Meisten gebräuchlichsten Sprachen sprechen und einwil-

ligen, die Funktionen eines Secretärs zu erfüllen, so wird es dem Congress leicht sein, sich nach den Bestimmungen des Reglements (Art. 26) Sitzungsberichte zu verschaffen, welche Nichts zu wünschen übrig lassen.

5. Herr Dr. Guillaume legt auf dem Bureau die Gefängniss-Statistik der Schweiz für das Jahr 1874 nieder; dieselbe ist vom vereinigten statistischen Bureau veröffentlicht.

6. Herr Yvernès deponirt gleichfalls das Programm einer Allgemeinen Gefängniss-Gesellschaft, welche in Frankreich in der Bildung begriffen ist, sowie den Bericht der landwirthschaftlichen Familienhäuser von Notre-Dame du Cautal.

Sodann theilt er der Sub-Commission mit:

7. Die durch den Internationalen statistischen Congress gefassten Beschlüsse, (V. Berichte und Beschlüsse der 9. Section, Justizabtheilung. Bericht des Herrn Renaud de Sterlik), betreffend die Auffindung der Mittel, um durch die criminelle Statistik den Gang der Rückfälle und den Einfluss der verschiedenen Gefängniss-Systeme auf die Moralität der Sträflinge zu erforschen, und wünscht Herr Yvernès die Ansicht der Mitglieder der Gefängniss-Sub-Commission bezüglich der durch den Congress beschlossenen Mittel kennen zu lernen, um solche der permanenten statistischen Commission übermitteln zu können.

Man bemerkt, dass es schwer sein würde, sich augenblicklich über all die in dem Programme, welches von der Generalversammlung des statistischen Congresses angenommen wurde, enthaltenen Punkte auszusprechen. Jedoch könne man schon bemerken, dass wenn der Statistische Congress den durch die verschiedenen Gefängniss-Systeme ausgeübten Einfluss kennen zu lernen wünscht, es zweckmässig sein würde, alle diese Systeme aufzuzählen und (nach Artikel 7a.) wenigstens noch das Crofton'sche oder irische System beizufügen, welches die stufenweise und fortschreitende Vereinigung der im Programm enthaltenen Einzel- und Gemeinschaftshaft-Systeme darstellt. Man kann ausserdem bemerken, dass die Moralität der Sträflinge auch von dem kürzeren oder längeren Aufenthalt im Gefängnisse abhänge, und dass folglich die Berichte über die in der Strafanstalt zugebrachte Zeit ebenso wichtig seien, um unter Einflüsse des Strafsystemes gezählt zu werden.

Man kann nicht genug bei diesem Punkt verweilen und es würde nützlich gewesen sein, dies hervorzuheben, indem man bei den Gründen auf den Einfluss der Strafgesetzgebung neben dem der verschiedenen Gefängnisssysteme hinwies, einen Einfluss, dessen nur bei der Aufschrift der Beschlüsse des statistischen Congresses gedacht wurde.

Die Sitzung wird geschlossen.

Der Sekretär:                              Der Präsident:
Dr. Guillaume.                         Dr. Fr. v. Holtzendorff.

# Protokoll der dritten Sitzung.

Samstag, den 24. März 1877.

Vorsitzender Herr v. Holtzendorff.

Zugegen waren:

Die Herren Almquist — Beltrani Scalia — Pols — Stevens — Thonissen — Yvernès und Guillaume.

Damit Herr Beltrani in Bezug auf die bis jetzt stattgehabten Discussionen im Laufe sei,

1. Werden die Protocolle der beiden vorhergehenden Sitzungen verlesen und genehmigt.

2. Herr Beltrani-Scalia erstattet Bericht über den Stand der Vorarbeiten zum Congress, und schlägt vor, eine Mahnung an die säumigen Berichterstatter ergehen zu lassen, die ihnen aufgetragenen Berichte einzusenden. Dieser Vorschlag wird acceptirt. Die Commission beschliesst ausserdem, dass die Berichterstatter, welche ihre Arbeiten in einer kurzen, durch das Bureau zu bestimmenden Frist nicht einsenden, durch Andere ersetzt werden sollen.

3. Mit Bezug auf die Frage der Competenz der Sub-Commission, welche in der ersten Sitzung gestellt wurde, beschliesst die Sub-Commission an Herrn Dr. Wines ein Gesammtschreiben abzusenden und darin die Hauptresultate der Berathungen zu seiner Kenntniss zu bringen. Dieses Schreiben, welchem einige Tage früher die Uebersendung der Protocolle vorausgehen würde, gäbe ihm zur Erwägung:

1. Die mitgetheilten Instructionen des Herrn Almquist, welche derselbe von der schwedischen Regierung empfangen;

2. Die gegenwärtige politische Lage Europa's;

3. Die Ansicht der Mitglieder der Sub-Commission und 4 anderer Glieder;

4. Den Umstand, dass die Berichte betreffs der Programmfragen noch nicht alle abgesandt und veröffentlicht seien.

Die Sub-Commission ist der Meinung:

1. Dass der Congress auf das Jahr 1878 verschoben werden müsse, und dass derselbe in Stockholm tagen solle.

2. Dass die Versammlung der Commission im Mai d. J. zu frühzeitig, dass es vielmehr vortheilhafter sei, dieselbe Ende September 1877, oder Anfangs Mai 1878 zu berufen.

3. Dass, um Zeitverlust zu vermeiden, man sich durch die Sub-Commission an jedes Commissions-Mitglied wende, unter Mitsendung des Abdrucks der Protocolle, als Fragestellung, worauf jedes Mitglied zu antworten und die Antwort sogleich an Herrn Dr. Wines zu adressiren habe.

4. Herr Stevens übergibt der Sub-Commission das Formular der internationalen Gefängniss-Statistik, womit er beauftragt war.

5. Herr Beltrani-Scalia zeigt an, dass Se. Excellenz der Hr. Minister des Innern ihn beauftragt habe, der Sub-Commission zu er-

klären, Sr. Majestät der König von Italien würde den Internationalen
Gefängniss-Congress mit Vergnügen in Rom empfangen, nachdem derselbe
in Stockholm getagt; zu einer Zeit, die durch die Commission anderweitig zu bestimmen sei.

Diese Mittheilung wird mit Vergnügen aufgenommen und bittet
der Herr Präsident Herrn Beltrani, Sr. Excellenz dem Herrn Minister
des Innern den Dank wie die Annahme dieser gütigen Einladung Seitens der Sub-Commission zu übermitteln.

6. Der Herr Präsident glaubt, Herrn Almquist als Delegirten
Schwedens nochmals auf die Ansichten der Sub-Commission bezüglich
des Empfanges, welchen die Regierungen den Mitgliedern des Internationalen Congresses angedeihen zu lassen pflegen, aufmerksam machen
zu müssen. Er bittet ihn, er möge seinen Landsleuten zu verstehen
geben, dass die Tage, welche der Gefängniss-Congress in Stockholm
zubringen werde, Arbeiten geweiht seien, welche nur mit einem einfachen Empfang vereinbar sind und im Einklang mit den Zielen und dem
Character derartiger Versammlungen stehen. · Ein einfacher Empfang,
welcher die Herzlichkeit nicht ausschliesse, würde auch künftige Versammlungen erleichtern und weniger lästig machen. Er hält es für seine
Schuldigkeit, diese Bemerkung im Namen der Sub-Commission zu machen; die Gastfreundschaft Schwedens sei sprüchwörtlich und er fürchte,
dass dieser Umstand die Arbeiten der Congressmitglieder beeinträchtigen könne. Er beauftragt Herrn Almquist, der Regierung Sr. Majestät
des Königs von Schweden den Dank der Sub-Commission auszusprechen.

7. Dem Herrn Präsidenten und Secretär wird Dank votirt und
man beschliesst, dass Morgen frühe eine Schlusssitzung stattfinde, um
die Protokolle durchzulesen und das Collectivschreiben an Herr Dr.
Wines zu unterzeichnen.

Der Secretär:            Der Präsident:
Dr. Guillaume.        Dr. Fr. v. Holtzendorff.

## Schluss-Sitzung
### 25. März 1877.
Vorsitzender Herr von Holtzendorff.

Das Protokoll der letzten Sitzung wird verlesen und genehmigt.
Das Collectivschreiben an Herr Dr. Wines wird vorgelesen, an-
genommen und von den Mitgliedern der Sub-Commission unterzeichnet.
Das Protocoll der Sitzung wird hiernach verlesen und genehmigt.
Brüssel, 25. März 1877.
Die Mitglieder der Commission.
Dr. von Holtzendorff; Präsident — M. Beltrani-Scalia — Almquist —
Pols — Stevens — Yvernès — Dr. Guillaume, Secretär.

## Nachschrift.

Da vorstehendes Protocoll über die Vorgänge seit unserer letzten Berichterstattung bis März 1877 Auskunft gibt, haben wir nur noch hinzuzufügen, dass die Commission definitiv beschlossen hat, den Congress zu vertagen und dass solcher nunmehr im August 1878 zu Stockholm stattfinden soll. Mit entscheidend war bei diesem Beschluss auch die politische Weltlage. Es fragt sich jetzt nur noch, ob eine nochmalige Sitzung der Commission stattfindet. Nachdem Ort und Zeit des Congresses definitiv festgesetzt, die Gutachten theils gedruckt sind, theils bald eingekommen sein werden und die Geschäfts-Ordnung für den Congress unmittelbar vor Beginn des Letzteren festgestellt wird, scheint eine nochmalige Versammlung der Commission kaum nöthig.

# Correspondenz.

Rom im April 1877. Die Herren Dr. von Holtzendorff, Professor der Rechte an der Universität München und Ch. Lucas, Generalinspector der Gefängnisse in Paris sind in Anerkennung ihrer wissenschaftlichen Verdienste um das Strafrecht und Gefängnisswesen zu Commandeuren des Ordens der italienischen Krone ernannt worden.

# Literatur.

Das belgische Gefängnisswesen. Ein Beitrag zu den Vorarbeiten für die Gefängnissreform in Preussen von W. Starke, Geh. Oberjustizrath und vortragender Rath im Justizministerium. 18 Bogen gr. 8. mit 4 Abbildungen. Preis 8 Mark. Berlin, Enslin.

Wir haben es hier mit einem Werke zu thun, wie ein ähnliches bis jetzt nicht existirt, auch nicht über das belgische Gefängnisswesen selbst. Freilich wäre es auch weniger möglich und weniger lohnend, über das Gefängnisswesen eines anderen Landes etwas derartiges zu bearbeiten. Der grosse Werth dieses mit eminenter Sorgfalt und ganzer Sachkenntniss geschriebenen Werkes besteht eben in seiner erschöpfenden Behandlung aller einschlägigen Zweige. Es verbreitet sich über die geschichtliche Entwicklung des Gefängnisswesens in Belgien, über die Beziehung des Strafrechts zum Gefängnisswesen und des letzteren Regelung, über die Organisation der Gefängnissbehörden, die Gefängnissbauten, die Behandlung der Gefangenen und gibt schliesslich eine Abhandlung über die Resultate des belgischen Gefängnisswesens. Kommt auch die Durcharbeitung und Einheit des belgischen Gefängnisswesens dem Verfasser in Lösung der gestellten schwierigen Aufgaben sehr zu Statten, so erregt doch die Art, wie die Aufgabe gelöst wurde, unsere Bewunderung, ebensowohl weil ein grosses Material zu sammeln, zu sichten und zu behandeln war, als weil die Arbeit in jeder Hinsicht befriedigend ausgefallen ist.

Nur ungerne versagen wir uns, aus dem Werke, das häufig vergleichend verfährt, Einzelnes wiederzugeben, da uns diesmal der Raum dies nicht zulässt. Wir gedenken später hierauf zurückzukommen; doch muss Jedermann, der sich um das Gefängnisswesen interessirt, dies Buch lesen, um zu ermessen, welch unschätzbaren „Beitrag zur Gefängnissreform" der Verfasser damit geliefert hat.

Das Strafgesetzbuch für das deutsche Reich. In der, durch Bekanntmachung des Reichskanzlers vom 26. Februar 1876 festgestellten Fassung. Aus den Commentaren von Dr. Oppenhoff und Dr. von Schwarze, sowie den Präjudizien der höchsten deutschen Gerichtshöfe erläutert; auch mit den Einführungs-Gesetzen, Marginal-Bemerkungen, ausführlichen, die Strafmaasse jedes Artikels mit enthaltendem alphabetischen Sachregister, sowie 5 Beilagen, enthaltend sämmtliche Bestimmungen über Maasse und Gewichte, Verzeichnisse der in Elsass-Lothringen eingeführten ein-

schlägigen Bundes-, resp. Reichsgesetze, der in Bayern, Baden,
Hessen südlich des Mains und Württemberg eingeführten Gesetze
des ehemal. Nordd. Bundes und dem Auslieferungsvertrag mit
Luxemburg versehen von Hans Ottmar Reiz. Berlin 1877, Eugen
Grosser (Grosser's Gesetzsammlung Nr. 40). 752 S. 8.

Wie schon aus dem Titel hervorgeht, ein reichhaltiges Buch, welches uns in zweckmässiger Weise eine Zusammenstellung der zum Strafgesetzbuch nöthigen resp. gegebenen Erläuterungen vorführt und sich
in dieser verhältnissmässig gedrängten Kürze ganz besonders für den
Praktiker, auch den Strafanstaltsbeamten eignet.

Achtzehnter Jahresbericht über die Wirksamkeit der juristischen
    Gesellschaft zu Berlin in dem Vereinsjahre 1876—77.

Nach vorstehendem Bericht haben in dem verflossenen Jahre acht
Sitzungen der Juristischen Gesellschaft stattgefunden und wurden folgende Vorträge gehalten:

1) Am 8. April 1876 von Herrn Rechtsanwalt Dr. Zimmermann
   über die neue Organisation der englischen Gerichtsverfassung.
2) Am 13. Mai 1876 von Herrn Professor Dr. Baron über die Erb-
   schaftssteuer und das Erbrecht.
3) Am 9. Juni 1876 von Herrn Geheimen Medizinalrath, Stadtphysi-
   kus Dr. Liman über den bekannten Criminalprozess in Birken-
   feld.
4) Am 9. September 1876 von Herrn Stadtgerichtsrath Hagens,
   z. Z. delegirt in das internationale Gericht zu Cairo, über Ur-
   sprung, Entwickelung und Ziele der Justizreform in Aegypten.
5) Am 10. November 1876 von Herrn Rechtsanwalt Dr. Zimmermann über englische Justizreform.
6) Am 9. Dezember 1876 machte der Königl. Sächsische General-
   Staatsanwalt Herr Dr. v. Schwarze Mittheilung über die Ergebnisse der Reichstagsverhandlungen, betreffend die Strafpro-
   zess-Ordnung.
7) Am 13. Januar 1877 hielt der Herr Justizrath Primker einen
   Vortrag über die Durchführung des Prinzipes der Mündlichkeit
   des Verfahrens in der deutschen Zivilprozess-Ordnung.
8) Am 12. Februar 1877 sprach der bisherige Staatsanwalt, Geh.
   Regierungsrath, Direktor der hiesigen Charité, Herr Spinola,
   über die Fortschritte der neueren Chirurgie und das Strafrecht.

Fünf neue Mitglieder sind der Gesellschaft beigetreten, zwei sind
gestorben, vier ausgeschieden.

Eine schon im Juni 1869 von der Gesellschaft gestellte Preisauf-
gabe „über die Enstehung und Entwickelung der eigenthümlichen Rechts-
und Staatsverfassung der Oberlausitz bis zu den Folgen des Pönfalls“
wurde nach einem anfänglich misslungenen Versuch durch nochmalige
Bearbeitung gelöst durch Professor Dr. Knothe zu Dresden. —

Nach Beschluss der Gesellschaft vom 9. März 1876 wurde die

Grabstätte des um die Codification des Preussischen Allgemeinen Land-
rechts hochverdienten S a a r e z mit einer auf Säulen ruhenden Büste
des Gefeierten geschmückt. —

Die Vorträge 5 und 7 sind der Broschüre angeschlossen.

Sp.

Das Z e l l e n g e f ä n g n i s s  N ü r n b e r g, dessen bauliche Einrichtung
und die in demselben durchgeführte Organisation des Strafvollzuges. Ein Beitrag zur Gefängnisskunde, verfasst zur Erinnerung
an den XII. deutschen Juristentag von Gefängnissdirektor S t r e n g.
Nürnberg, Druck von Fr. Campe & Sohn 1875.

Es ist ein praktischer Gedanke, der in diesen Blättern in zweck-
entsprechender Weise zur Ausführung gelangt, den Besuchern des Zellengefängnisses nämlich, die ein allgemeines Interesse am Gefängnisswesen in diese Anstalt führt, ein Führer durch dieselbe zu sein und
über die wesentlichsten Fragen Aufschluss zu ertheilen. Für Fachmänner ist das Schriftchen demnach nicht bestimmt, wird ihnen aber nichts
desto weniger eine willkommene Gabe sein. Sp.

S t a t i s t i e k  van het Gevangeniswezen (in Holland) over 1874. S' Gra-
venhage 1876.

Die jährlich herausgegebene Statistik des Königreichs Holland
über die Gefängnisse ist sich für 1874 insofern gleichgeblieben, als auch
dieser Jahrgang bezüglich der Tabellen keine Veränderung zeigt. Dagegen ist diesem Jahrgang eine vergleichende Uebersicht über die Statistik der letzten 5 Jahre (1870—74) beigegeben und sind darin auch
einige Mittheilungen aus Berichten der Gefängnissverwaltungen enthalten.
Im Ganzen zeigt die Gesammtzahl der Bevölkerung aller Gefängnisse
während diesen 5 Jahren keine erheblichen Veränderungen und kamen
im Jahre 1871 auf 1000 Seelen 10,7, in den übrigen Jahren 10,8 Gefangene. Das Verhältniss von männlichen und weiblichen Gefangenen
ist ein für Letztere günstigeres geworden, 1870 kamen 17,2, 1874 nur
14,6 Weiber auf 100 Männer. — Der Gesundheitszustand in den Gefängnissen war 1874 günstiger, als 1872 und 71, aber ungünstiger als
1873 und 1870. Die Krankenzahl schwankte in diesen Jahren zwischen
1 Kranken auf 4,13 bis 4,96 Gesunde. Sterbefälle haben sich vermindert und betrugen 1874 nur 0,14 Procent. Selbstmorde während der
5 Jahre 13, in den Strafgefängnissen aber nur 1 (1873). Die Zahl
der Kinder in den Gefängnissen hat sich vermehrt, mit den Müttern
wurden in die Gefängnisse 1874 aufgenommen 323, (darunter 2 in die
Strafgefängnisse), geboren 6. Rückfällig wurden in gedachten Jahren
24—26%, von den Zellengefangenen 20—25%. Die Zahl der Gefangenen, die nicht lesen und nicht schreiben können, hat sich von 29,92
auf 27,34% vermindert. Die Verpflegungskosten sind für die einzelnen
Gefangenen und Verpflegungstage nicht unerheblich gestiegen (von
fl. 0,60₀₇ auf 0,71,₈₄.) Die Zahl der Zellen hat sich von 898 auf
1237 vermehrt. —

Die ganze Statistik, in bekannter detaillirter sorgfältiger Weise ausgearbeitet, gibt uns einen sehr interessanten Ueberblick über das Gefängnisswesen und ein günstiges Bild der Gefängnissleitung Hollands.

De wet van 5. Juny 1875 betreffende de afzonderlijke opsluiting in Frankryk, door Ihr. Mr. B. J. Ploos van Amstel, lid van de Arrondissements-Regtbank, te Amsterdam.

Wie bekannt, hat die Regierung der französischen Republik eine Commission eingesetzt, welcher die Aufgabe zufiel, den Zustand der verschiedenen Strafeinrichtungen in Frankreich und seinen Kolonieen einer Untersuchung zu unterziehen. Das Resultat war ein Gesetzentwurf, in welcher die Einzelhaft grundsätzlich acceptirt wurde. Die interessanten Verhandlungen über die betreffenden Artikel des Entwurfes bei der zweiten und dritten Lesung am 19. Mai und am 2. Juni werden in obiger Broschüre ausführlich von sachkundiger Feder mitgetheilt. Ueber die von den Herren d'Haussonville, Bérenger und Voisin gehaltenen Reden sagt Verfasser, sie müssten Meisterstücke genannt werden und hätten reichlich den Beifall verdient, der ihnen von der Versammlung zu Theil geworden sei. —                                        Sp.

De la folie au point de vue philosophique ou plus spécialement psychologique, étudiée chez le malade et chez l'homme en santé. Ouvrage couronné par l'institut, par le Docteur Prosper Despine, membre de la société médico-psychologique de la Grande-Bretagne et de la société Américaine des prisons. Résidant à Marseille; Paris, F. Savy, Libraire-Editeur. 1875.

Nicht vom rein medizinischen, sondern vom psychologischen Standpunkte aus betrachtet der gelehrte Herr Verfasser die Geisteskrankheit in vorliegendem umfangreichen Werke. Er gibt zwar zu, dass der Seelenstörung immer ein organisches Leiden zu Grunde liege, betont aber, dass die psychologischen Thatsachen nicht mit den eigentlich medicinischen Beobachtungen vermischt werden dürften. Es ist ihm darum zu thun, die Psychologie, als eine noch sehr zurückgebliebene Wissenschaft, auf wissenschaftlicher Basis aufzubauen. Der Schwierigkeit seiner Aufgabe ist er sich dabei wohl bewusst. „Wie kann man wissen, ruft er aus, warum der Geisteskranke des vernünftigen Denkens (de la raison) und der Selbstbestimmung (du libre arbitre) beraubt ist, wenn man nicht weiss, worin Vernunft und freies Urtheil bestehen? — Doch schreckt das den Herrn Verfasser nicht ab, in dieses Nachtgebiet menschlichen Daseins mit der Fackel der Wissenschaft hineinzuleuchten und zur Aufhellung des schwierigen Problems nach Kräften beizutragen. Das Buch zerfällt in zwei Theile; der erste handelt von den psychologischen Prinzipien im Allgemeinen, der zweite Theil von der Psychologie der Geisteskrankheit selbst. Selbstverständlich fehlt es dabei auch nicht an einer Abhandlung über das Verbrechen von psychologischem Standpunkte aus (S. 578 ff.) Mögen diese

Andeutungen genügen, zum Studium dieses geistreichen, für Fachmänner gewiss höchst interessanten und instructiven Werkes einzuladen.

Sp.

**Les établissements pénitentiaires en France et aux colonies** par le vicomte d'Haussonville, député à l'assemblée nationale. Paris, Michel Lévy frères, éditeurs. 1875.

Der verdienstvolle Verfasser bespricht in diesem Werke eingehend und ohne Verschweigung der vorhandenen Missstände die Einrichtungen und Zustände in Frankreich und den französischen Kolonieen. Die Geschichte der Gefängnissfrage in Frankreich, statistische Aufzeichnung über die dortige Gefängnissbevölkerung, das Verhältniss der Rückfälligen im Vergleich mit andern Ländern, Disciplin, gesundheitliche, ökonomische und moralische Zustände der Gefängnisse, die Centralanstalten, die Correktionshäuser, Freilassung, Schutzaufsicht, Dies und Anderes bildet den Stoff, den der Verfasser in ansprechender Weise behandelt. Wer sich über das französische Gefängnisswesen instruiren will, dem können wir dieses Buch bestens empfehlen. Sp.

**Trettende Aarsberetning fra Horsens Faengselsselskab.** Horsens. Foghs Bogtrykkeri. 1874.

Den Inhalt dieses dreizehnten Jahresberichts der Gefängnissgesellschaft zu Horsens bilden:

1) Die Generalversammlungen.
2) Ein Verzeichniss der im Rechnungsjahr 1859—73 unter der Fürsorge des Vereins gestandenen Sträflinge (44).
3) Ein Verzeichniss der im laufenden Rechnungsjahr Hinzugekommenen (14).
4) Ein Auszug aus der revidirten Rechnung vom 1. April 1873 bis 31. März 1874.
   Darnach betrugen die Einnahmen . . 2654 Rth. 47 Pf.
   die Ausgaben mit einem Kassenrest von 742 Rth.
   79 Pf. . . . . . . . 2654 Rth. 47 Pf.
   Der Vermögensstand beträgt . . . 5413 Rth. 39 Pf.
5) 6) und 7) Verzeichniss der Geber und Beiträge.

Aus letzterem geht hervor, dass die Betheiligung an der Sache von Personen aus allen Ständen, wenigstens mit Geldbeiträgen, eine sehr grosse ist, wenn auch die Geldbeiträge selbst durchschnittlich nur 1—2 Thaler betragen, was alle Anerkennung verdient. Die Schutzvereine sind eine sehr schwierige, vielfach undankbare, aber doch nothwendige Aufgabe, die bei uns mehr in Fluss kommen sollte.

Sp.

# Personalnachrichten.

### 1. Veränderungen.

#### a. Bayern.

**Berichtigung.** Die im 1. und 2. Heft gebr. Ernennung des Rechts-
pract. **Böhme** zum Verwalter der Strafanst. Zweibrücken ist
unrichtig. Derselbe wurde zum Verwalter des Zuchthauses
**Kaisheim** ernannt.

#### b. Preussen.

**Berendt**, ev. Geistl. der Strafanstalt Naugard zum Pfarrer der Stadt-
vogtei-Gefängnisse in Berlin ernannt.

**Nolte**, Vorsteher des Arresthauses Saarbrücken, als Director an die
Strafanstalt Cronthal versetzt.

#### c. Ungarn.

**Tauffer Emil**, Director der Land.-Straf-Anstalt Leopoldstadt a. d.
Waag wurde zum Director der K. kroatisch-slavonisch-dalma-
tinischen Centralstrafanstalt Lepoglava ernannt. Derselbe ist
zugleich von der k. croatischen Regierung zur Reform des
dortigen Gefängnisswesens berufen.

#### d. Württemberg.

**Hölder**, v., Dr. Obermed.-Rath in Stuttgart erhielt die Stelle des ärztlichen Mitgliedes des Strafanstalten-Collegiums.

### 2. Auszeichnungen.

#### Württemberg.

**Binder**, v., Tribunaldirector in Stuttgart, wurde von der Universität
Tübingen zum Ehrendoctor ernannt.

**Gerock**, v., Oberhofprediger in Stuttgart desgleichen.

### 3. Todesfälle.

#### Mecklenburg.

**Wildenow**, Inspector und Vorstand des Land.-Arbeits-Zucht- und
Irrenhauses in Strelitz.

# Vereinsangelegenheiten.

### Neu eingetretene Mitglieder.

#### a. Baden.

**Warth**, kath. Hofpfarrer und Hausgeistlicher der Weiber-Straf-Anstalt
Bruchsal.

#### b. Mecklenburg.

**Nettelbladt**, Baron v., Major a. d. Oberinspector und Vorstand des
Landarbeitshauses Güstrow.

# Versammlung des Vereins der deutschen Strafanstaltsbeamten in Stuttgart 13. und 14. Sept. 1877.

---

**Verzeichniss der zu behandelnden Fragen sammt den Anträgen.**

I. Ueber die gesetzliche Regelung des Strafvollzuges.

Im Anschluss an die bereits für die Versammlung zu Berlin fertig gestellten Stoffe hat der Ausschuss, grösstentheils gemäss eines Antrags des Hrn. Geh. Ober-Reg.-Rath Illing und der von demselben aufgestellten Fragen beschlossen, folgende Punkte in Betreff der gesetzlichen Regelung des Strafvollzugs zu behandeln.

1) Inwieweit soll der Strafvollzug durch Gesetz geregelt werden?

Antwort: Nur in den leitenden Normen.

2) Ist die Einzelhaft als regelmässige Art des Vollzugs der Freiheitsstrafen zu empfehlen?

Antwort: Ja.

3) Für den Fall der Bejahung der Frage ad. 2 — soll die Einführung der Einzelhaft von dem Ermessen der verschiedenen Bundesstaaten abhängig gemacht werden oder ist die Vollstreckung der Freiheitsstrafen in Einzelhaft (unter Beobachtung des §. 22. des Strafgesetzbuches und mit den durch den besonderen körperlichen oder geistigen Zustand der Gefangenen gebotenen Ausnahmen) als Regel vorzuschreiben?

Antwort: Die Vollstreckung der Freiheitsstrafen in Einzelhaft ist als Regel vorzuschreiben.

4) Wie ist die Einführung der Einzelhaft sicher zu stellen? etwa durch die Vorschrift, dass alle neuen Gefängnisse nach dem Princip der Einzelhaft eingerichtet werden müssen und dass die bestehenden Gefängnisse binnen einer durch das Gesetz zu bestimmenden · Frist nach dem Princip der Einzelhaft umzubauen oder durch Gefängnisse, die demselben entsprechen, zu ersetzen sind?

Antwort: Durch die gesetzliche Vorschrift, dass die Gefängnisse in bestimmter Frist nach dem System der Einzelhaft eingerichtet sein müssen.

5) Darf die Einzelhaft auch bei Vollstreckung der Haftstrafe zur Anwendung gebracht werden?

Antwort: Diese Frage ist durch Gesetz zu bejahen.

6) Ist in dem Strafvollzugsgesetz auch das Irische System für zulässig zu erklären?

Antwort: Nein.

1—5 Referent Director Ekert.

7) Nach welchen Grundsätzen soll der Arbeitsbetrieb in den Strafanstalten geregelt werden; soll insbesondere auf eigene Rechnung gearbeitet, oder sollen die Arbeitskräfte vermiethet werden?

Antwort: 1. Die Arbeit bildet einen Bestandtheil der Zuchthaus- und der Gefängnissstrafe, so wie der nach Vorschrift des §. 361 Nr. 3 bis 8 des Strafgesetzbuchs erkannten Haftstrafe, und sind die zu diesen Strafen verurtheilten Gefangenen zur Arbeit verpflichtet.

2. Dieselben sind sämmtlich unter Berücksichtigung ihrer Individualität auf eine ihren Fähigkeiten und Verhältnissen angemessene Weise thunlichst mit solchen Arbeiten zu beschäftigen, welche zugleich ihr künftiges Fortkommen zu erleichtern geeignet sind. Eine Beschäftigung der Gefangenen in einer ihrer Gesundheit nachtheiligen Weise ist nicht zulässig.

3. Die Gefangenenarbeit ist unter Berücksichtigung der in den ersten beiden Thesen ausgesprochenen Grundsätze möglichst productiv zu machen, und muss bei der Feststellung der Arbeitslöhne der bei den freien Arbeitern übliche Lohnsatz wenigstens annähernd zum Anhalt genommen werden.

4. Die Arbeiten, welche zur Beschaffung der häuslichen Bedürfnisse einer Strafanstalt nothwendig sind, müssen, so weit der Strafzweck darunter nicht leidet, möglichst durch die Gefangenen verrichtet werden.

Die sonstigen Arbeiten der Gefangenen sind in der Regel für Rechnung Dritter — wozu auch andere Staatseinrichtungen zu zählen sind — gegen Festsetzung eines bestimmten Arbeitslohnes, und zwar wenn ausführbar eines Stücklohnes, zu betreiben, wobei die Strafanstaltsverwaltung als Unternehmerin erscheint.

8) Im Anschluss an Nr. 7. sind in Rücksicht auf die bevorstehende gesetzliche Regelung des Strafvollzugs noch folgende Fragen aufgestellt:

a. Auf wie viele Stunden ist die Dauer der Arbeitszeit festzusetzen? Empfiehlt es sich, für die Gefängnissstrafe eine geringere Stundenzahl anzunehmen?

Antwort: Die Dauer der Arbeitszeit der Zuchthaus-Gefangenen ist in den 6 Sommermonaten auf 12 und in den 6 Wintermonaten auf 11 Stunden täglich festzusetzen. Auf die Arbeitszeit ist aber die Zeit anzurechnen, welche die Gefangenen an den Werktagen auf den Gottesdienst und den Unterricht verwenden müssen.

Es empfiehlt sich für die Gefängnissgefangene und für die nach Vorschrift des §. 361 Nr. 3 bis 8 des St.-G.-B. zur Haftstrafe Verurtheilten eine geringere Stundenzahl, und zwar eine Stunde weniger als für die Zuchthausgefangenen bestimmt, anzunehmen.

b. Nach welchen Grundsätzen ist bei Festsetzung der Arbeitspensa zu verfahren? Empfiehlt es sich hinsichtlich desselben Arbeitszweiges ein gleiches Pensum für alle damit beschäftigten Gefangene anzuordnen, oder ist das Pensum verschiedenartig, unter Berücksichtigung der Geschicklichkeit, Arbeitskunde etc. für jeden einzelnen Gefangenen besonders zu normiren?

Antwort: Den Gefangenen ist, insoweit es die Art der Beschäftigung gestattet, ein tägliches Pensum aufzugeben, welches für solche, deren Leistungsfähigkeit nicht durch Alter, Gebrechlichkeit oder Mangel an Uebung beschränkt ist, nach der mittleren Tagesleistung eines gesunden Arbeiters zu bestimmen ist; die Vollendung des vorgeschriebenen Pensums darf jedoch nicht von der Verpflichtung zum Fortarbeiten bis zum Schlusse der vorgeschriebenen Arbeitszeit entbinden.

Das Pensum für jeden einzelnen Gefangenen besonders zu normiren, ist weder zweckmässig noch practisch ausführbar, dagegen muss aber für diejenigen Gefangenen, deren Leistungsfähigkeit nach Maassgabe des Vorstehenden als eine beschränkte anzusehen ist, das Pensum nach dem Ermessen des Strafanstalts-Vorstehers event. nach Anhörung des Arztes entweder ganz wegfallen oder ermässigt werden.

c. Sind die Arbeitsbelohnungen, wie das preussische Reglement von 1872 vorschreibt, (Blätter für Gefängnisskunde Band 9 Seite 346 zu Nr. 5) im Verhältniss des von dem Arbeitsunternehmer gezahlten Lohnes zu gewähren, oder, wie in mehreren deutschen Staaten geschieht, (ebendaselbst Seite 350 folgende) nach gewissen feststehenden Sätzen für jedes Pensum bezw. Ueberpensum?

Antwort: Es empfiehlt sich nicht, die Arbeitsbelohnungen im Verhältniss des von dem Arbeitsunternehmer gezahlten Lohnes zu gewähren, es ist vielmehr zweckmässiger, die Belohnungen nach gewissen feststehenden Sätzen für jedes Pensum bezw. Ueberpensum zu bewilligen.

d. Ist es geboten, dass in derselben Strafanstalt alle Gefangenen bei gleichem Fleisse und bei gleicher Anstrengung auch eine gleiche Arbeitsbelohnung erhalten, oder ist es zulässig, verschiedene Arbeitsbelohnungen für die einzelnen Arbeitszweige zu gewähren (ebendaselbst Seite 243)?

Antwort: Es empfiehlt sich, in derselben Strafanstalt für diejenigen Arbeiten, welche von annähernd gleicher Schwere sind, resp. eine annähernd gleiche Geschicklichkeit erfordern, auch gleiche Arbeitsbelohnungen auszusetzen und zu gewähren. Danach werden also event. auch verschiedene Arbeitsbelohnungen für die verschiedenen Arbeitszweige zu gewähren sein.

e. Ist den Privat-Arbeitsunternehmern in den Strafanstalten zu ge-

statten, den für ihre Rechnung arbeitenden Gefangenen Arbeitsbelohnungen zuzuwenden?

Antwort: Die Privat-Arbeitsunternehmer dürfen den für ihre
Rechnung arbeitenden Gefangenen Arbeitsbelohnungen we der direct
noch indirect zuwenden.

f. Empfiehlt es sich, die Arbeitsbelohnungen nach einheitlichen
Sätzen für alle Strafanstalten und Gefängnisse gesetzlich zu normiren?

Antwort: In das Strafvollzugsgesetz sind zweckmässig nur
allgemeine Normen für die Bewilligung der Arbeitsbelohnungen
aufzunehmen. Es empfiehlt sich dafür etwa folgende Bestimmungen
anzunehmen:

Den Gefangenen ist, wenn sie fleissig und gut arbeiten, nach
Maassgabe ihrer Arbeitsleistungen eine Arbeitsbelohnung gut zu schreiben, deren Höhe im einzelnen Falle je nach dem Grade des bewiese-
nen Fleisses und der Art der Arbeit abzustufen ist. Durch die betreffenden Oberaufsichtsbehörden über die Strafanstalten und Gefängnisse
ist jedoch ein Maximalsatz für die Arbeitsbelohnungen festzustellen,
welcher in der Regel nicht überschritten werden darf.

9) Welche Disciplinarstrafen sind bei den zur Zuchthaus- oder Gefängnissstrafe oder nach Vorschrift des §. 361 Nr. 3 bis 8 des
Strafgesetzbuchs zur Haftstrafe Verurtheilten zulässig? Ist namentlich die Einsperrung in Dunkelarrest unter zeitweiser Entziehung des Bettlagers und der warmen Kost als strengste Disciplinarstrafe anzunehmen oder bedarf es noch strengerer Disciplinarstrafen, beispielsweise Latten, körperliche Züchtigung, Zwangsstuhl, Fesselung oder ähnliche?

Antwort: Als Disciplinarstrafen für die fraglichen Gefangenen sind allein zulässig:

1. Verweis;

2. Entziehung oder Beschränkung der gesetzlichen oder hausord-
nungsmässigen Vergünstigungen;

3. Bei Einzelhaft: Entziehung der Arbeit und der Lectüre bis
zur Dauer von acht Tagen;

4. Arbeit über die vorschriftsmässige Dauer, jedoch nur bei
Unfleiss;

5. Einziehung der Arbeitsbelohnungen der letzt vergangenen
drei Monate bis zur Hälfte derselben zu Gunsten der Gefangen-Unter-
stützungskasse;

6. Entziehung der Verfügung über die Arbeitsbelohnungen bis
zur Dauer von drei Monaten;

7. Entziehung des Bettlagers ohne Arrest für nicht länger als
drei Nächte hinter einander;

8. Schmälerung der Kost ohne Arrest auf nicht länger als sieben Tage je um den andern Tag.

Die vorstehend zu Nr. 4 bis 8 aufgeführten Disciplinarstrafen können auch verbunden zur Anwendung gebracht werden.

9. Einsame Einsperrung in einem hierzu bestimmten nur mit einer Pritsche versehenen Lokale (Arrest) bis auf die Dauer von höchstens vier Wochen. Diese Strafe kann geschärft werden (strenger Arrest): durch Entziehung der Arbeit und des Bettlagers, durch Verdunkelung der Arrestzelle, durch Beschränkung der Kost auf Wasser und Brod. Diese Schärfungen kommen am 4., 8., 12. und demnächst event. an jedem dritten Tage im Wegfall.

Ausserdem können mit der Arreststrafe auch die vorstehend zu Nr. 5 und 6 aufgeführten Strafen verbunden werden.

Zwangsstuhl, Zwangsjacke oder Fesselung dürfen nur zur augenblicklicher Bändigung bei thätlicher Widersetzlichkeit oder wüthendem Toben angewendet werden.

Referent zu 7—9 Geheimer Reg.-Rath L ü t g e n.

10) Auf wie viel Kubikmeter ist die Grösse:
    I. der Zellen a. für Einzelhaft bei Tag und Nacht; b. für nächtliche Absonderung;
    II. der gemeinschaftlichen Arbeitsräume per Kopf der Gefangenzahl zu normiren?

A n t w o r t : Die Grösse der Zellen für Einzelhaft bei Tag und Nacht muss im Minimum 25 Kb.-M. betragen bei einer Lichtöffnung von $1\frac{1}{2}$ Q.-M. und einer Luftöffnung von $\frac{3}{4}$ Q.-M.

In jeder Anstalt ist eine Anzahl von grösseren Zellen einzurichten, um den Anforderungen des Arbeitsbetriebes gerecht zu werden.

Für die Schlafzellen genügt eine Grösse von 15 Kb.-M. bei einer Lichtöffnung von 1 Q.-M. und einer Luftöffnung von $\frac{1}{2}$ Q.-M.

Für die gemeinschaftlichen Arbeitsräume genügt 15 Kb.-M. pro Kopf vorausgesetzt, dass nicht weniger als 15 Gefangene in einem Raume beschäftigt werden und für ausreichend grosse Luft- und Lichtöffnungen Sorge getragen ist.

11) Welche Kopfzahl von Gefangenen ist bei der Einrichtung von Gefängnissen als Maximalzahl anzunehmen?

A n t w o r t : Zu kleine und zu grosse Anstalten sind für den Strafvollzug gleich schädlich — Gefangenanstalten — abgesehen von den Amtsgefängnissen, sind für nicht weniger als 100 und nicht mehr als 250 Köpfe einzurichten, das System der Einzelhaft vorausgesetzt.

Strafanstalten sind für nicht weniger als 250 und bei Einzelhaft für nicht mehr als 400, bei Einzelhaft und gemeinsamer Haft für nicht mehr als 500 einzurichten.

12) Empfiehlt es sich kurzzeitige Strafen (namentlich auch Haftstrafen, die nur wenige Tage dauern) durch zeitweise Beschränkung auf Wasser und Brod zu verschärfen?

A n t w o r t : Die Schärfung einer Strafe durch Hunger ist zu verwerfen; dagegen ist darauf hinzuwirken, dass an Stelle der kurzen

Strafen, welche kaum noch Strafe zu nennen sind, längere Strafen treten. Bettler und Vagabonden sind rücksichtslos in die Correctionshäuser zu verweisen.

13) Sind Rückfällige einer strengeren Zucht zu unterwerfen?

Antwort: Rückfällige, d. h. schon früher mit Zuchthaus oder wiederholt mit Gefängnissstrafe belegte, sind während der Strafverbüssung einer besonderen Behandlung zu unterwerfen.

1. Die für die übrigen Gefangenen üblichen Vergünstigungen sind für sie zu beschränken,
2. härtere Disciplinarstrafen für dieselben in Anwendung zu bringen.

Die Unterbringung in besonderen Anstalten, ausgenommen, wenn aus den Rückfälligen eine Abtheilung zur Ausführung öffentlicher Arbeiten gebildet wird, empfiehlt sich nicht.

14) Empfiehlt es sich bei der Verwaltung und Leitung der Strafanstalten Commissionen zu betheiligen, die zum Theil aus Privatpersonen bestehen? Bejahenden Falles welche Funktionen sind denselben zu übertragen?

Antwort: Die Einrichtung derartiger Commissionen empfiehlt sich in dem Falle, dass dieselben an der Arbeit der Strafvollzugsanstalten theilnehmen. Sie sind nicht bloss für die grossen sondern auch für die kleinen Gefängnisse einzurichten. —

Als Funktionen sind ihnen zuzuweisen:
1. In Bezug auf die allgemeine Verwaltung
   a. Revision der Kasse und Materialien,
   b. Controle des Arbeitsbetriebs,
   c. Mitwirkung bei Abschlüssen von Contracten, resp. freihändigen Ankauf.
2. In Bezug auf die Personen der Gefangenen
   a. Erledigung von Beschwerden der Gefangenen,
   b. Mitwirkung bei der Verhängung der schwersten Disciplinarstrafen,
   c. Zellenbesuche,
   d. Mitwirkung bei Anträgen auf Begnadigung, resp. vorläufige Entlassung,
   e. Fürsorge für Entlassene.
Referent zu 10—14 Strafanstaltsdirector Krohne.

II. Nach welchen Grundsätzen sind den Gefangenen für ihre Arbeitsleistungen Belohnungen zu bewilligen? In Verbindung mit oben I, 8 c—f.

Antwort: 1. Der Ertrag der Arbeit der Gefängniss- wie der Zuchthaus-Sträflinge fliesst in die Kasse jener Anstalt, in welcher dieselben ihre Strafe erstehen.

2) Den Gefangenen der genannten Kategorien soll jedoch nach Maassgabe ihrer Arbeitsleistung ein Theil des Arbeits-Ertrages, und

zwar bis zum vierten Theile des Gesammt-Verdienstes, als Arbeitsgeschenk überlassen werden.

3) Die Gefangenen dürfen mit Genehmigung des Gefängniss-Vorstehers über die von ihnen erworbenen Arbeitsgeschenke unter Lebenden wie von Todeswegen verfügen.

4) Bei Ertheilung dieser Genehmigung ist darauf Rücksicht zu nehmen, dass der Gefangene, wenn nöthig, sich so viel an Arbeitsgeschenken erspare, als zur Heimreise und zur Förderung und Erleichterung seines redlichen Fortkommens nach der Entlassung hinreichend erscheint.

5) Zur Beschaffung besonderer Genussmittel (Extragenüsse) sowie zur Anschaffung von Blumen und Vögeln und bezw. deren Unterhaltung dürfen nur die Ersparnisse an Arbeitsgeschenken verwendet werden; die Befugniss, hierüber zu den angegebenen Zwecken zu verfügen, wird nach dem Betragen des Gefangenen bemessen.

6) Nur arbeitsunfähige oder von der Arbeit dispensirte Gefangene dürfen bei gutem Verhalten über anderweitige, nicht durch Arbeit am Straforte verdiente Geldmittel zu den vorangeführten Zwecken verfügen. Doch darf denselben kein Vorzug hinsichtlich des Umfanges der angedeuteten Vergünstigungen im Vergleiche zu ihren arbeitenden Mitgefangenen eingeräumt werden.

7) Die Ersparnisse an Arbeitsgeschenken können zur Tilgung von Ersatzverbindlichkeiten verwendet werden, welche während der Strafdauer entstanden sind; dagegen kann das Guthaben an Arbeitsgeschenken zur Tilgung früher entstandener Verbindlichkeiten nicht. mit Beschlag belegt werden.

8) Die Ersparnisse an Arbeitsgeschenken können, vorbehaltlich der Tilgung von Ersatzverbindlichkeiten, welche während der Strafdauer erwachsen sind, nicht mehr eingezogen, wohl aber darf das Arbeitsgeschenk wegen Unfleisses oder wegen schlechter Arbeit bis auf die Dauer von vier Wochen vorenthalten werden.

9) Ueber sämmtliche Ersparnisse wie über die sonstigen Geld-Einnahmen jedes Gefangenen, dessgleichen über die für ihn gemachten Ausgaben wird von der Anstalt Rechnung geführt und ihm durch einen Auszug aus derselben in angemessenen Fristen Kenntniss von dem Stande des von der Anstalt verwalteten Vermögens gegeben.

10) Der jährliche Activ-Rest der aus den Arbeitsgeschenken der Gefangenen gebildeten Kassa wird, so weit er nicht zur Bestreitung der Ausgaben dieser Kassa nothwendig ist, verzinslich angelegt.

11) Die aus gedachter Kapitals-Anlage anfallenden Zinse werden alljährlich an eine bemessene Anzahl von Gefangenen vertheilt, welche Beweise von besonderer Sparsamkeit durch Erübrigungen an Arbeitsgeschenken gegeben haben.

12) Der Nachlass verstorbener Gefangener an ersparten Arbeits-

geschenken ist an deren Erben, nach Tilgung der etwa vorhandenen Verbindlichkeiten, auszuantworten.

Referent E. Sichart, Strafanstalts-Director.

**III. Antrag in Betreff der Polizeiaufsicht.**

Die Versammlung beschliesst, es sei zu fordern, dass die Zulässigkeit der Polizeiaufsicht aus der Reihe der Strafmittel gestrichen werde, weil deren Vollstreckung, ohne die Begehen von Verbrechen zu hindern oder auch nur zu erschweren, der Rehabilitation der entlassenen Sträflinge nachtheilig ist.

Antragsteller Direktor Pockels, Referent Pastor Scheffer.

**IV. Antrag in Betreff der Einführung einheitlicher Rubriken:**

Die Versammlung wolle beschliessen: Der Vorstand des Vereins deutscher-Strafanstalts-Beamten wird beauftragt, an das Reichskanzler-Amt die Bitte zu richten, dass die nach Reichstagsbeschluss zu schaffende oberste Aufsichtsbehörde für das Gefängnisswesen des deutschen Reiches gleichmässige Normen zur Aufstellung der Strafanstalts-Statistiken, und als Unterlage dafür einheitliche Rubriken für die Strafanstalts-Rechnungen erlassen, oder doch mit sämmtlichen deutschen Regierungen vereinbaren möge. Als geeignete Vorarbeiten und sachdienlicher Anhalt für diese Normen werden die vom Königlichen Ministerium des Innern in Preussen seit 1869 veröffentlichten Strafanstalts-Statistiken, sowie die in den dadurch nachgewiesenen Anstalten bereits eingeführten Rechnungs-Formularen bezeichnet."

Referent Direktor Strosser.

**V. Antrag in Betreff der Normalschulen für Gefängnissbedienstete.**

„Die Versammlung der deutschen Strafanstaltsbeamten erklärt es im Interesse der Disciplin und des Besserungsprinzips in den deutschen Strafanstalten dringend geboten, dass zur Heranbildung eines tüchtigen Aufsichts- und Werkpersonals Aufseherschulen in den grössten Strafanstalten des Reiches aus Staatsmitteln errichtet werden."

Referent Director Hölldorfer.

**VI. Antrag in Betreff der Gestattung von Extragenüssen, des Haltens von Vögeln und Blumen.**

Referent Geh. Reg.-Rath d'Alinge.

# Zur Nachricht.

Das Programm für die Vereinsversammlung in Stuttgart, welche
**Donnerstag, den 13. und Freitag, den 14. September 1877**
stattfindet, ist diesem Hefte beigelegt.

Mitgliedkarten werden künftig nicht mehr ausgegeben, da sie zur Legitimation nicht erforderlich scheinen, und Reisekostenerleichterungen nicht nachgesucht sind.

Bruchsal, im August 1877.

## Der Vereinsausschuss.

---

# Inhalt.

# Blätter

## für

# Gefängnisskunde.

Organ des Vereins der deutschen Strafanstalts-
Beamten.

Redigirt]

von

## Gustav Ekert,

Direktor des Zellengefängnisses in Bruchsal, Präsident des Ausschusses des Vereins der
deutschen Strafanstaltsbeamten, Ehrenmitglied des schweizerischen Vereins für Straf- und
Gefängnisswesen, corresp. Mitglied der „Howard Association" in London, Ritter 1. Cl. des
Grossh. Bad. Zähringer Löwenordens mit Eichenlaub, Ritter des Königl. Preuss. Kronenordens III. Cl., Ritter I. Cl. des Kgl. Bayer. Verdienstordens vom heiligen Michael, Ritter
des Kgl. Sächs. Albrecht-Ordens, Ritter I. Cl. des Ordens der Württembergischen Krone.

· · · · · · · · · · · · · · · · · ·

.

**Zwölfter Band, 4. Heft.**

Heidelberg.
Universitäts-Buchhandlung von G. Weiss.
Druck von J. Grossmann in Bruchsal.
1877.

# Das Zellengefängniss Heilbronn.

## Auszug aus den Hauptberichten des Direktors Köstlin über die Verwaltungsjahre 1874|75 und 75|76.

1874/75. I. Organisation. Bald nach Beginn des Verwaltungsjahrs, nämlich am 16. Juli 1874 erfolgte die Uebergabe des dritten (nördlichen) Zellenflügels und der beiden an diesen stossenden Gefängnisshöfe Seitens der Bauleitung an die Verwaltung des Zellengefängnisses, womit diese in den vollständigen Besitz der Strafanstalt kam und der ersehnte Zeitpunkt eintrat, von welchem an eine ungestörte Benützung der Anstaltsräume beginnen und ein streng geregelter Dienst durchgeführt werden konnte. —

In Folge K. Verordnung vom 23. Juli 1874 trat mit 15. August v. J. an der Stelle der in provisorischer Weise eingeführten Hausordnung die neue Hausordnung für das Zellengefängniss in Wirksamkeit, welche übrigens von der ersteren nur in Einer wesentlichen Bestimmung abweicht, indem sie vorschreibt, dass den zu Gefängnissstrafe verurtheilten Gefangenen der Gebrauch eigener Kleider, wenn diese reinlich und in gutem Zustande sind, vom Vorstande zu gestatten seien.

Die Bestimmungen über die Einlieferung von Gefangenen in das Zellengefängniss haben im Laufe des Verwaltungsjahres keine Abänderung erfahren.

II. Personal. Im Beamtenpersonal ist nur eine Veränderung zu bezeichnen: an der Stelle des am 15. September v. J. in Folge seiner Ernennung zum Pfarrer in Spiegelberg ausgetretenen evangelischen Hausgeistlichen Siegel wurde Pfarrverweser Karl Krauss in Degerschlacht mit der provisorischen Versehung der Stelle des evangelischen Hausgeistlichen beauftragt und hat diese Stelle am 1. Oktober angetreten.

Veränderungen im Personal der Aufseher sind mehrere vorgekommen.

III. **Gesammtzustand der Strafanstalt.** Dieser hat sich im Laufe des Jahres mit einer Raschheit und in einem Grade befriedigend gestaltet, wie ich solches am Schlusse des Vorjahres noch nicht zu hoffen wagte.

Mit der Uebergabe des dritten Zellenflügels und der anstossenden Höfe versiegte die vornehmste Quelle der vielfachen Hindernisse, welche bis dahin der Consolidirung der Anstalt in ihren vielseitigen Verhältnissen und der Gewinnung eines regelmässigen Dienstganges im Wege gestanden waren. — Die Abtheilung der in gemeinsamer Haft befindlichen Gefangenen konnte nunmehr in der Art eingeschränkt werden, dass fortan sämmtliche Gefangene, welche nach ihrem körperlichen und geistigen Zustande zur Zellenhaft geeignet waren, dieser mit verhältnissmässig wenigen Ausnahmen, ohne Unterbrechung unterworfen wurden; die Einzelhaft selbst aber konnte in ungestörtem, streng geregeltem Dienstgang, in consequenter Weise, mit scharfer Ueberwachung und Aufmerksamkeit in der Behandlung des einzelnen Gefangenen durchgeführt werden. —

Unter solchen Verhältnissen hat sich denn auch die Einzelhaft, wenn ihre Dauer nicht gar zu kurz war, bei den ihr unterzogenen Gefangenen als eine tiefeingreifende Strafvollzugsart erwiesen, welche bezüglich des Verhaltens der Gefangenen im Allgemeinen von den besten Folgen begleitet war. Auch der Gesundheitszustand der Gefangenen war ein günstiger; kein Fall von Manie, kein Selbstmord ist zu verzeichnen und nur Ein Gefangener ist gestorben.

Der junge in der Anstalt eingeführte Gewerbebetrieb hat sich nach Ueberwindung ungewöhnlicher Schwierigkeiten zu einer Lebhaftigkeit entwickelt und zu Ergebnissen geführt, welche als höchst erfreuliche zu bezeichnen sind.

Rühmend habe ich Angesichts dieses guten Gesammtzustands der Anstalt die Einmüthigkeit und volle Hingebung hervorzuheben, mit welcher sämmtliche Beamte der Anstalt ihre Berufspflicht erfüllt haben und schliesslich als die wichtigste Errungenschaft dieses Jahres den die gehegten Erwartungen übersteigenden Erfolg in der Heranbildung der Aufseher anzuführen, von welchen nunmehr gesagt werden kann, dass sie mit verhältnissmässig wenigen Ausnahmen die schwierigen Aufgaben ihres Dienstes mit richtigem Verständniss erfasst und zu einer, gerechte Ansprüche befriedigenden Ausübung ihres Dienstes sich emporgearbeitet haben.

IV. Bauliche Einrichtungen. Von erheblichen baulichen Aenderungen im abgelaufenen Jahre sind zu erwähnen:

1) Die Einführung der neuen Quellwasser-Leitung der Stadt Heilbronn in das Gefängniss und die zu diesem gehörigen Dienstwohnungen. Das Wasser der städtischen Leitung kommt aus den reichen Quellen, welche bei der Böllinger Mühle ca. 6000 Meter von der Stadt Heilbronn entfernt unter den mächtigen bis gegen Wimpfen hin über den Schichten liegenden Diluvialdecken von Sand und Geschiebe (dem wirksamsten Filter) hervorbrechen, und ist dem entsprechend von der besten und reinsten Beschaffenheit. Dieses Wasser steigt nunmehr mit natürlichem Druck vom Hochreservoir am Wartberg aus in alle Stockwerke des Gefängnisses sowohl als der Wohngebäude für Bedienstete und speist sämmtliche im Innern des Gefängnisses angebrachten Brunnen, sowie die Auslaufrohre in den Küchen und Waschküchen der 21 Wohnungen, welche in den 3 Bediensteten-häusern ausserhalb der Ringmauer eingerichtet sind. Diese neue für die Salubrität der Anstalt hochwichtige Einrichtung hat einen Aufwand von ca. 3000 M. verursacht, welcher übrigens erst im laufenden Jahr zur Verrechnung kommen kann.

2) Die Aufstellung eines Dampfkessels mit 2,7 Q.-M. Heizfläche und 3 Atmosphären Ueberdruck.

Mit dieser an die Stelle des durchaus ungenügenden und für die Waschstücke (Kleidung, Bettleinwand etc.) höchst verderblichen Herdes in der Waschküche getretenen baulichen Anlage ist eine rationelle Dampfwaschanstalt gewonnen und für immer eine ausreichende Menge warmen Wassers für die Bäder gesichert. — Der Aufwand für die ganze Einrichtung berechnet sich auf 526 fl. 5 kr.

Ich sehe mich übrigens zu der Bemerkung veranlasst, dass mit der bis jetzt eingetretenen Verwendung des Dampf-

19*

kessels für die Waschanstalt und die Bäder die Leistungsfähigkeit desselben nur in geringem Maasse ausgenützt ist,
und da nach meiner Ansicht die Zuleitung des Dampfs auch
in die Menageküche zum Zweck des Kochens der Speisen
mit Dampf statt mit Kohlenfeuer (womit eine erhebliche Ersparniss an Brennmaterial erzielt werden würde) keinem Anstand unterliegen kann und voraussichtlich auch die Einrichtung einer mit dem Kessel zu speisenden Dampfheizung für
die bis jetzt nicht heizbaren 50 Nachtzellen als wohl ausführbar sich erweisen wird, so behalte ich mir nach diesen
beiden Richtungen weitere Anträge vor und erlaube mir nur
noch anzufügen, dass ich den grossen Werth der zuletzt be-
rührten Einrichtung darin finden würde, dass die seit Beginn
des laufenden Jahrs in den Nachtzellen verwahrten jugendlichen Gefangenen fortan nicht blos Sommers, sondern auch
den Winter über die arbeitsfreie Zeit an Sonn- und Feiertagen in der Zelle statt gemeinsam im Saale zubringen könnten, und dass überhaupt erst mit dieser Einrichtung der Verwaltung das Mittel an die Hand gegeben wäre, den Vorschriften des §. 14 der Hausordnung über die Behandlung
der in Gemeinschaftshaft versetzten Gefangenen gerecht zu
werden. —

3) Die Anbringung von je 2 Lüftungsflügeln an den 150
Zellenfenstern des östlichen und westlichen Zellenflügels, eine
ziemlich schwierige Arbeit, da eine ganz genaue Einpassung
der Flügel in die alten Fenster verlangt werden musste.

Mit der gelungenen Fertigstellung dieser Einrichtung
durch Gefangenen-Arbeit ist nunmehr ein grosser Missstand
beseitigt, sofern bisher insbesondere während der heissen
Jahreszeit ein ausreichendes Lüften der Zellen nicht möglich
war, wodurch die Gesundheit der Gefangenen und der Dienst
im Gefängniss nachtheilig berührt wurde.

4) Eine sehr umfangreiche bauliche Arbeit bildete ferner die mit Gefangenen ausgeführte Planirung und Anpflan-
zung der beiden hintern Höfe, sofern Behufs der Planirung
nicht blos Erdbewegungen in grösserem Umfange nöthig wurden, sondern mit Rücksicht auf die Bewegung der Gefangenen im Freien eine feste Chaussirung der in diesen Höfen

angelegten Wege durch Rolliren und Beschottern Platz zu greifen hatte.

5) Ist anzuführen die Aufstellung und Montirung von weiteren 12 eisernen Webstühlen in 12 Zellen des nördlichen Flügels und die mit ihrem Beginn in das vergangene Jahr fallende übrigens bis heute noch nicht ganz fertig gestellte Einrichtung von 180 Trennungsstühlen (sog. Stalls) im Betsaale der Anstalt.

V. Die Statistik über den Personalstand der Gefangenen ist in der vorgeschriebenen Form in besonderen Beilagen enthalten, welchen ich folgende Bemerkungen mir beizufügen erlaube:

1) Die Zahl der im Laufe des Jahrs neu eingelieferten Gefangenen ist von 290 des Vorjahres auf 240 heruntergegangen, was als die natürliche Folge davon anzusehen ist, dass im Laufe des vorletzten Jahres und zwar in der Zeit vom 17. Oktober 1873 bis zum 5. Juni 1874 zur Herbeiführung einer rascheren Besetzung des Gefängnisses die im Uebrigen während der beiden Jahre ganz gleichen Einlieferungsbedingungen durch Verrückung der Altersgrenze der zur Einlieferung bestimmten Verurtheilten von 27. bis zum 33. Lebensjahre erweitert waren.

2) Die Durchschnittsdauer der Gefängniss- beziehungsweise Zuchthausstrafen, zu welchen die 240 im vergangenen Jahre Eingelieferten verurtheilt worden sind, berechnet sich auf 7 Monat 6,6 Tage gegen 9 Monat 19,4 Tage der durchschnittlichen Strafdauer der im Vorjahr Eingelieferten.

3) Am 30. Juni v. J. befanden sich von den 201 anwesenden Gefangenen 179 in Einzelhaft, 22 in gemeinsamer Haft und zwar 19 wegen Ueberfüllung des Gefängnisses und 3 wegen körperlicher Gebrechen auf Grund Gutachtens des Hausarztes. —

Von den im Laufe des Verwaltungsjahrs in Zuwachs gekommenen 246 neu eingelieferten beziehungsweise von andern Verwaltungen übernommenen Gefangenen haben 210 ihre Strafe in ununterbrochener Einzelhaft erstanden, 4 sind wegen ihres körperlichen beziehungsweise Gemüths-Zustandes auf Grund Gutachtens des Hausarztes und weitere 32 auf

Grund des §. 13 Abs. 2 der Hausordnung zu gemeinsamer
Arbeit im Freien, in der Menageküche, Waschküche und
Schlosserwerkstätte genehmigt worden. Eine gemeinsame
Beschäftigung im Arbeitssaal hat nicht stattgefunden. Auch
die zu gemeinsamer Arbeit zugelassenen Gefangenen haben
aber die Nachtzeit, sowie ihre ganze arbeitsfreie Zeit in der
Zelle zugebracht, was aus dem Grunde vollständig durchgeführt werden konnte, weil seit Eröffnung des 3. Flügels die
Zahl der verfügbaren Zellen im Hauptbau immer für den
ganzen Gefangenen-Stand ausreichte und der Nachtzellenstock
ganz unbenützt bleiben konnte.

4) Unter den 246 neu eingelieferten beziehungsweise
von andern Strafanstalten übernommenen Gefangenen befinden sich nur 24, welche den regelmässigen Einlieferungsbedingungen nicht entsprachen. Von diesen sind nur 6 nicht
wegen Vergehen gegen das Eigenthum verurtheilt.

Von der in §. 3 Abs. 2 der Hausordnung dem Vorstande
ertheilten Befugniss, die Unterbringung eines in das Zellengefängniss eingelieferten Gefangenen in der betreffenden Anstalt mit gemeinsamer Haft einzuleiten, wenn nach dem Gutachten des Hausarztes der körperliche, beziehungsweise geistige Zustand des Eingelieferten voraussichtlich ein dauerndes
Hinderniss gegen die Anwendung der Einzelhaft bildet, musste
nur in 3 Fällen Gebrauch gemacht werden.

5) In der Uebersicht über den Personalstand der Ge-
fängnissgefangenen ist Einer verzeichnet, welcher weder lesen noch schreiben kann und in der Uebersicht über die
Zuchthausgefangenen Einer, welcher lesen aber nicht schreiben kann. Der erstere Gefangene ist ein 20jähriger katholischer Viehbube aus dem romanischen Dorf Donis in Grau-
bündten, der letztere ist der 29 Jahr alte ledige katholische
Taglöhner R. E. von Wellendingen, welcher zwar die dortige
Schule besucht, das Schreiben aber verlernt hat.

6) Begnadigung durch theilweisen Strafnachlass wurden
23 Gefangenen und zwar 9 zu Gefängniss und 14 zu Zuchthausstrafen Verurtheilten zu Theil.

7) Entwichen ist Ein Gefangener, welcher am 25. August v. J. mit Genehmigung der Verwaltung zum Zweck

einer vorübergehenden Verrichtung sich ausserhalb der Ringmauer befand, und diese Gelegenheit benützte, um dem weniger schnellfüssigen Aufseher zu entspringen.

Der Flüchtige ist trotz steckbrieflicher Verfolgung bis
jetzt noch nicht beigebracht.

VI. Das Verhalten der Gefangenen und der
Einfluss der Einzelhaft hierauf. Wenn ich das Verhalten der Gefangenen im Allgemeinen ein zufriedenstellen-
des nenne, so ziehe ich wohl in Betracht, dass die Bevölkerung des Zellengefängnisses, wie die oben gegebene Statistik
ausweist, mit ganz verschwindenden Ausnahmen aus — wegen Vergehen oder Verbrechen gegen das Eigenthum Verurtheilten, d. h. aus denjenigen Elementen besteht, welche
nach feststehender Erfahrung in jeder Strafanstalt sich als
die schlimmsten erweisen.

Mein Urtheil über das Verhalten der Gefangenen geht
daher von den bescheidensten Voraussetzungen aus, wogegen
ich mir die ernsteste Strenge bei der Aufrechterhaltung der
Disciplin zur Richtschnur gemacht habe.

Wenn ich nun trotz der hieraus resultirenden aussergewöhnlichen Zahl der Disciplinarstrafen, welche gegen Gefangene zur Anwendung kamen, mit dem Gesammtverhalten
der Letzteren zufrieden bin, so gehe ich einerseits davon
aus, dass ein namhafter Theil dieser Strafen auf Rechnung
der Neuheit des Systems und der Nothwendigkeit zu schreiben ist, von vornherein jeder Laxheit, welche die neue Strafvollzugsart hätte beeinträchtigen können, mit aller Energie
entgegenzutreten, andererseits aber leitet mich die Ueberzeugung, dass es mir mit der fortschreitenden Consolidirung
der Gesammtverhältnisse der Anstalt schon im laufenden
Jahre vergönnt sein wird, die Zügel milder zu führen und
die Zahl der Disciplinarstrafen auf das normale Maass zu-
rückgehen zu sehen.

Mit wirklicher Befriedigung erfüllt mich dagegen die fortdauernde Erfahrung, dass die Einzelhaft nicht blos die
schlimmste und unvermeidliche Folge der gemeinsamen Haft,
nämlich den drückenden Einfluss der tonangebenden schlim-
mern Gefangenen auf die weniger verdorbenen vollständig

beseitigt, sondern auch ihre Wirkung auf die ihr Unterzogenen fast nie verfehlt; sie hat sich schon in dem kurzen Zeitraum ihrer Anwendung im hiesigen Gefängnisse als ein ernstes, tief einschneidendes Strafübel erwiesen, sie hat mit
ganz wenigen Ausnahmen eine grosse Empfänglichkeit der
ihr unterworfenen Gefangenen für Alles, was ihnen Behufs
der Besserung und der Belehrung geboten wird, zu Tag treten lassen, und hat die Gefangenen in der Einsamkeit der
Zelle zu ausserordentlicher Arbeitsamkeit angespornt, von
deren überraschenden finanziellen Ergebnissen weiter unten
die Rede sein wird. Insbesondere aber ist anzuführen, dass
die Einzelhaft in mehreren Fällen ihre Macht auch über die
Gemüther ganz unbändiger und ganz verdorbener Gefangener, an welchen sich zum Theil in der vorausgegangenen
gemeinsamen Haft alle Disciplinarmittel fruchtlos erschöpft
hatten, in überraschender Weise manifestirt hat, indem diese
in ihrem Kampf gegen die Ordnung der Anstalt den in der
Einzelhaft weit intensiver wirkenden Strafmitteln bälder oder
später unterlagen, und nachdem sie zur richtigen Erkenntniss
ihrer selbst und ihrer Lage gelangt waren, durch Fleiss und
Wohlverhalten sich schliesslich noch ein gutes Lob erwarben.

Nicht zu verschweigen ist aber, dass es doch bei einzelnen wenigen Gefangenen nicht gelungen ist, ihren trotzi-
gen, erbitterten, gegen alle Ordnung feindseligen und bei
jeder Gelegenheit in die heftigste Gewaltthätigkeit ausbre-
chenden Sinn zu mildern oder zu brechen, und dass überhaupt ein ganz ungewöhnlicher, in der gemeinsamen Haft
nicht vorkommender Grad von gemüthlicher Aufregung und
Reizbarkeit der Gefangenen, welcher grosse Vorsicht und
Geduld in ihrer Behandlung nöthig machte, keine seltene
Erscheinung war. —

Was nun speziell die während des Etatsjahrs gegen Gefangene erkannten Disciplinarstrafen betrifft, so bemerke ich,
dass von den 447 im Laufe des Jahrs anwesend gewesenen
Gefangenen 132 mit 271 Disciplinarstrafen belegt worden
sind und zwar 68 Zuchthausgefangene mit 175 und 64 Ge-
fängnisssträflinge mit 96 Strafen.

Die Verfehlungen, welche diese Strafen herbeigeführt

haben, bestanden zu einem kleinen Theil in heftigen Gewaltakten als Folge innerer Erregung und resultirten im Uebrigen ihrer grossen Mehrzahl nach aus dem Drang nach verbotenem Verkehr, welchem mit consequenter Festigkeit entgegen zu treten war.

Der gewöhnlichste Weg der Vermittlung dieses Verkehrs ging durch's Zellenfenster, sowie durch die Zellenwand mit Benützung der Luftheizungs- und Ventilationskanäle, aber auch der Betsaal, die Schule und die Hofstunde bildeten den Schauplatz ·desselben und zwar sind 47 Bestrafungen wegen Verkehrs im Betsaal, 27 wegen Verkehrs in der Schule und 27 wegen Verkehrs während der gemeinsamen Hofstunde verzeichnet.

Die Nothwendigkeit der Trennung der Gefangenen während der Hofstunde und beim Schulunterricht hat sich bis jetzt nicht aufgedrängt, die Höfe sind gross genug, um einen Abstand der marschirenden Gefangenen von 5 Schritten festhalten zu können und die Ueberwachung der Schulabtheilungen bietet keine Schwierigkeit. Anders verhält es sich bei der Vereinigung der Gefangenen im Betsaal, wo sie auf den amphitheatralisch aufsteigenden Stufen eng gedrängt neben einander sitzen und die Erfahrung sattsam gelehrt hat, dass ohne Trennungsvorrichtungen auch mit der schärfsten Aufsicht weder die wünschenswerthe Ruhe erzielt noch der unerlaubte Verkehr unter den Gefangenen abgeschnitten werden kann. Die bereits angeordnete Aufstellung von 180 sog. Stalls im Betsaal kann für die nächste Zeit in Aussicht genommen werden.

Was die Aufmunterungen und Belohnungen betrifft, welche die Hausordnung für die durch Wohlverhalten sich auszeichnenden Gefangenen zulässt, so habe ich 23 Gefangene mit Erfolg zur Begnadigung empfohlen, wogegen ich nur bei 3 Gefangenen in der Lage war, die vorläufige Entlassung nach §. 23. des St.-G.-B. zu beantragen; meinen Anträgen wurde höheren Orts stattgegeben und ist inzwischen die Strafzeit dieser 3 beurlaubten Gefangenen, ohne dass Widerruf erfolgt wäre, abgelaufen; bei 7 Gefangenen, gegen welche in dem Strafurtheil auf Zulässigkeit von Polizeiaufsicht erkannt war, habe ich vor der Entlassung das Abstehen von polizeilichen Beschränkungen beantragt; Erweiterung der Erlaubniss zum Absenden von Briefen und zum Empfang von Besuchen, ferner die Erlaubniss zum Ausschmücken der Zelle mit Bildern und zum Halten von Blumen konnte ich einer erheblichen Anzahl von Gefangenen wegen Wohlverhaltens zugestehen.

Die Zahl der von den Gefangenen abgesendeten Briefe beträgt: . . . . . . . 1037 St.
Die Zahl der an Gefangene eingelaufenen Briefe 907 St.

Von der mir ertheilten Ermächtigung, den zu gewissen Arbeiten verwendeten Gefangenen eine mässige Quantität Bier, Obstmost oder Branntwein verabreichen zu lassen, wofern dies nach den jeweiligen Witterungsverhältnissen zur Erhaltung der Gesundheit der betr. Gefangenen nöthig ist, (cf. §. 28. Ziffer 2. der Hausordnung) habe ich nur bei den während des Winters mit der Bedienung der Luftheizungsöfen beschäftigten Gefangenen Gebrauch gemacht, welchen täglich je 1 Liter Bier und zwar im Ganzen 421 Liter verabreicht worden sind. Die Arbeit dieser Gefangenen beginnt zwischen 3 und 4 Uhr Morgens und hat einen Kräfteverbrauch zur Folge, welcher ohne Zuführung von geistigem Getränke nicht gedeckt werden kann. Zulagen von je $\frac{1}{2}$ Pfund Brod auf den Arbeitstag habe ich dagegen allen zu besonders schweren Arbeiten verwendeten Gefangenen ihrem Ansuchen entsprechend auf Rechnung der Anstalt mit im Ganzen 12,026$\frac{1}{4}$ Pfd. zukommen lassen.

VII. Finanzielle Ergebnisse. Nach der Uebersicht über die Einnahmen und Ausgaben berechnet sich der jährliche Aufwand der Staatskasse auf 51,471 fl. 7 kr. und der Durchschnittsaufwand auf Einen Gefangenen für's Jahr auf 247 fl. 56 kr., für den Tag auf 40 kr. 4 Hllr.

Hier ist nun zuvörderst anzuführen, dass bei dieser Berechnung die Werthe der am Schluss des Jahrs bei den einzelnen Gewerben vorhandenen Vorräthe an Rohstoffen und Fabrikaten nicht in Betracht gezogen sind. Der Gesammtwerth dieser Vorräthe berechnete sich aber, wie die Zusam-

menstellung zeigt, am 1. Juli 1874 auf 5129 fl. 33 kr. am 1.
Juli 1875 auf 15,851 fl. 12 kr. und ist sonach eine Zunahme dieser Vorräthe am Schluss des vergangenen Jahrs
um 10,721 fl. 39 kr. zu verzeichnen.

Bei Wegfall dieser Summe, sowie des ausserordentlichen
Aufwands für bauliche Einrichtungen würde der jährliche
Durchschnittsaufwand auf Einen Gefangenen auf ca. 164 fl.
herabsinken.

Was den Aufwand für Verpflegung (Nahrung, Kleidung, Lagerstätte, körperliche Reinlichkeit, Krankenpflege,
Entlassung) betrifft, so berechnet sich dieser in Summa auf
21,690 fl. 59 kr., also per Kopf und Jahr auf 105 fl. 46 kr.
Der ganze Aufwand für die Nahrung Eines Gefangenen berechnet sich auf 13,72 kr. pro Tag.

VIII. Beschäftigung der Gefangenen. Die hohe
Bedeutung, welche der Beschäftigung der Gefangenen in der
Einzelhaft beizumessen ist, setze ich als bekannt voraus.
Entsprechend dem der Einzelhaft aufgeprägten Princip der
Individualisirung der ganzen Strafvollstreckung muss auch
eine möglichste Manigfaltigkeit der Arbeitszweige verlangt
werden. Diese kann so, wie die Verhältnisse hier liegen,
mittelst Vermiethung der Arbeitskräfte nicht erreicht werden. Der Betrieb auf eigene Rechnung ist die Bedingung
dieser Manigfaltigkeit und ebendesshalb das Ziel, dessen
Erreichung sich die Verwaltung zur strengsten Aufgabe
gemacht hat. Ein Blick auf die Schwierigkeiten, welche
der Lösung dieser Aufgabe im Wege stehen, möge zur
Entschuldigung dafür dienen, dass das Ziel bis heute
noch nicht vollständig erreicht ist. Diese aussergewöhnlichen
Schwierigkeiten bestehen einerseits in der kurzen bis zu vierwöchiger Dauer herabgehenden Strafzeit der hiesigen Gefangenen und anderseits in der verhältnissmässig grossen
Zahl von Gefangenen, welche ganz ausschliesslich der häuer-
lichen Bevölkerung angehören. Diese Zahl betrug im Jahr
1873/74 unter den 349 zugewachsenen Gefangenen 112 und
im vergangenen Jahr unter 246 Zugewachsenen 69. Die Behandlung und insbesondere die Beschäftigung von Gefangenen,
welche in ihrem bisherigen Leben nur mit bäuerlicher Arbeit

beschäftigt waren, stosst in der Einzelhaft auf Schwierigkeiten, deren Gewicht beispielsweise in Bayern dazu geführt hat, diese ganze Kategorie von der Einlieferung in das Zellengefängniss Nürnberg auszuschliessen. Zur Beleuchtung der Erschwerung, welche aus der kurzen Strafzeit der Gefangenen für die Beschäftigung derselben erwächst, führe ich an, dass sich die durchschnittliche Strafzeit für die 349 im Jahr 1873/74 in Zuwachs gekommenen Gefaugenen auf 9 Monat 19,4 Tage und bei den 246 im vergangenen Jahr zugewachsenen auf nur 7 Monat 6,6 Tage berechnet und dass im Jahr 1873/74 79, im vergangenen Jahre 52 Gefangene eingeliefert worden sind, deren Strafzeit die Dauer von 3 Monaten nicht überstiegen hat. Zur Vergleichung füge ich bei, dass die durchschnittliche Strafdauer im Zellengefängniss Nürnberg betragen hat im Jahr 1872: 1 Jahr und 10 Monat, 1873: 1 Jahr und 7 Monat, 1874: 1 Jahr, und dass in diesem Gefängnisse nur Gefängnissstrafen von über 3 Monaten zum Vollzug kommen.

Folgende Gewerbe werden in der Anstalt auf eigene Rechnung betrieben: 1) Weberei, 2) Schreinerei mit den ihr zugezählten Arbeiten der Rohrsesselflechter, Bildschnitzer, Kübler, Anstreicher, Sattler, Drechsler, Kistenmacher, 3) Schusterei, 4) Schneiderei, 5) Schuhflechten, 6) Buchbinderei, 7) Weiden- und Korbflechten, 8) Schlosserei mit Schmied- und Flaschnerarbeit. Das Ertragniss dieser Gewerbe, auf welchen 25,931 Arbeitstage Gefangener laufen, berechnet sich auf 16,768 fl. 31 kr. und nach Abzug von 5 Prozent aus dieser Summe für Abnützung des Arbeitsgeräthes auf 15930 fl. 7 kr., also für Einen Arbeitstag (Lehrlinge als volle Arbeiter mit eingerechnet) auf 36,88 kr. Neben diesen Gewerben wurde für auswärtige Bestellung gearbeitet mit 24,129½ Arbeitstagen und einem Ertragniss von 9527 fl. 15 kr. Für die eigentlichen Hausarbeiten (Reinigung, Kostbereitung, Maurer, Tünchner, Wascher, Schreiber etc.) mit 11,726 Arbeitstagen ist ein Arbeitslohn von 12 kr. per Tag und hienach ein Ertrag von 2,245 fl. 12 kr. in Rechnung genommen. Der Gesammtertrag der Arbeiten der Gefangenen berechnet sich also auf 27,702 fl. 34 kr. und der durchschnittliche tägliche Arbeitsverdienst eines beschäftigten Gefangenen — die Lehrlinge als volle Arbeiter mitgerechnet — auf 26,8 kr. Der tägliche Durchschnittsstand der Gefangenen beträgt, wie oben bemerkt, 207,6. Es kommt also auf den Kopf pro Jahr ein Arbeitsverdienst von 133 fl. 26 kr., während der Aufwand für Verpflegung (Nahrung, Kleidung, Lagerstätte, körperliche Reinlichkeit, Krankenpflege, Entlassung) nur 105 fl. 46 kr. beträgt.

IX. Der Ueberverdienst der Gefangenen. Als solcher wurde an Gefangene, welche mehr als das Pensum leisteten und sich durch ihr Verhalten dieser Wohlthat nicht unwürdig machten, im Ganzen die Summe von 5297 fl. 59 kr, also im Durchschnitt auf Einen Gefangenen 25 fl. 31 kr. . ausbezahlt.

Für erlaubte Genussmittel sind im Ganzen 1,434 fl. 54 kr., im Durchschnitt von Einem Gefangenen 6 fl. 54 kr. verwendet worden. —

1875/76. I. Organisation der Strafanstalt. Die neuen Bestimmungen über die Vollziehung von Strafen im Zellengefängniss, welche im Lauf des Jahres ins Leben getreten sind, haben eingreifende Aenderungen in der Organisation und Bestimmung der Strafanstalt mit sich gebracht.

1) Nachdem in Folge specieller Erlasse des K. Strafanstalten-Collegiums in der Zeit vom 12. Juli bis 24. November v. J. im Ganzen 55 Gefangene von der Strafanstalt für jugendliche Gefangene zu Hall in das Zellengefängniss mit der Weisung versetzt worden waren, dass dieselben regelmässigen Schulunterricht abgesondert von den anderen Gefangenen des Zellengefängnisses erhalten, auch bei der Bewegung im Freien von den anderen Gefangenen getrennt gehalten werden sollen, so wurde durch Verfügung des K. Justizministeriums vom 8. Februar d. J. die Strafanstalt für jugendliche Verbrecher in Hall ganz aufgehoben und die Bildung einer abgesonderten Abtheilung der jugendlichen Gefangenen in dem Zellengefängniss angeordnet, in welcher die jugendlichen Personen (§ 57 des Str.-G.-B. für das deutsche Reich) männ-

lichen Geschlechts ihre Strafen zu verbüssen haben, wenn solche in Gefängnissstrafe von längerer als vierwöchiger Dauer bestehen.

Die jugendlichen Gefangenen, soweit sie sich zur Zeit dieser Verfügung noch in Hall befanden (im Ganzen 40 Köpfe) sind sodann in kleineren Abtheilungen in der Zeit vom 10. Februar bis 29. März d. J. in das Zellengefängniss übersiedelt worden. Als besonderer Raum zur ausschliesslichen Aufnahme der Abtheilung der jugendlichen Gefangenen dient der sogenannte Verwaltungsbau des Zellengefängnisses sowie ein bestimmter Theil des westlichen Zellenflügels und es sind diese Gefangenen auch sonst überall, insbesondere beim Schulunterricht, Gottesdienst, bei der Arbeit und bei der Bewegung im Freien von den erwachsenen Gefangenen getrennt.

Den Schulunterricht ertheilt den jugendlichen Gefangenen ein zunächst provisorisch angestellter (zweiter) Lehrer in 31 Wochenstunden. Vier Aufseher (2 gewerbliche und 2 militärische) sind für die Abtheilung der jugendlichen Gefangenen neu angestellt, beziehungsweise von Hall hieher versetzt worden. Die Oberaufsicht über den polizeilichen Dienst in der Jugend-Abtheilung führt der Oberaufseher der Hauspolizei neben seinen seitherigen Funktionen.

2) Die erwähnte Verfügung des Kgl. Justizministeriums vom 8. Febr. d. J. enthielt aber noch die weiteren sehr eingreifenden Abänderungen der bisherigen Einlieferungsbedingungen:

1. dass die regelmässige Einlieferung künftighin nicht auf solche beschränkt sein soll, welche wegen Diebstahls, Unterschlagung, Betrugs etc. verurtheilt sind, sondern, dass vom Gegenstand der Verurtheilung gänzlich abzusehen ist,

2. dass eine mindestens 6monatliche Dauer der zu vollziehenden Gefängnissstrafe vorausgesetzt wird und

3. dass die Altersgrenze vom noch nicht vollendeten 27. Lebensjahre zur Zeit der That auf das noch nicht vollendete 26. zurückgerückt worden ist, welch letztere Grenze gegen den Schluss des Verwaltungsjahres durch Verfügung des K. St.-A.-Coll. vom 23. Juni d. J. wegen eingetretener Ueberfüllung der Anstalt noch um ein weiteres Jahr zurückgesetzt werden musste. —

II. Personal. Im Personal der Angestellten sind folgende Aenderungen zu verzeichnen:

1) In Folge des Zuwachses der Abtheilung der jugendlichen Gefangenen männlichen Geschlechts ist mit Erlass K. Str.-A.-Coll. vom 19. Februar d. J. die Stelle eines zweiten Lehrers am Zellengefängnisse nebst den Funktionen des Organisten und Messners beim katholischen Gottesdienst in provisorischer Weise dem Lehrgehilfen Johann Jakob von Jsny übertragen worden. Der frühere Organist und Messner beim katholischen Gottesdienst, Schulmeister Schweizer dahier, ist dagegen aus dem Dienst der Anstalt ausgetreten.

2) Als Gewerbebuchhalter am Zellengefängniss ist vermöge Erlasses K. Justizministeriums vom 1. April d. J. probeweise der Kaufmann Gustav Hetzel aus Cannstatt angestellt worden.

3) Die Veränderungen im Aufsichtspersonal begreifen in sich 7 Entlassungen und 10 Anstellungen von Aufsehern.

III. Gesammtzustand der Strafanstalt. Diesen kann ich als einen durchaus befriedigenden bezeichnen. Die im Laufe des Jahres eingetretenen Aenderungen in der Bestimmung der Strafanstalt haben zwar vorübergehende Störungen im Dienst mit sich gebracht, die Lösung der neuen Aufgabe ist aber schliesslich mit befriedigendem Erfolge gelungen und sämmtliche Räume der Anstalt stehen nunmehr in einer ihrem Zwecke entsprechenden Benützung.

1) Die erwachsenen Gefangenen, deren tägliche Durchschnittszahl 205 (125,9 Zuchthaus- und 79,5 Gefängniss-Gefangene) betrug, waren im Lauf des Jahres ohne Ausnahme in die Zellen der 3 Flügel des Zellenbaues eingewiesen und befanden sich dort abgesehen von den in der Waschküche, Menageküche und Schlosserwerkstätte beschäftigten (durchschnittlich ca. 12) Gefangenen, welche bei Tage je zu gemeinsamer Arbeit vereinigt, während der arbeitsfreien Zeit und bei Nacht aber in der Zelle eingeschlossen waren, in ununterbrochener Einzelhaft.

2) Als besonderer Raum zur ausschliesslichen Aufnahme der Abtheilung der jugendlichen Gefangenen sind neben den oberen Räumen des sogenannten Verwaltungsbaues die bei-

den oberen Stockwerke des östlichen Zellenflügels mit je 25
Zellen bestimmt worden. Im Verwaltungsbau wurde ein
weiterer Arbeitssaal mit 20,20 Meter Länge 7,75 Meter Breite
und 5,07 Meter Höhe gewonnen durch Herausnahme der 10
käfigartigen Nachtzellen, mit welchen der weite, offene Raum
zwischen den in 2 Stockwerken übereinanderliegenden Nacht-
zellenreihen versperrt war. In dem so gewonnenen hohen
gut ventilirten Arbeitssaal können ca. 30 Gefangene in kleineren getrennten Abtheilungen beschäftigt werden und da
dieser Saal auf seinen beiden Langseiten von den 40 Nachtzellen und deren Gallerie umkränzt ist, so kann die ununter-
brochene Aufsicht über die im Saal und über die in den
Nachtzellen arbeitenden Gefangenen in übersichtlicher und
wirksamer Weise von wenigen Aufsehern geführt werden.
Die in die Nachtzellen eingewiesenen Gefangenen blieben
in diesen, so lange die wärmere Jahreszeit anhielt, auch während der Arbeit eingeschlossen und es hat sich nach Eintritt
der kälteren Jahreszeit in dieser Benützung der 40 Nachtzellen zum Aufenthalt ihrer Insassen bei Tag und bei Nacht
nur der eine Umstand geändert, dass die Thüren der Zellen
nunmehr bei Tag geöffnet bleiben, damit von den 4 Oefen,
welche im Saal zwischen den Zellen aufgestellt sind, die nöthige Wärme in die Zellen strömen kann. Mit dieser Maassregel, welche sich gut erprobt hat und von welcher bei der
Leichtigkeit und Uebersichtlichkeit der Aufsicht über den
Saal und über die anstossenden Zellen künftighin grössere
Missstände nicht zu befürchten sind, ist die in meinem vorigen
Jahresbericht zur Sprache gebrachte Einrichtung einer Dampfheizung im Nachtzellenstock vorerst gegenstandslos geworden.

Was aber weiter die für die Jugendabtheilung bestimmten 50 Zellen der beiden oberen Stockwerke des östlichen
Zellenflügels betrifft, so ist der vollständige Besitz derselben
für die Jugendabtheilung wegen der fortdauernden Ueberzahl
von erwachsenen Gefangenen leider nicht gewonnen worden,
nur 11 bis 17 Zellen des Hauptbaues konnten dauernd mit
jugendlichen Gefangenen belegt werden; unter 11 ist aber
die Zahl dieser mit jugendlichen Gefangenen besetzten Zellen noch nicht heruntergekommen. Obgleich nun bei einem

täglichen Stand von 120—130 jugendlichen Gefangenen, wie
er seit etlicher Zeit sich gebildet hat, die verfügbare Zahl
von ca. 50—60 Zellen dem Bedürfnisse nicht entspricht, sofern es insbesondere mit schwer wägenden sittlichen Gefah-
ren verbunden ist, wenn auch andere als die jüngsten und
noch wenig verdorbenen Gefangenen dieser Abtheilung im
gemeinschaftlichen Schlafsaal untergebracht werden, die Zahl
dieser Categorie von Gefangenen aber nicht höher als auf
25—30 Köpfe anzuschlagen ist, so kann ich doch unbedingt
aussprechen, dass die Art und Weise, wie die jugendlichen
Gefangenen hier verwahrt sind, einen namhaften Fortschritt
im Vergleich mit den bezüglichen Verhältnissen bildet, wie
solche in Hall vorlagen.

Die Individualisirung im Strafvollzug ist gewiss nirgends
mehr von Nöthen als gerade bei der Abtheilung der jugendlichen Gefangenen. Die Bestimmungen des Str.-G.-B. für
das deutsche Reich haben es mit sich gebracht, dass in dieser Abtheilung dem Kindesalter kaum entwachsene, häufig
noch ganz unverdorbene Individuen mit solchen vereinigt
sind, welche in der körperlichen und geistigen Entwicklung
und in der moralischen Verdorbenheit den schlimmsten unter
den erwachsenen Gefangenen gleichstehen. Eine ausreichende
Zahl von Zellen zur Isolirung wenigstens der räudigsten
Schafe der jugendlichen Heerde muss also für unentbehrlich
erklärt werden; und wenn in der hiesigen Anstalt wenigstens
diesem äussersten Bedürfnisse auch mit der beschränkten
Zahl der disponiblen Zellen immer entsprochen werden konnte,
und wenn die hiesige Anstalt weiter nach der Ausdehnung
ihrer sonstigen Räumlichkeiten und mit der reichlicheren Gelegenheit zur Beschäftigung der Gefangenen im Freien es
ermöglicht hat, auch für die in gemeinsamer Haft befindlichen jugendlichen Gefangenen die nicht minder nothwendige
räumliche Trennung nach dem Lebensalter bezw. nach ihrer
körperlichen, geistigen und moralischen Beschaffenheit durchzuführen, so dürfte der oben gethane Ausspruch gerechtfertigt erscheinen, obgleich freilich ein durchaus befriedigender
Zustand erst dann eintreten kann, wenn die für die jugendlichen Gefangenen bestimmten beiden Stockwerke des öst-

lichen Zellenflügels für diese Bestimmung thatsächlich und
vollständig gewonnen sein werden.

3) Die Einzelhaft, wie sie in consequenter Weise hier
durchgeführt ist, hat sich sowohl bei den erwachsenen als
bei den jugendlichen Gefangenen, soweit diese ihr unterzogen waren, in den von ihr erwarteten Wirkungen gut erprobt.
Nicht blos der Ernst der Strafe ist den in Einzelhaft befindlichen Gefangenen ausnahmslos in erhöhtem Maasse zu Gemüthe getreten, sondern es hat sich bei der grossen Mehrzahl
derselben auch das richtige Verständniss und die nöthige
Empfänglichkeit für die reichlich dargebotenen Mittel zur
Belehrung und Besserung, insbesondere aber auch ein Grad
von Arbeitsamkeit entwickelt, welcher in der gemeinsamen
Haft nicht vorkommt. Wie die der Einzelhaft unterzogenen
Gefangenen in der arbeitsfreien Zeit mit einer sichtlichen
Begierde, deren Entstehungsgrund vielleicht zunächst nur in
der Langeweile und in dem Bedürfnisse zur Zerstreuung
zu suchen ist, in ihrer Zelle Alles ungestört in sich aufnehmen, was ihnen mittelst der gut ausgestatteten Büchersamm-
lung oder mittelst Anleitung und mit Aufgaben verschiedener
Art von Seiten der Lehrer, Geistlichen oder auch anderer
Beamten zur Belehrung und geistigen Anregung geboten
wird, ebenso werden dieselben und zwar theilweise durch
die in Aussicht gestellten Verdienstantheile zur emsigsten
Ausnützung der Arbeitszeit getrieben, ohne in ihrem Eifer
und guten Willen durch den Spott, welcher in der gemeinsamen Haft jede bessere Regung, insbesondere auch den
Fleiss und die Treue bei der Arbeit trifft, beeinträchtigt und
gehindert zu werden. Gerade in dieser letzteren negativen
Wirkung der Zellenhaft, d. h. in der durch diese erreichten
gänzlichen Beseitigung des Druckes, welchen in der gemeinsamen Haft die schlimmeren Elemente unter den Gefangenen
auf die besseren mit constantem Erfolge ausüben, finde ich
den über allen Zweifel erhabenen eminenten Vortheil der
Einzelhaft vor der gemeinsamen Haft. Von der äusserlichen
Folge des ungewöhnlichen Fleisses der Gefangenen, wie sie
in den höchst erfreulichen finanziellen Ergebnissen der Ge-

fangenen-Arbeit ihren Ausdruck gefunden hat, werde ich weiter unten reden.

4) Auch die übrigen Verhältnisse der Anstalt haben sich durchaus befriedigend gestaltet. Es kam kein Selbstmord, keine Entweichung, überhaupt kein Excess von grösserer Bedeutung vor und der Gesundheitszustand der Gefangenen war ein guter.

Trotz mancher widriger Erfahrungen mit dem Aufsichtspersonal, wie sie sich zum Theil in der grossen Zahl der Entlassungen von Aufsehern wiederspiegeln, kann ich doch aussprechen, dass es gelungen ist, einen Grundstock von Aufsehern zu bilden, welche der eigenartigen Aufgabe ihres Berufes gewachsen sind.

Die Einmüthigkeit des Zusammenwirkens sämmtlicher höherer Beamten der Anstalt in dem Geiste, in welchem ich die Anstalt zu leiten bestrebt bin, war keinen Augenblick gestört und ich bin in der angenehmen Lage, der Gewissenhaftigkeit derselben sowohl in Erfüllung ihrer speciellen Berufspflicht als im Zellenbesuch, soweit er für nöthig erkannt wird, ohne alle Ausnahme meine volle Anerkennung ausdrücken zu können.

IV. Bauliche Einrichtungen. Hier sind vor Allem die Einrichtungen zu erwähnen, welche im Betsaal der Anstalt und zwar mit Ausnahme der Renovirung der Orgel durchaus mittelst Gefangenen-Arbeit zur Ausführung gekommen sind.

Der Betsaal hat bekanntlich, abgesehen davon, dass seine räumliche Anlage schon für die Normalzahl von 275 Gefangenen viel zu eng ist, von Anfang an, an 2 sehr empfindlichen Mängeln gelitten: einmal war die Ruhe und Aufmerksamkeit der Gefangenen beim Gottesdienst dadurch beeinträchtigt, dass die Gefangenen auf amphitheatralischaufsteigenden Sitzen ohne alle Trennungs-Vorrichtungen so placirt waren, dass sich die Mehrzahl von ihnen, ohne auch nur eine kleine Wendung des Kopfes eintreten zu lassen, ins Gesicht sehen und überdiess der Hintermann seinen Vormann mit den Füssen in einer Weise beunruhigen konnte, welche dem Auge der Aufsichtsbeamten ganz entzogen blieb;

20*

der zweite noch grössere Mangel bestand in der Zuführung des Lichts, welche durch die wenigen Fenster des Saales so ungenügend stattfand, dass der Geistliche auf der Kanzel nicht zu lesen im Stande und die Aufsicht über die Gefangenen im höchsten Grade erschwert war. Beide Mängel sind durch die neuen Einrichtungen (insoweit es der enge Raum des Saales überhaupt ermöglichte) in befriedigender Weise beseitigt worden. Durch 2 grössere und 2 kleinere an der Decke des Saales angebrachte Oberlichter erhält der Betsaal nunmehr in allen seinen Theilen die ausreichende Lichtmenge und durch den Einbau der Isolirstühle ist der erstgenannte Uebelstand vollständig beseitigt. Die Isolirstühle sind in der Zahl von 161 für die erwachsenen Gefangenen (und zwar wegen des beengten Raumes des Betsaales nach dem Pentonviller Muster und nicht nach den allerdings noch zweckmässigeren Mustern zu Nürnberg und Bruchsal) errichtet worden, während 64 weitere Sitzplätze ohne Isolireinrichtung für die jugendlichen Gefangenen in besonderem durch ein Schirmdach den Blicken der erwachsenen Gefangenen vollständig entzogenen Raum zunächst der Kanzel aufgestellt wurden. Zur Aufstellung von Altar und Kanzel, sowie für die Sitze der Aufsichtsbeamten ist eine Empore gebaut worden und die Orgel musste von der hintern Wand an eine Seitenwand des Saals versetzt werden.

Die ganze Einrichtung ist nach Pünktlichkeit und Schönheit ihrer Ausführung als ein durchaus gelungenes Werk zu bezeichnen.

V. Uebersicht über den Personalstand der Gefangenen. 1) Die Gesammtzahl der im Lauf des Jahres vorhanden gewesenen Gefangenen (mit Einschluss der jugendlichen Gefangenen) ist von 447 des Vorjahres auf 657 und die Zahl der neu eingelieferten erwachsenen Gefangenen von 240 des Vorjahres auf 269 (89 Zuchthaus- und 180 Gefängnissträflinge) gestiegen, was Angesichts der im Lauf des Jahres eingetretenen durchgreifenden Abänderung der Einlieferungsbedingungen nichts Auffallendes hat. Jugendliche Gefangene sind 79 neu eingeliefert und 93 von Hall hieher versetzt worden, so dass einschliesslich von 3

weiteren Gefangenen, welche von anderen Anstalten hieher
transferirt wurden, im vergangenen Jahre im Ganzen 444
Gefangene in die Anstalt eingeliefert worden sind. Die
Durchschnittszahl der täglich anwesenden Gefangenen ist
von 207,6 des Vorjahres auf 260,4 (und zwar 125,9 Zucht-
haus-, 79,5 Gefängniss- und 55 jugendliche Gefangene) gestiegen.

2) Die Durchschnittsdauer der Gefängniss- und Zuchthausstrafen, zu welchen die 269 neu eingelieferten erwachsenen Gefangenen verurtheilt worden sind, berechnet sich auf
11 Monat 7,2 Tage gegen 7 Monat 6,6 Tage des Vorjahrs.
Bei den 172 jugendlichen Gefangenen berechnet sich die
durchschnittliche Dauer der Strafen aus dem Grund höher,
(sie beträgt 1 Jahr und 21,8 Tage) weil hier neben sehr
zahlreichen Strafen in der Dauer von 1 Monat und. wenig
darüber, auch solche von sehr langer Dauer (z. B. 2 Strafen
von 15 Jahren, Eine von 6 Jahren, Eine von 5, Eine von
4 Jahren etc.) zum Vollzug kommen.

3) Von den neueingelieferten 89 Zuchthausgefangenen
sind 83 wegen Verbrechen oder Vergehen gegen das Eigenthum, von den neueingelieferten 180 Gefängnissträflingen
151, und von den 172 eingelieferten jugendlichen Gefangenen 143 wegen der genannten Reate bestraft; ein Verhältniss, welches als sehr ungünstig bezeichnet werden muss.

VI. Das Verhalten der Gefangenen war im
Allgemeinen zufriedenstellend; über die erfreulichen Wirkungen der Einzelhaft in dieser Richtung habe ich mich oben
unter Ziff. III. 3 bereits ausgesprochen.

Von den 657 im Lauf des Jahres vorhanden gewesenen
Gefangenen sind 145, also 22 Procent (gegen 132 oder 29,5
Procent des Vorjahrs) mit 235 Disciplinarstrafen (gegen 271
des Vorjahres) belegt worden und zwar:
68 Zuchthausgefangene (= 29,6 Prc.) mit 128 Disc.-Strafen,
42 Gefängnissgefangene (= 16,4 „ ) „ 56 „ „ ,
35 jugendliche Gefangene (= 20,3 „ ) „ 51 „ „ .
Die Zahl der zur Anwendung gekommenen Strafen mag
allerdings trotz des verhältnissmässigen Rückgangs derselben
gegenüber dem Vorjahre als eine grosse erscheinen, allein

trotzdem glaube ich unter Berücksichtigung der obwaltenden Verhältnisse den obengethanen Ausspruch über das Verhalten der Gefangenen aufrecht halten zu dürfen; denn es ist einerseits zu constatiren, dass die Verfehlungen meistens sehr geringfügiger Natur waren, kein einziger bedeutender Excess vorkam und ein guter Theil der Verfehlungen und der Strafen auf Rechnung der theilweise noch mangelhaften Schulung der Aufseher verbunden mit der immer noch durch die Neuheit des Systems gebotenen unnachsichtlichen Strenge zu schreiben ist, andererseits ist aber nicht zu übersehen, dass man es hier in Folge der fortschreitenden Herabsetzung der Lebensaltergrenze für die Einlieferung in der Hauptsache mit noch ziemlich jungen und in Folge ihres jugendlichen Alters zum Muthwillen und zum Widerstreben gegen die stramme Disciplin des Gefängnisses in erhöhtem Maasse geneigten Leuten zu thun hat, und dass von den 657 anwesend gewesenen Gefangenen nicht weniger als 88,4 Procent wegen Verbrechen oder Vergehen gegen fremdes Eigenthum verurtheilt waren, die überwiegende Hauptmasse aller Gefangenen also der schlimmsten Kategorie angehörte.

So dringend sich die Nothwendigkeit von Einrichtungen zum Zwecke der Trennung der Gefangenen im Betsaal herausgestellt hat, so ist doch ein gleiches Bedürfniss bei der gemeinsamen Bewegung der Gefangenen im Freien und ebenso beim Schulunterricht [nicht] hervorgetreten. Der bei Abhaltung der Hofstunde streng durchgeführte Abstand der Gefangenen von mindestens 5 Schritten und die kleineren Schulabtheilungen ermöglichen scharfe Ueberwachung jedes einzelnen Gefangenen und erschweren den unerlaubten Verkehr in genügendem Maasse.

Zur Aufmunterung und Belohnung habe ich einer erheblichen Anzahl von Gefangenen, welche sich durch Wohlverhalten auszeichneten, die Erweiterung der Erlaubniss zum Absenden von Briefen und zum Empfang von Besuchen, ferner die Erlaubniss zum Ausschmücken der Zelle mit Bildern und zum Halten von Blumen zugestanden, 29 Gefangene habe ich mit Erfolg zur Begnadigung empfohlen und ebenso bei 15 Gefangenen, gegen welche im Strafurtheil auf

Zulässigkeit von Polizeiaufsicht erkannt war, vor der Entlassung das Abstehen von polizeilichen Beschränkungen beantragt.

Die vorläufige Entlassung nach § 23 des Str.-G.-B. ist nur in 3 Fällen von mir beantragt worden und zur Anwendung gekommen, die Strafzeit dieser 3 Beurlaubten ist inzwischen abgelaufen, ohne dass Widerruf erfolgt wäre; einer häufigeren Anwendung dieser Maassregel stand einerseits die zu kurze Dauer der Strafen, anderseits das Bedenkliche ihrer Anwendung bei den Eigenthums-Verbrechern im Wege.

Die Zahl der von den Gefangenen abgesendeten
Briefe beträgt  .  .  .  .  .  .  .  .  1094,
die Zahl der an Gefangene eingelaufenen Briefe  .  1010.

Besuche haben die Gefangenen erhalten 110. Letztere wurden ohne Ausnahme auf der Direktionskanzlei in Gegenwart des Vorstandes oder des Buchhalters Bertsch abgehalten.

IX. Gesundheitszustand, Krankenpflege. Die Gesundheits-Verhältnisse der Anstalt sind mindestens so günstig wie im Vorjahre geblieben. Die Zahl der in der Anstalt anwesend gewesenen Gefangenen ist, wie bereits oben angeführt worden, von 447 des Vorjahres auf 657 und die Durchschnittszahl der täglich anwesenden Gefangenen von 207,6 des Vorjahres auf 260,4 gestiegen. Dagegen beträgt: die Gesammtzahl der in Verpflegung aufgenommenen Kranken 176, also 26,8 Procent gegen 154, d. h. 33,3 Procent des Vorjahres, die Gesammtzahl der ambulant Behandelten 499 gegen 483 des Vorjahres, der mittlere tägliche Krankenstand 4,6 gegen 4,9 des Vorjahrs — der höchste Krankenstand 10 gegen 12 des Vorjahrs, die Durchschnittszahl der Verpflegungstage für Einen kranken Gefangenen 9,6 gegen 11,5 des Vorjahres, und, endlich der gesammte jährliche Medikamenten-Aufwand für die kranken Gefangenen 488 M. 28 Pfg. gegen 465 M. 91 Pfg. des Vorjahres.

Die höhere Sterblichkeitsziffer, 10 Todesfälle Gefangener gegen Einen im Vorjahr, kann Angesichts der günstigen Morbilitäts-Verhältnisse kein besonderes Bedenken erregen, weil jene höhere Ziffer nicht als die Folge örtlicher Verhältnisse bezw. endemisch oder epidemisch aufgetretener Krank-

heiten erscheint, sondern wie im ärztlichen Jahresbericht
nachgewiesen ist, abgesehen von den gleich nachher zur Erörterung kommenden Mängeln im Kostregime als Produkt
des zufälligen Zusammentreffens von solchen Fällen anzusehen ist, die sich durch Seltenheit oder ungewöhnlich rapiden
Verlauf ausgezeichnet haben.

Zu weiterer Besprechung und zu einem bestimmten
Antrag gibt mir aber das vom Hausarzt vorgetragene Desi-
derium Veranlassung, welches das bestehende Kostregime
betrifft, und ich bemerke, dass ich mich bei dem, was ich
in dieser Richtung ausführen und beantragen werde, in voller
Uebereinstimmung mit der Ansicht und dem Wunsche des
Hausarztes, sowie mit den Zielen befinde, in welchen bei den
wiederholten Besprechungen dieser Fragen in den Conferenzen auf Grund der Beobachtungen und Erfahrungen auch
der übrigen Beamten des Zellengefängnisses jedesmal die
Meinungen und Wünsche Aller zusammengetroffen sind. —

Die Nahrung, wie sie den Gefangenen des Zellengefängnisses gemäss § 27 der H.-O. zukommt, leidet entschieden
an Einförmigkeit, am Mangel von Abwechslung. Das ewige
Einerlei der Brei- und Suppen-Form, in welcher die Nahrung
gereicht wird, ist die Ursache der vom Arzte angeführten
Erscheinungen (Mangel an Esslust, das sogenannte Abgeges-
sensein, Widerwillen, Eckel, Würgen und Erbrechen), welche
constant zwar nicht bei zahlreichen, aber doch immer bei
einer kleineren Anzahl von Gefangenen zu beobachten sind.
Es verdient nun gewiss die volle Beachtung, dass diese Erscheinungen nach dem Ergebnisse untrüglicher Wahrnehmungen meist längere Zeit den schweren Krankheiten (mit theilweise letalem Ende) vorhergingen, von welchen unsere Anstalt im vergangenen Jahre heimgesucht worden ist und die
Ueberzeugung des Arztes, dass die Ursache dieser schweren
Erkrankungen vielfach im Mangel an geeigneter Kost zu
finden seie, ist eine wohlbegründete, mit dem Ergebnisse der
Wahrnehmungen und mit den Meinungen der übrigen Beamten übereinstimmende.

Es kommt hier vor Allem in Betracht, dass die Aushilfe mit der Krankenkost nach unserer wie nach jeder

H.-O. selbstverständlich vom Arzte erst dann getroffen werden kann, wenn der Gefangene bereits erkrankt ist, in welchem Falle die bessere Kost meistens nichts dankenswerthes mehr hat, sondern zu spät kommt. Der grösste Werth ist gerade darauf zu legen, dass dem Gefangenen, welcher die gewöhnliche Kost nicht verträgt, schon recht früh eine bessere Kost gereicht wird, um die sinkende Ernährung noch zur richtigen Zeit aufzubessern; dass aber die im § 28 Ziff. 3 der H.-O. dem Arzte zugestandene Befugniss, kränklichen oder schwächlichen Gefangenen, für welche er die gewöhnliche Kost nicht zuträglich findet, statt der Morgensuppe 0,42 Liter Milch mit 125 Gramm weissem oder schwarzem Brote und statt der Mittagskost eine gleiche Quantität Milch und Brod oder eine leichte Suppe zu verabreichen, die gewünschte Aushilfe nicht gewähren kann, hat die Erfahrung im Uebermaass erwiesen.

Bei der Beantwortung der Frage nun, auf welchem Wege am einfachsten und kürzesten die dringend gebotene Hilfe gefunden werden kann, gehe ich zunächst davon aus, dass nach der Erfahrung, welche sich über einen Zeitraum von 3 Jahren erstreckt, unsere Beköstigung trotz der gerügten Mängel die ganz überwiegende Mehrzahl der Gefangenen in gutem Ernährungszustand erhält und nur ein verhältnissmässig k l e i n e r Theil der Gefangenen bei dieser Beköstigung dem Verfall entgegengeführt wird; ich halte desshalb den Uebergang zu einem besseren Regime für die allgemeine Gefangenenkost (etwa nach dem Vorgang in Bruchsal mit stark vermehrter Fleischnahrung, täglicher Reichung von Fleischbrühsuppe und besonders angerichtetem Gemüse zur Mittagskost, Sonntags Kaffee), noch nicht für dringend genug geboten, halte mich aber für verpflichtet, mit umsogrösserem Nachdrucke den Antrag vorzutragen, an die Stelle des § 28 Ziff. 3 der H.-O. eine ähnliche Bestimmung wie die des § 30 Abs. 2 der H.-O. für das Zellengefängniss in Nürnberg etwa mit folgendem Wortlaut zu setzen: „ausnahmsweise darf der Hausarzt für kränkliche oder schwächliche Gefangene, für welche er die gewöhnliche Kost nicht zuträglich findet, eine von der Gesundenkost abweichende

Beköstigung, auch die Verabreichung einer mässigen Quantität Wein, Bier, Obstmost oder Branntwein anordnen, hat aber in jedem solchen Fall die Gründe seiner Anordnungen in einer schriftlichen Aeusserung dem Vorstande vorzulegen."

Eine nähere Bezeichnung der abweichenden Beköstigung, eine Beschränkung des Arztes auf bestimmte Speisen halte ich nach dem erprobten Vorgange im Zellengefängniss zu Nürnberg für nicht empfehlenswerth. —

X. Finanzielle Ergebnisse. Der für die Staatskasse erwachsene Aufwand berechnet sich auf 91086 M. 62 Pfg. gegen im Etat hiefür vorgesehener 73737 M. — und der Durchschnittsaufwand auf Einen Gefangenen fürs Jahr auf 349 M. 79 Pfg. gegen im Etat vorgesehenen 294 M. 95 Pfg.

Die Ueberschreitung dieser Etatssätze um 17349 M. 62 Pfg. beziehungsweise um 54 M. 84 Pf. ist aber in dieser Höhe eine nur scheinbare, weil bei der Berechnung des Aufwands der Staatskasse die Werthe der am Schluss des Jahres bei den einzelnen Gewerben vorhandenen Vorräthe an Rohstoffen und Fabrikaten nicht berücksichtigt worden sind.

Bei Berücksichtigung dieser Werthe und nach Abzug der Kosten für die ausserordentlichen baulichen Einrichtungen würde der Aufwand auf Einen Gefangenen auf 260 M. 32 Pfg. herabsinken, somit um 34 M. 63 Pfg. per Kopf weniger betragen als im Etat hiefür vorgesehen sind.

Der Durchschnittsaufwand für die Verpflegung eines Gefangenen berechnet sich fürs vergangene Jahr auf 184 M. 61 Pfg. gegen im Etat berechneten 207 M. 61 Pfg. und gegen 181 M. 31 Pfg., auf welche sich dieser Aufwand im Vorjahre belief.

Das günstige Ergebniss des allgemeinen Aufwands auf die Verpflegung der Gefangenen ist aber im Speciellen fast ausschliesslich dem Ergebnisse des Menagebetriebs zu verdanken, sofern trotz der bekannten höheren Gefangenenzahl am Etatssatze für Nahrung allein die Summe von 8603 M. 59 Pfg. erspart worden ist. Die vorschriftsmässig gefertigte Menagerechnung weist aus, dass der tägliche Aufwand auf die Nahrung Eines Gefangenen mit Ausschluss der trockenen Brodportion, aber mit Einschluss der Krankenkost und der

Extra-Abgaben an gesunde und kranke Gefangene Seitens
des Arztes und des Vorstandes sich auf 25,2 Pf. (gegen
25,6 des Vorjahres) berechnet. Die trockenen Brodportionen
im Gesammtbetrag von 106,303¹/₄ Pfd. haben einen Aufwand
von 10955 M. 29 Pfg., also pro Kopf und Tag von 11,5 Pfg.
veranlasst. Der ganze Aufwand für die Nahrung Eines
Gefangenen berechnet sich demnach pro Tag auf
36,4 Pfennige.

XI. Beschäftigung der Gefangenen. Ich habe
in meinem vorjährigen Berichte die Aufgabe bezeichnet,
welche die Verwaltung bezüglich der Beschäftigung der Gefangenen zu lösen hat. Das angestrebte Ziel bestand demgemäss auch im abgelaufenen Jahre in möglichster Mannigfaltigkeit der Arbeitszweige zum Zweck möglichster Individualisirung bei der Beschäftigung des einzelnen Gefangenen,
ferner in der Auswahl solcher Beschäftigungsarten, welche
nicht blos einen ergiebigen Ertrag gewähren, sondern auch
als Mittel der Besserung der Gefangenen zu dienen und das
Fortkommen derselben nach der Entlassung zu erleichtern
geeignet sind, und endlich in der Ausschliessung der Vermiethung der Arbeitskräfte der Gefangenen und Durchführung
der Beschäftigung der Gefangenen im eigenen Gewerbebetrieb. Es gereicht mir zur Befriedigung, constatiren zu können, dass sämmtliche arbeitsfähigen Gefangenen ohne Unterbrechung beschäftigt worden sind und dass dies bei jedem
Gefangenen, dessen Strafzeit nicht eine zu kurze war, in
einer seiner Persönlichkeit und seiner bisherigen Beschäfti-
gungsweise entsprechenden, bezw. für sein künftiges Fortkommen förderlichen Weise mit thunlichster Berücksichtigung begründeter Wünsche hinsichtlich der Wahl der Beschäftigungsart geschehen ist.

Die Vermiethung von Gefangenen-Arbeit an Unternehmer (wie diess häufig in anderen Strafanstalten als der
müheloseste Weg beliebt wird) bleibt strenge ausgeschlossen,
was zur Folge hat, dass das Interesse des Bestellers an der
Persönlichkeit des für seine Bestellung arbeitenden Gefangenen paralysirt, überhaupt ein Verhältniss des Bestellers zum

Gefangenen selbst und ebendamit der Einfluss desselben auf den einzelnen Gefangenen und dessen Beschäftigung, sowie auf den Dienst im Gefängniss vermieden bleibt. Die Erträgnisse der Gefangenen-Arbeit, welche übrigens selbstverständlich bei der Auswahl der Beschäftigungsart immer erst in 2. Linie maassgebend waren, kann ich als sehr befriedigende bezeichnen. Der ausserordentliche Fleiss der Gefangenen, von welchem ich schon oben gesprochen und den ich als ein unzweifelhaftes Ergebniss der Einzelhaft bezeichnet habe, findet hier seinen greifbaren Ausdruck.

Es berechnet sich der durchschnittliche Arbeitsverdienst der auf den Gewerben beschäftigten Gefangenen (Lehrlinge und jugendliche Gefangene als volle Arbeiter mit eingerechnet) pro Tag auf 1 M. 3 Pfg. (oder, wenn man von den Arbeitstagen, welche die jugendlichen Gefangenen betreffen, absieht und nur die 27219½ Arbeitstage der erwachsenen Gefangenen zu Grund legt, auf 1 M. 43 Pfg.) Dieses Ergebniss des eigenen Gewerbebetriebs glaube ich Angesichts der vielen und grossen Schwierigkeiten, welche zu überwinden waren, als ein sehr günstiges bezeichnen zu dürfen.

Die Zusammenstellung des Ertrags sämmtlicher Arbeiten der Gefangenen führt zu folgendem Ergebnisse:
1) auswärtige Bestellung mit . . . . 19592 M. 19 Pf.
2) Hausarbeiten, wobei 34 Pf. für das Tagespensum in Rechnung genommen sind   3642 M. 25 Pf.
3) Gewerbearbeit nach Abzug der unmittelbaren Kosten auf die Beschäftigung der Gefangenen (Hauptrechnung C. IV. 1.) mit 3019 M. . . . . . 36,978 M. 05 Pf.

Summa 60212 M. 49 Pf.

Der durchschnittliche Arbeitsverdienst Eines Gefangenen beträgt also mit Einschluss der jugendlichen Gefangenen bei 260,4 Köpfen 231 M. 23 Pfg. und auf den Tag das Jahr zu 300 Arbeitstagen gerechnet 77 Pfg.

Für einen beschäftigten Gefangenen bei dem Durchschnitt von 255,4 täglich beschäftigter berechnet sich der Arbeitsverdienst auf 235 M. 75 Pfg. und auf den Tag (300 Arbeitstage gerechnet) — 78,5 Pfg.

XII. **Ueberverdienst der Gefangenen.** An Gefangene, welche mehr als das Arbeitspensum leisteten und
nach Wohlverhalten und Fleiss ein gutes Zeugniss verdien-
ten, ist als Ueberverdienst im Ganzen die Summe von 9098
M. 11 Pfg., also im Durchschnitt auf Einen Gefangenen:
34 M. 94 Pfg. ausbezahlt worden.

Für erlaubte Genussmittel sind im Ganzen 2513
M. 57 Pfg., im Durchschnitt von Einem Gefangenen 9 M. 65
Pfg. verwendet worden.

# Correspondenz.

～～～

**Berlin,** 14. Mai 1877. Beim Gefängniss am Plötzensee sind in letzter Nacht Arbeits-Baraken abgebrannt, die innere Anstalt ist nicht in Gefahr gewesen.

**Düsseldorf,** im August 1877. Die diesjährige General-Versammlung der Rheinisch-Westfälischen Gefängniss-Gesellschaft hat am Donnerstag den 9. August d. J. in der Flora dahier stattgefunden. Die Verhandlungen der Versammlung hatten folgende Tagesordnung: 1. Bericht des Vorsitzenden Consistorialrath Natorp über die Thätigkeit der Gesellschaft im verflossenen Vereinsjahre. 2. Bericht des Schatzmeisters und Rechnungsdecharge. 3. Die Bekämpfung der Völlerei insbesondere auf dem Wege der Gesetzgebung (auf Grund des umfangreichen statistischen Materials aus Rheinland und Westfalen). Referent: Past. Stursberg in Düsseldorf. 4. Die Nothwendigkeit der Arbeit in den Gefängnissen und ihr Verhältniss zur freien Industrie. Referent: Director Strosser in Münster. 5. Berichte und Anträge der Spezial-Couferenzen. 6. Erneuei ung des Ausschusses. Auf Grund des §. 5 des Protokolls der 37. General-Versammlung fand zugleich die Special-Conferenz der Strafanstalts-Directoren und Beamten Mittwoch den 8. August ebenda Statt. Zur Verhandlung in derselben waren folgende Themata vorgeschlagen: 1. Ist es zweckmässig, durch Ausschreiben von Preisaufgaben die Aufseher zu ihrer Weiterbildung zu ermuntern? Referent: Regierungsrath Grotefend in Düsseldorf. 2. Wie weit ist in den Strafanstalten die Aussenarbeit zulässig, ohne der Disciplin und den Besserungsaufgaben zu schaden? Referent: Director Struck in Düsseldorf. Auch mit der diesjährigen General-Versammlung war eine Conferenz der Gefängniss- und Asyls-Geistlichen am Mittwoch, den 8. August verbunden, für welche folgende Themata zur Berathung stunden: 1. Die berufsmässige Thätigkeit der Gefängniss-Geistlichen ausserhalb der Strafanstalt. Referent: Pastor Ohl in Duisburg. 2. Die Amtsverschwiegenheit der Geistlichen über Mittheilungen der Gefangenen. Referenten: Past. Schnackers in Cöln und Past. Siveke in Werden. Nach Schluss der vorgenannten Conferenzen fand an demselben Tage eine gemeinsame Conferenz der Beamten und Geistlichen mit nachstehender Tagesordnung statt: 1. Der Sonntag in den Strafanstalten. Referent: Director Krell in Cöln. 2. Ist es zweckmässig, das Turnen in den Strafanstalten einzuführen und event. in welchem Umfange? (Fortsetzung der vorigjährigen Berathungen auf Grund des gesammelten Materials). Referent: Director Kelbing in Werden. 8. Betr. die vorläufige Entlassung von Strafgefangenen. Referent: Past. Stursberg in Düsseldorf.

**Wartenburg, 19. August 1877.** Am 2. Juli Abends gegen 6½ Uhr zogen sich mehrere schwere Gewitter über Wartenburg zusammen, Blitz folgte auf Blitz, und Schlag auf Schlag. Ein starker Regen strömte hernieder und liess annehmen, dass die Gefahr vorüber gehen werde, aber — leider! war dies nicht der Fall, schwere Stunden standen der Anstalt und ihren Insassen bevor. Gleich beim Beginn der Gewitter ging der Director in Begleitung des Hausvaters auf den Höfen umher, um den Verlauf derselben beobachten zu können. Während ein Gewitter sich von der Anstalt entfernte, rückte ein zweites näher, zu welchem sich noch ein drittes gesellte. Regen, Blitz und Schlag folgten ununterbrochen aufeinander. Schliesslich trafen sich die drei Gewitter über der Anstalt. Bange Sorge lagerte auf dem Gesicht des Dirigenten. Die Aussenarbeiter waren von der Ziegelei und den Feldern heimgekehrt, und die Militärwache war durch die Gewitterwache verstärkt. Gegen 7¼ Uhr folgten plötzlich zwei starke Schläge, Blitz und Knall zugleich. Der Director, wie sich später herausstellte, durch den Schall getäuscht, eilte der Vorderanstalt zu in dem Glauben, dass hier der Blitz eingeschlagen habe. Da aber nichts zu bemerken war, kehrte er um, entliess auf der Brücke, welche die Vorder- mit der Hinteranstalt verbindet, den Hausvater und ging in Begleitung des Oberaufsehers der Hinteranstalt zur Besichtigung der Gebäude weiter. Schon wollten beide beruhigt umkehren, da brach aus dem Dache der evangelischen Anstaltskirche Rauch hervor. Der Blitz hatte eingeschlagen — und die Kirche entzündet. „Feuersignale geben" kommandirte der Director, — und bald darauf rief die Glocke die Anstalts-Feuerwehr zum Löschen, und das Signalhorn das Militär-Commando zum Sammeln. Sofort wurden die drei Thore der Anstalt mit Doppelposten besetzt und nach sieben Minuten erschien die aus Gefangenen gebildete Feuerwehr unter Führung dazu bestimmter Aufseher, im Geschwindschritt zu den Löschapparaten eilend. Um die ganze Anstalt wurde eine Postenkette aufgestellt, Patrouillen umgingen das gefährdete Terrain und der Rest des Militärs blieb in Reserve. Die Mannschaften der Feuerwehr an weissen um den linken Oberarm befestigten Binden kenntlich, besetzten die Spritze und die Wasserwagen und bildeten die Arbeiterabtheilungen. Von drei Seiten drangen die Arbeitertrupps in die Kirche ein, deren Dach bereits in vollen Flammen stand. Die kostbaren Eichenthüren, die Altargeräthe, das Mobiliar der Sakristei, die Kanzel- und Altarbekleidung und die in der Kirche befindlichen Bücher wurden gerettet, ebenso die Kronleuchter. Inzwischen war die Hitze unerträglich geworden, und der Direktor gab das Signal zum Rückzuge der Arbeitertrupps. Inmitten eines furchtbaren Regens erhob sich ein kräftiger, alle Augenblicke die Richtung ändernder Wind. Der Oeconomiehof mit den Viehställen und Scheunen, das Quarrégebäude der Hinteranstalt und der drei Tischlereien wurden mit Funken überschüttet. Das Rettungswerk musste sich unter diesen Umständen darauf beschränken, die umliegenden Gebäude zu sichern, denn die Kirche war ein Flammenmeer. Gott sei Dank! Die Anstrengungen wurden mit Erfolg gekrönt, die Anstalt wurde gerettet und kein Unfall war zu beklagen. Gegen 11 Uhr Abends konnte die Gefahr als beseitigt betrachtet werden. Der grösste Theil der als Feuerwehr thätig gewesenen Gefangenen konnte in die Reviere rücken, nur eine Feuerwache von 20 Köpfen unter Aufsicht des Direktors blieb auf der Brandstätte zurück. Um 2 Uhr Nachts fachte der Wind nochmals die Flammen an, aber das Eingreifen der Feuerwache dämpfte dieselben. Beamte, Militär und Gefangene haben in dieser furchtbaren Gefahr, inmitten eines strömenden Regens, ihre Schuldigkeit im vollsten Maasse gethan. Wenn etwas zu tadeln gewesen wäre, so wäre es der übergrosse Eifer der Gefangenen beim Rettungswerk.

So stehen nur noch Thurm und Mauern des herrlichen Gotteshauses — des Stolzes der Anstalt. Möge Gott jede Anstalt vor ähnlichem Unglück bewahren. —

**Frankfurt**, 8. Juni 1877. Dem hiesigen Gefängnissverein ist die Ertheilung der Rechte einer juristischen Person in Aussicht gestellt, wenn er eine kleine Statutenänderung vornimmt. Dieselbe soll kommenden Montag in einer Generalversammlung stattfinden.

**Stuttgart**, 10. April 1877. (Aus dem eben ausgegebenen Hauptfinanzetat für 1877/79). Im Justizdepart. werden die Verhältnisse beim hiesigen Stadtgericht berührt. Der Gefangenenstand hat sich in den letzten Jahren bis auf die Zahl von 90, in neuester Zeit über 100 gesteigert; nach Vollendung des neuen Justizgebäudes und Gefängnisses ist eine noch grössere Vermehrung in Aussicht zu nehmen, so dass alsdann das stadtgerichtl. Gefängniss der Zahl der Gefangenen nach einer Strafanstalt gleichkommt; es musste jetzt schon Abhilfe in der Weise zu erzielen gesucht werden, dass 1) dem Gerichtsdiener bei der Abtheilung für Strafsachen die Beaufsichtigung, Wart und Verpflegung der Gefangenen unter Beigebung zweier Aufseher zugewiesen wurde, woneben derselbe das erforderliche Dienstpersonal (Knechte und Mägde) zu halten hat; 2) dem Stadtgerichtsdiener bei der Zivilabtheilung aber wurde der gesammte Dienst im Stadtgerichtsgebäude, die Leitung und Besorgung des Ladungs-, Insinuations- und Korrespondenzwesens unter Beigebung eines Aufsehers als seines Stellvertreters und der nöthigen Anzahl von Gehilfen, welche vorerst dem Antrage des Stadtgerichtsvorstandes gemäss auf 6 bemessen wurde, übertragen. Die 3 Aufseher werden als militärische Aufseher unter Zutheilung zum Landjägerkorps und mit den Bezügen der militär. Strafanstaltenaufseher angestellt. Dem Etat 1876/77 war eine Gefangenenzahl von 1530 zu Grund gelegt. Inzwischen hat sich dieselbe in Folge theils der neuen Strafgesetzgebung, theils der Ungunst der Zeitverhältnisse erheblich vermehrt, so dass, während sie 1. Juli 1876 1600 und am 1. Okt. 1668 betrug, die Zahl am 1. Nov. auf 1807 gestiegen war und der Stand am 1. Dezhr. 1876 sich auf 2002 beziffert. —

**Stuttgart,** 12. August 1877. Nach einem „an den König" gerichteten Bericht des Staatsministers der Justiz, betr. die Verwaltung und den Zustand der gerichtl. Strafanstalten während der Zeit vom 1. Juli 1875 bis 30. Juni 1876 waren am 30. Juni 1876 in den Strafanstalten a) männliche Gefangene 1362, weibliche 238, b) nach dem Alter zur Zeit der Begehung der That: über 25 Jahre alt 943, zwischen 18 uud 25 Jahren 547, unter 18 Jahren 110, c) nach den Strafarten: Zuchthausgefangene, incl. Arbeitshausgefangene alten Rechts 863, worunter 21 (20 männl., 1 weibl.) auf Lebensdauer, Gefängnissträflinge 737, jugendliche Gefangene: männliche 97, weibliche 20; d) rückfällige, d. h. solche, welche schon früher eine Strafe in einer höheren Strafanstalt wegen eines gleichartigen oder nichtgleichartigen Delicts erstanden haben, befanden sich unter 2553 Neueingelieferten 1173, und zwar erstmals rückfällige 432, wiederholt rückfällige 741, erstmals gestrafte 1380; e) Nichtwürttemberger waren vorhanden 256 (50 mehr als im Vorjahr). Der Gesammtaufwand auf die Strafanstalten, einschliesslich der Kosten des Strafanstaltenkollegiums und der Beiträge an den Verein zur Fürsorge für die entlassenen Strafgefangenen und an die Rettungsanstalt in Leonberg, betrug im Verwaltungsjahr 1875/76 1,132,073 M. 6 Pf., die Einnahmen der Strafanstalten mit 672,888 M. 87 Pf. abgezogen, blieb eine Mehrausgabe von 459,184 M. 19 Pf. zu decken. Ausser den Arbeiten für die eigenen Bedürfnisse der Strafanstalten (Bereitung der Kost, bezw. auch des Brodes, Bau- und Gartenarbeiten, Hausreinigung, Waschen, Krankenwart, Holzmachen, Schreibgeschäfte) sind die hauptsächlichsten Beschäftigungsarten: bei den männlichen Gefangenen: Weberei (Leinen- und Baumwollweberei) nebst den dazu gehörenden Nebenverrichtungen, Schneiderei, Schusterei, Schreinerei und andere Holzarbeiten, Fertigung von Wichseschachteln und von Zündholz-Schachteln, Fertigung von Papiertaschen und Papierhülsen, Zigarrenmachen, Seegrasarbeiten, Fabrik. von Reiseartikeln, Schlosserei, Schmiedarbeiten, Flaschnerei, Koloriren, Landwirthschaftliche Arbeiten, Holzmachen; ausserdem wird betrieben Buchbinderei, Korb- und Strohflechten, Schuhflechten, Leinenspinnen, Werkzeugfabrikation, Kolonialwaarenbelesen, Galanteriewaaren-Fabrik; bei den weiblichen Gefangenen: Feinnähen, ordinäre Nähterei, Schneiderei, Sticken, Stricken, Poliren von Goldwaaren, Zigarrenmachen. Der reine Ertrag der Arbeiten der Gefangenen betrug im Jahre 1875 bis 76 201,462 M. 35 Pf., der durchschnittliche Arbeitsverdienst eines Gefangenen 119 M. 39 Pf. Bei einer Gesammtzahl von 4372 Gefangenen in sämmtlichen Strafanstalten und bei einem Durchschnittsstand von 1582 Gefangenen betrug im Jahr 1875—76 die Zahl der Neuerkrankten 1012, die Zahl der Gestorbenen 51. Die Zahl der in sämmtl. Strafanstalten im Laufe des Jahrs erkannten Disciplinarstrafen betrug 1013. Auf 100 Gefangene kamen 64,0 Straffälle. Die Zahl der Begnadigungen beträgt 188. Die Zahl der vorläufigen Entlassungen 28. Der Fall eines Widerrufs der vorläufigen Entlassung kam nicht vor.

**Rom,** 14. Juni 1877. Es liegt uns heute der 1. Band des neuen, einheitlichen **Strafgesetzbuches** vor, das den in Italien, trotz seiner Unifikation, fortbestehenden mehrfachen Gesetzgebungen in Strafsachen ein Ende machen, und auch in dieser Richtung die nothwendige Einheit herbeiführen soll. Die mit der Zusammenstellung dieses Kodex betraute Kommission hat mit Stimmeneinheit die **Abschaffung** der **Todesstrafe** beschlossen und dieselbe erscheint denn auch thatsächlich nicht mehr in Betracht gezogen. Um den Beschluss der Kommission gehörig zu beleuchten, hat der Justiz- und Gnadenminister sodann in einem grossen Buche, welches eine Art Anhang zu dem Strafgesetze, wie er es neu beantragt, bildet, alle die Meinungen und Gutachten gesammelt, welche von den Gerichtsbehörden, den juridischen Fakultäten, den Advokatenkammern, den medizinischen Akademien und anderen Körperschaften in Betreff der Beibehaltung oder Abschaffung der Todesstrafe abgegeben wurden. Wir machen in der nachstehenden Tabelle summarisch ersichtlich, wie das Urtheil der verschiedenen Autoritäten in dieser Angelegenheit lautete. Es stimmten:

| | Für | gegen |
|---|---|---|
| | Abschaffung der Todesstrafe. | |
| Von den Kassationshöfen . . . . . . | 1 | 4 |
| Von deren General-Prokuraturen . . . | 2 | — |
| Von den Appellhöfen . . . . . . . | 12 | 11 |
| Von deren General-Prokuraturen . . . | 5 | 8 |
| Von den juridischen Fakultäten . . . | 16 | 8 |
| Von den Advokatenkammern . . . . | 84 | 35 |

Diesem Ergebnisse fügen wir noch ein anderes Urtheil bei, nämlich dasjenige jener Abgeordneten, welche sich am 13. März 1865 im Parlamente über dieselbe Frage auszusprechen hatten und die noch heute in der Kammer sitzen. Obwohl die damalige Regierung der Abschaffung der Todesstrafe entgegen war, sprachen sich bei jener Gelegenheit doch nur 91 Abgeordnete gegen und 150 für dieselbe aus, 8 endlich enthielten sich der Abstimmung. Von den Abgeordneten, welche vor 12 Jahren über die Todesstrafe votirten, sitzen heute noch 48 im Hause, und von diesen sprachen sich damals 38 gegen und 10 für die Beibehaltung der Todesstrafe aus.

**London,** 16. Juni 1877. Gestern starb in Bristol, 70 Jahre alt, die um die Erziehung verwahrloster Kinder hochverdiente Miss **Mary Carpenter.** Sie war bis in die jüngste Zeit Vorsteherin einer Besserungsanstalt für Mädchen in Bristol. Als die Tochter eines Geistlichen wurde sie schon frühe darauf aufmerksam, wie sehr die Milderung der Sitten der Männer, besonders in den ärmeren Volksclassen, von der Ge-

staltung eines freundlichen Familienlebens abhängig ist, und wie sehr
Letzteres wiederum abhängt von der tüchtigen Berufs- und Gemüths-
bildung der Hausfrauen. Hier glaubte sie daher den Punkt gefunden
zu haben, wo der Hebel einzusetzen ist zur Culturhebung für die ärm-
sten Volksclassen. Insbesondere wandte sie, — wie ihre ihr vorange-
gangene Landsmännin Elisabetha Fry — ihre Aufmerksamkeit den
Strafanstalten jugendlicher Uebelthäter zu und gründete in Bristol eine
Besserungsanstalt für verwahrloste oder aus den Strafanstalten entlassene Mädchen. Durch mannigfache von ihr verfasste Schriften wusste
sie die allgemeine Theilnahme für diesen Gegenstand wach zu erhalten.
Ohne Zweifel veranlasst durch ihre schriftstellerische Thätigkeit wurden
englische Familien in Indien auf sie aufmerksam und beriefen sie dort-
hin. Im Alter von 60 Jahren begab sie sich nach Indien; ihre Erleb-
nisse gab sie unter dem Titel „Sechs Monate in Indien" heraus. 1868
ging sie zum zweiten, 1869 zum dritten Male nach Indien, alles zu
dem Zwecke, die Erziehung des weiblichen Geschlechtes zu verbessern.
1871 begründete sie den Indischen Verein und übernahm auch noch
die Redaktion des Vereinsblattes. —

# Vermischtes.

(Staatliche Erziehungsanstalten in Belgien.) Nach dem
neuen deutschen Strafgesetzbuch gehen bekanntlich Kinder unter zwölf
Jahren, wenn sie sich strafwürdiger Vergehen oder Verbrechen schuldig
gemacht, straflos aus. In vielen derartigen Fällen wird vom Richter
auf Unterbringung in eine Besserungsanstalt für jugendliche Verbrecher
oder in Rettungshäuser erkannt. Aber wo finden sich die Stätten,
welche mit der in erschreckendem Maasse gesteigerten Zunahme der
Gesetzesübertretung von Seiten jugendlicher Verbrecher gleichen Schritt
halten könnten? Oder wer wollte es den meist durch private Mittel
und für bestimmt umgrenzte Kreise gegründeten Rettungshäusern ver-
denken, wenn sie in der Aufnahme von gerichtlich Verurtheilten unter
ihre Zöglinge nur mit der äussersten Vorsicht zu Werke gehen, ganz
abgesehen davon, dass der Raum in diesen Anstalten eine erhebliche
Vermehrung der Aufzunehmenden meistentheils von selbst verbietet.

Unter diesen Umständen liegt für den Staat die Erwägung nahe,
ob er nicht durch Gründung von staatlichen Besserungsanstalten sich
selbst in den Stand setzen könne, für eine geeignete Unterbringung
noch nicht zwölfjähriger Verbrecher zu sorgen. Eigentliche staatliche

Anstalten dieser Art bestehen bisher nur in der Rheinprovinz, und zwar auch nicht mehr als zwei: neben einer katholischen die evangelische Anstalt St. Martin bei Boppard. Auch nehmen diese überwiegend nur ältere Kinder auf, die mit dem Gesetz bereits in Conflict gekommen sind. Daher wird der Staat anderweitig Fürsorge zu treffen haben, und es ist bekannt, dass er hiezu die vorbereitenden Schritte thut.

Der Zweck dieser Zeilen ist, auf eine Reihe staatlich gegründeter und verwalteter Rettungsanstalten in Belgien hinzuweisen, in deren innere Organisation uns ein Buch des Reichstagsabgeordneten Dr. Friedrich Oetker einen dankenswerthen Blick thun lässt.*) Neben vielem Interessanten aus dem Vereinsleben Belgiens aus den Beguinenhöfen, aus Kunst und Kunstgewerbe, von der Meeresküste und etlichen besonders charakteristisch ausgestatteten städtischen Existenzen gibt Oetker seinen Lesern einen eingehenden Bericht über die Rettungshäuser zu Ruysselede und Beernem, welchem man, wie dem ganzen Buche, nur den Einen Vorwurf machen kann, dass die statistischen Notizen nicht weiter als bis in den Anfang der sechziger Jahre fortgeführt sind. Die Unmöglichkeit einer erneuten Reise nach Belgien hat aber den Verfasser nicht abgehalten, die früher gesammelten und zu einheitlichen Bildern zusammengestellten Reiseerfahrungen dennoch dem Publikum zu übergeben, ein Entschluss, für welchen wir dem fleissigen Arbeiter nur unsere dankbare Anerkennung aussprechen können.

Vielleicht keinem Lande Europas hat die Frage der Besserungs- und Armen-Anstalten näher gelegen, als Belgien. Ist doch jeder fünfte, in manchen Gegenden jeder vierte Belgier ein Almosenempfänger; in Flandern mit seinen anderthalb Millionen Seelen zählte man im Jahre 1847 nicht weniger als 200,000 Bettler und Landstreicher, unter ihnen 170,000 Kinder! Neben den Arbeitshäusern für Arme, fermes hospices, baute man daher vor Allem Rettungshäuser für Kinder, écoles de reforme. Die drei, oder genauer vier hervorragendsten darunter sind die Anstalt zu Herstal, von der Lütticher Armenverwaltung gegründet, die von Scourmont bei Chimay, von den Trappisten ins Leben gerufen, und die verschwisterten Anstalten von Ruysselede für Knaben und Beernem für Mädchen, deren Gründung der Staat selbst in die Hand nahm. Nicht weniger als 600 Knaben und 300 Mädchen im Alter von 5 bis 18 Jahren finden in den letztgenannten grossartigen Anstalten gleichzeitige Aufnahme; und sie sind es, deren Einrichtung wir an der Hand Dr. Oetkers näher kennen lernen wollen.

Durch Gesetz vom 8. April 1848 war die Errichtung von staatlichen Besserungsanstalten für jugendliche Landstreicher unter 18 Jahren beschlossen worden. Und schon im Jahre 1849 kaufte man in der Nähe von Gent für 16,000 Frcs. einen grösseren zur Gemeinde Ruysse-

*) Belgische Studien. Schilderungen und Erörterungen. Stuttgart, Aug. Auerbach 1876. 599 S.

lede gehörigen Grundbesitz mit einem ehemaligen Zuckerfabrikgebäude; 1851 wurde, eine halbe Stunde davon entfernt, in dem Dorfe Beernem für 115,000 Frs. ein gleicher Besitz für die Mädchenanstalt erworben. In wenigen Jahren war die in Aussicht genommene Normalzahl von 900 Kindern für beide Anstalten erreicht, und fast gleichviel Anmeldungen müssen alljährlich zurückgewiesen werden.

Das unterscheidendste Merkmal dieser staatlichen Anstalten von unsern, im Wesentlichen ausnahmslos dem Rauhen Hause nachgebildeten Rettungshäusern ist die durch und durch militärische Organisation des Ganzen. Während wir in unsern Häusern „Familien" von durchschnittlich 12—15 Kindern unter Einem Hauselternpaar sammeln, würde eine straffe und einheitliche Leitung so ungeheurer Kindermassen ohne militärische Zucht und Ordnung ganz unmöglich sein. Trompetenzeichen und Kommandorufe hören in Ruysselede vom frühen Morgen bis zum späten Abend nicht auf. Selbst die Schildwachen zur Nachtzeit fehlen nicht. Die 500 Knaben der Hauptanstalt (100 sind zu einer besonderen Schule für zukünftige Schiffsjungen in dem benachbarten Wyngene abgetheilt) scheiden sich in acht „Divisionen", von denen jede zwei „Sektionen" bildet. Die Sektion steht unter einem chef de section, der wieder zwei den Zöglingen entnommene souschefs zur Seite hat; jede Division wird von einem surveillant commandirt; diese acht Aufseher sind einem surveillant-en-chef verantwortlich, der selbst wieder vom Vorsteher der ganzen Anstalt seine Befehle erhält. In vier Sälen, die auf die zwei oberen Stockwerke des grossen Anstaltsgebäudes auf beiden Seiten der Haupttreppe vertheilt sind, schlafen die 500 Knaben; jeder Saal hat vier Reihen Betten (eiserne Bettstellen mit Strohsack, Strohkissen, Betttuch, einer, im Winter zwei baumwollnen Decken, am Fussende Gefache für Waschutensilien etc.), für jede Sektion eine. Der surveillant jeder Division schläft, nach Art unserer Cadettenhausordnung, in einem kleinen Zimmer an der Treppe, von wo aus er durch ein Fenster den ganzen Saal übersehen kann. Einer der Aufseher muss wach bleiben und von Zeit zu Zeit die durch Nachtlampen erleuchteten Säle durchschreiten. Auf jedem Stock steht ausserdem eine Schildwache, die regelmässig abgelöst wird.

Ein Hornsignal im Hofraum gibt des Morgens das Zeichen zum Aufstehen. Ein neuer Hornruf mahnt die in die nöthigen Kleider Geworfenen zum Gebet, das stehend und schweigend am Bett, etwa drei Minuten lang, verrichtet wird. Zum Waschen wird rottenweise angetreten, ebenso zum völligen Ankleiden, Bettmachen etc. zurückmarschirt. Zum Essen und Trinken sammelt sich der Cötus zunächst im Hofe und tritt alsdann sectionsweise in die parterre belegenen Essräume. Jede Abtheilung hat ihre Tafel, jeder Zögling seinen Platz; ein zinnerner Napf, ein Becher aus gleichem Stoff und ein eiserner Löffel sind der Hut jedes Knaben selbst übergeben. Die Speisen sind einfach, aber nahrhaft. Es finden täglich nur drei Mahlzeiten statt. Morgens wird

Kaffee getrunken, d. h. ein Gemisch von Milch und Cichorien, was man suikery nennt. Dazu erhält jeder ein tüchtiges Stück Brod, das Tags zuvor gebacken wird und aus ungebeuteltem Roggenmehl besteht. Mittags gibt's Suppe und einen Becher 'Wasser. Abends Kartoffelmuss oder dergleichen. Viermal in der Woche werden Fleischsuppen gereicht, für je 100 Zöglinge aus 20 Pfund Fleisch, 50 Pfund Kartoffeln, 10 Pfund Gemüse, 10 Pfund Reis, 3 Pfund Salz und etwas Pfeffer. Einmal wöchentlich erhalten die Kinder Gemüsesuppe, und je einmal Erbsen- und Bohnensuppe.

Die Arbeit der „Kolonen" ist der unserer grösseren Rettungs- häuser entsprechend. 400 Morgen Landes werden von der Anstalt und ihren Kindern selbst bestellt. Der Ertrag lässt indess sehr zu wünschen übrig und die „Oekonomie" schien Dr. Oetker überhaupt der wundeste Fleck der Einrichtung zu sein. Ausserdem gibt's eine Menge von Hand- werken, welche die Kinder im Hause lernen und die zugleich den Be- darf der Anstalt selbst decken: Tischlerei, Stellmacherei, Schlosserei, Schneiderei, Schuhmacherei, vor Allem Gärtnerei und Seemannsthätig- keit. In der Nähe der Anstalt ist auf eingerammten Pfählen mitten im Sande ein grosser Dreimaster errichtet, auf welchem die Knaben alle Matrosendienste und Handgriffe lernen können. Die Beförderung in die Schiffsjungen-Classe gilt als Auszeichnung, wogegen zur landwirth- schaftlichen Arbeit oft strafweise verurtheilt wird.

Der Schulunterricht wird in 2—3 Stunden täglich ertheilt; der- selbe ist — für Belgien eine Ausnahme — obligatorisch und steht un- ter der Leitung zweier Lehrer, die durch einige in der Anstalt selbst gebildete Aufseher unterstützt werden. Den Religionsunterricht gibt der Anstaltsgeistliche; der Unterricht ist ausschliesslich katholisch, und jeder Aufgenommene wird von vorn herein als zur katholischen Kirche gehörig angesehen. Die Unterrichtssprache ist französisch, wiewohl unter den Zöglingen die vlamisch Redenden weit überwiegen; — auch wieder ein Beweis von dem unaufhaltsamen Untergang altgermanischer Reste in Sprache und Sitte, der das ganze öffentliche Leben Belgiens durchzieht. Nur die Schiffscommandos werden in niederdeutscher Sprache gegeben.

Verwandte Einrichtungen finden sich mit den nöthigen Modifica- tionen in dem benachbarten Mädchenhause; nur dass dasselbe auf den Berichterstatter einen noch sauberern und netteren Eindruck machte. Es steht ausschliesslich unter klösterlicher Leitung: acht Ordensschwe- stern aus dem Hause „Unserer Lieben Frau" zu Namur und eine Oberin verwalten den gesammten Dienst an den 300 Mädchen.

Ein Wort schliesslich noch von der finanziellen Lage der Anstal- ten. Die vom Verfasser eingesehenen officiellen Berichte stellen die- selbe als im höchsten Grad günstig dar. Danach berechneten sich z. B. im Jahre 1855 die Kosten für den Kopf auf nur 52 Centimes täglich Nahrung, Kleidung, Verwaltungskosten etc. mit eingeschlossen. Dr.

Oetker macht allerdings mit Recht darauf aufmerksam, dass bei dieser Berechnung die Anlage-Capitalien mit ihrem Zinsverlust nicht in Anschlag gekommen seien, und findet selbst bei Verrechnung derselben ein anderes Resultat. Aber auch dieses, durchschnittlich 75 Centimes oder 60 Pf. pro Kopf und Tag, ist eine verhältnissmässig geringe Summe und würde für den Staat die Einrichtung als empfehlenswerth erscheinen lassen. Uebrigens fordert der Staat auch von der Gemeinde für die nicht von ihm strafrechtlich untergebrachten Kinder ein Kostgeld von 40 Cent.; das Verhältniss von beiderlei Klassen gestaltete sich im Jahre 1856 so, dass von 551 Knaben 277 zu Lasten des Staates standen, während 241 von Gemeinden, und die übrigen von besonderen Wohlthätigkeitsanstalten oder von Einzelnen unterhalten wurden.

Die sittlichen Ergebnisse der Anstalten endlich sollen nach Dr. Oetker im höchsten Grade erfreulich sein. Ein ganz geringer Procentsatz der Entlassenen war der erhaltenen Pflege Schande; die weitaus meisten Zöglinge wuchsen zu brauchbaren Gliedern der bürgerlichen und kirchlichen Gesellschaft heran.

Immerhin verdient der in Belgien gemachte Versuch staatlicher Rettungshäuser die ernsteste Beachtung, und wir hielten es für unsere Pflicht, auch deutsche Kreise auf die im Nachbarlande gemachten Erfahrungen hinzuweisen. (Fl. Bl. a. d. R. H.)

(Eine Ackerbau-Kolonie für minderjährige Verurtheilte in Russland.) Nicht fern von Petersburg, drei oder vier Werst hinter Porochowyje, dessen Kirche mit ihrer vergoldeten Kuppel weithin leuchtet, führt ein Sandweg zu dem Ochtaschen Waldrevier, in dessen Einsamkeit die neu begründete Ackerbau-Kolonie für minderjährige Verurtheilte liegt. Mitten in freundlichem Fichtengrün ist sie auf einer Anhöhe angelegt, von der herab die Kirche der Kolonie, einfach aber geschmackvoll in Holz errichtet, den Besucher grüsst. Links von ihr führt der Weg zur Wohnung des Direktors, die von vier in gleichem Stile gebauten Häusern, den Wohnungen jener Jugendlichen, umgeben ist. Saubere Sandwege durchziehn die Anlage, bei einigen der Häuser zeigten sich die Anfänge von Gärten; Alles ist freundlich, aber noch im Werden; denn die Kolonie ist jung. Erst am 20. Oktober 1871 ist sie eröffnet, und die Bauten und sonstigen Arbeiten sind aus ökonomischen Rücksichten allmählich, wie die Bedürfnisse es eben ergaben, gefördert worden. Die Beschaffenheit des Bodens und der kräftige Wald sichern bei rationeller Bewirthschaftung der Kolonie, die ihre Bedürfnisse möglichst aus dem Ertrage des Bodens bestreiten soll, eine günstige Entwickelung.

In jedem der vier Häuschen sind 15 Knaben untergebracht, die unter Leitung eines Erziehers eine „Familie" bilden sollen. Das für sie bestimmte Wohnzimmer, in dessen Mitte ein grosser Tisch mit Bänken sich befindet, dient zugleich als Schlafraum, da die eisernen Bettstellen so eingerichtet sind, dass sie mit Matratze und Bettzeug an

der Wand aufgerichtet und befestigt werden können.*) Ein Nebenraum
enthält einen Waschapparat, ein anderer ist für den „Erzieher" bestimmt.
Die Knaben arbeiten unter Leitung der Erzieher auf dem Felde und
in den Werkstätten. Es gibt dort eine Tischlerei, eine Schlosserei und
eine Buchbinderei. Auf den so nothwendigen Schulunterricht hat man
vorläufig bis auf den Lese- und Schreibe-Unterricht verzichtet, da die
„Erzieher" ihrem Bildungsstande nach weiteren Aufgaben nicht gewachsen sein würden. Haben sie doch eine Vorbereitung, wie die Hausväter und Gehülfen mancher anderer Anstalten in Russland sie für ihren
Beruf erhalten haben — (eine nicht unerhebliche Reihe derselben sind
Brüder des Rauhen Hauses,) — nicht empfangen. Bei Eröffnung der
Kolonie lag die Sache insofern günstiger, als von den beiden Männern,
die ins Ausland geschickt waren, um die deutschen Rettungsanstalten
kennen zu lernen, der eine diejenigen Knaben, welche sich ausschliesslich dem Ackerbau widmeten, sowie den ökonomischen Theil der Kolonie unter seine Leitung erhielt, während der andere diejenigen übernahm, die sich mit dem Handwerk beschäftigten. Bei dem Anwachsen
der Kinderzahl war diese Einrichtung aber nicht mehr durchführbar.
Dem gegenwärtigen Direktor der Kolonie, Herrn Rawinskij, fiel es zu,
die oberste Leitung zu übernehmen. Die Erzieher, seine Organe, erhalten eine Instruktion, welche die Vorbereitung, wie sie in Deutschland
von Brüderanstalten geboten wird, natürlich nicht ersetzen kann. Für
die Zukunft ist die Anstellung eines verheiratheten Erziehers, für den
eine besondere Wohnung erbaut werden soll, in Aussicht genommen,
so dass für das erforderliche weibliche Dienstbotenpersonal dann auch
die weibliche Führung vorhanden sein wird. Während die Erzieher
mit den Knaben wohnen, essen, arbeiten, sind für die Werkstätten
noch besondere Handwerksmeister bestellt. Hoffentlich werden die
Interessen der Erziehung und des Unterrichts in mehr befriedigender
Weise zu ihrem Rechte kommen, wenn, wie es die Absicht ist, ein
eigener Geistlicher für die Kolonie angestellt werden wird. Ein Wohl-
thäter, Herr Sinowjow, hat zu dem Bau eines Hauses für den Geistlichen die Summe von 5000 Rubeln gespendet. — Ausser den 4 Familien-
häusern ist noch ein Häuschen für diejenigen Knaben errichtet, die
nach Ablauf der ihnen bestimmten Frist in der Kolonie verbleiben,
um sich für ein Handwerk weiter auszubilden, oder die auf eine Stelle
warten. In diesem sind auch drei Zellen für diejenigen Zöglinge eingerichtet, über die Carcerstrafe verhängt ist.

Der unter den Knaben waltende Geist soll ein froher und kindlicher sein. Wenigstens empfing der Berichterstatter, der im „Peters-
burger Herold" den von ihm in der Kolonie gemachten Besuch beschreibt

*) Diese ganze Einrichtung ist, wie vieles Dortige, nicht nach den Einrichtungen
des Rauhen Hauses, sondern nach dem Muster von Mettray bei Tours in Frankreich.

und dessen Darstellung wir die obigen Thatsachen entnehmen, einen
günstigen Eindruck.                           (Fl. Bl. a. d. R. H.)

(Zur Frage der Luftheizung) schreibt Dr. Kayser im Organ
des Bayrischen Gewerbemuseums: Wohl über keine Heizungsart gehen die
Ansichten so weit auseinander, als über die Luftheizung. Während sie
von ihren Anhängern geradezu als das Ideal einer Heizungseinrichtung
gepriesen wird, machen ihre Gegner auf beträchtliche Uebelstände aufmerksam, welche mit ihr verbunden sein sollen, und dass diese Vor-
würfe nicht unbegründet sind, wird aus Nachstehendem hervorgehen.
— Jede Heizeinrichtung besitzt zwei Seiten, nach welchen sie vorzüglich zu beurtheilen ist: erstens ihr Wärme-Effekt und zweitens ihr Einfluss auf die Beschaffenheit der erwärmten Luft. Letztere Seite der
Luftheizung wurde von mir einer eingehenden Untersuchung unterzogen,
deren hauptsächlichste Resultate in Folgendem kurz angeführt sind,
wobei beiläufig bemerkt werden mag, dass die betreffenden Untersuchungen an der im Bayrischen Gewerbemuseum befindlichen Luftheizung unternommen wurden. — I. Untersuchungen auf Anwesenheit von
Kohlenoxyd. Dieselben wurden zuerst nach der von C. Ludwig vorgeschlagenen Methode unternommen, welche auf der Oxydirbarkeit des
Kohlenoxydes zu Kohlensäure durch mässig konzentrirte Chromsäurelösung beruht. Fünfzig Liter der erwärmten, direkt aus dem Leitungsrohre entnommenen und durch Baumwolle filtrirten Luft wurden mittels eines Aspirators langsam zur Beseitigung der vorhandenen Kohlensäure durch Kalilauge und dann durch eine Röhre geleitet, in welcher
sich mit Chromsäurelösung benetzter Bimsstein befand; die aus diesem
Rohre tretende Luft wurde nach dem Trocknen über Schwefelsäure und
Chlorcalcium durch einen gewogenen Kaliapparat geleitet, und durch
dessen Gewichtszunahme das zu Kohlensäure oxydirte Kohlenoxyd bestimmt. Ferner wurde ein gleiches Quantum erwärmter Luft wie vorhin
durch eine Lösung von Kupferchlorür in konzentrirter Salzsäure geleitet, dann die Kupferlösung in einem geeigneten Apparat mit Wasser
verdünnt, wodurch sich aus ihr ein gasförmiger Körper entwickelte, der
sich seinem chemischen Verhalten nach als Kohlenoxydgas herausstellte.
Je zehn der nach den beiden angeführten Methoden an verschiedenen
Tagen und verschiedenen Tageszeiten vorgenommenen Untersuchungen
ergaben in allen Fällen das Vorhandensein von Kohlenoxyd. In gleicher
Weise unternommene Untersuchungen der Luft vor ihrem Eintritte in
den Heizungsapparat ergaben die Abwesenheit von Kohlenoxyd. —
II. Untersuchungen auf Zersetzungsprodukte des Staubes. Eine grössere
Menge, etwa 60 bis 70 Liter, aus dem Leitungsrohre entnommene erwärmte Luft wurde mittels eines Aspirators durch einen mit absolutem
Alkohol versehenen Kaliapparat gesogen. Nach Beendigung des Versuches hatte der Alkohol eine gelbe, bei zwei Versuchen sogar gelb-
braune Färbung angenommen, ausserdem waren zahlreiche dunkle Flocken
in ihm vorhanden. Filtrirt und verdunstet hinterblieb ein in Wasser

unlösliches, bräunlich gefärbtes Extrakt, welches intensiv krazend schmeckte, ein ebensolches Gefühl im Halse verursachte und einen theerartig-brenzlichen Geruch hesass. Die erwähnten Flocken erwiesen sich bei genauerer Untersuchung als russartige Körper. Versuche mit Luft vor ihrem Einströmen in den Heizungsapparat, in gleicher Weise unternommen, ergaben keine Färbung des Alkohols, und es enthielt derselbe nach Beendigung des Versuches nur einige Russflocken, von welchen durch Filtration befreit, er ohne Rückstand verdunstete. Es ist also die krazend schmeckende theerartige Substanz während des Heizprozesses entstanden. Es ist nun in hohem Grade wahrscheinlich, dass das eigenthümliche trockene Gefühl im Halse, sowie andere Affektionen der Schleimhäute, welche bei Athmung von durch Luftheizung erwärmter Luft beobachtet sind, durch diese Substanz hervorgerufen wurden; für die Entstehung der letzteren bleibt wohl nur die Annahme übrig, dass die organischen Gemengtheile des Staubes an den stark erhitzten Wänden der Caloriferen eine ganze oder theilweise Zersetzung zu theerartigen Produkten erleiden. Die Anwesenheit von Kohlenoxyd wird vielleicht durch die gleiche Ursache bewirkt, oder auch, der Durchlassfähigkeit des glühenden Eisens für dieses Gas wegen, aus der Feuerungsluft in die erwärmte Luft gelangen. Die Bestimmungen der Kohlensäure und des Wassergehaltes der Luft vor ihrem Eintritte in den Heizungsapparat und nach ihrem Austritte ergaben keine erheblichen Differenzen.

(Oefen für Zellengefängnisse.) Die Maschinenbau-Anstalt von Ed. Friessner in Zwickau i/S. liefert gusseiserne Oefen in Form von Kanonenöfen für Gefängnisszellen. Diese Oefen sind von aussen zu heizen, mit besonderem eingemauertem Heizkasten, Aschenbehälter und Fussstück, sowie mit doppelten Verschlussthüren versehen. Die Befestigung erfolgt dergestalt, dass Beschädigungen durch Gefangene nicht vorkommen können, weil die Befestigungstheile selbst unzugänglich sind.

Die Entfernung von Russ und Flugasche geschieht ebenfalls von aussen.

Zeichnungen werden von der Fabrik auf Wunsch versendet, auch liegt eine dergleichen bei der Redaction d. Bl. zur Ansicht aus.

Die Aufstellung der Oefen kann ohne Beihülfe eines Monteurs erfolgen.

(Die 1. Special-Ausstellung von Heizungs- und Ventilations-Anlagen in Cassel.) Wenn die Weltausstellungen in Folge ihrer stets wachsenden Dimensionen, wie der sich zu Unsummen steigernden Kosten immer mehr an Anhängern verlieren, so gibt sich hauptsächlich in den industriellen Kreisen gegenwärtig ein grösseres Bedürfniss und darum auch ein grösseres Verlangen nach Special-Ausstellungen kund. Auf den alle Zweige des menschlichen Wissens und

Könnens, die Erzeugnisse aller civilisirten Völker umfassenden, riesenhaften Expositionen wird es dem Besucher unmöglich, sich ein klares Bild des Ausgestellten zu verschaffen; vermag doch selbst der Fachmann auf dem speciellen Gebiet seiner Thätigkeit, theils wegen Ueberfüllung durch Besuch, theils durch Zersplitterung und nicht immer übersichtliche Placirung der betreffenden Gegenstände, sich das Endresultat nur schwer zu veranschaulichen. Anders ist es bei den Special-Ausstellungen, welche eine bestimmte Branche der Industrie, verbunden mit dem ihr zur Unterlage dienenden Rohmaterial, herausgreifen, welche zwar nur ein Thema, dieses aber auf das Eingehendste und Lehrreichste behandeln. Hier wird dem Laien vollkommene Gelegenheit geboten, sich zu unterrichten, während der Fachmann, der Techniker auf sein eigenstes Terrain verwiesen bleibt und im Vergleich mit den Producten seiner Fachgenossen über seine eigenen Fabrikate sich ein richtiges Urtheil bildet, neue Anregung zum Weiterstreben und neue Gedanken zur Vervollkommung seines Industriezweiges empfängt und in sich sammelt. Die Wechselwirkung ist hier eine erfolgreichere, weil sie nach einer ganz bestimmten Seite hingeleitet wird, weil sie sich nicht in's Grenzenlose zersplittert, sondern concentrirt und darum einen stärkeren und nachhaltigeren Charakter annimmt.

Selbstverständlich steigt nun die Bedeutung einer solchen Specialausstellung mit dem Werth, den der in ihr vertretene Industriezweig für das Leben und Wohlbefinden der Menschheit besitzt. Je tiefer und nützlicher gewisse industrielle Erzeugnisse in das Allgemeine eingreifen, je mehr die Existenz des Einzelnen mit ihrer Verbesserung sich hebt, desto grösser und wärmer wird auch das Interesse sein, das ihnen die Allgemeinheit entgegenbringt. Unter den Bedürfnissen für ein gesundes und angenehmes Leben steht nun die reine, gute Luft, erwärmt in der kälteren, abgekühlt in der heissen Jahreszeit, obenan. Wäre die statistische Wissenschaft im Stande, festzustellen, wie viele Menschenleben jährlich der mangelnden Ventilation, der schlechten und ungesunden Heizung zum Opfer fallen, so würden die Zahlen in's Ungeheuere wachsen. Aber gerade, weil wir es hier mit einer Einwirkung zu thun haben, die keine plötzlichen und darum ins Auge springenden Resultate aufweist, weil der Grund für ein langes Siechthum hier meistens zu nahe liegt und deshalb übersehen wird, trägt die öffentliche Meinung dem Thema der Heizung und Ventilation gegenüber eine ungewöhnliche Gleichgültigkeit zur Schau. In unserer Zeit, wo sich die Menschen in Kirchen und Schulen, in Fabriken und Restaurationen, in Parlamenten und Congressen zusammendrängen, wird die Heizungs- und Luftreinigungsfrage zur Lebensfrage. Wärme ist Nahrung, sagt der grosse Liebig, und schlechte, verdorbene Luft, liesse sich hinzusetzen, ist Tod! Nichts desto weniger fängt man jetzt erst allmählich an, diesem Thema in ausschlaggebenden Kreisen regere Aufmerksamkeit zuzuwenden. Jahrelang und in allen Ländern hört man über die schlechten

Heizapparate, über rauchende und ungleich erwärmende Oefen klagen, und doch fällt es den meisten Bauunternehmern nicht ein, von dem alten Schlendrian in dieser Beziehung abzugehen; in den gewerblichen Etablissements, in den Schulzimmern, in öffentlichen Localen herrscht eine verpestete giftartige Luft, und beginnt man erst hier und dort die Ventilationsfrage zu ventiliren. Unter diesen Umständen ist es doppelt erfreulich, dass vom Vorstande des Gewerbe-Museums in Cassel die Initiative zu einer von Anfangs Mai bis Ende August dauernden Special-Ausstellung ergriffen wurde, welche zeigen soll, was und wieviel die Industrie auf dem Gebiet des Heizungs- und Ventilationswesens geleistet hat, welche dem Laien vor Augen führt, wie er sich nur zu unterrichten, an die rechte Quelle zu wenden braucht, um alte Klagen, gesundheitsschädliche Widerwärtigkeiten aus eigenem Willen abstellen zu können.

Auch der Fachmann, der Techniker wird erstaunen, wenn er das Orangerieschloss in Cassel besucht, woselbst sich gegenwärtig die Special-Ausstellung für Heizungs- und Ventilations-Anlagen befindet, er wird erstaunen über den Umfang und die Reichhaltigkeit dieser Ausstellung. Das grosse, langgestreckte Gebäude ist bis zum letzten Platz mit Expositionsgegenständen gefüllt, und entrollen diese in ihrem trefflichen Arrangement ein deutliches und übersichtliches Bild dessen, was auf diesem Gebiete des menschlichen Wissens und Könnens schon geleistet wurde und noch zu leisten bleibt. Der Laie aber schreitet verwundert von Stück zu Stück, er betrachtet das stattliche Heer der Oefen in verschiedenartigster Construction, die Küchenherde mannigfachster Gestaltung, die mächtigen Wasser- und Luftheizungen, die riesenmässigen Kirchenöfen, die imposanten Kohlenblöcke, welche in der Mitte des Gebäudes aufgeschichtet liegen, und erkennt, dass ihm hier ein Aufschluss ertheilt wird, dessen Bedürfniss er wohl unbewusst empfunden, das ihm aber nie zur Vorstellung gelangt. Hier machen farbige Pläne die Construction der einzelnen Systeme anschaulich, dort zeigen uns die Skizzen eines Italieners, wie durch eine genügende Ventilation eine Seidenspinnerei gänzlich von dem schädlichen und störenden Staub befreit wird. Alles, was auf dem Gebiete der Heizung und Lüftung erdacht und ersonnen wurde, hier tritt es dem Auge des Besuchers in der Ausführung entgegen; wer nach practischer und billiger Anlage, wer nach Geschmack und Eleganz fragt, findet hier die Antwort in verschiedenartigster Gestaltung.

Von Fachleuten ist die Ausstellung zahlreich besucht, die Regierungen Deutschlands und anderer Nationen haben technische und wissenschaftliche Kräfte deputirt, um ihre Kenntnisse zu bereichern und das Erschaute daheim practisch zu verwerthen; von dieser Seite gibt sich eine rege und nutzbringende Theilnahme kund. Im Interesse des Fortschritts und der heilbringenden Aenderungen, welche durch den Besuch, zumal aus dem soeben genannten Kreise, in den Behausungen und

Wohnungen von Tausenden eintreten werden, verschmähen wir es nicht,
auf einen Vorzug hinzuweisen, den die Ausstellung darin besitzt, dass sie
sich in Cassel befindet. Das Gebäude, das sie aufgenommen, liegt inmitten der Carlsaue, eines der herrlichsten Parks, welchen die dankbare Natur in Verbindung mit der hortologischen Kunst geschaffen. Nach allen Seiten öffnet sich dem Auge die Aussicht auf die im grünen Schmuck der
Waldungen prangenden Berge. Rechts ziehen sich die Höhen entlang,
auf denen das Schloss Wilhelmshöhe mit seinen grossartigen Wasser-
künsten erbaut ward und links bringen uns wenige Schritte nach den
idyllischen Ufern der Fulda.

In dem ersten der beiden grossen Säle des Orangerieschlosses,
welchen der Besucher zunächst betritt, sind in systematischer Ordnung die Central-Heizungsapparate, theils in natürlicher Grösse, theils
in Modellen, aufgestellt. Erläuternd sei hier vorausgeschickt, dass
man unter Centralheizung diejenige Form der Heizung versteht, bei
welcher durch eine einzige Feuerstelle das gesammte Gebäude erwärmt wird. Diese letztere befindet sich meistens im Keller und
die Wärme wird von derselben durch das Medium von Dampf, Wasser oder Luft, mittelst Kanälen oder Röhren in die zu beheizenden
Räume geleitet. Man unterscheidet hiernach Dampf-, Wasser- oder
Luftheizungen, die indessen auch in verschiedene Combination unter
einander zur Anwendung kommen. Sehen wir zunächst, was an reinen
Luftheizungen ausgestellt wurde, so finden wir die ersten deutschen Fir-
men in der betreffenden Branche, Reinhardt in Würzburg, Kniebandel
und Wegner in Berlin, Krigar und Jhssen in Hannover, E. Kelling in
Dresden, das Eisenwerk Kaiserslautern, sowie eine hervorragende Schwei-
zerfirma, Weibel Briquet & Cie., in Genf mit Apparaten in natürlicher
Grösse vertreten.

(Ein neuer sehr sinnreicher Läuteapparat), der insbesondere
auch für Zellen anwendbar ist, wurde letzter Zeit von L. Furtwäng-
ler Söhne in Furtwangen (Baden) construirt, die längst Luftdruck-
Haustelegraphen liefern. Durch einen Druck auf einen Knopf, ähnlich
wie beim electrischen Telegraphen, wird ein Luftdruck erzeugt, der sich
in einer engen Röhre fortpflanzt und sodann ebensowohl eine Glocke
in Bewegung setzt, als auch die Zellen-Nummer hervorspringen lässt.
Ein Modell dieser interessanten Einrichtung ist im Zellengefängniss zu
Bruchsal aufgestellt. Die Läuteapparate durch Luftdruck sind unter
allen Umständen zuverlässiger, als die durch electrische Leitung, bedürfen keiner besonderen Unterhaltung, wie die Batterien und sind so
einfach construirt, dass Reparaturen kaum vorkommen.

(Ueber die Leitungen der Blitzableiter.) Es sind in den
letzten Jahrzehnten vielfach Drahtseile bei Herstellung von Blitzableitungen in Anwendung gekommen, indem sich solche Seile vermöge
ihrer Geschmeidigkeit viel bequemer an den Gebäuden anbringen lassen,
als die sonst gebräuchlichen massiven Eisenstangen. Man verfertigte

diese Seile an manchen Orten aus Eisendraht, an anderen aus Messing-draht, am häufigsten und neuerdings fast allein aus Kupferdraht.

Indem man früher von der Ansicht ausging, „die Entladung der sich im Blitz ausgleichenden Elektricitäten folge wie die Ansammlung der ruhenden Elektricität der Oberfläche der Leiter", so wurden solche Blitzableiter aus Drahtseilen als der Theorie entsprechend ganz besonders angepriesen, denn gerade dadurch, dass man die Eisenstange durch solche Seile, die aus dünnem Draht gesponnen waren, ersetzte, wurde ja die Oberfläche des Leiters bedeutend vermehrt.

Schon lange Jahre ist die Irrigkeit dieser Ansicht erwiesen und als feststehende Thatsache zu betrachten, dass der elektrische Strom im Allgemeinen, gleichgültig ob er als kontinuirlicher von einer Batterie etc. oder als augenblicklicher von einer Wolke etc. geliefert werde, durchaus in der ganzen Masse des Leiters fortschreitet, dass somit für Berücksichtigung der Leitungsfähigkeit des Materials lediglich dessen Gesammtquerschnitt in Betracht zu ziehen ist. Ein physikalischer Grund, der Seilform den Vorzug vor der Stabform zu geben, ist somit nicht gel-tend zu machen. Rein praktische Gesichtspunkte haben sowohl hinsicht-lich der Wahl des Materials wie der Form desselben zu entscheiden.

Messing dürfte gegenwärtig wohl nicht mehr angewendet werden, da dasselbe sich zu veränderlich gezeigt hat, wenn dasselbe längere Zeit im Freien der Einwirkung der Witterung ausgesetzt ist. Das Ma-terial wird brüchig, ja zuweilen geradezu in noch unerklärter Weise durchfressen. Die Zusammensetzung des Messings hat hierauf einen grossen Einfluss, da manches Fabrikat weniger leicht zerstörbar ist wie ein anderes. Für gleiche Leitungsfähigkeit ist es dazu jedenfalls das theuerste Material.

Es stehen sich nur noch Kupfer und Eisen als Concurrenten ge-genüber. Kupfer ist im reinen Zustand ein nahezu 6mal so guter Lei-ter als Eisen, somit bedürfte man für gleiche Sicherheit der Wirkung dem Gewicht nach blos $\frac{1}{6}$ so viel Kupfer als Eisen. Bei einem solchen Verhältniss würden sich die Preise beider Materiale etwa gleich stehen und Kupfer, seines geringeren Gewichtes und höheren Grades von Ge-schmeidigkeit wegen, wodurch es sich viel leichter handhaben und be-festigen lässt, auch um seiner im Allgemeinen grösseren Widerstands-fähigkeit gegen die atmosphärischen Einwirkungen, der Vorzug vor dem Eisen zu ertheilen sein. Das gewöhnliche Kupfer, das man zu Leitun-gen verwendet, ist aber nicht rein; in Folge seiner wenn auch geringen Beimengungen fremder Stoffe ist es ein viel schlechterer Leiter gewor-den und wird man seine Leitungsfähigkeit im Mittel blos 4 mal so gross als die des Eisens annehmen dürfen, somit demselben als einzelnem Draht ein Durchmesser von 8 Millimeter zu geben sein, wenn Eisen einen solchen von 15 M.-M erhält. Es würde hiernach eine Kupferlei-tung etwas theurer kommen wie eine eiserne von gleicher Wirkung. Die Preisdifferenz fällt jedoch, alles zusammen berücksichtigt, kaum

ins Gewicht, und es bleiben immerhin dem Kupfer noch seine anderen
Vorzüge.

Eisen wird gegenwärtig fast nur in Stangenform für Blitzableiter
zur Anwendung gebracht, Kupfer in Seilform. Ueber die Frage, welche
Form des Leiters und welches Material sich am meisten empfiehlt, finden wir in den deutschen Blättern für Blecharbeiter interessante Mittheilungen von Prof. Bopp in Stuttgart gemacht. Prof. Bopp hat sich
seit einer Reihe von Jahren sowohl theoretisch als praktisch mit der
Herstellung richtiger Blitzableitungen beschäftigt, derselbe hat im
Auftrag von Behörden hunderte von Blitzableitern untersucht und unter
seiner Leitung verbessern oder neu herstellen lassen; es verdienen
desshalb seine Erfahrungen auf diesem Gebiet besondere Berücksichtigung.

Bopp sagt: „Bei Blitzableitern aus Eisenstangen sind die im
Laufe der Zeit entstehenden fehlerhaften Stellen meist nicht schwer zu
finden; anders dagegen ist dies bei solchen aus Drahtseilen; hier kann
durch die Bewegungen des Windes oder aus anderen Gründen an einer
Stelle ein Draht brechen, ohne dass dies für das Auge erkennbar wäre;
an einer andern Stelle bricht auf gleiche Weise wieder ein anderer
Draht und so fort, so dass nicht mehr alle Drähte, ja oft sogar kein
einziger mehr unversehrt durch die ganze Leitung durchgeht. Oder
manchmal sind auch ganze Stücke brüchig geworden. Ferner zeigen
sich an den Leitungen aus Drahtseilen in sehr vielen Fällen entweder
in den Anschlüssen an die Auffangstangen oder an den Befestigungsstellen oft ganz bedenkliche Mängel, die nur schwer zu erkennen sind
und die desshalb Demjenigen, der mit der Sache nicht ganz genau vertraut ist, meist verborgen bleiben. So kann es sich also sehr leicht
ereignen, dass ein solches Drahtseil für ganz gut und leitungsfähig gehalten wird, während doch eigentlich nur die Mängel äusserlich nicht
wahrnehmbar sind, sich aber bei einer etwaigen Inanspruchnahme der
Leitung durch Entladung in bedenklicher Weise zu erkennen geben
können. Ein weiterer Nachtheil liegt in der grossen, den atmosphärischen Einflüssen ausgesetzten Oberfläche der Drahtseile, welche sehr
bald unrein wird. Dann ist die Einwirkung des Kalkes auf die Kupfer-
seile sehr nachtheilig, da, wo dieselben mit Kalk bespritzt werden, leiden sie ganz bedeutend. Ferner bewirkt die im Rauche der Essen vorkommende Säure, dass die Seile manchmal gerade an den wichtigsten
Stellen zerfressen werden, während eine Eisenstange sich in solchen
Fällen nur mit einer Kruste überzieht. Hiezu kommt dann noch der
Umstand, dass es mit nicht geringen Schwierigkeiten verknüpft ist, die
Leitungstheile sicher und mit ungeschwächter Leitungsfähigkeit an
einander anzuschliessen. Es kann das Verbinden solcher Theile nur
durch Löthen geschehen, aber ausser dem Silberloth gibt es keines, welches
leitungsfähiger wäre als Kupfer, aus dem das Seil besteht, es hat so-

mit jede Löthstelle eine Verminderung der Leitungsfähigkeit an dieser Stelle und bei Blitzschlag möglicher Weise ein Abschmelzen zur Folge."

Die Untersuchungen von Bopp würden somit zu dem Resultate führen, dass die Anwendung der üblichen Kupfer-Drahtseile durchaus nicht zu befürworten sei, dass man im Gegentheil entschieden davon abrathen müsse. Nach Bopp würde den Anforderungen der Theorie und der Praxis am besten eine Eisenleitung aus ununterbrochen zusammenhängendem, kalt. biegsamen Feinkorneisen mit dem normalen Querschnitt von 15 Mm. Dicke entsprechen, wobei sämmtliche Verbindungen durch Schweissung herzustellen sind. Eine solche Blitzableitung verbindet mit der erforderlichen Leitungsfähigkeit die nöthige Festigkeit und Dauerhaftigkeit. Solche Leitungen haben z. B. ausgedehnte Anwendung gefunden auf dem Residenzschlosse und der Akademie zu Stuttgart, auf der Rotunde, den Endpavillons und dem Kunstausstellungs-Gebäude der Wiener Welt-Ausstellung, für deren Sicherheit Prof. Bopp die Garantien übernommen hatte. Sehr ausgedehnt sind auch die nach diesem System ausgeführten Leitungen auf dem Schlosse Zeil (1430 Meter mit 88 Auffangstangen, vollständig durch geschweisste Leitungen verbunden), ferner auf der Baugewerbe-Schule und der Johanniskirche zu Stuttgart, dem Münster zu Ulm, dem Zuchthaus, dem neuen Magazin und Militärgebäude zu Ludwigsburg.

Wir zweifeln nicht, dass die nach Prof. Bopp's Anweisung hergestellten Leitungen aus Eisen ihrem Zweck vollständig entsprechen und durchaus der Empfehlung verdienen. Von der Verwerflichkeit der Kupferleitungen können wir uns darum aber noch nicht überzeugt halten. Wir vermögen den Mittheilungen doch nur zu entnehmen, dass Kupferleitungen häufig mangelhaft hergestellt worden sind, theils aus mangelnden Erfahrungen, theils aus Nachlässigkeit, wie dies nicht minder bei eisernen Leitungen beobachtet worden ist. Unter Berücksichtigung der von Prof. Bopp, sowie auch theilweise bereits von Anderen gemachten Beobachtungen und Ausstellungen dürfte die Anlage richtiger und dauerhafter Kupferleitungen nicht schwer fallen. Die der Seilform vorgeworfenen Mängel würden sich dadurch beseitigen lassen, dass man nur einen einzelnen Draht von dem oben angegebenen Querschnitt verwendet, auch dann ist das Kupfer noch leicht biegsam und handlich. Die Seilform wurde ja ursprünglich aus dem theoretisch irrigen Grunde, die Leitungsfähigkeit dadurch zu vermehren, besonders befürwortet. Wir möchten den einzelnen Draht noch besonders aus dem Grunde empfehlen, weil man daran besser die richtige Dicke messen kann, als an einem Seil. Im Uebrigen scheint uns ein Seil, wenn es nur aus ganz wenigen Drähten gebildet ist, auch nicht so bedenklich. Den Bewegungen durch den Wind wird man vorbeugen, indem man die Tragkloben in nicht zu grossen Abständen anbringt, höchstens 3 zu 3 Meter, und eine Verbindung der Leitung und der Kloben mittelst dünnerem Kupferdraht vornimmt. Sollte wirklich einer der Drähte des

Seils reissen, wofür wir uns übrigens wirklich nicht gut einen Anlass denken können, so wird doch nur an dieser Stelle die Leitungsfähigkeit um weniges vermindert, da die Drähte sich alle berühren, die Elektricität somit an der Bruchstelle auf die übrigen Drähte übergeht; unwirksam wird darum der unterbrochene Draht durchaus nicht. Die Verbindung der Drahtenden kann ohne jede Verminderung der Leitungsfähigkeit mittelst Schlagloth geschehen, wenn man die Drähte auf etwa 5 Centimeter Länge um einander dreht, ein Loslösen ist dann auch nie zu befürchten. Die Verbindung der Enden eines einzelnen (8 M.-M. dicken) Drahtes würden wir in der Weise vorzunehmen empfehlen, dass man auf etwa 10 C.-M. Länge die Enden etwas platt schlägt, dann auf einander legt, mit einem dünneren Kupferdraht umwickelt und endlich mit weichem Loth auf die ganze Länge dicht zulöthet; durch dieses Verfahren wird die Leitungsfähigkeit an der Verbindungsstelle eher erhöht als vermindert. Mehr Gewicht ist auf die Zerstörung des Kupferdrahts durch den Rauch zu legen; man hatte seither angenommen, dass dieselbe durch das Ammoniak erfolge, und wurde sie unseres Wissens nur bei technischen Kaminen beobachtet. Die nachtheilige Wirkung des Rauchs ist natürlich nur in der Nähe der Ausmündung des Kamins zu beobachten. Man wird nun das Kupfer unzweifelhaft dadurch vollständig schützen können, dass man es an dieser Stelle mit Bleiblech sorgfältig umwickelt, dieses wohl auch noch mit einem Anstrich bedeckt, — wenn man nicht vorzieht, bis auf etwa 1 Meter unter die Schornsteinmündung die Auffangstange herabgehen zu lassen. Die schädlichen Wirkungen des Kalks auf das Kupfer würden sich dadurch vermeiden lassen, dass man nach dem Anstrich oder Ausbessern eines Hauses — denn nur dann wird der Blitzableiter mit Kalk bespritzt werden — jede Spur Kalk von dem Draht abwischen lässt; es setzt dies allerdings die Kenntniss der Sache seitens der Bauführer, sowie der amtlichen Visitatoren der Blitzableiter voraus, woran es übrigens gewiss bald nicht fehlen wird.

Wir vermögen nach diesen Erörterungen das Eisen keineswegs als das praktisch geeignetere Metall für Leitungen zu erklären; wir halten das Kupfer für ebenso empfehlenswerth, gleich richtige Beanlagung vorausgesetzt, und dürfen desshalb die zu treffende Wahl von den Umständen abhängig machen lassen, resp. in das Belieben der Betheiligten stellen. Mdr.

(Der Blitzableiter.) Die vielen Schäden, welche durch Blitzschlag, namentlich in diesem Sommer (1876), vorgekommen sind, führen dazu, an die Aufstellung von Blitzableitern zu erinnern, deren Kosten keineswegs so sehr bedeutend sind. Der land- und forstw. Zeitung entnehmen wir hierüber folgendes:

„Man sieht öfters Blitzableiter an Gebäuden, welche ihren Zweck nur unvollkommen erfüllen, weil sie nicht richtig konstruirt und angebracht sind. Blitzableiter haben einen doppelten Zweck; sie sollen einmal dadurch, dass sio ein Ausströmen der sich in Gebäuden ansammelnden Elektricität ermöglichen, einer zu starken elektrischen Spannung zwischen Gewitterwolke und dem Gebäude vorbeugen und sollen alsdann, wenn es doch zu einer Entladung der elektrischen Funken, durch den Blitz, kommt, denselben von dem Gebäude ableiten und in den feuchten Erdboden führen.

Wie nun ein richtiger Blitzableiter, der diesen doppelten Zweck erfüllt, beschaffen sein muss, beschreibt Ad. Paris in Altona im „Norddeutschen Landwirth." Derselbe unterscheidet 1. die Spitze, 2. Auffangstange, 3. den Leitungsdraht, 4. die Bodenleitung.

1) Die Spitze. Je schärfer die Spitze, um so rascher kann sie die Erdelektricität entweichen lassen und um so sicherer geht man andererseits, dass vorkommenden Falls der Blitz die Leitung nicht verfehle. Denn je stärker die Ausströmung der Erdelektricität durch die Spitze ist, auf desto weitere Distanz besteht bereits zwischen elektrischer Wolke und Blitzableiter eine Verbindung, und ist damit ein Weg gewissermassen hergestellt, welchen, falls es wirklich zu gewaltsamer Entladung kommt, die Wolkenelektricität unfehlbar benutzt, sich mit der Erdelektricität auszugleichen. Daher begnügt man sich in der Neuzeit nicht mehr damit, die Metallspitze, sei sie von Eisen oder Kupfer, einfach zu vergolden, sondern man versieht dieselbe ausserdem mit einer Platinanadel, welche möglichst scharf und spitz zugefeilt wird. Platina besitzt in noch höherem Grade als Gold die Eigenschaft, den Wirkungen der Feuchtigkeit und den klimatischen Veränderungen Widerstand zu leisten; die Platinanadel bewahrt noch ihre Schärfe, auch nachdem ächtes Gold unter den Einflüssen der Jahreszeiten längst seinen Glanz eingebüsst hat und völlig oxydirt worden ist.

Sehr lang braucht die Platinanadel nicht zu sein; es genügt, wenn sie aus dem Metall, aus welchem die Spitze besteht, weit genug hervorragt, dass sich scharfe Kanten anfeilen lassen. Aber sie darf nicht zu dünn sein, wo möglich 2 Mm. dick. Kurze gedrungene Gestalt empfiehlt sich sowohl für die Nadel, wie für die ganze Spitze überhaupt, damit sie die heftigen Blitzschläge aushalten kann, ohne verbogen oder sonst reparaturbedürftig zu werden. Die Nadel darf übrigens nicht blos in die Spitze hineingeschoben sein, sondern muss mit derselben fest verlöthet werden, damit nicht durch die Wirkung eindringender Feuchtigkeit die metallische Verbindung zwischen der Spitze und der Nadel unterbrochen werde.

Die Spitze wird am besten aus massivem Kupfer verfertigt, weil dieses Metall nächst Silber die grösste Leitungsfähigkeit für den elektrischen Strom besitzt, und erhält am zweckmässigsten eine kegelförmige Gestalt, 12—14 Cm. lang und von $2^{1}/_{2}$ auf 2 Cm. in der Dicke abnehmend, ehe die Zuspitzung eintritt. Vorschriftmässig ist: feuerächte Vergoldung der Spitze; diese wäre nun freilich überall da zu entbehren, wo man die Garantie hat, dass auf Herstellung und namentlich auf Verlöthung der Platinanadel die erforderliche Sorgfalt verwandt wird. Da eine solche Garantie aber nicht überall geboten ist, kann man sich die Vergoldung gefallen lassen als ein reservirtes Auskunftsmittel, die Spitze in brauchbarem Stande zu erhalten, wenn auch an der Platinanadel Mängel eintreten sollten.

Es wird noch bemerkt, dass die zweckmässigste Art der Verbindung der Leitung mit der Spitze die sein dürfte, die Spitze mit einem in das Auffangrohr genau hineinpassenden Zapfen zu versehen und in den Zapfen ein mindestens 1 Zoll tiefes Loch zu bohren, in welchem der Leitungsdraht mit der Spitze fest verlöthet wird. Es giebt dies nicht nur die sicherste metallische Verbindung, sondern giebt auch Garantie, dass wenigstens an diesem Theil der Leitung keine Reparaturen so leicht erforderlich werden.

2) Die Auffangstange. Wie gross der Schutzkreis einer Gewitterstange eigentlich sei, ist erfahrungsmässig wohl noch nicht ganz genau festgestellt, auch wohl schwer mit absoluter Gewissheit zu bestimmen, da auf die besonderen Umstände, namentlich die Leitungsfähigkeit des Erdbodens, auch Manches ankommt. Soll z. B. ein einzeln liegendes Gebäude mit steiler Giebelwand an der Wetterseite durch Blitzableiter geschützt werden, so würde unbedingt mit dem ersten Blitzableiter soviel näher an die angenommene Giebelwand heranzurücken sein, wie die Entfernung der doppelten Länge der Auffangstange beträgt.

Als Norm kann aufgestellt werden, dass ein Gebäude als genügend durch Blitzableiter geschützt anzusehen sei, wenn die Länge des Dachfirstes die vierfache Länge der Auffangstange nicht überschreitet. Danach ist z. B. ein Haus von 120 Fuss Firstlänge durch einen Blitzableiter von 30 Fuss, ein Haus von 140 Fuss Firstlänge durch 2 Blitzableiter, welche jeder um $17^1/_2$ Fuss aus dem Dache hervorragen, genügend geschützt.

Zu Auffangstangen verwendet man in neuerer Zeit fast ausschliesslich schmiedeeiserne Röhren, sei es einfaches Gasrohr, sei es konisches, nach oben spitz auslaufendes, eigends für diesen Zweck gefertigtes Rohr. Letzteres ist vorzuziehen, da es einerseits in grösseren Längen zu bekommen ist, anderseits standfester ist und dem Sturme eine kleinere Oberfläche bietet, daher fester steht und weniger schwankt; dasselbe ist aber erheblich theurer, wie einfaches Gasrohr. Massiv eiserne Auffangstangen, gewöhnlich auf aus dem Dache hervorragenden hölzernen Pfählen befestigt, werden wohl nur noch verwendet, wo die ganze Leitung von Eisen anstatt von Kupfer hergestellt wird. Eiserne Rohre haben aber den Vortheil, dass sie mit den Gebäudetheilen in besserer leitender Verbindung stehen, was zur Verminderung der elektrischen Spannung nicht wenig beitragen wird. Es beruht auf einer völlig irrthümlichen Vorstellungsweise, wenn man in der Verbindung der Auffangstange mit dem Gebäude eine Gefahr für Letzteres erblickt und wo möglich eine völlige Isolirung zwischen Blitzableiter und Gebäude herbeiführen möchte. Denn dem Blitz ist durch Naturgesetz sein Weg genau vorgeschrieben; er folgt mit Naturnothwendigkeit der besten und geradesten metallischen Verbindung zwischen der Spitze und dem Erdboden, resp. dem Grundwasser, ein Abspringen von dieser Bahn ist bei den Blitzableitern neuerer Construction, wo die Leitung ohne Unterbrechung in den Erdboden geführt wird, gar nicht denkbar.

Bezüglich der Befestigungsmethode wird noch bemerkt, dass man' wie vielfach geschieht, sich nicht damit begnügen sollte, die Auffangstangen mittelst eiserner Winkel einfach auf die Dachsparren festzunageln. Eine solche Anlage hält wohl für die ersten Jahren aus, gibt aber später leicht zu Reparaturen Veranlassung, indem in Folge des Schwankens der Stange im Winde allmählig Nägel und Schrauben sich lösen und die Stange an Standfestigkeit verliert. Besser ist es, ein paar Fuss von der Länge der Stange zur Befestigung mit zu verwenden, indem man der Stange einen zweifachen Stützpunkt gibt, einmal auf einen zwischen den Dachsparren anzubringenden Holzriegel, sodann aber am Dachfirst. Es schützt diese Befestigungsweise auch an diesem Punkt der Anlage vor Reparaturen.

3) Der Leitungsdraht. Hiezu verwendet man am besten Kupfer, da die Leitungsfähigkeit des Kupfers für den elektrischen Strom $5\frac{1}{3}$ mal grösser ist, als die des Eisens, mithin ein viel geringerer Querschnitt der Leitung von Kupfer dieselben Dienste thut, wie eine im Querschnitt bedeutend stärkere Leitung von Eisen. Da aber Rundkupfer schwer zu beschaffen und noch schwerer zu handhaben ist, verwendet man Kupferdraht-Seil, welches namentlich in letzterer Beziehung bei der Anlage viele Vortheile bietet. Als Minimalgewicht für Kupferdrahtseil sind 180 Gr. per laufender Meter vorgeschrieben. Man verwendet meistentheils aber wohl eine etwas schwerere Sorte, da die Preisdifferenz bei den Kosten der ganzen Anlage gerade nicht sehr in's Gewicht fällt. Manche Fabrikanten, von der Annahme ausgehend, dass der elektrische Strom nur auf der Oberfläche der Körper fortgeleitet werde, legen besonders Gewicht darauf, dass das Drahtseil aus möglichst vielen, dann um so dünneren Einzeldrähten bestehe. Aber die Voraussetzung, von denen Jene ausgehen, beruht auf einem Missverständniss; der elektrische Strom durchdringt die ganze Metallmasse, aus welchem die Leitung besteht, daher kommt es hier lediglich auf den Gesammtquerschnitt der Leitung, nicht aber auf die Zahl der einzelnen Drähte an. Es liegt aber auf der Hand, dass ein Seil von stärkeren Drähten den Einflüssen der klimatischen Verhältnisse länger Widerstand leistet, als ein solches von ganz feinen Drähten.

Der Leitungsdraht wird nun, wie schon erwähnt, fest mit der Kupferspitze verschmolzen (verlöthet), läuft dann in dem Auffangrohr herunter und tritt 2—3 Fuss oberhalb des Dachfirstes aus dem Rohr heraus, von wo dasselbe dann gewöhnlich in einer Spannung über das

Dach hinweggeführt und entweder an hölzernen Pfählen oder an der Mauer des Gebäudes entlang in den Erdboden geleitet wird. Das einzig wesentliche Moment ist hierbei, dass alle scharfen Ecken und Winkel vermieden werden, sowohl bei dem Austritt der Leitung aus dem Auffangrohr, wie bei der Führung derselben um die Dachkante herum. Geradezu fehlerhaft ist es, die Leitung im rechten Winkel aus dem Auffangrohr über den First des Hauses hinweg zu führen. Denn der Blitz folgt wohl der besten metallischen Verbindung zwischen Spitze und Erdboden, vor allen Dingen aber wählt er den nächsten Weg und die Gefahr des Abspringens bei Ecken und Winkeln ist niemals ausgeschlossen. Die vollkommenste Leitung ist diejenige, welche auf dem kürzesten und geradesten Weg in den Erdboden überführt. Es ist daher auch keineswegs zu empfehlen, aus Sparsamkeitsrücksichten mehrere Dachleitungen mit einer Erdleitung zu verbinden. Was dabei an Material gespart werden kann, fällt unter gewöhnlichen Verhältnissen, namentlich bei den landwirthschaftlichen Gebäuden, kaum in's Gewicht und geschieht auf Kosten der Sicherheit. Noch ist hier zu erwähnen, dass man Acht darauf haben muss, dass die Leitung wo möglich in einem Stück, jedenfalls ohne Unterbrechung der metallischen Verbindung, in die Erde abgeführt wird. Es versteht sich dieses so sehr von selbst, dass es eigentlich kaum erforderlich wäre, dies noch speciell hervorzuheben, wenn es nicht Blitzableiter gäbe, natürlich aus alter Zeit, bei denen gegen diese Regel verstossen wird.

4) Die Bodenleitung. In keinem Punkte unterscheiden sich die neueren Blitzableiter vortheilhafter von den älteren Anlagen dieser Art, wenigstens zum grossen Theil, als durch die Sorgfalt, welche auf die Bodenleitung verwandt wird. Gewissenhafte Ausführung dieses Theils der Anlage setzt den sachkundigen Fabrikanten in den Stand, unter nicht allzu ungünstigen Bodenverhältnissen für jede Leitung unbedingt Garantie leisten zu können. Es handelt sich ja darum, dem Blitz den geradesten, kürzesten und für ihn gangbarsten Weg nach dem Grundwasser zu zeigen. Zu Ende genügt es nicht, die Leitung, wie es früher üblich war, ein kleines Stückchen in die Erde hineinzuschieben und dort sitzen zu lassen, vielmehr muss man Sorge dafür tragen, dass schon lange vor dem Blitzschlag eine möglichst starke Ausströmung der Erdelektricität durch die Spitze stattfindet, dass schon auf weitere Distanz eine Verbindung zwischen Wolken und dem Grundwasser vermittelst des Blitzableiters existirt, so dass der Blitz, wenn es zur gewaltsamen Entladung kommt, seinen Weg nicht erst sich zu suchen braucht, sondern denselben schon vorgezeichnet findet durch die vermittelst der Leitung ihm entgegenströmende Erdelektricität. Zu dem Ende verbindet man mit dem unteren Ende des Leitungsdrahtes eine Kupferplatte, 12—14 Zoll im Quadrat, verlöthet dieselbe fest und sicher mit dem Leitungs-Draht und vergräbt diese so tief in den Erdboden, dass sie im stets feuchten Erdreich zu liegen kommt. Dass man für die Kupferplatte einen Brunnen aufsucht oder bis an das Grundwasser

hinunter geht, ist keineswegs erforderlich; das stets feuchte Erdreich leitet eben so gut, wie reines Wasser, man muss nur Sorge tragen, dass der Erdboden in der Nähe der Kupferplatte niemals austrocknet. Wo solches stets feuchtes und mit dem Grundwasser in leitender Verbindung stehendes Erdreich nicht zu erreichen ist, wie z. B. auf hohen Sandrücken, muss man besondere Vorkehrungen treffen.

Wo besondere Schwierigkeiten zu überwinden sind, sei es bezüglich der Erdleitung, sei es zur Verhütung von elektrischen Schlägen bei Gebäuden, in denen grosse Metallmassen angebracht sind, thut man immer wohl, sich an specielle Fachkenner zu wenden, welche zur Auskunftsertheilung in allen schwierigen Fällen gewiss gerne die Hand bieten werden."

(Gutachten über die Verwendung von Drahtseilen zu Blitzableitern) von C. Bopp, Professor an der Königl. Baugewerkschule zu Stuttgart. Gegen Ende des vorigen Jahrhunderts verursachte die allgemeinere Verwendung der um die Mitte desselben Jahrhunderts von Franklin erfundenen Blitzableitung ein Bestreben nach Hilfsmitteln zu suchen, dieselbe bequemer anzubringen. Da man zugleich von der damals herrschenden Ansicht ausging, die Entladung der sich im Blitz ausgleichenden Elektricitäten folge, wie die Ansammlung der ruhenden Elektricität, der Oberfläche der Leiter, kam man auf die Idee, statt der von Franklin benutzten Eisenstangen Drahtgeflechte oder Drahtseile zu verwenden. Dieselben wurden an manchen Orten aus Eisendraht, an andern aus Messingdraht, später aus Kupferdraht angefertigt. Um ferner die Oberfläche noch stärker zu vermehren, nahm man eine grössere Anzahl (bis zu 35) dünner Drähte und vereinigte sie zu einem Drahtseil.

Diese Verwendung der Drahtseile hat auch in der That auf den ersten Blick etwas bestechendes; man stellt sich den Draht und das aus ihm zusammengedrehte Seil als ununterbrochen und von durchaus gleicher Leitungsfähigkeit vor, wie man es im neuen Zustand vor sich liegen sieht. Die Geschmeidigkeit der Drahtseile erlaubt eine bequeme Anbringung an Gebäuden und so scheint den Ansprüchen an ein Blitzableiter-Material wirklich entsprochen zu sein.

Daher kommt es auch, dass beinahe alle, welche sich nur theoretisch mit der Frage der Blitzableitung beschäftigen, das Drahtseil als das richtige Material erklären. Auch der Unterzeichnete war in dem Stadium seiner theoretischen Behandlung der Blitzableitung und bei Beginn seiner technischen Beschäftigung mit ihrer Untersuchung und sicheren Herstellung ganz derselben Ansicht. Erst als er Veranlassung hatte, Hunderte von Blitzableitungen theoretisch und technisch zu untersuchen, und zugleich für sachgemässe Reparatur oder Neuherstellung zu sorgen, fand er die grosse Schwierigkeit der technisch richtigen Durchführung der Blitzableitung, von der man natürlich zu allererst Dauerhaftigkeit und gleichbleibende Leitungsfähigkeit verlangt, damit jeder Blitz den ihm durch den Blitzableiter vorgezeichneten Weg auch wirklich gehe.

Während bei den aus Eisenstangen bestehenden Blitzableitungen die fehlerhaften Stellen unschwer an den Verbindungsstellen zu finden, aber allerdings oft schwer herzustellen sind, ist dies ganz anders bei den Drahtseilen. Ein Fehler an denselben ist für das Auge oft kaum erkennbar und wenn sie auch von neuem ganz vollkommen gewesen sein mögen, zeigt sich doch bei vielen, dass wegen der Bewegung im Winde bald da bald dort ein Draht gebrochen ist, so dass nicht mehr alle Drähte, manchmal sogar keiner mehr ganz unversehrt durch die ganze Leitung durchgeht, zuweilen sogar ganze Stücke brüchig geworden sind. Die Untersuchung ergibt in sehr vielen Fällen, dass Draht-seil-Blitzableitungen entweder in den Anschlüssen an die Auffangstangen oder an die Zweigleitungen oder an den Befestigungsstellen mehr oder minder bedenkliche Mängel erkennen lassen, welche sich dem damit nicht vollständig Vertrauten meist verbergen, so dass dieselben für leitungsfähig gehalten werden, während nur die Mängel durch die Seilform äusserlich weniger erkennbar sind, aber bei Inanspruchnahme der Leitung durch den Blitz sich nachtheilig äussern, wie dies am Lorenzthurm in Nürnberg und auf Seeschiffen, deren Blitzableiter durch den Blitz zerstört wurden, sich zeigte. Man ist über die sichere Leitungsfähigkeit eines solchen Drahtseils nie ganz im reinen, da Aenderungen sich nie voraussehen lassen.

Ein anderer Nachtheil liegt in der grossen, den atmosphärischen Einflüssen ausgesetzten Oberfläche der Drahtseile, welche sehr bald unrein wird. Man ist erstaunt, in Städten, in welchen die Drahtseil-Blitzableitungen Regel sind, diese oft so stark inkrustirt zu finden, obwohl die Theorie behauptet, dass man das Kupferseil desshalb wähle, weil Kupfer den atmosphärischen Einflüssen widerstehe und reine Oberfläche bewahre. Diesen Ueberzug verdankt das Seil dem chemischen Verhalten seines Materials und seiner Seilform.

Die zusammengewundenen Drähte, aus denen die Drahtseile bestehen, lassen zwischen sich Zwischenräume, in welche sich der unvermeidliche fliegende Staub und der Russ einlagern und durch die abwechselnd auftretende Feuchtigkeit und Trockenheit festgehalten werden. Diese Einlagerung aus Kalk- und Kohlenstaub, welche ausserdem noch alle mögliche organischen Stoffe enthält, ist mit verschiedenen chemischen Eigenschaften begabt, greift bei eintretender Feuchtigkeit das Kupfer an, zerfrisst seine Oberfläche, vermindert allmählig seinen Querschnitt und überzieht es mit einer Kruste, die sehr fest hält und immer tiefer frisst, so dass die dünnen Drähte des Drahtseils ihre Struktur verändern und brüchig, jedenfalls gegen einander isolirt werden. Wenn daher die Oberfläche den Blitz leiten sollte, wie die Theorie, welcher das Drahtseil seine Einführung verdankte, behauptet, so wäre die Leitungsfähigkeit hiefür, wenigstens in Städten, an Landstras-

sen und auf Dampfschiffen, sehr bald verloren. Ist vollends ein Gewerbebetrieb, der amoniakalische oder saure Dämpfe entweichen lässt,
in der Nähe, oder wird im Haus und in der Nachbarschaft Torf ge-
brannt und geht die Drahtseilleitung über eine Esse weg oder wird
sie beim Anstreichen des Hauses mit Kalk überspritzt, so geht das
Inkrustiren und Zerstören rascher von statten, das Drahtseil wird
brüchig, bricht manchmal auch wirklich auseinander, während Eisen
dadurch wenig leidet, meist nur mit einer Kruste überzogen wird.

Sollen Theile einer Drahtseil-Blitzableitung leitend aneinander
angeschlossen werden, so ist dies in den seltensten Fällen so durchzuführen, dass die elektrische Leitungsfähigkeit ungeschwächt bleibt und
die benachbarten Stellen nicht brüchig werden. Das Verbinden solcher
Theile kann nur durch Löthen geschehen, das übliche Ineinanderbin-
gen, Verflechten, Vermuffen, gibt noch weniger Sicherheit; nun gilt es
aber ausser dem Silberloth keines, das leitungsfähiger wäre als Kupfer,
aus dem das Seil besteht, es hat also jede Löthstelle eine Vermindе-
rung der Leitungsfähigkeit an dieser Stelle und möglicher Weise bei
Blitzschlag ein Abschmelzen zur Folge. Das Hartlöthen verursacht
durch die ungleiche Erhitzung meist ein Hartwerden der benachbarten
Stellen, gegen welches auch das Nachglühen nicht viel hilft, so dass
zwar nicht an der Löthstelle, aber daneben ein Bruch entsteht. Das
Weichlöthen hat ausserdem noch den Nachtheil, dass das Löthwasser
nie ganz entfernt werden kann, in der Löthstelle weiter frisst und deren Leitungsfähigkeit und Zusammenhang vermindert.

Es ist also die Bequemlichkeit der Anbringung mehr als aufge-
wogen durch die in der Struktur und im chemischen Verhalten des
Materials begründeten Nachtheile, abgesehen davon, dass die Leichtigkeit der Anbringung auch die Leichtigkeit der Entfernung durch
Diebstahl, der an nicht ganz offen liegenden Stellen oft lange unbe-
merkt bleibt, zur Folge hat. So wurde im Dachstuhl der grossen Oper
in Wien das die Eisenbalken unter dem Dach leitend umspannende
Kupferdrahtseil wiederholt gestohlen und musste immer auf's Neue angebracht werden.

Was aber am meisten gegen die Drahtseile spricht, das ist, dass
sie auch theoretisch nicht mehr berechtigt sind. Nach den Untersuchungen von Riess in Berlin hat sich ganz unzweideutig herausgestellt,
dass die bewegten und im elektrischen Funken sich ausgleichenden
Elektrizitäten, deren Ausgleichung im Grossen Blitz genannt wird,
nicht der Oberfläche, sondern dem Querschnitt der Metalle folgen. Die
Consequenz für die Blitzableiter-Materialien hat zuerst Eisenlohr in
Carlsruhe in seiner Anleitung zur Ausführung der Blitzableiter präzis
ausgesprochen.

Darnach kommt es also beim Blitzableiter-Material nicht auf die
Grösse der Oberfläche, sondern allein auf den Querschnitt an.

Es sind dadurch alle jene Bestrebungen, welche auf Vermehrung der Oberfläche mit Hintansetzung des Querschnitts gerichtet waren, also die Verwendung dünner Drähte zu Drahtseilen als irrthümlich gefallen.

Auch die Erfahrung hat an Drahtseilen aus dünnen Drähten, also bei einseitiger Vermehrung der Oberfläche, gezeigt, dass solche Seile durch Blitzschläge vollständig zerstört wurden. Beispiele sind die bekannten Blitzschläge zu Seefeld und Rossstall in Bayern, sowie auf Drahtseile an Seeschiffen.

Was endlich speciell die Leitungsfähigkeit der üblichen Drahtseile für Electrizität betrifft, so wird bei Angabe derselben in der Regel die für reines Kupfer bekannte Leitungsfähigkeit zu Grunde gelegt, während die gewöhnlichen Drähte nichts weniger als rein sind und nach Thomson meist eine um 42 Procent geringere Leitungsfähigkeit als die theoretisch angenommene haben. Darnach müsste der Kupferquerschnitt nicht wie theoretisch angenommen wird, $1/_{5,55}$ vom normalen Eisenquerschnitt, sondern $1/_{3,2}$ davon sein.

Wenn nun der normale Eisenquerschnitt für ununterbrochen zusammenhängendes Blitzableiter-Material aus bestem Eisen von 15 Mm. Durchmesser = 177 M. $^2$ beträgt, müsste der Querschnitt der äquivalenten Kupfer-Blitzableitung $^{177}/_{3,2}$ = 55,3 Mm. $^2$ betragen, was bei den üblichen Kupferseilen nicht der Fall ist. Eisenlohr verlangt sogar 225 Mm. $^2$ Eisen, welchem $^{225}/_{3,2}$ = 70 Mm. $^2$ Kupferquerschnitt entsprechen würde. Selbstverständlich darf bei dem Kupferseil nicht aus dem Gesammtdurchmesser der Querschnitt berechnet werden, wie es so oft geschieht, sondern die Summe der Querschnitte der einzelnen Drähte, deren Leitungsfähigkeit durch die Verdrehung ohnedem schon geschwächt ist, ergibt den leitungsfähigen Querschnitt. Derselbe ist bei der meist nur $1^1/_2$ M. betragenden Dicke der einzelnen Drähte für 9 drähtiges Seil nur 15,9 Mm. $^2$ gross, also $^{55,2}/_{15,9}$ = 3,47 mal zu klein, so dass man 4 solche Leitungen zum Ersatz einer richtigen Eisenleitung nöthig hätte und es wäre nur dann die normale Grösse erreicht, wenn jeder der neun Drähte $^{55,2}/_{9}$ = 6,14 Mm. $^2$ Querschnitt oder 2,8 M. Dicke hätte.

Aus dem bisherigen dürfte sich ergeben, dass die Anwendung der üblichen Kupferdrahtseile weder aus Gründen der Theorie noch aus Rücksichten der Praxis zu befürworten ist.

Diese Erwägungen und Untersuchungen haben daher den Verfasser bewogen, als an ihn die Aufgabe herantrat, das den Anforderungen der Theorie und der Praxis entsprechende Blitzableiter-System zu bezeichnen, eine Eisenleitung von ununterbrochen zusammenhängendem, kalt biegsamem Feinkorn-Eisen und dem normalen runden Querschnitt von 15 Mm. Dicke zu wählen und zu bestimmen, dass sämmtliche Anschlüsse und Verbindungen durch Schweissung herzustellen seien. Eine solche Blitzableitung hat die nöthige Leitungsfähigkeit und, was ebenso wichtig ist, die nöthige Festigkeit und Dauerhaftigkeit, kann auch so angebracht werden, dass den architektonischen Formen kein Eintrag geschieht. Die Werkzeuge zu sicherer Durchführung solcher Leitungen, wobei die Verbindungs-Schweisse auf dem Dachfirst auszuführen sind, wurden durch einen mit der Behandlung des Eisens besonders vertrauten Techniker, Herrn F. Eichberger in Firma Eichberger &. Leuthi in Stuttgart in zweckmässiger Form construirt und patentirt. Mittelst derselben ist von dieser Firma, welche die Herstellung von Blitzableitungen nach diesem System zu ihrer Spezialität gemacht hat, eine grosse Anzahl solcher Blitzableitungen unter Angabe und unter Controle des Verfassers kunstgerecht durchgeführt worden.

Die ausgedehntesten Blitzableitungen dieser Art sind wohl die auf dem Residenzschloss und der Akademie zu Stuttgart, auf dem Schloss Zeil, (1430 Meter mit 33 Auffangstangen, vollständig durch geschweisste Leitungen verbunden) auf der Rotunde, den End-Pavillons und den Kunstausstellungsgebäuden der Weltausstellung zu Wien 1873, für deren Sicherheit der Verfasser die Garantie zu übernehmen hatte. Sehr ausgedehnt sind auch die Blitzableitungen auf der Baugewerkeschule und der Johanniskirche zu Stuttgart, dem Münster zu Ulm, dem Zuchthaus, den neuen Pulver-Magazinen und Militär-Gebäuden zu Ludwigsburg.

Auf Grund seiner zahlreichen Erfahrungen und Untersuchungen im Blitzableiterwesen kann der Verfasser das neue, bereits zu grosser Ausbildung gelangte System der Blitzableitung als der heutigen Stufe der Wissenschaft und Technik entsprechend empfehlen. Dasselbe ist für die Weltausstellung Wien 1873 als das dem Prinzip am meisten entsprechende gewählt und mit der Verdienst-Medaille ausgezeichnet worden. Der Verfasser ist bereit, jede gewünschte Auskunft zu geben, sowie in besonderen Fällen die sachgemässe Durchführung von Blitzableitungen zu vermitteln und zu controliren.

Stuttgart, 1877.

C. Bopp, Professor an der K. Baugewerkeschule.

(Extincteur.) Stuttgart, 17. Okt. 1876. Gestern wurden an der ehem. Schützenfeststrasse Proben mit dem Extincteur aus der Fabrik von Lipmann & Cie. in Glasgow, vertreten durch Herrn de Lemos, angestellt. Den Proben wohnten Stadtdirektor, Oberbürgermeister, Stadtpfleger, Kommandant der Feuerwehr, mehrere Gemeinderäthe, städtische Techniker und eine zahlreiche Versammlung bei, die sich für den Gang der Experimente lebhaft interessirte. Die an diesen Extincteuren angebrachte Verbesserung besteht im Wesentlichen darin, dass die Bereitung der Gase durch Zerschmetterung einer Flasche, die unter dem Schutzdeckel angebracht ist, bewerkstelligt wird. Diese Procedur ist höchst einfach; ist sie vollzogen, dann ist das Material zum Löschen fertig, der Hahn wird aufgedreht und der Schlauch auf's Feuer gerichtet. Zuerst wurde ein Holzstoss errichtet aus Theertonnen, Planken, Hobelspähnen. Nachdem diese mit Ligroin getränkt worden, wurde Feuer angelegt und dieses so lange unterhalten, bis es die Stoffe voll-

kommen ergriffen. Jetzt wurde der Löschapparat in Thätigkeit gesetzt
und nach wenigen Sekunden war nur noch ein qualmender Haufen von
Holztrümmern zu sehen. Das zweite Experiment war noch überraschender. Es wurde ein flacher Behälter von Holz, ungefähr 40 Quad.-Fuss
umfassend, etwa 2" hoch mit Steinkohlentheer angefüllt. Kaum war
ein Brand in denselben geworfen, so flammte die ganze Fläche auf,
eine ungeheure Wolke schwarzen Rauches und eine unnahbare Hitze
verbreitend. Als dieser Theer siedend geworden war, liess de Lemos
den Extincteur spielen, und in kaum 5 Sekunden war ein Feuer vollständig gelöscht, das jedem Wasser widerstanden hätte. Dieses Experiment wurde wiederholt und es gelang das Löschen zum zweiten Mal
in fast noch kürzerer Zeit. Die Versammlung liess es an Zeichen bei-
fälliger Aufnahme dieser überraschenden Leistungen nicht fehlen. —

    (Schlösser.) Gelegentlich der Weltausstellung in Philadelphia
ist man auch auf die Yale-Schlösser aufmerksam geworden, die in vielen verschiedenen Formen für alle möglichen Zwecke gemacht werden,
ohne jedoch das Hauptprincip zu ändern, welches in 2 Cylindern besteht, von denen der äussere fest mit dem Körper des Schlosses verbunden ist, während der innere die „Zuhaltung" trägt, welche, wenn geschlossen, den Riegel feststellt und beim Drehen denselben loslässt.
Der äussere Cylinder enthält in einer auf der Längenachse liegenden
Reihe von Löchern eine Anzahl Stifte, welche durch kleine Spiralfe-
dern nach unten in eine gleiche Reihe Löcher des innern Cylinders gedrückt werden, und somit diesen feststellen. Jeder der Stifte ist ent-
zweigeschnitten, der eine weiter oben, der andere weiter unten. Wird
nun der richtige Schlüssel in die Schlüsselbahn gedrückt, so werden
die Stifte gehoben und durch die verschiedenen Erhöhungen und Ver-
tiefungen derselben so gestellt, dass der Schnitt zwischen dem unteren
und oberen Theil des Stiftes mit der Oberfläche des inneren Cylinders
zusammenfällt und derselbe mit dem flachen Schlüssel gedreht und dadurch das Schloss geöffnet werden kann. Der innere drehbare Cylinder
nimmt somit beim Drehen die untere Hälfte der Stifte mit, während
die obere Hälfte in dem oberen Cylinder bleibt. Wird wieder geschlossen und der Schlüssel gezogen, so fallen die unteren Stifte zurück
und die Spiralfederchen drücken die oberen Stifte wieder in die Löcher
des inneren Cylinders, um diesen festzustellen. Sollten durch irgend
ein Instrument die unteren Stifte gehoben werden, so halten diese
selbst den Cylinder fest, da alle ungleich lang sind. Um das Schloss
zu öffnen, müssen also alle Stifte zu gleicher Zeit in die richtige Lage
gebracht werden, da selbst ein einziger Stift, der $1/4$ Mm. vorsteht, den
Cylinder noch halten würde. Dies erklärt die grösstmögliche Verschiedenheit der Combination in dieser Vorrichtung.
    Die Weite des Schlosses erlaubt ungefähr 10 verschiedene Ab-
stufungen am Schlüssel; folglich könnte, wenn nur 1 Stift benützt
würde, das Verhältniss der beiden Theile desselben so gewählt werden,

dass 10 verschiedene Schlüssel möglich wären. Bei zwei Stiften kommt die Zahl auf 100, mit 3 auf 1000 und mit 7 schon auf 10 Millionen. Weniger als 4 Stifte werden in keinem Schlosse angewendet. Bankschlösser haben gewöhnlich 7. Alle Schlüssel werden aus Stahl gemacht und nikelplattirt, die Cylinder gewöhnlich aus Messing hergestellt. Die Schlüssel sind wegen ihrer bequemen Form sehr beliebt, und nach Umständen nur 1 Mm. dick.

In stärkerer Construction findet das Yale-Schloss auch Anwendung in Gefängnissen zum Schliessen der Zellen und es wird zu diesem Zweck das Schloss nicht an der Thüre angebracht, sondern in solides Gemäuer gesetzt, und nur der Riegel geht in die Thüre. Die Anordnung ist so, dass die Thüre sich beim Zuschlagen von selbst schliesst und nachher der Riegel durch das Drehen des Schlüssels noch festgestellt wird; von innen ist das Schloss vollständig unzugänglich.

(Nach dem Gewerbebl. aus Württemberg)

# Literatur.

~~~

Vorschläge der königlich kroatischen Regierungssektion für Justiz, betreff. Reorganisation der Landesstrafanstalt in Lepoglava (Warasdiner Comitat).
Predlogkralj. hrv. slav. dalm. vladnoga odjela za pravosud je o preustrojstru kraljevske zemaljske kaznione u Lepoglavi. U Zagrebu 1877. — Tiskara „Narodnih Novinah.“

Unter obigem Titel erschien im Monate Mai l. J. in Agram eine durch die kön. kroatische Regierung publizirte Broschüre, worin die Geschichte und der heutige Zustand der Landesstrafanstalt zu Lepoglava freimüthig erzählt, die dortigen Verhältnisse mit dem Zustande mehrerer Anstalten der österr.-ungarischen Monarchie verglichen und die als nothwendig erachteten Reformen vorgeschlagen werden.

Die Antezedentien dieser Reform-Bewegungen sind folgende: die traurigen Zustände der Landesstrafanstalt zu Lepoglava gaben in der letzten Session des kroatischen Landtages öftere Gelegenheit zu lebhafteren Besprechungen dieses Gegenstandes. Die Abgeordneten Mrazovits und Antolik rügten die vernachlässigten Zustände und der Abgeordnete Voncsina sprach sich für allsogleiche Reformen und für die Einführung des irischen Systemes aus.

Die ersten Anzeichen eines Reform-Entschlusses manifestirten sich darin, dass die Oberleitung des Gefängnisswesens von der Regierungssektion der inneren Angelegenheiten an die Regierungssektion für Justiz abgegeben wurde.

Seit ersten Jänner 1877 liegt nun die Leitung des Gefängnisswesens in Händen des sowohl als klassischen Juristen, als auch energischen Organisator bekannten Justiz-Chef: Dr. Marian Derencsin.

Die neue Leitung erachtete es für ihre erste Aufgabe, sich nicht nur über Lepoglava, sondern auch von den Zuständen der grösseren Landesstrafanstalten der Monarchie genaue Information zu verschaffen. Aus diesem Anlasse erhielt der Regierungs-Sekretär Vladislav von Cuculić den Auftrag, vorerst die Anstalt in Lepoglava und dann die österreichischen Landesstrafanstalten in Laibach und Karlau (bei Graz) und die ungarische Landesstrafanstalt in Leopoldstadt a/d. Waag zu besuchen. Genannter Sekretär unterzog sich dieser Aufgabe in den Monaten Jänner und Febr. l. J. und verbrachte längere Zeit in jeder

Strafanstalt mit dem genauen Studium der verschiedenen Systeme und den Einzelheiten der Administration.

Sein umfassender und mit tiefer Sachkenntniss verfasster Bericht bietet ein trauriges Bild der Zustände in Lepoglava, mit grellen Farben schildert er die Misère des bestehenden Verpachtungs-Systemes, die vollständige Arbeitslosigkeit der Sträflinge und deren schädliche Folgen auf die Gesundheitsverhältnisse der Anstalt.

Im Verlaufe seiner Arbeit berichtet Cuculić auf Grund seiner Erfahrungen über die Verhältnisse in Laibach, Karlau und Leopoldstadt, schildert und vergleicht die einzelnen Momente des Systemes und der Administration dieser Anstalten und kommt endlich zur Folgerung, dass für die kroatischen Verhältnisse das in Leopoldstadt eingeführte System und die Prinzipien der dortigen Verwaltung die entsprechendsten wären.

Da die Gesundheitsverhältnisse der Strafanstalt zu Lepoglava als sehr schlechte bezeichnet wurden, exmittirte die Regierung den Physikus von Agram Dr. Anton Schwarz nach Lepoglava mit dem Auftrage, sich über den Zustand dieser Angelegenheit eingehend zu äussern.

Der erstattete Bericht konstatirte wenig erbauliche Sachen.

Dr. Schwarz berichtet, dass die Anstalt überfüllt sei; dass die Räumlichkeiten kaum die Hälfte des nothwendigen Luft-Quantums den Sträflingen bieten; dass die gereichten Speisen zur Erhaltung der Gesundheit in Bezug auf Qualität gänzlich ungenügend sind; dass das Spital sehr schlecht situirt und überfüllt ist, dass schwer kranke Sträflinge wegen Mangel an Raum im Spitale zwischen den Gesunden belassen und dort gepflegt werden müssen.

Obige Berichte wurden im Conseil der Regierungs-Vorstände unter dem Vorsitze Seiner Excellenz des Banus verhandelt, die heutigen Zustände als unhaltbar und die vorgeschlagenen Reformen für dringend erkannt.

Da sich der Banus über den Umfang, Ausführbarkeit und Kosten der Reformen nähere Daten zu beschaffen wünschte, wurde der Direktor der königl. ung. Landesstrafanstalt zu Leopoldstadt Emil Tauffer eingeladen, sich über die Verhältnisse in Lepoglava zu instruiren und eine Wohlmeinung über obige Fragen abzugeben.

Genannter Direktor kam der Aufforderung nach, verweilte längere Zeit in der kroatischen Strafanstalt und erstattete den erwarteten Bericht. In der Wohlmeinung werden die geplanten Reformen einzeln besprochen, der Ausführungs-Modus und die nothwendigen Adaptirungen und Neubauten sammt den voraussichtlichen Kosten angegeben. Direktor Tauffer erklärt, dass das irische System im Laufe von drei Jahren in ganzem Umfange und mit strenger Consequenz durchgeführt werden könne, dass die Alimentation der Sträflinge in eigener Regie der Anstalt viel besser und bei den Marktpreisen der Umgebung auch billiger sein würde, als die Beschaffung durch einen Pächter und endlich: dass ein geregelter Industrie-Betrieb nach Vollendung der geplanten Bauten auch eingeführt werden könne, bis dahin aber die Arbeitskraft der Sträflinge bei Herstellung der Bauten verwendet werden müsste. Zur Verhandlung und Kenntnissnahme dieses Berichtes wurde durch Seine Excellenz den Banus eine aus den Chefs der Regierung, dem Physikus und mehreren Landtags-Deputirten bestehenden Enquète berufen, wobei die einzelnen Punkte besprochen und die Regierungssektion für Justiz beauftragt wurde, auf Grund der erhaltenen Berichte und bei Darlegung der in Lepoglava im Laufe der Zeit schon gemachten Experimente ihre konkreten Vorschläge mit einer derartigen Motivirung zu erstatten, dass diese Vorlage in Form einer Denkschrift gedruckt und zur Orientirung des grossen Publikums verbreitet werden könne.

Diesen Prämissen verdankt die oben genannte Broschüre ihr Erscheinen, der öffentlichen Meinung gleichsam ein Pfand dafür bietend, dass nun die Versäumnisse der Vergangenheit durch ein energisches „Vorwärts" eingeholt werden sollen.

Die Vorlage enthält nach einer ausführlichen und lobenswerth offenen Darlegung der schon geschichtlichen Vorkommnisse der Anstalt die markantesten Stellen der erwähnten drei Berichte und endlich eine Serie von Reform-Vorschlägen. Einen Theil des Inhaltes haben wir in vorigen Zeilen skizzirt; ausser diesen reproduziren wir noch folgendes:

Die Strafanstalt in Lepoglava besteht aus zwei grossen miteinander verbundenen Gebäuden. Das alte Gebäude war ehedem ein Pauliner-Kloster und wurde im Jahre 1853 von dem Capitel von Csaama um den Preis von 150,600 fl. erstanden. Die Adaptirungen wurden im Jahre 1856 beendet und kosteten 103,114 fl. Zur Einrichtung der Anstalt wurden ausser obigen Summen noch 20,738 fl. verwendet. Da aber das Gebäude trotzdem dem Zwecke nicht entsprach, wurden fortwährende Adaptirungen und Veränderungen nöthig, welche successive so viel Auslagen in Anspruch nahmen, dass heute die Gebäude ein angelegtes Capital von 607,651 fl. repräsentiren, wo noch die Anstalt keine Ventilation, keine Abtritte, ja, in den meisten Zimmern auch keine Heizung besitzt.

Gleich im Beginne wurde in dieser Strafanstalt das System der Generalpacht eingeführt, welche im Jahre 1855 vom Orden der harmherzigen Schwestern auf ein Dezennium übernommen wurde. Das Aerar zahlte dem Orden für die Alimentation, für die Kleidung der Sträflinge, für die Beheizung und Beleuchtung der Anstalt pro Mann und Tag 85 kr., welche Entschädigung später, als der Orden auch die Erhaltung der Wachmannschaft übernommen hatte, auf 44⅜ kr. ö. W. erhöht wurde. Die Benützung der Arbeitskraft hatten die Nonnen gratis und verpachteten selbe bei den Bauarbeiten an die Unternehmer pr. Sträfling und Tag um 26¼ kr. ö. W.

Im Jahre 1865 wurde mit dem Orden ein neuer Vertrag abge-

schlossen, welchem zufolge die Pauschalsumme auf 33 kr. ö. W. herab-
gesetzt wurde.

Im Jahre 1871 wurde die Verwaltung des Strafhauses den Nonnen
über Landtagsbeschluss entzogen und die Generalpacht dem Privatun-
ternehmer Gustav Tausig übertragen, welcher sowohl die volle Verpflegung der Sträflinge und der Wachmannschaft, als auch die Gratisbe-
nützung der Arbeitskraft der ersteren übernahm, wogegen ihm vom
Aerar eine Pauschalsumme von 27$^{448}$/$_{1000}$ kr. pr. Kopf und Tag gezahlt
wurde.

Im Jahre 1874 wurde auch dieser Vertrag vom Unternehmer ge-
kündigt. Nun pachtete die Arbeitsleistung der Sträflinge der Agramer
Handelsmann M. E. Sachs gegen eine an das Aerar zu leistende Zahlung von 24 Kr. ö. W. pr. Kopf und Tag, trat aber unter Zurücklas-
sung seiner Kaution von 1000 fl. vom Vertrage noch vor dessen Insle-
bentreten zurück. Die Verpflegung und Bekleidung der Sträflinge, die
Beheizung und Beleuchtung der Räume übernahmen dagegen die Ge-
brüder Sliepcevic auf 6 Jahre gegen eine Entschädigung von 24 Neu-
kreuzer, welcher Vertrag noch intakt ist.

Schliessen wir nun dies traurige Bild und übergehen wir zu dem
konkreten Vorschlage der Regierung, welcher auf die Reorganisation
der genannten Strafanstalt abzielt.

Die k. Landesregierung schlägt demnach vor Allem vor, in der
Strafanstalt zu Lepoglava das irische oder sogenannte Progressivsystem
einzuführen, wozu ein derartiger Umbau derselben nothwendig ist, dass
mindestens 30 Zellen ausser den vorhandenen 10 Disciplinarzellen, dann
genügender Raum für die gemeinsamen Haftlokale und die Räumlichkeiten für ein vermittelndes Zwischen-Institut (drittes Stadium — freie
Arbeiter) beschaffen werden können. Hiezu ist vor Allem nothwendig,
dass aus der eigentlichen Strafanstalt das Spital, die Beamtenschaft,
die Unternehmer (solange sie bestehen) und die Wachmannschaft entfernt und für Unterbringung aller dieser ein besonderes Gebäude aufgeführt werde. Nach allen diesen Um- und Neubauten würde die eigentliche Strafanstalt mit ihren Zellen- und gemeinsamen Gefängnissen,
dann Werkstätten-Raum für beiläufig 589, der Spital-Raum für 84 und
das vermittelnde Zwischen-Institut Raum für 80—100 Sträflinge bieten;
in der ganzen Strafanstalt könnten demnach an 780 Sträflinge bequem
untergebracht werden.

Die Kosten dieser Bauten belaufen sich auf 79,090 fl. Hiezu
kommt der Erwerb der nothwendigen Baugründe, welche gegen eine
fixe Jahresrente vom Cazmaer Collegiatcapitel angekauft werden könnten und dann die Summe von 35000 fl. für Umtauschung der morschen
Trambalken im neuen Gebäude, womit jedoch noch eine Zeit zugewar-
tet werden könnte. Alle diese Umbauten und Neubauten würden in
drei Jahren ausgeführt, und im ersten Jahre die Summe von 36,027 fl.,

im zweiten Jahre 33,063 fl. und im dritten Jahre 45,000 verwendet werden.

II. Die Verpflegung der Sträflinge möge, so lange der Vertrag mit den Gebrüdern Sliepcevic währt, bleiben wie sie ist, nur soll getrachtet werden, dass die Pächter dem Vertrage gemäss den Sträflingen eine so viel nur möglich gute und gesunde Nahrung bieten. Nach Ablauf des Vortrages geht die Verpflegung der Sträflinge in eigene Regie der Strafanstalt über.

III. Die Hausindustrie möge sobald als möglich eingeführt werden, was natürlich erst nach dem Ausbau der Beamtenwohnungen durchführbar ist. Unterdessen sind die Sträflinge soviel als möglich bei den Bauten selbst zu verwenden.

IV. Um alle diese Reformen durchzuführen, ist es nothwendig, dass an die Spitze der Strafanstalt ein Fachmann, der gründliche Kenntnisse und eigene Erfahrung besitzt, gestellt werde, und soll mit demselben betreffs seiner Bezüge ein Personalvertrag abgeschlossen werden.

Das Beamten-Personale der Strafanstalt wäre gesetzmässig auf folgende Weise zu systemisiren:

1. Director, VII. Diäten-Klasse, Gehalt . . . . . . . . 1600 fl.
    nach 10 Jahren um 200 fl. mehr
2. Ein Verwalter, VIII. Diäten-Klasse, Gehalt . . . . . 1200 fl.
    nach 10 Jahren um 200 fl. mehr
3. Drei Offiziale, einer mit dem Gehalte von 1000 fl. und
    zwei mit dem Gehalte von 900 fl. . . . . . . . . 2800 fl.
    Der I. Offizial in der IX. der II. und III. Offizial in der
    X. Diäten-Klasse
4. Ein Kanzellist, XII. Diäten-Klasse, Gehalt . . . . . 500 fl.
5. Zwei Seelsorger, mit einem Gehalte von je 800 fl. . . 1600 fl.
6. Ein Arzt, Gehalt . . . . . . . . . . . . . . 1000 fl.
7. Ein Lehrer, Gehalt . . . . . . . . . . . . . 800 fl.

Ausser dem Gehalte ein jeder Beamte freie Dienstwohnung sammt Heizung und Beleuchtung.

                        Zusammen 9500 fl.

Bisheriges Erforderniss . . . . . . . . . . 4600 fl.
Daher Mehrerforderniss . . . . . . . . . 4900 fl.

Ausserdem müsste für Kanzleipauschale, Anschaffung von Lehrmitteln, Büchern für die Bibliotheken etc. jährlich in das Budget ein Mehrbetrag von 620 fl. eingestellt werden. Die Hausapotheke müsste aus der bisherigen Dotation beigeschafft werden. Dies wären in kurzen Umrissen die Reformen, welche in der Landesstrafanstalt zu Lepoglava durchzuführen sein würden und wir wollen hoffen, dass der Landtag die hiefür nothwendigen Summen eingedenk des humanen Zweckes bereitwillig auch votiren wird.

Bericht über das evangelische Magdalenen-Asyl „Bethesda" bei Boppard vom 1. Juli 1876 bis 30. Juni 1877.

Das Magdalenen-Asyl zu Boppard, das bereits 22 Jahre schwerer Arbeit hinter sich hat und längere Jahre hindurch um seine äussere Existenz ringen musste, kann nun mittheilen, dass die Klage und Frage in Betreff des Auskommens mehr und mehr verstumme; es hat im vergangenen Jahre keinen Mangel gehabt. Ein besonders erfreuliches Ereigniss war der von einer Gabe von 100 M. begleitete Brief eines Unbekannten, welcher von rein humanem Standpunkte aus eine lebhafte Theilnahme an der Magdalenensache beurkundet. Das Schreiben ist von allgemeinem Interesse und dürfte wohl von weiteren Kreisen gerne gelesen werden, wesshalb wir es hier der Hauptsache nach mittheilen. Es lautet: „Ich habe gefunden, dass' bei wenigen gefallenen Frauen das Gefühl und das volle Bewusstsein ihrer unglücklichen Lage vollständig verschwunden ist. Oft, viel häufiger als man vermuthet sehnen sie sich nach einer helfenden Hand und würden mit Leichtigkeit einem Leben zu entreissen sein, welches sie selbst verabscheuen. Allein, wo finden sie eine Zufluchtsstätte? Wer nimmt sich ihrer an, wer nennt ihnen Anstalten wie die Ihrige? Für die deutschen Frauen und Jungfrauen, deren Thätigkeit auf andern uns fernliegenden Gebieten, wie Mission unter den Heiden etc., keine Mühe und Kosten scheut, sind die verirrten Mädchen Paria's, die im Allgemeinen prinzipiell ignorirt werden. — Unsre Seelsorger haben selten Auge und Herz für dieses sociale Uebel — es bleibt von ihnen unbeachtet.

Bestrebungen, sich ihnen zu nähern, habe ich nur in London gefunden, bezweifle aber, dass der Weg der nächtlichen Theemeetings, das Vertheilen von Sprüchen an den Eingängen von Balllokalen erhebliche Resultate gebracht. — Es muss praktisch Hilfe gezeigt werden. In Folge der in Ihrem Bericht hervortretenden Klage muss ich leider befürchten, dass bei uns in Deutschland auch in Zukunft diesem so nahe liegenden Uebel gegenüber dieselbe passive Lethargie der sonst für Aufgabe der Mission thätigen Kreise beibehalten wird! — Wollen Sie daher vielleicht einem Vorschlag näher treten, der bezweckt, den Gefallenen wenigstens die Existenz ihrer Anstalt zur Kenntniss zu bringen? —

Es ist nicht schwer, in grösseren Städten Adressen derselben zu sammeln. Wenden Sie sich bei dem Mangel einer Vermittlung direkt an die Betreffenden, senden Sie ihnen einige Worte wohlwollender Ermahnung mit dem Hinweis auf Ihre Anstalt! Dann wissen sie wenigstens: es gibt ein Asyl für dich, es gibt einen Weg der Besserung, es gibt eine freundliche Hand, die sich deiner annimmt! —

Wiederholen Sie von Zeit zu Zeit derartige Mittheilungen und wenn unter 100 nur für eine dies zur Besserung wird, so ist die verursachte geringe Mühe reichlich gelohnt. Man begegnet dann doch

weniger der Klage, dass kein Weg zur Rettung gezeigt worden sei. —
Mit der Bitte u. s. w." —

Aus den übrigen Mittheilungen wollen wir nur noch die hervorheben, dass zu den am 30. Juni v. J. in der Pflege des Asyls seit seinem Bestehen befindlich gewesenen 182 Mädchen im laufenden Jahre
12 hinzugekommen, so dass bis jetzt überhaupt 194 Gefallene in der
Anstalt gewesen sind, davon 28 im letzten Jahre. —          Sp.

English convict prisons: some needed reforms. (1877—1878)
    Wiht a letter to the chairman of directors of those prisons.
    Jssued by the Howard association of Great Britain.

Als nothwendige Reformen für die Verbrecher-Gefängnisse
von England (im Unterschied von den Gefängnissen für kurzzeitige Gefangene) bezeichnet die Howard-Gesellschaft in vorliegender Broschüre
Folgendes: wirkliche Trennung der Inhaftirten, eine mehr moralisch
und religiös als blos militärisch gehandhabte Disciplin, die Anstellung
tüchtiger, christlich gesinnter Aufseher, eine sorgfältige Inspection der
Gefängnisse. Daran schliesst sich ein Brief des Herrn Tallack an
den Colonel du Cane, der sich gegen die Einmischung von aussen her
verwahrt. Die Tendenz und bisherige Haltung der Howard-Gesellschaft
bürgt schon an und für sich dafür, dass dieselbe keine überflüssigen
Reformen in Anregung bringt. Auch die City-Press vom 7. Juli d. J.,
welche die erwähnten Reformvorschläge der Howard-Gesellschaft mit
Interesse bespricht, macht die Bemerkung, dass dieselben durchaus der
Beachtung werth seien.                                    Sp.

The bible and capital punishment. (Jssued by the howard
    association, 5. bishopsgate without, London E. C.)

Vorliegender Tractat enthält auf 4 Seiten eine Meinungsäusse-
rung des Herrn W. Tallack über die Todesstrafe und eine Bemerkung
des Lord Russell über dieselbe. Der Erstere spricht sich der Hauptsache nach folgendermaassen aus:

„Es muss anerkannt werden, dass das alte Testament die Todesstrafe sanktionirt. Allein die damaligen socialen und allgemeinen Verhältnisse der Israeliten waren in vielen Dingen von den unsrigen
sehr verschieden. Zum Beispiel hatten sie kein regelrechtes Gefäng-
niss-System in jenen Zeiten primitiver Einrichtung für die sichere
Bewachung der Verbrecher, wenn auch insbesondere politische Verbrecher in den Tagen der jüdischen Könige gelegentlich in einen dunk-
len Kerker geworfen wurden. Ebenso verbietet das neue Testament,
soweit der Buchstabe in Betracht kommt, die Todesstrafe nicht ausdrücklich. Es verbietet freilich auch weder die Sclaverei noch die
Vielweiberei. Im Gegentheil begünstigt die buchstäbliche Auffassung
die Sclaverei, nämlich in der Vorschrift: „ihr Knechte (servants), gehorchet euren Herren", welches besser so lauten würde: „ihr Sclaven (slaves), gehorchet". Auch sendet der Apostel Paulus einen
Sclaven, Onesimus, seinem Herrn zurück. Nichtsdestoweniger ver-

23*

dammt der gerechte und barmherzige Geist des N. T., wie das
heutzutage allgemein zugegeben wird, die Sclaverei und die Polygamie.
Verwirft nicht der nämliche Geist der Christuslehre in gleicher Weise
die Todesstrafe? — Doch ich denke, die Sache ist leicht zurückzuführen auf folgende Frage: Ist es biblisch und recht, Jemand dem Tod
zu überliefern, wenn die Erfahrung beweist, dass dies nicht d u r c h a u s
n o t h w e n d i g ist? In P o r t u g a l ist trotz Abschaffung der Todesstrafe der „Messergebrauch“ nicht so häufig als in Spanien oder Italien. — B e l g i e n hat im Jahr 1830 die Todesstrafe auf fünf Jahre abgeschafft, ohne dass die Zahl der Mörder zugenommen hätte. Trotzdem
wurde die Todesstrafe wieder eingeführt, und in den folgenden fünf
Jahren wuchs die Zahl der Mordthaten um mehr als 5%. In der Folge
hat Belgien die Todesstrafe thatsächlich wieder aufgehoben, indem im
Verlauf von elf Jahren kein Todesurtheil mehr zum Vollzug kam. Auch
H o l l a n d hat während 16 Jahren keine nachtheiligen Folgen der Abschaffung gedachter Strafe in Erfahrung gebracht. In N o r d a m e r i k a
scheinen die Morde zahlreicher zu sein in den Staaten, in welchen die
Todesstrafe noch besteht, als in denen, in welchen sie aufgehoben ist.
In I t a l i e n findet man, dass Mordthaten zahlreicher sind in den Provinzen, in welchen die Todesstrafe eingeführt ist, als in T o s k a n a,
wo sie während 45 Jahren nicht zur Anwendung kam. —

Zweifelsohne ist es, wenn man die schrecklichen Details einzelner
Mordthaten vernimmt, nicht überraschend, den Ausruf zu hören: „Gehängt werden ist kaum gut genug für solche Scheusale!“ Aber wir
müssen die Frage in ihrer Tragweite und mit Rücksicht auf die allgemeine Wirkung der Strafe im Auge behalten. Schreckt der Galgen
im Allgemeinen ab? Im Januar 1875 wurden in Liverpool drei Männer
an einem Tag gehängt, worauf die „Times“ die Hoffnung aussprach,
dass dieses schreckliche Beispiel einen Wendepunkt in dem Charakter
der Stadt und Umgegend herbeiführen, d. h. derartigen Verbrechen
entschieden Einhalt thun werde. Nichts desto weniger kamen im folgenden Sommer von Liverpool allein sechs Mordthaten und aus der
nächsten Umgebung mehr als 20 Fälle von Tödtung oder andern Ge-
waltthaten vor die Assisen. Es ist in der That nachweisbar, dass die
Todesstrafe oft weitere Morde provozirt. Dieselbe mag Manche zurück-
schrecken vom Verbrechen; doch wirkt die lebenslängliche Haft ebenso
abschreckend. —

Man hat ferner gesagt, dass die Todesstrafe den Verbrecher oft
zur Reue bringe und ihn so sicherer als auf andre Weise für den Himmel vorbereite. Ich glaube, die göttliche Gnade kann Wunder wirken
und sie thut es auch oft; aber ich bekenne meinen geringen Glauben
an diese specielle „Vorbereitung für den Himmel“. Ein so verurtheilter
Verbrecher, welcher in Newgate sorgfältig zum Tode vorbereitet war,
wurde unerwartet von der Todesstrafe befreit, worauf er seine Andachts-
bücher dem Geistlichen zurückgab mit der Bemerkung, dass er sie

jetzt nicht weiter nöthig habe. — Todbett-Reue ist sehr trügerisch. Der Rev. Samuel Marsden, ein an Erfahrung reicher Missionar in Australien, behauptete, dass unter einer beträchtlichen Anzahl von Verbrechern, deren Fälle in seinen Bereich kamen, und die Angesichts des Todes wirklich reumüthig zu sein schienen, die aber denselben nicht wirklich zu erleiden hatten, ihm nicht ein einziger Fall bekannt sei, wo das nachfolgende Leben die aufrichtige Besserung des Individuums dargethan hätte. Sie seien Alle wieder auf schlimmen Weg (into evil) gerathen. — Ich hege keine Sympathie zu dem Mörder als solchem; aber ich halte die Todesstrafe nicht für das beste Mittel, um den Mord zu vermindern. Desshalb scheint auch die Bibel keineswegs zur Todesstrafe zu verpflichten."

So weit die Erörterungen des Herrn W. Tallack über die Todesstrafe, die gewiss sehr unsre Beachtung verdienen, aber doch, bei Licht betrachtet, keine eingehende Antwort auf die in der Ueberschrift enthaltene Frage sind, ob die Bibel für oder gegen die Todesstrafe in Anspruch zu nehmen sei.

Lord Russell spricht sich folgendermaassen über die Todesstrafe aus:

„Für meine Person zweifle ich keinen Augenblick daran, dass ein Staat das Recht hat, die Todesstrafe zu verhängen. Aber wenn ich von dem abstracten Recht absehe und unsere eigenen Verhältnisse in Betracht ziehe, — wenn ich erwäge, wie schwierig es ist für einen Richter, den Fall, welcher unbeugsame Gerechtigkeit verlangt, von dem zu trennen, was die Macht begleitender Umstände hinzu fügt, — wie eigenthümlich die Aufgabe des Staatssekretärs ist bei Ertheilung der Gnade durch die Krone, — wie kritisch die Auslegung durch das Publikum, — wie bald der Gegenstand allgemeinen Abscheus ein Gegenstand des Mitleids wird — wie enge und begrenzt die Beispiele sind, die durch diese verdiente und Furcht erweckende Strafe gegeben werden, — wie brutal die Scene der Execution, — so komme ich zu dem Schluss, dass die Gerechtigkeit Nichts verlöre, wenn die Todesstrafe überall abgeschafft würde."

Wir haben hiemit gewichtige Stimmen ausführlich sich vernehmen lassen in einer Frage, die unser Interesse immer wieder auf's Neue in Anspruch nimmt und es wohl werth ist, von den verschiedensten Seiten beleuchtet zu werden.                                                      Sp.

1. The modern Jews on capital punishment. — 1877. (An editorial article from the Jewish World, London; issued by the Howard association).

2. Countries where capital punishment has been abolissed or discontinued. (Issued by the Howard Association).

3. The substitute for capital punishment. Great Britain and Belgium. (Issued by the H. A.)

Mit unermüdlicher Ausdauer und Consequenz verfolgt die Howard-Gesellschaft das Ziel, die Verwerflichkeit der Todesstrafe klar und unabweislich darzuthun. Von allen Seiten her bringt sie Steine auf ihre Schleuder, um dem Goliath der Todesstrafe den Garaus zu machen. Es lässt sich auch nicht leugnen, dass ihre Gründe und Beweise viel Ueberzeugendes haben. Sie lässt sich in obigen Blättern nicht auf philosophische Abhandlungen ein, sondern macht uns mit den Urtheilen bedeutender Männer über diese Frage bekannt und weist auf statistische und andere Thatsachen hin, die gegen die Todesstrafe Zeugniss ablegen. Mögen wir die vorgebrachten Argumente sammt und sonders stichhaltig finden oder nicht, — immerhin erwirbt sich die genannte Gesellschaft ein nicht geringes Verdienst um immer grössere Klarstellung der wichtigen Frage.                     Sp.

Die „Lancet" über die Einflüsse der Moral in der Gefängniss-Disciplin.

Die „Lancet", ein viel gelesenes medizinisches Journal in London, äussert sich folgendermaassen: „Eine interessante Discussion über die Behandlung der Strafgefangenen hat in den Spalten des „Globe" stattgefunden. Herr Tallack, Sekretär der Howard-Gesellschaft hat sich nämlich über das Isolirsystem und über die religiös-sittlichen Einwirkungen auf den Gefangenen geäussert." Was den ersten Punkt betrifft, so möchten wir hier nicht weiter darauf eingehen, da derselbe für uns nachgerade zu den überwundenen Standpunkten gehört. Hat doch der letzte Congress der deutschen Strafanstaltsbeamten in Stuttgart sich fast einstimmig für die Einzelhaft und deren durchgängige Einführung ausgesprochen.

Ebenso sollte man meinen, es sei nicht mehr nöthig, die Behauptung vertheidigen zu müssen, dass die religiös sittlichen Einwirkungen im Gefängniss von grosser Bedeutung sind. Dessenungeachtet scheint diese Anschauung des Herrn Tallack auf Widerstand gestossen zu sein. In obigem Zeitungsblatt, welches sich auf die Seite des Herrn Tallack stellt, wird in diesem Betreff gesagt:

„In einer vor uns liegenden Zeitung verurtheilt Herr Tallack den Ausspruch des Kapitäns Griffith (Direktors des Gefängnisses zu Millbank), dass moralische Einflüsse von geringem Werth seien. Mit Ausnahme eines militärischen Zuchtmeisters, bemerkt er, würde wohl schwerlich Jemand einen so ungerechtfertigten Satz aufgestellt haben. Es sei Thatsache, dass Militärs nicht sehr geeignet seien zur Behandlung der Gefangenen. Sie seien so vollständig von dem Glauben durchdrungen, dass der Mann Nichts sei als rohes Material, das beliebig zu einer Gestalt zusammengeknetet oder geschlagen werden könne, dass sie das Vorhandensein des Geistes, der die Maschine in Bewegung setzt, ganz übersehen. Im militärischen System sei kein Raum für das Gemüth; dasselbe werde von Seiten der Militärs bei Behandlung der Gefangenen ausser Rechnung gelassen. Um in solchem Falle das Gemüth und den moralischen Einfluss gering zu schätzen, müsse man den Angelpunkt übersehen, um den sich Alles dreht. Unter den Besserungsmitteln nehme gerade die auf das Gewissen wirkende Moral die erste Stelle ein."

„„Aus wissenschaftlichen wie nicht minder aus religiös-sittlichen Gründen müssen wir Herrn Tallack Recht geben, und wir vertrauen seinen Bemühungen, dass es ihm gelingen werde, das rein militärische System durch ein mehr humanes zu verdrängen und die Humanität wird den Weg zeigen zu einer weiteren Reform unsrer sogenannten verbesserten Gefängnissdisciplin.““ So das medizinische Blatt. —

8p.

Howard association report. Septembre 1877.

Nach den einleitenden Worten dieses Berichtes war das verflossene Jahr für die Howard-Gesellschaft ein ebenso arbeits- als erfolgreiches. Das Comité hatte die Genugthuung, mehrere seiner beharrlich vertheidigten Sätze von der Regierung endlich aufgenommen und entweder durch ein fertiges Gesetz gesichert oder zur Annahme in ein günstiges Licht gestellt zu sehen. Unter diesen Sätzen mögen genannt werden: „eine bedeutende Verringerung der zahlreichen kleinen und unnöthigen Gefängnisse," „Einrichtungen für die systematischste Aufnahme einer verbesserten und nützlichen Gefängnissarbeit (mit besonderer Rücksicht auf die Pflicht der Vermeidung einer Conkurrenz mit der Arbeit des ehrbaren freien Handwerkers)", „die bessere Behandlung der Untersuchungsgefangenen," u. s. w.

Auch in diesem Bericht erhalten wir wie alljährlich kurze Mittheilungen über die verschiedenartige und erspriessliche Thätigkeit der Howard-Gesellschaft auf dem Gebiete des Gefängnisswesens.

8p.

Bruchsal, 12. Okt. 1877. Ueber die Aufstände in Gefängnissen äussert sich ein Brief des Sekretärs der Howard-Gesellschaft u. A. folgendermaassen:

„Die in Singapore stattgehabte Gefangenen-Revolte, welche kürzlich in mehreren Zeitungen besprochen wurde, gibt eine erneute nützliche Lehre hinsichtlich der unvermeidlichen Uebel bei Gefängnissen mit gemeinsamer Haft. In dem erwähnten speciellen Falle waren 700 Mann kompagnienweise vereinigt und auf diese Art wohl befähigt, einen Ausbruch zu organisiren, in welchem verhängnissvoller Weise der Gouverneur erstochen, viele Aufseher verwundet und siebzehn Gefangene getödtet wurden. Man hat versucht, die Schuld auf die Aufsichtsbehörde zu wälzen, doch trifft diese Herren keinerlei Vorwurf; das System der Gesammthaft ist allein schuld daran. Im letzten Monat machten die Gefangenen in Gibraltar einen Angriff auf ihre Wächter, wobei eine Wache getödtet und auf die Leute geschossen wurde. Im letzten Jahre fand ein Aufstand im Gefängniss des Staates Missouri statt und ein Aehnliches geschah im Gefängniss zu Jeffersonville. Die Sträflinge, welche am Eisenbahnbau in Texas arbeiten, haben schon oft niederge-

schossen werden müssen, wenn sie sich durch die Flucht der Grausamkeit ihrer Wächter zu entziehen versuchten. Im letzten Jahre vereinigten sich eine Anzahl portugiesischer Gefangener zu grossartigen
Mordbrennereien. Auch in den englischen und irischen Gefängnissen,
wie zu Portland, Dortmoor, Chatam und Spike Island haben in den
letzten Jahren wiederholt Mordthaten und Aufstände stattgefunden.

In den britischen und irischen Anstalten jedoch, in denen die
Isolirhaft angewandt ist, sind derartige Vorkommnisse beinahe unerhört,
da durch dieses System der moralischen Corruption und Ansteckung
vorgebeugt wird. Was das irische System Gutes hat, das wird durch
die Aufrechthaltung der gemeinsamen Haft fast zunichte gemacht."

In dieser und ähnlicher Weise wehrt sich die Howard-Gesellschaft
für das Isolirsystem und weist das Verderbliche der gemeinsamen Haft
durch schlagende Thatsachen nach. Wir wünschen ihren eifrigen Bemühungen immer besseren Erfolg.                                    Sp.

Bruchsal, 13. Oktober 1877. Kolossale Dinge berichtet die
Howard-Gesellschaft über die Zustände in den amerikanischen Gefängnissen. Sie meint nicht ganz mit Unrecht, dass die Amerikaner, welche
in den letzten Jahren nach England gereist seien, um dieses Land zu
christianisiren, beziehungsweise ein höheres christliches Leben zu erwecken, trotz der Löblichkeit dieses Vorsatzes doch besser daran gethan haben würden, sich um die Gefängnisse des eigenen Landes zu
bekümmern, die sich in einem schrecklichen Zustand befänden. „Die
gewöhnlichen Gefängnisse der vereinigten Staaten," heisst es, „sind mit
einigen wenigen Ausnahmen, wie die unter der Direktion einer Quäcker-
dame stehende Weiber-Anstalt in Indianapolis, in einem weit schlech-
teren Zustand als es die englischen in den Tagen Howards waren.
Gegenwärtig sind dieselben schlechter als die spanischen und stehen
mit denen der uncivilisirten Türkei und Egyptens auf einer Stufe."

Die officiellen Berichte bestätigen dies zum Ueberfluss. So heisst
es z. B. im Bericht der pennsylvanischen Behörde des Staates Charities
(1877 S. 32): „Unsre Gefängnisse werden im Allgemeinen sehr sorglos
geleitet und die höheren Zwecke der Strafe völlig vernachlässigt. In
dem Gefängnisse Erie County's, das 41 Insassen hat, sind für die weiblichen Gefangenen keine besonderen Abtheilungen vorhanden; das Bettzeug ist unzulänglich, das Stroh wird in 6 Monaten nur einmal erneuert;
die Abzugsröhren sind nicht weit genug, was bedenkliche Folgen hat."
Vom Gefängnisse zu Fayette County wird gesagt: „Die faulen Stunden
werden mit Kartenspielen, Tanzen und Erzählen verbracht." (!!)

Was New-York betrifft, so heisst es von einem Gefängniss als
von einem Muster von vielen: „Jede Freiheit ist erlaubt; Mädchen werden insultirt, Knaben werden zu dem Scandal zügelloser geschlechtlicher
Excesse verleitet, die durch den Zellenverschluss nicht verhindert werden. (!!)

Dabei fehlt es den Leuten, die in schamloser Weise zusammengesperrt werden, nicht an ausgezeichneter Kost. —"

Doch genug an diesen Mittheilungen. Da sind allerdings schrei-
ende Missstände, die einem Lande zu grosser Unehre gereichen und
ein Volk nicht ruhen lassen sollten, bis es eines solchen Schandflecks
los geworden ist.                                                    Sp.

Unter der Presse befindet sich:

S t e v e n s, Generalinspector der Gefängnisse des Königreichs Belgien,
„Hygiene physique et morale des prisons cellulaires." Ein Band,
etwa 200 Seiten in 8⁰. Preis 6 Frcs.

Das Werk wird in 2 Theile zerfallen.

I. Im e r s t e n Theil werden behandelt: Wohnräume, Ventilation,
Heizung, Wasserversorgung, Aborteinrichtung, Mobiliar, Lagerung, Kleidung, Nahrung, Gesundheit der Gefangenen und der Bauten. Anhang.

II. Der z w e i t e Theil enthält

1) B e h a n d l u n g d e r G e f a n g e n e n. Allgemeine Bemerkungen. Untersuchungs- und Strafhaft, Strafanstalten. Aufnahme der Gefangenen, Classificirung, Pflichten der Gefangenen, Strafen, Belohnungen, Zellenbesuche.

2) A r b e i t. In den Gefängnissen und Strafanstalten. Art der
Arbeit. Aussenarbeit. Anleitung zur Arbeit. Körperliche
und geistige Einflüsse. Peculium.

3) U n t e r r i c h t. Schule, Unterrichtsplan, Stellung der Lehrer. Moralinstruction, Bibliothek.

4) G o t t e s d i e n s t. Stellung und Pflichten der Geistlichen.
Religionsunterricht. Zellenbesuche. Pflichten der Gefangenen. Kirche. Religiöse Uebungen.

5) Allgemeine Bemerkungen. Schluss. Anhang.

Das Werk wird nicht nur Bestehendes schildern, sondern sich
darüber verbreiten, wie die einzelnen Einrichtungen s e i n s o l l t e n.

Der Name des Verfassers bürgt für gediegene Leistung.

# Berichtigung.

Der Bericht im 1. und 2. Heft über die belgischen Gefängnisse bedarf einiger Ergänzungen, resp. Correcturen.

Zu S. 41. Belgien hat 30 Gefängnisse, darunter 2 m. pénitentiaires et de réforme.

Zu S. 42. Die m. d'arrêt sind für Gefangene, welche von 1 Tag bis 3 Jahr Gefängniss zu erstehen haben; die m. de sûreté für Gefangene von 1 Tag bis 5 Jahr.

Zu S. 43. Ein Jahr wird in 282 Tagen Einzelhaft, 20 Jahre in 9 Jahr 282 Tage erstanden. Für den ersten Monat der Gefangenschaft tritt keine Reduction ein.

Zu S. 44. Alte und gebrechliche Gefangene werden, und zwar die peinlich Verurtheilten nach Gent, die correctionell Verurtheilten nach Mons, provisorisch nach Huy verbracht.

Zu S. 45. Die Aufsichtscommissionen üben in gewissen Grenzen die Disciplinarstrafgewalt. Sie können dem niedern Dienstpersonal Ermahnungen und Verweise ertheilen, den Aufsehern Strafdienste auferlegen und sie mit Haus- und selbst mit gewöhnlichem Arrest bis zu 8 Tagen bestrafen.

Zu S. 46. Zur Bedachung wird z. Z. Zink verwendet.

Zu S. 47. Die Todesstrafe ist erst seit 17 Jahren nicht mehr zur Anwendung gekommen.

Zu S. 48. Corridore und Zellen werden mit viereckigen Backsteinen belegt, die sehr dauerhaft und leicht zu unterhalten seien.

Es werden z. Z. Versuche mit einer neuen Tischbettlade gemacht, die besser scheint, als die im Gebrauch Befindliche.

Zu S. 54. Das System der festen Abortsitze ist definitiv aufgegeben und werden tragbare Gefässe in einer Nische oder Oeffnung angebracht. Hierdurch ist die Communication mit den Galerien und Corridoren vermieden.

Zu S. 56. Das alte Brüsseler Gefängniss fasst bequem 500 Gef.

Zu S. 58. Louvain pénitencier hat 596 für Gefangene benutzbare Zellen.

Zu S. 66. Der Werth des Grund und Bodens und der Gebäude des Zuchthauses in Gent beziffert sich auf 4 Millionen Frcs.

# Personalnachrichten.

---

## I. Veränderungen.

### a. Baden.

Eisen, kath. Hausgeistlicher der Strafanstalten in Bruchsal, zum Stadtpfarrer in Ueberlingen ernannt.

Krauss, Pfarrverweser in Zeuthern, zum kath. Hausgeistlichen der Strafanstalten in Bruchsal ernannt.

### b. Preussen.

Bösenberg, Secret.-Assistent in Plötzensee, zum Inspector des Strafgefängnisses Gommern ernannt.

Böttcher, Reg.-Rath im Polizeipräsidium in Berlin, als Staats-Commissär zur Verwaltung des Bisthums Trier ernannt.

Dobschall, Arbeits-Inspector der Strafanstalt Görlitz, als Oeconomie-Inspector an die Strafanstalt Rawicz vorsetzt.

Langebartels, Arbeits-Inspector der Strafanstalt Lukau, als Oeconomie-Inspector an die Strafanstalt Rendsburg versetzt.

Wolf, Oberinspector der Strafanstalt Rendsburg, als commiss. Vorsteher an die Filialstrafanstalt Münster versetzt.

### c. Württemberg.

Köstlin v., Obertribunalrath und Canzleidirector des K. Justizministeriums erhielt den Titel und Rang eines Vicedirectors.

Kraus, ev. Hausgeistlicher des Zellengefängnisses Heilbronn, zum Pfarrer in Eschenau ernannt.

## II. Pensionirungen.

### Württemberg.

Nick, Justiz-Rath, Vorstand des Landesgefängnisses Rottenburg.

# Vereinsangelegenheiten.

~~~~~~~

### Neu eingetretene Mitglieder.

#### a. Baden.

Krauss, kath. Hausgeistlicher am Männerzuchthaus und Landesgefängniss Bruchsal.

#### b. Oldenburg.

Bultmann, ev. Hausgeistlicher der Strafanstalt Vechta.

#### c. Preussen.

Esser, Peter, Lehrer an der Strafanstalt Cöln.

Harting, Rendant und Oeconomie-Inspector der Strafanstalt Mewe.

Held v., Strafanstaltsdirector in Görlitz.

Natorp, Consistorial-Rath und Präsident der Rheinisch-Westphälischen
Gefängnissgesellschaft in Düsseldorf.

#### d. Sachsen.

Dillner, Pastor in Hoheneck bei Stolberg.

Gelbhaar, Dr. jur., Inspector der Strafanstalt Zwickau.

Lotichius, Bez.-Assessor, Hilfsarbeiter im Minist. des Innern in
Dresden.

#### e. Württemberg.

Buob, Oberamts-Richter, interm. Vorstand des Landesgefängnisses
Rottenburg.

Frey, Kaplan, Geistlicher an der Strafanstalt Gotteszell.

Häcker, Kreisgerichts-Rath in Stuttgart.

Hermann, Kreisgerichts-Rath in Stuttgart.
Hochstetter, Kreisgerichtsrath, Oberstaatsanwalt in Heilbronn.
Hölder, v., Obermedizinalrath in Stuttgart.
Lenz, Dr., Oberstaatsanwalt in Stuttgart.
Nestle, Staatsanwalt in Stuttgart.
Reiffsteck, Dr., Oberamtsarzt, Arzt des Landesgefängnisses Rottenburg.
Riess, Dr., Stadt-Pfarrer und Geistlicher der Strafanstalt Ludwigsburg.

## Ausgetretene Mitglieder.

### a. Hamburg.

Giegling, J. H., Beamter des Zuchthauses Hamburg.

### b. Preussen.

Jordan, Pastor, ev. Geistlicher der Strafanstalt Münster.
Märker, Inspektor des Landarmen- und Correct.-Hauses Prenzlau.
Wagner, Lehrer am Seminar zu Fulda.

# Rechnungsauszug.

A. Nachweisung über Einnahmen und Ausgaben vom 22. Januar 1876 bis 8. Januar 1877. (XI. Band des Vereinsorgans.)

## I. Einnahmen.

1. Casse-Rest aus voriger Rechnung . . . . . . . . . 4 ℳ 53 ₰
2. Beiträge der Mitglieder:

| | | | | | | | | | | |
|---|---|---|---|---|---|---|---|---|---|---|
| pro 1875 | 6 | Mitglieder | à 4 | ℳ | — | ₰ | ℳ | 24 | — | ₰ |
| | 5 | „ | „ 1 | „ | — | „ | „ | 5 | — | „ |
| | 1 | „ | „ 8 | „ | — | „ | „ | 3 | — | „ |
| „ 1876 | 409 | „ | „ 4 | „ | — | „ | „ | 1636 | — | „ |
| | 1 | „ | „ 1 | „ | — | „ | „ | 1 | — | „ |
| | 2 | „ | „ 2 | „ | — | „ | „ | 4 | — | „ |
| „ 1877 | 26 | „ | „ 4 | „ | — | „ | „ | 104 | — | „ |
| | 2 | „ | „ 1 | „ | — | „ | „ | 2 | — | „ |
| | 2 | „ | „ 3 | „ | — | „ | „ | 6 | — | „ |
| | 1 | „ | „ 1 | „ | — | „ | „ | 1 | — | „ |
| | 1 | „ | „ 2 | „ | 20 | „ | „ | 2 | 20 | „ |
| „ 1878 | 1 | „ | „ 4 | „ | — | „ | „ | 4 | — | „ |
| „ 1879 | 1 | „ | „ 1 | „ | 20 | „ | „ | 1 | 20 | „ |

ℳ 1793 40 ₰

Beiträge von 89 Mitgliedern aus Oesterreich à 4 M. . . . . . . . . . ℳ 356 — ₰

2149 ℳ 40 ₰

3. Absatz von Heften früherer Jahre . . . . . . . . 36 ℳ — ₰
4. „ „ „ durch G. Weiss Buchhandlung in Heidelberg . . . . . . . . . . . . . . . . 487 ℳ 35 ₰
5. Rückerhobene Kapitalien . . . . . . . . . . . . . 1160 ℳ — ₰
6. Sonstige Einnahmen . . . . . . . . . . . . . 4 ℳ — ₰

Summa der Einnahmen 3841 ℳ 28 ₰

## II. Ausgaben.

1. Druck des Vereinsorgans . . . . . . . . . . 1161 ℳ 40 ₰
2. Buchbinderlöhne, Papier etc. . . . . . . . . . 202 ℳ 89 ₰
3. Einrichtungsgegenstände . . . . . . . . . . — „ — „
4. Belohnungen:
   a. für literarische Arbeiten . . . . . 90 ℳ — ₰
   b. „ Büreau- und Cassenführung . . 370 „ — „
   c. dem Diener . . . . . . . . . . . 25 „ — „

485 ℳ — ₰

5. Kapital-Anlage . . . . . . . . . . . . . . . 1500 ℳ — ₰
6. Versendungskosten . . . . . . . . . . . . . 211 ℳ 63 ₰

Uebertrag 3560 ℳ 92 ₰

Uebertrag 3560 ℳ 92 ₰

7. Ankauf von Vereinsheften früherer Jahre . . . . . 47 ℳ — ₰
8. Für Literatur . . . . . . . . . . . . . 4 ℳ — ₰
9. Reisekosten zur Versammlung des rheinisch westphäl.
    Gefängniss-Vereins . . . . . . . . . . . . 120 ℳ — ₰
10. Uneigentliche Ausgaben (Ziff. 6. d. Einnahme) . . . 3 ℳ — ₰

Summa der Ausgaben 3734 ℳ 92 ₰

Die Einnahmen betragen 3841 ℳ 28 ₰
„ Ausgaben „ 3734 „ 92 „
somit Casse-Rest 106 ℳ 36 ₰

## B. Vermögens-Berechnung.

1. Casse-Best auf heute . . . . . . . . . . . 106 ℳ 36 ₰
2. Rückständige Beiträge
    pro 1875. 18 Mitglieder à 4 ℳ . . ℳ 72
    2 „ „ 1 „ . . „ 2
    „ 1876. 48 „ „ 4 „ . . „ 192
    „ „ 2 „ „ 1 „ . . „ 2
    „ „ 1 „ „ 2 „ . . „ 2
    270 ℳ — ₰
3. Guthaben bei der Weiss'schen Buchhandlung in Hei-
    delberg . . . . . . . . . . . . . . . — ℳ — ₰
4. Guthaben bei der Gewerbebank Bruchsal . . . . . 2066 ℳ 23 ₰

Zusammen 2442 ℳ 59 ₰

Hievon ab die pro 1877 und ff. bereits erhobenen
Beiträge . . . . . . . . . . . . . . . 120 ℳ 40 ₰

Bleibt baares Reinvermögen 2322 ℳ 19 ₰
Dazu das Vereinsinventar . . . . . . . . . 300 ℳ — ₰
Gesammt-Vermögensstand 2622 ℳ 19 ₰

Bruchsal, 8. Januar 1877.

## Der Vereinsausschuss.

# Inhalt.

## Zur Nachricht.

Zum XII. Band wird später noch der 1876er Bruchsaler Jahresbericht ausgegeben werden, womit der Band schliesst. Indess beginnt sofort der Druck der Stuttgarter Verhandlungen, welche sodann als 1. und 2. Heft des XIII. Bandes in Bälde erscheinen.

**Die Redaction.**

# Blätter

## für

# Gefängnisskunde.

—•◦×◦×◦•—

## Organ des Vereins der deutschen Strafanstalts-Beamten.

### Redigirt

#### von

# Gustav Ekert,

Direktor des Zellengefängnisses in Bruchsal, Präsident des Ausschusses des Vereins der deutschen Strafanstaltsbeamten, Ehrenmitglied des schweizerischen Vereins für Straf- und Gefängnisswesen, corresp. Mitglied der „Howard Association" in London und der „Société générale des Prisons" in Paris, Ritter I. Cl. des Grossh. Bad. Zähringer Löwenordens mit Eichenlaub, Ritter des Königl. Preuss. Kronenordens III. Cl., Ritter I. Cl. des Königl. Bayer. Verdienstordens vom heiligen Michael, Ritter des Königl. Sächs. Albrecht Ordens, Ritter I. Cl. des Ordens der Württembergischen Krone.

～～～～～

## Zwölfter Band, 5. Heft.

enthaltend den Jahresbericht des Männerzuchthauses Bruchsal für 1876.

**Heidelberg.**

Universitäts-Buchhandlung von G. Weiss.

Druck von J. Grossmann in Bruchsal.

**1878.**

# Jahresbericht

über

## Zustände und Ergebnisse

des

# Männerzuchthauses

## Bruchsal

während des Jahres

## 1876.

# Jahresbericht

des

# Vorstehers für 1876.

~~~~~~~~~

## I. Bauten.

Im Laufe des Jahres 1876 wurden Verhandlungen wegen Herstellung des Altarbilds in die Kirche gepflogen, die Anfertigung aber noch nicht begonnen.

Die Corridore und Zellen wurden neu getüncht.

Erbaut wurde ein Holzschuppen beim II. Flügel an Stelle des untauglich gewordenen älteren. Dringend zu wünschen wären noch folgende, zum Theil schon im Jahresbericht für 1875 beantragte Herstellungen:

1) Anstrich der Spazierhöfe.

2) Herstellung der übrigen Senkgruben, insbesondere auch bei den Beamtenwohnungen, in gleicher Weise wie bei den 4 Flügeln.

3) Herstellung der ganz zerrissenen und für die Dauer nicht zu reparirenden Umgebung der Senkgrubenöffnungen bei den Flügeln.

4) Herstellung einer Thüre aus dem Krankenhaus unmittelbar in den Krankenhof.

5) Einfriedigung des Anstaltseigenthums gegen die Strasse.

6) Herstellung eines weiteren Holzmagazins für die Schreinerei.

7) Ableitung des Abwassers in Flügel I. und IV., wie solche bereits in Flügel II. und III. besteht.*)

## II. Personal.

1) Beim höheren Beamtenpersonal kamen keine Veränderungen vor; dessgleichen

---

*) Nr. 7 ist indess vollführt, über Nr. 1—6 sind Verhandlungen im Gang.

2) keine beim **Kanzleipersonal.**

3) **Aufsichtspersonal:**

Oberaufseher **Kornmaier**, zum Gefangenwärter in Heidelberg ernannt, trat am 16. Februar aus dem Dienst. Mit ihm verloren wir einen wackern, braven und pflichteifrigen Bediensteten, der während fast 26 Jahren mit grosser Treue und segensreichem Erfolg seinen Beruf versehen hat. An seiner Stelle wurde der Feldwebel im 4. bad. Infanterie-Regiment Prinz Wilhelm Nr. 112 Gregor **Schmitt** aus Gamshurst durch Verfügung hohen Ministeriums vom 4. April Nr. 3018 in provisorischer Weise und zur Probe, sodann durch Verfügung vom 9. November Nr. 9752 definitiv zum Oberaufseher ernannt. Sein Dienstantritt fand statt am 30. April.

Beim übrigen Personal kamen ziemlich viele Veränderungen vor.

## III. Organisation.

Durch Gesetz vom 26. Mai, verkündet im Gesetzes- und Verordnungsblatt Nr. XXII. Seite 145 u. ff. sind die dienstlichen Verhältnisse der Angestellten der Civilstaatsverwaltung neu geregelt worden. Zur Ausführung des Gesetzes wurde die Anlage und Fortführung einer Liste von der vorgesetzten Behörde angeordnet, in welche die der diesseitigen Verwaltung untergebenen mit Ministerial-Decret Angestellten, soweit sie noch nicht unwiderruflich angestellt sind, also das 5. Dienstjahr noch nicht zurückgelegt haben, eingetragen werden, dessgleichen diejenigen Bediensteten, welche künftig ihre Anstellung mittelst Ministerial-Decret erhalten, um hienach controliren zu können, ob eine Verlängerung der Probezeit einzutreten habe oder sonstige Vorkehr wegen des Ablaufs der provisorischen Anstellungszeit nöthig sei.

Die Einrufung der Anwärter für Aufseherstellen in Dienst soll künftig in der Regel durch Anstellung als Hilfsaufseher geschehen und eine Ernennung zum provisorischen Aufseher nicht mehr stattfinden. Die Hilfsaufseher erhalten die Uniform der bisherigen provisorischen Aufseher.

Durch Ministerial-Verfügung vom 18, November 1876 Nr. 10126 wurde der Antrag der Verwaltung genehmigt, die im gemeinschaftlichen Arbeitssaal befindlichen Gefangenen über die Zeit des Frühstücks und Mittagessens in der Zelle zu verwahren.

## IV. Zustand der Strafanstalt.

An demselben hat sich im Wesentlichen nichts geändert. Gegen Ende des Jahres stieg der Personalstand der Art, dass eine Anzahl Eingelieferte einstweilen im Amtsgefängniss untergebracht werden musste. Mit Jahresschluss konnten nicht alle dieser provisorisch Verwahrten zurückgenommen werden und betrug der Personalstand 416 gegen 409 ihm Jahr 1875.

Briefe an Gefangene sind im Ganzen 1474 angekommen.

## V. Zur Statistik.

### Zu 1 A.

Der Zugang betrug 244 (gegen 188 von 1875, also 56 mehr).

### Zu 1 B. und C.

Die Zahl der Gefangenen, welche länger als 3 Jahre da sind, betrug Ende 1876 76 (gegen 75 im Jahr 1875).

### Zu 1 E.

Die Gesammtzahl der militärgerichtlich Verurtheilten ist von 22 auf 37 gestiegen; die Zahl der auf 31. Dezember Anwesenden ist 29 gegen 22 im vorigen Jahr.

### Zu 1 G.

Die Zahl der über 40 Jahre alten Gefangenen ist gegen 1875 von 24 auf 21,39 Procent gefallen.

# VI. Statistik.

## I. Uebersicht der Gefangenenzahl.

### A. Im Allgemeinen.

| | Mann. |
|---|---:|
| I. Der Personalstand der Gefangenen war am 1. Januar 1876 . . . . . . . . . . | 409 |
| II. Zugegangen sind . . . . . . . . . | 244 |
| | 653 |

III. Abgegangen sind und zwar:
  A. durch Entlassung:

| | | |
|---|---:|---:|
| 1. Nach vollständig erstandener Strafe ur en nach Hause entlassen . . . | 93 | |
| 2. Mit Erlassung eines Theils der Strafe im Gnadenwege . . . . . . . | 4 | |
| 3. Nach §. 23 des R.-St.-G.-B. vorläufig entlassen . . . . . . . . . . | 30 | |
| 4. Beurlaubt in die Heimath wegen Krankheit . . . . . . . . . . . . | 1 | |
| 5. In das Landesgefängniss Bruchsal abgeliefert . . . . . . . . . . | 93 | |
| 6. In das Amtsgefängniss Bruchsal abgeliefert . . . . . . . : . . | 13 | |
| B. Durch Tod . . . . . . . . . . . . | 3 | 237 |
| IV. Stand am 31. Dezember 1876 . . . . . | | 416 |

V. Der durchschnittliche Personalstand betrug:

| | |
|---|---:|
| Januar . . . . | 407,35 |
| Februar . . . . | 409,44 |
| März . . . . | 404,06 |
| April . . . . | 412,50 |
| Mai . . . . | 407,74 |
| Juni . . . . | 406,56 |
| Juli . . . . | 408,70 |
| August . . . . | 399,96 |
| September . . . . | 398,46 |
| Oktober . . . . | 410,48 |
| November . . . . | 415,23 |
| Dezember . . . . | 415,54 |

Gesammtzahl der Verpflegungstage: 149331.

Durchschnittsstand pro Jahr . . . 408.

Höchster Stand: 26. Dezember . . 423.

Niederster „ - 4. September . . 393.

## B. Nach der Zeit der Einlieferung.

Von den 409 Gefangenen (Personalstand am 1. Januar 1876) wurden eingeliefert:

| Im Jahr | Zahl am 1.Jan. 1876 a. | davon sind | | Summa des Ab- gangs 1876 | Rest- zahl am 31. Dezbr. 1876 b. | % nach | |
|---|---|---|---|---|---|---|---|
| | | gestor- ben | entlas- sen | | | a. | b. |
| | | im Jahr 1876 | | | | | |
| 1852 | 1 | — | — | — | 1 | 0,25 | 0,24 |
| 1860 | 1 | — | — | — | 1 | 0,25 | 0,24 |
| 1863 | 1 | — | — | — | 1 | 0,25 | 0,24 |
| 1864 | 1 | — | — | — | 1 | 0,25 | 0,24 |
| 1865 | 1 | — | — | — | 1 | 0,25 | 0,24 |
| 1867 | 3 | — | — | — | 3 | 0,73 | 0,72 |
| 1868 | 6 | — | 2 | 2 | 4 | 1,46 | 0,97 |
| 1869 | 6 | — | 1 | 1 | 5 | 1,46 | 1,20 |
| 1870 | 10 | — | 3 | 3 | 7 | 2,40 | 1,60 |
| 1871 | 17 | — | 3 | 3 | 14 | 4,14 | 3,36 |
| 1872 | 28 | — | 13 | 13 | 15 | 6,80 | 3,60 |
| 1873 | 49 | 1 | 25 | 26 | 23 | 11,90 | 5,51 |
| 1874 | 108 | — | 57 | 57 | 51 | 26,62 | 12,20 |
| 1875 | 177 | 1 | 86 | 87 | 90 | 43,24 | 21,64 |
| | 409 | 2 | 190 | 192 | 217 | — | — |
| Zugang 1876 | 244 | 1 | 44 | 45 | 199 | — | 48,00 |
| Summa | 653 | 3 | 234 | 237 | 416 | | |

## C. Mit Unterscheidung zwischen Einzelhaft und Gemeinschaft.

1. Am 1. Januar 1876 befanden sich in Gemeinschaft des Männerzuchthauses . . . . 15 Mann.

Hievon sind im Laufe des Jahres

a. zugegangen . . . . . 1 „
_____
16 „

b. abgegangen . . . . . 4 „
_____

Rest auf 31. Dezember 1876 . . 12 Mann, also von der Gesammtzahl 4 und von der Restzahl 3 weniger als 1875.

Von der Restzahl 12 auf 31. Dezember 1876 sind 2 ständig in Krankenpflege, und 3 andere meist auf der Zelle, daher nur 7 im gemeinschaftlichen Saal anwesend.

2. Von den auf 31. Dezember 1876 verbliebenen Strafgefangenen sind nach Tabelle B. 17 im Jahr 1869 und früher eingeliefert. Von diesen sind 5 (1852, 1863, 1865, 1868, 1869) in Gemeinschaft versetzt; 4 befinden sich wirklich im Saal, 1 in Krankenpflege, 12 auf der Zelle.

3. Länger als 3 Jahre befanden sich auf 31. Dezember 1876 76 Gefangene in der Strafanstalt, davon 7 in Gemeinschaft.

Im Laufe des Jahres 1876 legten 30 Gefangene das 3. Jahr ihrer Haft zurück. Hievon war 1 bereits in Gemeinschaft versetzt, von den übrigen 29 erklärten sich 28 für Fortdauer der Einzelhaft und zwar:

a. für den ganzen Rest ihrer Strafe und zwar mit Strafresten bis 10 Jahren . . . 26
b. für 2 Jahre 2 lebenslänglich Verurtheilte 2
_____
28

Bei 7 Gefangenen war die Frist umlaufen, auf welche sich solche für Einzelhaft erklärt hatten. Drei Lebenslängliche entschieden sich, für je ein weiteres Jahr, 2 Gefangene für den ganzen Strafrest von 6 und 10 Jahren, 2 andere für ebenfalls ein weiteres Jahr in Einzelhaft bleiben zu wollen.

Der bereits in Gemeinschaft befindliche Gefangene erklärte, dass er die Einzelhaft vorziehen würde, wenn dies sein Zustand zuliesse.

Für Gemeinschaftshaft entschied sich kein Gefangener.

Der Stand der Zuchthausgefangenen im Landesgefängniss war am 1. Januar 1876 . . . 40

Zugegangen sind 1876 aus dem Männerzuchthaus : 93

„ „ „ aus Urlaub wegen Widerruf etc. . . . . . . . . 4

Summa 137

Abgegangen sind . . . . . . 65

Stand am 31. Dezember 1876 . . . . 72

Die Zahl hat sich also um 32 erhöht.

## D. Nach der Natur der Verbrechen.

| Bezeichnung der Verbrechen. | Stand am 1. Januar 1876. | Zugang. | Summa. a. | Abgang. | Stand am 31. Dez. 76. b. | % nach a. | % nach b. |
|---|---|---|---|---|---|---|---|
| Widerstand gegen die Staatsgewalt | 1 | — | 1 | — | 1 | 0,015 | 0,024 |
| Meineid | 8 | 5 | 13 | 4 | 9 | 1,99 | 2,16 |
| Doppelehe | — | 2 | 2 | — | 2 | 0,31 | 0,48 |
| Blutschande | 12 | 2 | 14 | 6 | 8 | 2,14 | 1,92 |
| Verführung von Kindern | 36 | 25 | 61 | 25 | 36 | 9,34 | 8,65 |
| Gewaltsame Unzucht | 20 | 17 | 37 | 8 | 29 | 5,66 | 6,96 |
| Unzucht mit Willenlosen | 8 | 2 | 5 | 4 | 1 | 0,76 | 0,24 |
| Mord | 30 | 2 | 32 | 2 | 30 | 4,91 | 7,22 |
| Todtschlag | 21 | 3 | 24 | 4 | 20 | 3,67 | 4,82 |
| Kindsmord | 2 | — | 2 | — | 2 | 0,31 | 0,48 |
| Abtreibung der Leibesfrucht | 1 | 1 | 2 | 1 | 1 | 0,31 | 0,24 |
| Tödtung | 6 | — | 6 | 4 | 2 | 0,92 | 0,48 |
| Körperverletzung | 11 | 2 | 13 | 3 | 10 | 1,99 | 2,40 |
| Diebstahl und Hehlerei | 184 | 130 | 314 | 145 | 169 | 48,08 | 40,62 |
| Unterschlagung | 2 | 1 | 3 | — | 3 | 0,46 | 0,72 |
| Raub | 14 | 1 | 15 | 1 | 14 | 2,89 | 3,38 |
| Betrug | 14 | 17 | 31 | 15 | 16 | 4,75 | 3,64 |
| Urkundenfälschung | 11 | 11 | 22 | 6 | 16 | 3,37 | 3,64 |
| Bankerutt | 1 | 4 | 5 | — | 5 | 0,77 | 1,20 |
| Brandstiftung | 25 | 7 | 32 | 4 | 28 | 4,91 | 6,73 |
| Andere gemeingefährliche Verbrechen | — | 1 | 1 | — | 1 | 0,015 | 0,024 |
| Militärische Verbrechen | 7 | 11 | 18 | 5 | 13 | 2,76 | 3,12 |
| **Summa** | 409 | 244 | 653 | 237 | 416 | | |

## E. Mit Unterscheidung nach dem Bezirk der urtheilenden Gerichte.

| | Stand am 1. Januar 1876. | Zugang. | Summa a. | Abgang. | Stand am 31. Dez. 76. b. | % nach a. | b. |
|---|---|---|---|---|---|---|---|
| Constanz . . . . . . . . . | 79 | 47 | 126 | 59 | 67 | 19,19 | 16,35 |
| Freiburg . . . . . . . . . | 60 | 34 | 94 | 24 | 70 | 14,41 | 16,82 |
| Offenburg . . . . . . . . | 32 | 23 | 55 | 18 | 37 | 8,43 | 8,90 |
| Carlsruhe . . . . . . . . | 80 | 42 | 122 | 47 | 75 | 18,68 | 18,03 |
| Mannheim . . . . . . . . | 136 | 83 | 219 | 81 | 138 | 33,54 | 33,10 |
| Militärgerichte . . . . . . | 22 | 15 | 37 | 8 | 29 | 5,55 | 6,90 |
| Summa | 409 | 244 | 653 | 237 | 416 | | |

## F. Nach der Dauer der verhängten Strafe.

Strafdauer.      (in Gemeinschaft.)

| | Stand am 1. Januar 1876. | Zugang. | Summa a. | Abgang. | Stand am 31. Dez. 76. b. | % nach a. | b. |
|---|---|---|---|---|---|---|---|
| 1 und 9 Monate . . . . . . | — | 7 | 7 | 7 | — | 1,01 | — |
| 1 Jahr . . . . . . . . . | 21 | 10 | 31 | 25 | 6 | 4,75 | 1,49 |
| 1 bis 2 Jahr incl. . . . . . . | 114 | 119 | 233 | 118 | 115 | 35,69 | 27,49 |
| 2 „ 3 „ . . . . . . | 87 | 64 | 151 | 53 | 98 | 23,12 | 23,10 |
| 3 „ 4 „ . . . . . . | 37 | 10 | 47 | 11 | 36 | 7,19 | 8,69 |
| 4 „ 5 „ . . . . . . | 24 | 14 | 38 | 7 | 31 | 5,83 | 7,42 |
| 5 „ 6 „ . . . . . . | 22 | 7 | 29 | 7 | 22 | 4,43 | 5,31 |
| 6 „ 7 „ . . . . . . | 20 | 4 | 24 | 2 | 22 | 3,68 | 5,31 |
| 7 „ 8 „ . . . . . . | 11 | 3 | 14 | 3 | 11 | 2,14 | 2,69 |
| 8 „ 9 „ . . . . . . | 4 | 2 | 6 | 2 | 4 | 0,93 | 0,99 |
| 9 „ 10 „ . . . . . . | 12 | 1 | 13 | 1 | 12 | 1,97 | 2,89 |
| 10 „ 15 „ . . . . . . | 25 | 2 | 27 | 1 | 26 | 4,13 | 6,29 |
| 15 „ 20 „ . . . . . . | 9 | — | 9 | — | 9 | 1,37 | 2,10 |
| 20 „ 30 „ . . . . . . | 1 | — | 1 | — | 1 | 0,16 | 0,24 |
| lebenslänglich . . . . . . | 22 | 1 | 23 | — | 23 | 3,52 | 5,59 |
| Summa | 409 | 244 | 653 | 237 | 416 | | |

## G. Nach dem Lebensalter.

Alter*

| | Stand am 1. Januar 1876. | Zugang. | Summa a. | Abgang. | Stand am 31. Dez. 76. b. | % nach a. | b. |
|---|---|---|---|---|---|---|---|
| 18 Jahre . . . . . . . . | 2 | — | 2 | — | 2 | 0,31 | 0,48 |
| 19 „ . . . . . . . . | 11 | 3 | 14 | 1 | 13 | 2,14 | 3,12 |
| 20 und 21 Jahre . . . . . . | 18 | 14 | 32 | 4 | 28 | 4,90 | 6,73 |
| 22 bis 30 „ . . . . . . | 145 | 87 | 232 | 75 | 157 | 35,52 | 37,74 |
| 31 „ 40 „ . . . . . . | 133 | 74 | 207 | 80 | 127 | 31,81 | 30,54 |
| 41 „ 50 „ . . . . . . | 61 | 34 | 95 | 39 | 56 | 14,52 | 13,46 |
| 51 „ 60 „ . . . . . . | 30 | 18 | 48 | 27 | 21 | 7,33 | 5,05 |
| 61 „ 70 „ . . . . . . | 8 | 10 | 18 | 8 | 10 | 2,73 | 2,40 |
| über 70 „ . . . . . . | 1 | 4 | 5 | 3 | 2 | 0,74 | 0,48 |
| Summa | 409 | 244 | 653 | 237 | 416 | | |

* Nach dem Stand vom 31. Dezember 1876.

## Nach dem Familienstande.

| | Stand am 1. Januar 1876. | Zugang. | Summe. a. | Abgang. | Stand am b. 31. Dez. 76. | %/o nach a. | %/o nach b. |
|---|---|---|---|---|---|---|---|
| Ledig . . . . . . . . . | | | 442 | | | | |
| Verheirathet. . . . . . . | | | | | | 26,49 | |
| Wittwer . . . . . . . . | | | | | | 5,67 | |
| Summa | 409 | | 653 | 416 | | | |
| Es haben Kinder . . . . . . | | | | | | 27,26 | 4 |
| Es sind kinderlos . . . . . . | | | 475 | | 289 | 72,74 | 6 |
| Summa | 409 | | 653 | 416 | | | |

### Nach den Gewerbskenntnissen.

| | | | | | | | |
|---|---|---|---|---|---|---|---|
| Gewerbskundige . . . . . . | | | 366 | | | 56,07 | 54,33 |
| Ohne Gewerbe . . . . . . | | | | | | 18 | |
| Aus gebildetem Stand . . . . | | | | — | | 0,75 | |
| Summa | 409 | | 653 | 416 | | | |

### K. Nach dem Vermögen.

| | | | | | | | |
|---|---|---|---|---|---|---|---|
| Vermögliche . . . . . . . | | | | | | | 2 |
| Vermögen zu hoffen . . . . . | | | | | | | 9 |
| Vermögenslos . . . . . . | | | 538 | | | 82,38 | 9 |
| Summa | 409 | | 653 | 416 | | | |

### L. Nach der Religion.

| | | | | | | | |
|---|---|---|---|---|---|---|---|
| Katholiken . . . . . . . | | | 394 | | | | 4 |
| Protestanten . . . . . . . | | | | | | | 50 |
| Israeliten . . . . . . . | | | | | | 0,96 | |
| Summa | 409 | | 653 | 416 | | | |

### M. Nach der Heimath.

| | | | | | | | |
|---|---|---|---|---|---|---|---|
| Badener . . . . . . . | | | 472 | | | 27,12 18 | 27,66 14 |
| Nichtbadener . . . . . . | | | | | | | |
| Summa | 409 | | 653 | 416 | | | |
| Baiern . . . . . . . | | | | | | 30 | 75 |
| Elsass-Lothringer . . . . . | | | | — | | 1,68 | 2,63 |
| Hessen . . . . . . | | | | | | 9,39 | 8,69 |
| Preussen . . . . . . | | | | | | 12,16 | 13,97 |
| Sachsen . . . . . . | | | | | | 1,10 | 0,87 |
| Sachsen-Meininger . . . . . | | | | — | | 0,55 | 0 |
| Sachsen-Weimarer . . . . . | | | | | | 0,55 | |
| Württemberger . . . . . | | | | | | 37 | 38,26 |
| Oesterreicher . . . . . | | | | | | 2,21 | |
| Schweizer . . . . . . | | | | | | 6,09 | |
| Franzosen . . . . . . | | | | — | | 0,55 | — |
| Italiener . . . . . . | | | | — | | 2,21 | 2,63 |
| Russen . . . . . . | | | | | | 2,21 | 1,69 |
| Ostindier . . . . . . | | | | — | | 0,55 | 0,87 |
| Summa | | | | | | | |

## N. Nach der Unterscheidung zwischen Dieben und sonstigen Verbrechern.

| | Stand am 1. Januar 1876. | Zugang. | Summa. | Abgang. | Stand am 31. Dez. 76. | % nach a. | % nach b. |
|---|---|---|---|---|---|---|---|
| Diebe . . . . . . . . . . | 182 | 133 | 315 | 146 | 169 | 48,₂₄ | 40,₆₄ |
| Sonstige Verbrecher . . . . . | 227 | 111 | 338 | 91 | 247 | 51,₇₆ | 59,₃₆ |
| Summa | 409 | 244 | 653 | 237 | 416 | | |

## O. Nach dem Grade ihrer Bildung.

Von den 244 im Laufe des Jahres (1876) Eingelieferten waren des Lesens und Schreibens unkundig: 4 (Badener).

## P. Uneheliche Geborene

befanden sich unter 409 am 1. Januar 1876

Verhafteten . . . . . 93 oder 22,₇₄%

Unter den 244 im Jahre 1876 zugegangenen 53 „ 21,₇₂%

Davon sind verurtheilt:

| | |
|---|---|
| wegen Hehlerei . . . . | 1 |
| „ Fälschung von Urkunden . . | 2 |
| „ Betrug . . . . . | 5 |
| „ betrüglichem Bankerutt . . | 1 |
| „ Diebstahl . . . . | 81 |
| „ Brandstiftung . . . . | 6 |
| „ militärischen Verbrechen . . | 6 |
| „ Blutschande . . . . | 3 |
| „ unzüchtiger Handlungen mit Kindern | 16 |
| „ Beischlaf mit einer Willenlosen . | 1 |
| „ Versuch zu einem solchen Beischlaf | 1 |
| „ Beihilfe zur Abtreibung der Leibesfrucht | 1 |
| „ Nothzuchtsversuch . . . | 1 |
| „ Nothzucht . . . . . | 2 |
| „ Körperverletzung . . . . | 1 |
| „ Tödtung . . . . . | 1 |
| „ Todtschlagsversuch . . . | 1 |
| „ Todtschlag . . . . | 2 |

Uebertrag 132

|                               |        |
|-------------------------------|--------|
| Uebertrag                     | 132    |
| wegen Mordversuch . . . .     | 2      |
| „ Theilnahme an Kindsmord . . | 2      |
| „ Mord . . . . .              | 6      |
| „ Raub . . . . .              | 3      |
| „ Raubmord . . . . .          | 1      |
|                               | 146    |

### Sodann nach dem Alter.

|                          |     |
|--------------------------|-----|
| 20 und 21 Jahre . . .    | 8   |
| 22 bis 30 „ . . .        | 60  |
| 31 „ 40 „ . . .          | 40  |
| 41 „ 50 „ . . .          | 26  |
| 51 „ 60 „ . . .          | 9   |
| 61 „ 70 „ . . .          | 3   |
|                          | 146 |

### Nach der Religion.

|                      |     |
|----------------------|-----|
| a. Katholiken . . .  | 94  |
| b. Protestanten . . .| 52  |
|                      | 146 |

## 2. Disciplinarstrafen.

Im Jahre 1876 wurden 105 Sträflinge wegen Vergehen gegen die Hausordnung mit 160 Strafen belegt.

### Bezeichnung der Disciplinarvergehen:

|                                                      |    |
|------------------------------------------------------|----|
| 1. Unfolgsamkeit . . . . . .                         | 8  |
| 2. Ungehöriges Betragen gegen Vorgesetzte            | 22 |
| 3. Vergehen gegen die Ordnung in der Kirche .        | 11 |
| 4. „ „ „ „ „ „ Schule .                              | 3  |
| 5. Sachbeschädigung:                                 |    |
|    a. Verderben von Brod . . . .      | 13 |
|    b. „ „ Speisen . . . .             | 1  |
| 6. Sonstige Beschädigungen . . . .                   | 10 |
| 7. Ungebührliches Betragen gegen Mitgefangene:       |    |
|    Schimpfen . . . . . .              | 1  |
|                                                      | Uebertrag 69 |

Uebertrag 69

8. Ruhestörung:
  a. Klopfen . . . . . . 5
  b. lautes Sprechen . . . . . 3
  c. Schreien . . . . . . 2
  d. Pfeifen . . . . . . 1
9. Vergehen gegen die Reinlichkeit . . . 3
10. Verbotenes Benehmen mit Mitgefangenen:
  a. heimliche Correspondenz . . . 34
  b. Sprechen miteinander . . . . 2
  c. Leihen . . . . . . 4
11. Andere Ordnungswidrigkeiten:
  a. Hinaussehen zum Fenster . . . 6
  b. Verbotener Besitz von Gegenständen 4
  c. Verspotten der Schildwache . . . 1
  d. Verschreiben der Wände in den Spazierhöfen 4
  e. Unbotmässigkeit in einem Brief . . 1
12. Vergehen bezüglich der Beschäftigung:
  a. Arbeitsverweigerung . . . . —
  b. Trägheit und Nachlässigkeit . . . 11
  c. Ordnungswidrige Behandlung des Geräths und
     Materials . . . . . . 9
13. Fluchtversuch . . . . . . 1
                                        ———
                                        160

Obige hauspolizeiliche Vergehen wurden wie folgt
bestraft:
  a. mit Hungerkost: 83
     1 Tag . . . 39
     2 Tage . . . 36
     3 „ . . . 7 .
     8 „ . . . 1
                      ———
                             83
  b. mit Dunkelarrest: 44
     6 Stunden . . . 1
     1 Tag . . . . 17
     2 „ . . . . 14
     3 „ . . . . 12
                      ———
                             44
                      Uebertrag 127

Uebertrag 127

c. mit Zellenhaft: 2

    auf 4 Wochen . . 2

                                              2

d. Entziehung von Kost: 14

    Kostminderung . . 2

    Entziehung der Brodzulage 1

    kein Brod auf 1 Tag . 1

    „ „ „ 3 Tage : 7

    „ „ „ 4 „ 2

    „ „ „ 8 „ 1

                                              14

e. Entziehung des Schnupftabaks: 6

    auf unbestimmte Zeit . 4

    „ einen Monat . . 2

                                              6

f. Strafstuhl: 6

    auf 3 Stunden . . . 1

    „ 4 „ . . . 1

    „ 6 „ . . . 4

                                              6

g. Versetzung in die Zelle . . . 1

h. Verweise . . . . . 2

i. Schadenersatz . . . . 2

                                            160

Der Dunkelarrest wurde theilweise durch Hungerkost bezw. Entziehung des Bettes verschärft.

Die 105 Gefangenen, gegen welche Disciplinarstrafen erkannt wurden, sind folgender Verbrechen wegen verurtheilt:

a. wegen Diebstahls 56, von diesen wurden 1 mal bestraft 38

                              „ „ „ 2 „ „ 11=22

                              „ „ „ 3 „ „ 4=12

                              „ „ „ 4 „ „ 2= 8

                              „ „ „ 7 „ „ 1= 7

b. wegen Hehlerei 1, „ „ „ 1 „ „ 1= 1

c.   „ Betrug 4, „ „ „ 1 „ „ 4= 4

d. wegen Mord 1, von diesen wurden 1 mal bestr. 1= 1

e.   „ Mordvers. 2, „ „ „ 1 „ „ 1= 1

Uebertrag 64                                         Uebertrag 94

| | | | | | | | | | | |
|---|---|---|---|---|---|---|---|---|---|---|
| | Uebertrag | 64 | | | | | | Uebertrag | 94 | |
| | | | " | " | " | 2 | " | " | 1= | 2 |
| f. | " | Todtschlvrs. 1, | " | " | " | 1 | " | " | 1= | |
| g. | " | Todtschlag 4, | " | " | " | 1 | " | " | 3= | |
| | | | " | " | " | 4 | " | " | 1= | |
| h. | " | Raubvers. 1, | " | " | " | 1 | " | " | = | |
| i. | " | Raub 2, | " | " | " | 1 | " | " | = | |
| | | | " | " | " | 2 | " | " | = | |
| k. | " | Raubmord 1, | " | " | " | 2 | " | " | = | |
| l. | " | Mrd. u. Raub 1, | " | " | " | 1 | " | " | = | |
| m. | " | Körperverl. 2, | " | " | " | 1 | " | " | 2= | |
| n. | " | Unterschlg. 1, | " | " | " | 5 | " | " | 1= | |
| o. | " | Unzucht 7, | " | " | " | 1 | " | " | 4= | |
| | | | " | " | " | 2 | " | " | 2= | |
| | | | " | " | " | 3 | " | " | 1= | |
| p. | " | Nothztsvrs. 1, | " | " | " | 1 | " | " | = | |
| q. | " | Nothzucht 3, | " | " | " | 1 | " | " | 2= | |
| | | | " | " | " | 2 | " | " | 1= | |
| r. | " | Verbr. wider die Sittlkeit. 1, | " | " | " | 3 | " | " | 1= | 3 |
| s. | " | Meineid 1, | " | " | " | 1 | " | " | 1= | 1 |
| t. | " | Urkdflschg. 3, | " | " | " | 1 | " | " | 3= | 3 |
| u. | " | Gbrch. einer falsch. Urk. 1, | " | " | " | 1 | " | " | 1= | 1 |
| v. | " | Brdstgsvers. 1, | " | " | " | 2 | " | " | 1= | 2 |
| w. | " | Brandstiftg. 3, | " | " | " | 1 | " | " | 2= | 2 |
| | | | " | " | " | 4 | " | " | 1= | 4 |
| x. | " | Desertion 1, | " | " | " | 1 | " | " | 1= | 1 |
| y. | " | Fahnenflucht 5, | " | " | " | 1 | " | " | 4= | 4 |
| | | | " | " | " | 4 | " | " | 1= | 4 |
| z. | " | Giftmord 1, | " | " | " | 1 | " | " | 1= | 1 |
| | | 105 | | | | | | | 160 | |

Bruchsal, den 17. Juni 1877.
Der Director des Männerzuchthauses.
**Ekert.**

## Beilage I. zur Statistik D.

(enthält Uebersicht der Zahl jener Gefangenen, die wegen mehrerer Verbrechen verurtheilt sind: 93 auf 1. Januar 1876, 64 von 244 Zugegangenen, 44 von 237 Abgegangenen.)

---

## Beilage II. zur Statistik 1 D. und N.

### Nachweisung über die Zahl der Diebe und deren Verhältniss zur Gesammtzahl.

| | Im Ganzen | Davon Diebe | % |
|---|---|---|---|
| Personalstand am 31. Dezbr. 1875 | 409 | 182 | 44,50 |
| „ „ „ „ 1876 | 416 | 169 | 40,63 |
| Differenz | 7 | 13 | |
| Abgang im Jahr 1876 . . . . . | 237 | 146 | 61,60 |
| Zugang „ „ 1876 . . . . . | 244 | 133 | 54,51 |
| „ von 1875 . . . . | 188 | 100 | 53,19 |
| „ „ 1874 . . . . . | 217 | 127 | 58,52 |
| „ „ 1873 . . . . . | 209 | 132 | 63,11 |
| „ „ 1872 . . . . . | 269 | 156 | 57,99 |
| „ „ 1871 . . . . . | 442 | 291 | 65,83 |
| „ „ 1870 . . . . . | 402 | 248 | 61,69 |
| „ „ 1869 . . . . . | 410 | 246 | 60,00 |
| „ „ 1868 . . . . . | 408 | 267 | 65,44 |
| „ „ 1867 . . . . | 386 | 271 | 70,20 |
| „ „ 1866 . . . . . | 371 | 220 | 59,29 |
| „ „ 1865 . . . . . | 311 | 219 | 70,41 |
| „ „ 1864 . . . . . | 281 | 195 | 69,39 |
| „ „ 1863 . . . . . | 181 | 108 | 59,66 |
| „ „ 1862 . . . . . | 130 | 59 | 63,44 |
| „ „ 1861 . . . . . | 116 | 84 | 64,61 |
| „ „ 1860 . . . . . | 116 | 72 | 62,06 |
| „ „ 1859 . . . . . | 107 | 76 | 71,02 |

**Beilage III.** zur Statistik 1 D. und N.

Uebersicht der Zahl der wegen Diebstahls Bestraften mit Unterscheidung der Herkunft.

| | Anzahl | % |
|---|---|---|
| Es waren wegen Diebstahl in der Anstalt | | |
| I. am 1. Januar 1876: | | |
| a. im Ganzen   .   .   .   . | 182 | |
| b. davon Nichtbadener.   .   . | 71 | 39.99 |
| bleiben Badener | 111 | |
| II. Eingeliefert 1876: | | |
| a. im Ganzen   .   .   .   . | 133 | — |
| b. davon Nichtbadener.   .   . | 54 | 40.60 |
| bleiben Badener | 79 | |

---

**Beilage IV.** zur Statistik 1 D. und N.

Uebersicht der Zahl der wegen Diebstahls Verurtheilten mit Unterscheidung des Lebensalters.

| | Bis zu 20 Jahre. | Von 21—30 Jahr. | Von 31—40 Jahr. | Von 41—50 Jahr. | Von 51—60 Jahr. | Ueber 60 Jahr. | Summa. |
|---|---|---|---|---|---|---|---|
| Einfacher Diebstahl   .   .   .   .   . | — | 18 | 11 | 2 | 1 | — | 32 |
| Schwerer Diebstahl   .   .   .   .   . | 5 | 35 | 10 | 5 | 2 | 1 | 58 |
| 1. Rückfall in einfachen Diebstahl | — | — | — | — | — | — | — |
| 1.    „    „ schweren    „ | — | 1 | — | — | — | — | 1 |
| Wiederbltr. Rückf. in einf. Diebstl. | 1 | 68 | 66 | 20 | 10 | 6 | 171 |
|    „    „    „ schw.    „ | 3 | 22 | 15 | 11 | 2 | | 53 |
| | | | | | | | 315 |

**Beilage V.** zur Statistik 1 E.

enthält Specification der militärgerichtlich Verurtheilten nach der Art der begangenen Verbrechen (37.)

**Beilage VI.** zur Statistik I. E.

enthält Uebersicht der von den Militärgerichten Verurtheilten mit Unterscheidung der Waffengattungen.

**Beilage VII.** zur Statistik I. F.

Uebersicht der Zahl der zu Polizeiaufsicht Verurtheilten.

Unter den 653 Gefangenen, welche sich im Laufe des Jahres 1876 in der Strafanstalt befanden, wurde gegen folgende zugleich Polizeiaufsicht erkannt: Auf 1 Jahr 1, auf 3 Jahre 1, im Sinne des §. 38 R.-St.-G.-B. Zulässigkeit bei 160, Summa 162.

Von 244 Eingelieferten ist bei 104 Gefangenen auf Zulässigkeit der Polizeiaufsicht erkannt.

**Beilage VIII.** zur Statistik 1 J.

enthält Uebersicht der Zahl nach Gewerben.

**Beilage IX.** zur Statistik M.

enthält Uebersicht der Zahl der Gefangenen (von der Gesammtzahl), die aus Städten sind. (88.)

# Jahresbericht

des

# Verwalters für das Jahr 1876.

## A. Gewerbswesen.

Was ich in meinem letzten Jahresbericht bezüglich des schweren Drucks, der auf Handel und Industrie im Allgemeinen lastet und der Hemmnisse und Störungen, die speziell unserm Gewerbsbetriebe in Folge steter Ueberfüllung der Anstalt u. s. w. im Wege stehen, erwähnt, kann für das verflossene Jahr leider nur wiederholt werden und es ist vorerst noch nicht abzusehen, bis wann die Verhältnisse sich wieder günstiger gestalten werden.

Wenn wir trotzdem uns in der Lage befinden, einen günstigen Abschluss zu constatiren, ja den höchsten Arbeits-Ertrag nachzuweisen, der seit dem Bestehen der Anstalt erzielt worden ist, so darf wohl der Nachweis geliefert sein, dass beim Einkauf mit der grösstmöglichen Sorgfalt zu Werke gegangen, und dass beim Verkauf mit Gewissenhaftigkeit verfahren, dass durch einheitliches energisches Zusammenwirken aller Betheiligten die Arbeit gefördert wurde und dass die Basis, auf der unser Geschäft ruht, eine sichere und gute ist.

Bezüglich des Geschäfts-Umfangs mögen folgende Daten hier Platz finden:

Die Verkaufs-Liste enthält Einträge . . 4,539
hiezu Verkäufe aus dem Thormagazin . . 2,667
<u>7,206</u>

2*

An Porto für den Gewerbsbetrieb wurden
in 4256 Posten     .     .     .     .     M. 512. 18 Pf.
verausgabt.

Fracht-Auslagen erscheinen in Ausgabe:

a. für angekommene Güter in 452 Posten M. 5678. 66 Pf.
b. für abgegangene Güter Bestellgebühr zur
Bahn (in nur seltenen Fällen frankirt)
in 1730 Posten .     .     .     .     M. 800. 87 Pf.
M. 6479. 53 Pf.

Die Anfertigung, sowie das Aufkleben der in diesem Jahre zur Einführung gekommenen Signaturen auf die einzelnen Frachtstücke verursacht einen verhältnissmässig bedeutenden Zeit- und Kostenaufwand.

Laut Wechselbuch kamen an Wechseln zur
Casse     .     .     .     .     .     .     .     125 Stück
gegen pro 1875     .     .     .     .     .     109   „
    „     „   1874     .     .     .     .     .     106   „

Die Geldrechnung umfasst 1204 Seiten mit 1353 Beilagen, die Naturalien-Rechnung 222 und die Victualien-Rechnung 32 Seiten.

Auf die 642 Contis der Spar-Casse-Rechnung kamen — ausser der monatlichen Gutschrift an Arbeits-Belohnungen und neben sonstigen verschiedenen Einnahmen und Ausgaben — zur Verrechnung 1881 Briefe und 94 Post-Einzahlungen mit einem Aufwand an Porto von M. 243. 42 Pf., sodann 425,375 Kilo Schnupf-Tabak in 2247 Portionen mit einem Aufwand von M. 797. 66 Pf.

Zur Statistik des Jahres 1876 übergehend bemerke ich:

Am 1. Januar 1876 waren Gefangene in der
Anstalt     .     .     .     .     .     .     .     .     409
Im Laufe des Jahres gingen zu:

a. direct     .     .     .     .     .     . 231
b. in das hiesige Amtsgefängniss     .     . 13
————
244
zusammen 653
Abgegangen sind     .     .     .     .     . 224
————
Bleibt ein Stand auf 31. Dezember 1876 von     429

Uebertrag 429

hievon befanden sich am Schlusse des Jahres im hiesigen Amtsgefängniss in Verwahrung und Verpflegung . . . . . . . 13

so dass in unsern Beschäftigungs- und Verkösti- ————
gungslisten nur erscheinen . . . . 416

### Gewerbskenntnisse der Eingelieferten.

Gewerbskundige, welche auf ihrer in der Freiheit oder in einer Strafanstalt ganz oder theilweise erlernten Profession dahier sofort weiter beschäftigt werden konnten, befanden sich unter den Eingelieferten und zwar

| | |
|---|---|
| Weber . . . . | 7 |
| Schneider . . . | 6 |
| Schuster . . . | 5 |
| Schreiner . . . | 5 |
| Küfer . . . | 1 |
| Cartonagearbeiter . . | 2 |
| Korbflechter . . | 4 |

———— 30

Kein derartiges Gewerbe hatten
früher betrieben     201
—————
231

### Verpflegungs- und Arbeitstage.

In unsern Listen laufen Verpflegungstage 149,331, was einen durchschnittlichen täglichen Personal-Stand von 408 darstellt.

Von diesen Verpflegungstagen trifft es:

a. Unbeschäftigte . . .    45,360 oder 30,38 %
b. Beschäftigte . . .    103,971 „ 69,62 %
————— ——————
149,331   100 %

Die Zahl der Unbeschäftigten vertheilt sich auf

Kranke mit Krankenkost . . . 5966
Kranke ohne „ . . . 5729
———— 11,695

Unwohle . . . . . . . 1,109
Gebrechliche . . . . . . 5,231
—————
Uebertrag 18,035

|  | | Uebertrag | 18,035 |
| Arrestanten | . . . . . . | | 76 |
| Zu- und Abgegangene | . . . . . | | 268 |
|  | | | 18,379 |

Hiezu wegen der Sonn- und Feiertage
a. christliche . . . 26,630
b. jüdische . . . 351

26,981

wie oben 45,360

**Beschäftigungs-Zutheilung der Eingelieferten.**

Die neu eingelieferten 231 Gefangenen wurden folgenden Geschäften zugetheilt:

|  |  | Davon | |
| --- | --- | --- | --- |
|  |  | Arbeits-kundige. | Lehr-linge. |
| 1. zu Taglohnsarbeiten . . . | 2 | — | 2 |
| 2. zum Spulen und Weben . . | 46 | 7 | 39 |
| 3. zur Schneiderei . . . . | 30 | 6 | 24 |
| 4. „ Selbendflechterei . . . | 16 | — | 16 |
| 5. „ Schusterei . . . . | 16 | 5 | 11 |
| 6. „ Schreinerei . . . . | 25 | 5 | 20 |
| 7. „ Küferei . . . . | 11 | 1 | 10 |
| 8. „ Schlosserei . . . . | — | — | — |
| 9. „ Buchbinderei resp. Cartonagegeschäft . . . . . | 13 | 2 | 11 |
| 10. „ Rohr-, Stroh- und Weidenflechterei | 69 | 4 | 65 |
|  | 228 | 30 | 198 |
| 11. In Krankenpflege kamen . . | 3 | | |
|  | 231 | | |

### Vertheilung der Arbeitstage.

Die Zahl der Arbeitstage vertheilt sich auf folgende Beschäftigungszweige:

| | | Tage | Täglicher Durchschnitt. (Arbeitst.) | per % |
|---|---|---|---|---|
| 1. Taglohnsarbeiten . . . | | 8,779 | 29,86 | 8,44 |
| 2. Weberei | | | | |
| a. Spuler . . | 15,262 | 4,477 | 15,23 | 4,31 |
| b. Weber . . | | 10,785 | 36,68 | 10,37 |
| 3. Schneiderei . . . . | | 12,874 | 43,79 | 12,38 |
| 4. Selbendflechterei . . . | | 7,951 | 27,04 | 7,65 |
| 5. Schusterei . . . . | | 8,959 | 30,47 | 8,62 |
| 6. Schreinerei . . . . | | 17,849 | 60,71 | 17,17 |
| 7. Küferei . . . . | | 8,561 | 29,12 | 8,23 |
| 8. Schlosserei . . . . | | 1,392 | 4,74 | 1,34 |
| 9, Buchbind. u. Cartonagegeschäft | | 3,978 | 13,53 | 3,83 |
| 10. Rohr-, Stroh- und Weidenflecht. | | 18,366 | 62,47 | 17,66 |
| Summa | | 103,971 | 353,64 | 100,— |

### Finanzielle Ergebnisse des Gewerbsbetriebs.

Nach der Grossh. Ministerium mit Bericht vom 16. Januar d. J. Nr. 312 vorgelegten detaillirten Nachweisung über den Ertrag des Gewerbs-Betriebs beträgt die in Rechnung laufende Roh-Einnahme vom Gewerbsbetrieb im Soll

M. 299,017. 69 Pf.

hievon ab die Ausgabe für die einzelnen Gewerbe (ausschliesslich M. 1181. 65 Pf. Auslagen für den Gewerbsbetrieb im Allgemeinen)     M. 194,571. 31 Pf.

bleibt eine Rein-Einnahme von   .    M. 104,446. 38 Pf.

Die Betriebsfonds haben sich gegen das Vorjahr vermehrt um . .    M. 17,256. 24 Pf.

und berechnet sich die Netto-Einnahme auf . . . .    M. 121,702. 62 Pf.

Die Zahl der Arbeitstage beträgt im Ganzen    103,971

Uebertrag  103,971

hierunter sind 19,831 Tage von Lehrlingen, welche
nur als halbe Arbeiter zählen, wosshalb hier
abgehen .   .   .   .   .   .   .            9,915

bleiben volle Arbeitstage   .   .   .   .      94,056.

Mit dieser Ziffer in den Rein-Ertrag von M. 121,702. 62 Pf.
getheilt, stellt sich der Verdienst eines Arbeiters

a. per Tag auf .   .   .   .   .      M. 1. 29 Pf.

b. per Jahr bei 294 Arbeitstagen auf   .   M. 380. 40 Pf.

Beim Abzug der Auslagen für den Gewerbsbetrieb im
Allgemeinen mit M. 1181. 65 Pf. stellt sich

a. der Tagesverdienst auf      M. 1. 28 Pf.

b. der Jahresverdienst auf      M. 376. 70 Pf.

Rechnet man die Lehrlinge dagegen als volle Arbeitskraft und theilt man mit der Gesammtzahl aller Arbeitstage
(103,971) in die Summe des Reiner-

trags von .   .   .   .   .      M. 121,702. 62 Pf.

abzüglich obiger .   .   .   .      M.    1,181. 65 Pf.

mit .   .   .   .   .   .      M. 120,520. 97 Pf.

so trifft es den Tag und Kopf   .   .      M. 1. 16 Pf.

oder per Jahr   .   .   .   .   .      M. 340. 80 Pf.

Den Arbeits-Reinertrag mit M. 120,520. 97 Pf. auf die
Gesammtzahl der Verpflegungstage (149,331) ausgeschlagen,
ergibt

a. für jeden Tag und Kopf      80 Pf.

b. per Jahr mit 366 Tagen   M. 295. 40 Pf.

Wird der Ertragsberechnung die Zahl der Beschäftigten
zu Grunde gelegt, so ist das Erträgniss des Jahres 1876 das
höchste, das seit dem Bestehen der Anstalt erreicht worden
ist und übersteigt solches auch jene Jahre, in denen die
Bäckerei der früheren Hilfsstrafanstalt (nunmehriges Landesgefängniss) 1867—1871 mit in Betracht kam.

Wird dagegen der Gesammt-Personalstand der Berechnung zu Grunde gelegt, so ist der diesjährige Ertrag nur ein
Mal und zwar im Jahre 1874 und auch da nur um 3 Pfg.
überholt.

Vertheilung des Ertrags auf die einzelnen
Arbeitszweige.

Nach der oben erwähnten Ertrags-Berechnung participiren an dem Netto-Gewinn nach Maassgabe der Umsätze
und der Arbeitstage nachstehende Gewerbe:

| | Arbeitstage. | Einnahme M. | Pf. | per Tag und Kopf. Pf. |
|---|---|---|---|---|
| 1. Taglohnsarbeiten . . | 8,605 | 6,591 | 34 | 76 |
| 2. Weberei . . . . | 13,971 | 20,847 | 21 | 149 |
| 3. Schneiderei . . . | 11,882 | 13,995 | 23 | 117 |
| 4. Selbendflechterei . . | 6,896 | 7,283 | 17 | 105 |
| 5. Schusterei . . . | 8,250 | 10,224 | 77 | 123 |
| 6. Schreinerei . . . | 15,373 | 15,535 | 71 | 101 |
| 7. Küferei . . . . | 7,370 | 15,009 | 56 | 203 |
| 8. Schlosserei . . . | 1,354 | 2,672 | 30 | 197 |
| 9. Buchbind. u. Cartonagegesch. | 3,588 | 6,533 | 01 | 182 |
| 10. Rohr-, Stroh- u. Weidenflecht. | 16,767 | 23,010 | 32 | 137 |
| Summa | 94,056 | 121,702 | 62 | 129 |

Ueber den Stand der Betriebsfonds gibt anliegende, nach
Rohstoffen und Fabrikaten getrennte Uebersicht, und über
die Zahl der auf jedes Gewerbe fallenden Arbeitstage und
der hievon auf die Lehrlinge entfallenden Tage die Tabelle
unter Beilage Nr. 2 Aufschluss.

Zu den einzelnen Gewerben und deren Erträgnissen
wird hierher bemerkt:

1. Bei den Taglohnsarbeiten waren
7,534 Gefangene für die Anstalt selbst und
1,245 „ mit Kistchennageln beschäftigt.

Für die ersteren darf nur der vorgeschriebene Taglohn
von 70 Pf. in Rechnung gebracht werden. Der Arbeitslohn
für das Nageln von Kistchen musste — bei dem schlechten
Geschäftsgang und der Concurrenz gegenüber — gegen das
Vorjahr ermässigt werden.

2. Die Weberei hat zu eigenen Fabrikaten verwendet
12,892,500 Kilo Leinengarn und
1,462,700 „ Baumwollgarn
zusammen 14,355,200 Kilo und daraus gefertigt

| | | |
|---|---|---|
| Graue Leinwand . . | 1,268,$_{30}$ | Meter |
| Futterleinen . . | 1,524,$_{40}$ | ,, |
| Gebleicht glatt Leinen | 6,927,$_{90}$ | ,, |
| Drilch . . . | 18,876,$_{60}$ | ,, |
| Zwilch, grauer . . | 7,038,$_{50}$ | ,, |
| Zwilch, gebleichter . | 2,464,$_{40}$ | ,, |
| Teppichzeug . . | 236,$_{60}$ | |
| Baumwollzeug . . | 6,155,$_{30}$ | ,, |
| Halbleinen . . . | 2,356,$_{60}$ | ,, |
| Packleinen . . . | 3,157,$_{50}$ | ,, |
| Gurten . . . | 370,$_{50}$ | ,, |
| zusammen | 50,377,$_{00}$ | Meter Stoff, |

ferner:

| | | |
|---|---|---|
| Handtücher, gebildt . . | 1,393 | Stück |
| Geldsäcke . . . | 1,842 | ,, |
| Postbeutel . . . | 1,027 | ,, |
| Halstücher . . . | 142 | |
| Nastücher . . . | 1,723 | ,, |

In Folge der kälteren Witterung in den Monaten April bis Juni war die Nachfrage nach Drilch gegen die Vorjahre eine bedeutend geringere und man nahm desshalb Veranlassung, mehr Arbeitskräfte für die Baumwollweberei zu verwenden. Dass trotz dieser für kurzzeitige und ungelernte Arbeiter schwierigeren Arbeit der Verdienst gegen pro 1875 sich etwas erhöht hat, haben wir den günstigen Garn-Einkäufen zu verdanken.

An Privat-Garnen wurden im Ganzen 1254,$_{400}$ Ko. verarbeitet.

3. In der Schneiderei wurden auf eigene Rechnung gefertigt:

2447 Hosen, 1511 Röcke, 665 Jacken, 249 Westen, 673 Schürze, 168 Unterwämse, 287 Unterhosen, 950 Hemden, 303 Paar Hosenträger, 40 Paar Handschuhe, 613 Handtücher, 54 Kappen, 14 Strohsäcke, 19 Kopfsäcke, 424 Leintücher 53 Halstücher, 34 Zwangskleider, 1 Mantel.

Ausserdem war die Schneiderei mit neuen und Flick-Arbeiten, erstere für grössere Etablissements, letztere für die Anstalt selbst, sowie für die Beamten und Angestellten beschäftigt.

Von 88 Pf. im Jahr 1875 hat sich der tägliche Arbeits-verdienst erfreulicher Weise auf 117 Pf. erhöht.

4. Das Selbendgeschäft hat bei gutem Absatz auch einen höheren Ertrag nachzuweisen (105 Pf. gegen 81 Pf. pro 1875) und zwar in Folge Erhöhung der Schuh-Preise. Verarbeitet wurden 3719 Ko. Selbend zu

14,000 Paar Schuhen (gegen 7777 Paar pro 1875)
718 „ Stiefeln
96 Stück Teppichen.

5. Die Schusterei hat 5,523.$_{395}$ Kilo Sohl- und Oberleder verarbeitet und an neuer Waare zur Ablieferung gebracht:

1539 Paar Stiefel und
985 „ Schuhe.

Für die Selbendflechterei wurden 5,800 Paar Schuhe gesohlt und auch theilweise besetzt.

Der Verkauf der Fabrikate war in diesem Jahre bei billigen Einkäufen der Rohstoffe ein ausnahmsweise lohnender.

6. In der Schreinerei wurden verarbeitet:

33,740 Stück tannene Dielen,
2,760 „ Pappel-Dielen und
1,668,$_{94}$ ☐ Meter verschiedene harte Hölzer.

Gegen Ende des Jahres erfolgte die Anschaffung einer Kreissäge, die sich rentiren wird.

Die Möbel-Schreinerei war stets mit Aufträgen über-häuft. — Auf die Kistenfabrikation dagegen wirkte der all-gemeine schlechte Geschäftsgang sehr nachtheilig und mehrere Male waren wir ohne alle Aufträge und mussten in Folge dessen Gefangene zu Arbeiten verwendet werden, die sie noch nicht gelernt und für welche solche auch wenig oder gar kein Geschick hatten.

Diesem Umstande hauptsächlich ist der Minder-Ertrag zuzuschreiben.

7. Die Küferei weist auch in diesem Jahr den höch-sten Arbeits-Verdienst auf, bleibt aber gegen das Vorjahr

um 8 Pf. zurück und hat dabei einen grossen Vorrath von fertigen Gebinden zu verzeichnen.

Sie verarbeitete 100,820 Stück Dauben,
38,430 Bodenstücke, und
20,950 Kilo Band-Eisen.

An Fässern waren auf 1. Januar 1876

| | |
|---|---|
| vorräthig . . . . . . | 897 Stück, |
| neu angefertigt wurden . . . . | 5,573 „ |
| | 6,470 Stück, |
| Davon verkauft . . . . . | 4,682 „ |
| bleiben auf Lager . . . . | 1,788 Stück. |

Trotz vielfacher Bemühungen, Preis-Ermässigung etc. war ein besserer Absatz leider nicht zu erzielen.

Die Aussichten auf günstigere Verhältnisse sind vorerst noch sehr gering.

8. Der Schlosserei mit Blechnerei werden in der Regel nur geübte Arbeiter zugetheilt und weist solche einen täglichen Verdienst von M. 1. 97 Pf. nach.

9. Die Buchbinderei ist fast ausschliesslich für die Anstalt selbst beschäftigt.

Das Cartonagegeschäft musste bis gegen Ende des Jahrs auf dem niederen Stande des Vorjahrs erhalten werden. Verarbeitet wurden

9,567,590 Ko. Deckel und
60,922 Bogen div. Papiere.

An Schachteln wurden gefertigt 330,149 Stück.

10. Die Rohr-, Stroh- und Weidenflechterei mit ihren verschiedenartigen Beschäftigungszweigen, als Körbe- und Decken-Flechten, Weidensortiren, Weidenputzen und Schälen, Strohzöpfeflechten, Putzen der Zöpfe u. s. w. musste abermals dazu dienen, die vielen alten, unbeholfenen, gebrechlichen Gefangenen unterzubringen und es bedarf desshalb keiner weitern Erörterung, wenn in dem Arbeitsverdienst eine Minderung gegen pro 1875 eingetreten ist.

Dieses Gewerbe hat verarbeitet

29,194 Kilo Rohr,
8,704 Bund Weiden und
1,849 „ Stroh und

hat an Fabrikaten zur Ablieferung gebracht:

32,399 Stück Körbe,
9,152 „ Strohdecken und
188 „ Bienen-Wohnungen.

Die im September 1876 stattgehabte landwirthschaftliche Ausstellung in Freiburg haben wir mit Bienen-Wohnungen und Honigschleudermaschinen beschickt, und wurde uns ein Preis, bestehend in einer ehrenden Anerkennung, zuerkannt.

## B. Verwaltungs-, Casse- und Rechnungswesen.

Nach der auf 31. Dezember 1876 abgeschlossenen Rechnung der Haupt-Casse betragen
die Einnahmen Soll M. 467,432. 09 Pf., Hat M. 444,279. 73 Pf.
„ Ausgaben „ „ 444,372. 13 Pf., „ „ 433,565. 36 „
der Casse-Umsatz belief sich also auf „ 877,845. 09 Pf.

Die Casse-Differenzen der einzelnen Monate waren unbedeutend.

Im Monat Juli hat der Commissär hohen Ministeriums eine Dienst-Visitation dahier vorgenommen, deren Ergebniss uns mit hohem Erlass vom 18. September 1876 Nr. 8157. in den Worten mitgetheilt wurde:

„dass man aus dem Visitations-Protokoll mit Befriedigung die geordnete Dienstführung ersehen habe."

Bei einem Personalstand von 396 Köpfen war uns pro 1876 für den ordentlichen Etat ein Staatszuschuss verwilligt von . . . . . M. 131,086. —
hievon wurden zurückgezogen, als aus
den Ueberschüssen des Betriebsfonds zu decken . . . M. 16,000. —

und blieben zur Verfügung . . M. 115,086. —
Im Laufe des Jahrs wurden erhoben „ 91,000. —

somit weniger erhoben . . . M. 24,086. —
hiezu obige . . . . . „ 16,000. —
gibt, trotz des erhöhten Personalsstands,

eine Ersparniss von . . . M. 40,086. —

Für den ausserordentlichen Etat
waren genehmigt . . . . M. 9,651. —
verwendet wurden . . . „ 4,379. 67 Pf.

auf neue Rechnung werden übertragen M. 5,271. 33 Pf.

An Straferstehungskosten worden den betreffenden Grossh. Amtskassen zum Einzug überwiesen:

a. In das Rechnungs-Soll von 62
Gefangenen . . . . M. 10,820. 09 Pf.

b. In das Verzeichniss der ungewissen
Ausstände von 46 Gefangenen . M. 8,967. 91 Pf.

M. 19,788. —

Verpflegungs- und Heilkosten.

Unter dieser Rubrik erscheinen in der Geld-Rechnung
in Ausgabe:

a. wegen der Kostbereitung . . M. 45,951. 17 Pf.

b. für Portions-Brod . . . „ 23,549. 13 Pf.

c. „ Extraverordnungen (soweit solche
nicht von der Küche geliefert werden können) . . . . „ 82. —

d. für Arzneien und Heilmittel . „ 1,790. 18 Pf.

e. für Verpflegung etc. der im hiesigen Amtsgefängniss auf unsere Rechnung verwahrten Gefangenen (ausschliesslich des Monats Dezember) „ 105. 81 Pf.

f. für Verpflegung von Festungs-Ge-
fangenen in Rastatt . . . „ 543. 26 Pf.

zusammen M. 72,021. 55 Pf.

Das im Jahre 1875 zur Einführung gekommene neue
Kost-Regulativ hat sich bis jetzt bewährt.

Die erforderlichen Kostzulagen an Schwerbeschäftigte
u. s. w. konnten wieder aus dem Uebermaass der gewöhnlichen Gesundekost geschöpft werden.

Nach der Grossh. Ministerium vorgelegten detaillirten
Kost-Rechnung stellt sich die Normalkost eines
gesunden Gefangenen (ohne Brod) auf 27,$_{37}$ Pf. per
Tag, und auf M. 100. 17 Pf. per Jahr (366 Tage).

Bei dem Aufschlag aller Lebensmittel, insbesondere von Fleisch, Brod, Schmalz und Kartoffeln, muss der erhöhte Aufwand gegen das Vorjahr (per Tag um $1_{,93}$ Pf.) als ein sehr mässiger bezeichnet werden.

An Extra-Abgaben wurden an Gesunde verabreicht:

| | |
|---|---|
| 1006 $^5/_8$ Liter Milch à 18 Pf. (auf ärztliche Anordnung) . . . | M. 181. 22 Pf. |
| Extra-Fleisch an hohen Feiertagen für . | „ 420. 68 Pf. |
| | M. 601. 90 Pf. |

Unter Zuschlag dieses Betrags erhöht sich die Gesundekost eines Gefangenen

um M. — $00_{,42}$ Pf. per Tag auf M. — $27_{,79}$ Pf.

um M. 1. 54 Pf. „ Jahr „ M. 101. 71 Pf.

(pro 1875 — $26_{,01}$ Pf. „ Tag und M. 94. 94 Pf. pr. Jahr.)

Verabreicht wurden im Ganzen:

| | | |
|---|---|---|
| 143,198 | Portionen | Gesundekost, |
| 5,935 | „ | Krankenkost, |
| 166 | „ | Hungerkost und |
| 32 | „ | Kost von Aussen (Juden) |
| 149,331 | Portionen. | |

Die Krankenkost bestand in:

| | | |
|---|---|---|
| 4,353 Portionen (halber) Kost | à 51 Pf. | M. 2,220. 03 Pf. |
| 1,582 „ Diät . . | à 17 Pf. | M. 268. 94 Pf. |
| 5,935 Portionen zu . . . | | M. 2,488. 97 Pf. |
| Hiezu für Extra-Speisen . . | | „ 1,256. 96 Pf. |
| | zusammen | M. 3,745. 93 Pf. |

getheilt durch die Zahl der Verpflegungstage (5935) ergibt einen täglichen Aufwand für jeden Kranken von $63_{,12}$ Pf.

Von den Geländen in- und ausserhalb der Anstalt kamen gegen Aufrechnung des Marktpreises an die Küche zur Ablieferung:

| | | |
|---|---|---|
| 800 Liter Kartoffeln, per 20 Liter 90 Pf. | M. 36. — Pf. | |
| 2½ Körbe Kohlraben à M. 1. 15 Pf. | „ 2. 88 „ | |
| 3000 Ko. gelbe Rüben, 50 Ko. zu M. 1. 50 „ | „ 90. — „ | |
| 23 Körbe grüne Bohnen à M. 1. — „ | „ 23. — „ | |
| | Uebertrag | M. 151. 88 Pf. |

Uebertrag M. 151. 88 Pf.

2575 Köpfe Weisskraut per %₀ M. 7. — Pf. „ 180. 25 „

Grünes für . . . . . „ 14. — „

Grün Obst für . . . . . „ 10. — „

zusammen M. 356. 13 Pf.

Suppen- und Portions-Brod liefert uns die Gr. Verwaltung des Landesgefängnisses und der Weiberstrafanstalt hier.

Für 25,380 Kilo Suppenbrod hatten wir zu bezahlen M. 6,286. 66 Pf. oder durchschnittlich per Kilo $24_{,77}$ Pf.

Portionsbrod kosteten 107,760 Kilo. M. 23,549. 13 Pf. oder durchschnittlich per Kilo $21_{,65}$ Pf. (pro 1875 $20_{,08}$ Pf.) und berechnet sich die Tages-Ration von 750 Gramm somit auf $16_{,39}$ Pf. (pro 1875 $15_{,06}$ Pf.)

## Kleidung.

Unter dieser Rubrik der Geld-Rechnung erscheinen in Ausgabe:

a. für Gefangenen-Kleidung:

1. Neuanschaffungen . . M. 8,513. 95 Pf.

2. Ausbesserungen . . . „ 5,065. 07 Pf.

zusammen M. 13,579. 02 Pf.

oder durchschnittlich per Kopf M. 33. 28 Pf.

b. für Freiheitskleider (an vermögenslose Gefangene bei deren Entlassung) M. 799. 20 Pf.

zusammen M. 14,378. 22 Pf.

## Bettwerk.

Für Bettwerk kamen zur Verwendung:

für 303 Stück neue Leintücher . . M. 1,584. 25 Pf.

„ Umarbeiten der Rosshaar- und Seegras-Matratzen und Kopfpolster incl. 6 neuen Matratzen . . . M. 1,179. 35 Pf.

„ Flickarbeit . . . . „ 97. 62 Pf.

zusammen M. 2,861. 22 Pf.

Seit dem Bestehen der Anstalt wurden keine neuen Wollteppiche mehr angeschafft. Die vorhandenen sind theilweise sehr defekt, und wird desshalb ein entsprechender Betrag in das nächste Budget aufzunehmen sein.

## Heizung.

An Brenn-Material haben wir verbraucht:

204 Ster Holz

10,000 Torfsteine und

259,250 Kilo (= 5,185 Centr.) Ruhrer Fettschrott.

Für Steinkohlen hatten wir franco Anstalt 85,₅ Pf. zu bezahlen und das Holz, aus den domänenärarischen Waldungen bezogen, stellte sich im Walde durchschnittlich auf M. 41. 84 Pf.

Billigere Einkäufe einerseits, die gelinde Witterung in den letzten Monaten des Jahres anderseits ermöglichten eine Ersparniss gegenüber dem Budget-Satze von M. 2,388. 34 Pf.

## Beleuchtung.

Für Gas hatten wir — entsprechend den Kohlen-Preisen in den Normal-Monaten des Vorjahrs — für je 10 Cubik-Meter wieder M. 2. 72 Pf. an die Fabrik zu bezahlen.

Der Gas-Verbrauch beziffert sich pro 1. Dez. 1875 bis dahin 1876 auf 35,420 Cubik-Meter, wofür M. 9,634. 24 Pf. zu vergüten waren.

Gegenüber dem Consum vom Jahre 1875 ergibt sich abermals ein Mehr und zwar von 2,640 Cubikmeter.

Der Gas-Vertrag geht am 1. September 1881 zu Ende.

## Reinigung.

Für Reinigung der Gefangenen-Wäsche haben wir an die Gr. Verwaltung der Weiberstrafanstalt hier bezahlt:

a. Waschlöhne . . . . . M. 3,595. 11 Pf.
b. für 3165 Portionen Kaffee an die betreffenden Wäscherinnen à 9 Pf. „ 284. 85 „
c. für den Hin- und Rücktransport der Wäsche . . . . „ 107. 12 „

M. 3,987. 08 Pf.

|  | Uebertrag | M. 3987. 08 Pf. |

Ausserdem kamen hier zu Verrechnung für Besorgung der Tisch- und
Handtücher des Personals . . . M. 145. 48 Pf.

a. zusammen für die Wasche . . M. 4132. 56 Pf.
  hiezu

b. für Handtücher, Seife, Kämme,
  Wasserstützen, Abort-Papier etc. . „ 924. 49 „
  (incl. M. 140. für Reparatur des
  Bade-Apparats.)

c. für Reinigung des Hauses und der
  Höfe . . . . . „ 4589. 35 „

Gesammt-Aufwand M. 9,646. 40 Pf.

Eine Darstellung über die **Gesammt-Einnahmen**
und **Ausgaben** (Rechnungs-Auszug) nebst Repartition auf
die Kopfzahl ist hier angeschlossen. (Anl. 3).

**Spar- (Depositen-) Casse der Gefangenen.**

An **Arbeitsgeschenken** für die Gefangenen wurden
im verflossenen Jahre an obige Casse von der Verwaltungs-
casse ausbezahlt:

1. für Taglohnsarbeiten . M. 742. 47 Pf.
2. „ die Weberei . . . „ 1,318. 62 „
3. „ „ Schneiderei . . „ 1,103. 18 „
4. „ „ Selbendflechterei „ 431. 16 „
5. „ „ Schusterei . . „ 638. 51 „
6. „ „ Schreinerei . . „ 1,420. 37 „
7. „ „ Küferei . . . „ 710. 08 „
8. „ „ Schlosserei . . „ 156. 28 „
9. „ „ Buchbinderei . „ 313. 70 „
10. „ „ Rohr-, Stroh- u.
    Weidenflechterei „ 1,223. 34 „

zusammen M. 8,057. 71 Pf.

für 84,140 vollbeschäftigte Gefangene, oder durchschnittlich
per Kopf und Tag 9,58 Pf. und in 294 Arbeitstagen per
Kopf M. 28. 16 Pf.

Von den Guthaben der Gefangenen sind:

a. auf Pfand-Urkunde zu 5 % ausge-
   liehen fl. 2,450 . . . M. 4,200. — Pf.
b. in 5 % Staatspapieren angelegt
   fl. 2,000 — „ 3,428. 57 „
c. bei der hiesigen städtischen Spar-
   Casse deponirt . . . „ 4,202. 63 „

M. 11,831. 20 Pf.

Die Fuesslin-Stiftung hat angelegt:

a. in 4 % bad. Staatspapieren fl. 500 — M. 857. 14 Pf.
b. bei der Gewerbebank Bruchsal, Gut-
   haben auf 31. Dezember 1876 . „ 129. 22 „

zusammen M. 986. 36 Pf.

Von den Zinsen der Spar-Casse kamen zur Vertheilung an 95 Gefangene M. 419. 38 Pf.

Das Guthaben sämmtlicher auf 1. Januar 1877 anwesend gewesenen Gefangenen beläuft sich auf M. 11,706. 88 Pf. oder durchschnittlich per Kopf auf M. 28. 14 Pf.

Bruchsal, im Februar 1877.

Reuther.

Anlage 1.

## Grossh. Männerzuchthaus-Verwaltung Bruchsal.

### Stand des umlaufenden Betriebsfonds.

| Gewerbe. | Auf 1. Januar 1876. M. | Pf. | Auf 1. Januar 1877. M. | Pf. | Gegen pro 1876 jetzt mehr M. | Pf. | weniger M. | Pf. |
|---|---|---|---|---|---|---|---|---|
| 1. Taglohnsarbeiten | | | | | | | | |
| Arbeitsstoffe | — | — | — | — | — | — | — | — |
| Fabrikate | 19 | 20 | 34 | 80 | 15 | 60 | — | — |
| 2. Weberei | | | | | | | | |
| Arbeitsstoffe | 3,309 | 09 | 8,311 | 32 | 5,002 | 23 | — | — |
| Fabrikate | 6,980 | 14 | 6,703 | 12 | — | — | 277 | 02 |
| 3. Schneiderei | | | | | | | | |
| Arbeitsstoffe | 4,812 | 43 | 4,900 | 82 | 588 | 39 | — | — |
| Fabrikate | 13,177 | 24 | 11,934 | 32 | — | — | 1242 | 92 |
| 4. Selbendflechterei | | | | | | | | |
| Arbeitsstoffe | 948 | 99 | 719 | 58 | — | — | 229 | 41 |
| Fabrikate | 377 | 32 | 875 | 34 | 498 | 02 | — | — |
| 5. Schusterei | | | | | | | | |
| Arbeitsstoffe | 4,685 | 65 | 1,194 | 22 | — | — | 3491 | 43 |
| Fabrikate | 2,291 | 68 | 2,545 | 08 | 253 | 40 | — | — |
| 6. Schreinerei | | | | | | | | |
| Arbeitsstoffe | 17,842 | 73 | 19,565 | 65 | 1722 | 92 | — | — |
| Fabrikate | 111 | 86 | 656 | 29 | 544 | 43 | — | — |
| 7. Küferei | | | | | | | | |
| Arbeitsstoffe | 23,650 | 03 | 29,694 | 04 | 6,044 | 01 | — | — |
| Fabrikate | 5,840 | 90 | 8,618 | 35 | 3,277 | 45 | — | — |
| 8. Schlosserei | | | | | | | | |
| Arbeitsstoffe | 697 | 30 | 1,071 | 51 | 374 | 21 | — | — |
| Fabrikate | 106 | — | 74 | 90 | — | — | 31 | 10 |
| 9. Buchbindereiu. Cartonagegeschäft | | | | | | | | |
| Arbeitsstoffe | 1,604 | 13 | 3,076 | 67 | 1,472 | 54 | — | — |
| Fabrikate | 596 | 86 | 626 | 49 | 29 | 63 | — | — |
| 10. Rohr-, Stroh-u. Weidenflechterei | | | | | | | | |
| Arbeitsstoffe | 5,762 | — | 7,838 | 48 | 2,076 | 48 | — | — |
| Fabrikate | 3,017 | 43 | 3,049 | 12 | 31 | 69 | — | — |
| zusammen | 94,830 | 98 | 111,490 | 10 | 21,931 | 00 | 5271 | 88 |

### Werth der Arbeitsstoffe

| | | |
|---|---|---|
| auf 1. Jan. 1876 . . . | M. | 62,812. 35 Pf. |
| „ 1. „ 1877 . . . | M. | 76,372. 29 Pf. |
| jetzt mehr | M. | 13,559. 94 Pf. |

### Werth der Fabrikate

| | | |
|---|---|---|
| auf 1. Jan. 1876 . . . | M. | 32,018. 63 Pf. |
| „ 1. „ 1877 . . . | M. | 35,117. 81 Pf. |
| jetzt mehr | M. | 3,099. 18 Pf. |

### Der Werth der Gesammt-Vorräthe beträgt:

| | | |
|---|---|---|
| auf 1. Jan. 1876 . . . | M. | 94,830. 98 Pf. |
| „ 1. „ 1877 . . . | M. | 111,490. 10 Pf. |
| auf 1. Januar 1877 mehr | M. | 16,659. 12 Pf. |

Anlage 2.

# Nachweisung
## über die Art der Beschäftigung der Gefangenen im Jahre 1876.

| | Gewerbe. | Lehr-linge. | Vollbe-schäftigte. | Summa. |
|---|---|---|---|---|
| 1 | **Taglohnsarbeiter** | | | |
| | Maurer . . . . | | 347 | |
| | Gärtner . . . | | 245 | |
| | Küchenarbeiter . . | | 660 | |
| | Holzmacher und Heizer . | | 994 | |
| | Hausreiniger . . . | | 5,016 | |
| | Schreiber . . . | | 272 | |
| | Kistennagler . . . | 347 | 898 | |
| | | | 173 | |
| 2 | **Weber** | | | 8,605 |
| | Spuler . . . . | 335 | 4,142 | |
| | Weber . . . . | 2,248 | 8,537 | |
| | | 2,583 | | |
| | | | 1,292 | |
| 3 | **Schneider** . . . | 1,984 | 10,890 | 13,971 |
| | | | 982 | |
| 4 | **Selbendflechter** . . | 2,110 | 5,841 | 11,882 |
| | | | 1,055 | |
| 5 | **Schuster** . . . | 1,418 | 7,541 | 6,896 |
| | | | 709 | |
| 6 | **Schreiner** . . . | 4,951 | 12,898 | 8,250 |
| | | | 2,475 | |
| 7 | **Küfer** . . . . | 2,383 | 6,178 | 15,373 |
| | | | 1,192 | |
| 8 | **Schlosser** . . . | 76 | 1,316 | 7,370 |
| | | | 38 | |
| 9 | **Buchbinder und Carto-nagearbeiter** . . | 780 | 3,198 | 1,354 |
| | | | 390 | |
| 10 | **Rohr-, Stroh- und Wei-denflechter** . . | 3,199 | 15,167 | 3,588 |
| | | | 1,600 | 16,767 |
| | Summa | | | 94,056 |

Anl. 3.

# Darstellung der Einnahmen und Ausgaben vom Rechnungsjahr 1876 und Repartition auf die Kopfzahl des Gefangenenstandes.

Die Gesammtzahl der Verpflegungstage betrug im Jahr 1876  149,331.
Im Durchschnitt waren also täglich in der Anstalt . . . 408 Köpfe.

| § | Einnahme. | Gesammt-Betrag. | | Betrag per Kopf | | |
|---|---|---|---|---|---|---|
| | | | | pr. Jahr. | | pr. Tag. |
| | | M. | Pf. | M. | Pf. | Pf. |
| 1 | Ertrag aus Gebäuden und Grundstücken . . . | 4,024 | 04 | 9 | $86_{,28}$ | $2_{,69}$ |
| 2 | Erlös aus Inventarstücken, Materialien und Victualien | 1,799 | 15 | 4 | $40_{,96}$ | $1_{,20}$ |
| 3 | Ertrag vom Gewerbsbetrieb | 299,017 | 69 | 732 | $88_{,64}$ | $200_{,24}$ |
| 4 | Ersatz von dem polizeil. Arbeitshaus . . . . | — | — | — | — | — |
| 5 | Verschiedene Einnahmen . | 11 | 77 | — | $2_{,88}$ | — |
| | Summa | 304,852 | 65 | 747 | $18_{,76}$ | $204_{,13}$ |
| | **Zuschuss aus der Staats-Casse:** | | | | | |
| | a. Ordentlicher Etat . . | 91,000 | — | 223 | 04 | |
| | b. Ausserordentlicher Etat . | 4,379 | 67 | | | |
| | Summa | 95,379 | 67 | | | |

### Ausgabe.

| § | | Gesammt-Betrag. | | pr. Jahr | | pr. Tag |
|---|---|---|---|---|---|---|
| 1 | Kosten des Verkaufs von Inventarstücken etc. . | 13 | 40 | — | $3_{,28}$ | — |
| 2 | Steuern und Umlagen . | 334 | 90 | — | $82_{,108}$ | $00_{,22}$ |
| 3 | Abgang und Nachlass . | — | — | — | — | — |
| 4 | Aufw. für den Gewerbsbetr. | 195,752 | 96 | 479 | $78_{,66}$ | $131_{,09}$ |
| 5 | Belohnungen der Gefangenen | 8,057 | 71 | 19 | $74_{,92}$ | $5_{,39}$ |
| 6 | Aufwand für Gebäude und Grundstücke . . . | 9,670 | 61 | 23 | $70_{,24}$ | $6_{,47}$ |
| 7 | Aufw. gegen Feuersgefahr | 138 | 46 | — | $33_{,93}$ | $00_{,09}$ |
| 8 | Verpflegungs- und Heilkosten | 72,021 | 55 | 176 | $52_{,34}$ | $48_{,23}$ |
| 9 | Aufwand für Kleidung . | 14,378 | 22 | 35 | $24_{,07}$ | $9_{,63}$ |
| 10 | „     „     Bettwerk | 2,861 | 22 | 7 | $01_{,27}$ | $1_{,91}$ |
| 11 | Aufw. für Zimmer-, Küche-, Speise- und Trinkgeräthe | 555 | 36 | 1 | $36_{,11}$ | $0_{,37}$ |
| | Uebertrag | 303,784 | 39 | 744 | $56_{,90}$ | $203_{,40}$ |

| § | Ausgabe. | Gesammt-Betrag | | Betrag per Kopf | | |
|---|---|---|---|---|---|---|
| | | | | pr. Jahr. | | pr. Tag. |
| | | M. | Pf. | M. | Pf. | Pf. |
| | Uebertrag | 303,784 | 39 | 744 | $56_{90}$ | $203_{40}$ |
| 12 | Aufwand für Bewachungs- und Strafgeräthe | 835 | 14 | 2 | $04_{69}$ | $0_{56}$ |
| 13 | Heizungskosten | 9,611 | 66 | 23 | $55_{79}$ | $6_{43}$ |
| 14 | Beleuchtungskosten | 9,777 | 91 | 23 | $96_{54}$ | $06_{54}$ |
| 15 | Reinigungskosten | 9,646 | 40 | 23 | $63_{82}$ | $06_{45}$ |
| 16 | Aufwand für Kirchen- und Schulbedürfnisse | 1,588 | 31 | 3 | $89_{29}$ | $01_{06}$ |
| 17 | Besoldungen der Beamten | 18,075 | — | 44 | $30_{14}$ | $12_{10}$ |
| 18 | Gehalte der Geistl., Aerzte Buchhalter und Lehrer | 7,214 | 94 | 17 | $68_{36}$ | $04_{83}$ |
| 19 | Gehalte der Verwaltungsgehilfen, Werkmeister und Aufseher | 53,860 | 49 | 130 | $78_{55}$ | $35_{73}$ |
| 20 | Gratificationen | 1,035 | — | 2 | $53_{67}$ | $00_{69}$ |
| 21 | Bureaubedürfnisse | 833 | — | 2 | $04_{16}$ | $00_{55}$ |
| 22 | Porto | 128 | 38 | — | $31_{44}$ | $00_{06}$ |
| 23 | Sonstige Ausgaben | 354 | 69 | — | $86_{93}$ | $00_{23}$ |
| | Summa A. Ordentl. Etat | 416,245 | 31 | 1020 | $20_{28}$ | $278_{65}$ |
| | „ B. Ausserord. „ | 4,379 | 67 | | | |
| | Gesammtbetrag der Ausgabe | 420,624 | 98 | | | |

# Aerztlicher Jahresbericht
## für 1876.

Es ist für die Gesundheitsverhältnisse in einer Anstalt kein schlechtes Zeichen, wenn über dieselben besonders Auffallendes nicht zu verzeichnen ist. In dieser Lage ist der ärztliche Jahresbericht für 1876. Es sind weder bezüglich der allgemeinen Organisation der Anstalt, noch bezüglich der Gesundheitsverhältnisse bemerkenswerthe Veränderungen aufzuführen. Eine epidemische Krankheit ist nicht aufgetreten; und es zeigt die ärztliche Statistik für dieses Jahr hinsichtlich der Zahl und Schwere der Erkrankungen wie der Zahl der Todesfälle ganz günstige Resultate.

Die Durchschnittszahl der Bevölkerung der Anstalt hatte noch nie bisher eine solche Höhe (409 Mann) erreicht. Die grössern Zahlen der Tabelle für die Jahre 1867—1871 schliessen nämlich auch die in der damaligen Hilfsstrafanstalt verwahrten Gefangenen mit ein. Dennoch ist der tägliche Durchschnittsstand der Kranken mit 16,80 Mann seit 10 Jahren niemals so gering gewesen.

Die Zahl der Schwerkranken (28) — was für die thatsächliche Beurtheilung des Krankenstandes das Wichtigste ist —, war in dem genannten Zeitraum nur zweimal eine kleinere (mit 26 in 1874 und 18 in 1875), dagegen in den übrigen Jahren eine bedeutend grössere.

Im Sommer trat bisher meist die Ruhr mit einigen Fällen auf. Dieses Jahr hat keinen einzigen Fall von Ruhr aufzuweisen. Auch die Scrophulose, ein regelmässiger Gast des Hauses, kam in diesem Jahre nur in der beschränkten Zahl von 12 Fällen zur Beobachtung. Am zahlreichsten waren wieder die Erkrankungen der Respirationsorgane, von welchen im Ganzen 58 frische Fälle zur Behandlung kamen. Von diesen betrafen jedoch nur 13 schwerere Erkrankungen, insbesondere chronische Entzündungen der Lungen und des Brustfells. Diese 13 Fälle machen 46 % der schwereren Erkrankungen überhaupt aus. Da jedoch in 3 Fällen die Krankheit schon in die Strafanstalt mit hereingebracht wurde, so sind eigentlich nur 10 Fälle, welche 40 % entsprechen, hier zu rechnen. Auf den Durchschnittsstand von 409 Gefangenen berechnet, ergibt dies einen Procentsatz von 2,4 an schweren Erkrankungen der Respirationsorgane. — Von den 3 Gefangenen, welche schon bei der Einlieferung an den Respirationsorganen erkrankt waren, litt der eine an Emphysem der Lungen, die beiden anderen an chronischer Entzündung der Lungen. Bei dem einen hatte die Erkrankung einen rapiden Verlauf und starb derselbe nach wenigen Wochen unter den Erscheinungen der allgemeinen Schwindsucht; bei dem anderen erhielt sich die Krankheit so ziemlich auf der gleichen Höhe und wurde dieser Fall in das folgende Jahr übernommen. Die 10 frischen Fälle vertheilen sich derart, dass 4 von ihnen auf chronische Pneumonie und 5 auf exsudative Pleuritis kommen, während 1 Fall gleichzeitige Entzündung der Lunge und des Brustfells betraf. Nur 1 von den an chronischer Pneumonie erkrankten Gefangenen befand sich schon längere Zeit (2 Jahre) in der Strafanstalt, während die Gefangenschaftsdauer der 3 anderen erst nach einigen Monaten zählte. Hinsichtlich ihres Alters standen alle in der Zeit von 28 bis 33 Jahren. Bei allen Fällen befiel die Erkrankung die Lungenspitzen zuerst und machte sehr allmähliche Fortschritte; sie wurden sämmtlich in das folgende Jahr übernommen. Der an Pleuropneumonia der linken Seite erkrankte Gefangene war 29 Jahre alt, befand sich erst 2 Monate im Zuchthause und wurde ebenfalls in das neue Jahr übernommen. — Von den 5 an Pleuritis erkrankten Gefangenen befand sich der kurzzeitigste 1 Monat, die übrigen aber schon 18 bis 37 Monate in der Anstalt. Ihr Alter schwankte von 26 bis 55 Jahren. 2 Fälle wurden völlig geheilt; in 2 weiteren Fällen blieben bedeutendere

Schwartenmassen zurück; in 1 Fall trat ein käsiger Herd
im Kleinhirn und schliesslich Meningitis auf, welche den
Tod herbeiführte.

Was die Todesfälle betrifft, so starben 2 Gefangene,
welche schon kurz erwähnt wurden, in Folge von Krankheit,
während sich einer erhängte. Es erkrankte der eine der
erstgenannten Gefangenen, ein 26 Jahre alter früherer Kaufmann, nach 3jähriger Gefangenschaftsdauer an linkseitiger
Brustfell-Entzündung; nach 2monatlicher Krankheitsdauer
begann der Erguss sich allmählig zu resorbiren; unter heftigen Hirnerscheinungen trat aber nach wenigen Tagen der
Tod ein; und es zeigte die Section ausser den Resten der
im Rückgang begriffenen Pleuritis einen ca. erbsengrossen,
käsigen Herd im Kleinhirn und frische Tuberkel der Pia
mater. Der 2. an Phthisis gestorbene Gefangene, ein junger
Mann von 21 Jahren, wurde schon schwer krank in die
Strafanstalt eingeliefert, verliess in derselben das Bett nicht
mehr und starb nach 6 Wochen. Rechnet man alle 3 Todesfälle, so ergibt sich auf die Durchschnittszahl der Gefangenen
für dieses Jahr der geringe Procentsatz von 0,73, der seit
1850 nur ein Mal mit 0,41 % im Jahre 1861 niederer geblieben war. Da von diesen 3 aber 1 todtkrank eingeliefert
wurde und 1 durch Selbstmord starb, ist also nur 1 übrig,
welcher an einer in der Anstalt erworbenen Krankheit gestorben ist; dies würde 0,22 % der Durchschnittszahl ausmachen. Der Fall von Selbstmord betraf den Sträfling F.
J. Sch., 48 Jahre alten Landwirth von Gr., wegen Diebstahls und Urkundenfälschung zu 15 Monaten Zuchthausstrafe verurtheilt und am 30. Oktober 1875 in die Strafanstalt eingeliefert. Am 23. März d. J. wurde Sch. Morgens
in seiner Zelle erhängt gefunden, 2 Tage nach seiner Entlassung aus dem Krankenhause, woselbst er wegen atonischer
Fussgeschwüre 2 Monate lang verpflegt worden war. Sch.,
ein nicht unbegabter Mann, welcher mehr zu Heiterkeit
und Leichtsinn als zu Ernst hinneigte, hatte ein bewegtes
Leben hinter sich. Aus einer vermögenden und angesehenen
Familie stammend, war er durch Trunk und Spiel bis zum
Diebstahl heruntergekommen. Die Gefangenschaft ertrug

er anscheinend leicht. Es scheint, dass der während seiner
Gefangenschaft über sein Vermögen vollends hereingebrochene
Ruin die Veranlassung zum Selbstmord gewesen ist.

In diesem Jahre zählten wir in der Strafanstalt 11
Epileptiker, welche theilweise aus früheren Jahren übernommen, theilweise neu in die Anstalt gekommen waren. Alle
hatten schon in der Freiheit Anfälle von Epilepsie gehabt.
Von diesen 11 Kranken hatten 9 epileptische Anfälle der
gewöhnlichen Art von verschieden grosser Heftigkeit. Bei
2 waren aber mit den Krampfanfällen solche von psychischer
Störung verbunden, während die Kranken in der Zwischenzeit
psychisch frei waren. Wer mit Epileptischen zu thun hatte,
weiss, welche unangenehme Beigabe für eine Anstalt derartige Kranke in Folge ihrer Anfälle, wie auch ihrer sonstigen
gemüthlichen Vereigenschaftung bilden. Es ist dies natürlich
um so schlimmer, wenn diese Kranken, wie in diesem Jahre,
eine so bedeutende Zahl ausmachen.

Einige Sträflinge (8) zeigten, ohne in ausgesprochener
Weise geisteskrank zu sein, dennoch eine derartige, meist
auf Naturanlage und mangelhafter Erziehung beruhende, geistige Vereigenschaftung, dass sich die Zelle nicht geeignet
zum ständigen Aufenthaltsort für sie erwies. Zeitweilige
Unterbrechungen der Einzelhaft, wie sie sich boten durch
Beschäftigung als Hausreiniger oder im Freien, auch durch
einen vorübergehenden Aufenthalt im Krankenhause, zeigten
sich als genügend, um ihren Geisteszustand auf dem gewöhnlichen Niveau zu erhalten.

Erwähnenswerth ist noch, dass ein Gefangener, welcher
schon seit früheren Jahren an Verrücktheit leidet, über
bisher noch unbekannte Verbrechen seinerseits Geständnisse
machte, welche so völlig das Gepräge der Wahrheit an sich
trugen, dass eine Schwurgerichtsverhandlung desshalb anbe-
raumt wurde. Dieselbe wurde jedoch wegen des Geisteszu-
standes des Inkulpaten ausgesetzt.

Dieses Jahr weist 11 frische Fälle von Geistesstörungen
auf. Es macht dies auf die Durchschnittszahl 2,6%. Von
diesen 11 Fällen gehörte 1 der Manie an, ohne dass vorher
ein melancholisches Stadium gegangen wäre. Mit Melan-

cholie als Vorläufer begann 1 Fall von Manie, 1 Fall von
Verrücktheit, sowie 1 Fall von paralytischem Blödsinn. In
den übrigen 7 Fällen hatten wir es mit Melancholie allein
zu thun, und zwar fielen 4 hiervon unter die Kategorie des
Verfolgungswahns, 3 gehörten der einfachen Melancholie an.
Das Vorhandensein von Sinnestäuschungen war bei 3 dieser
Gestörten sehr wahrscheinlich, bei 8 aber sicher nachweisbar.
Das Alter der Erkrankten schwankte von 19 bis 47 Jahren,
und zwar standen im Alter von 19 bis 30 Jahren wie in
dem von 30 bis 40 Jahren je 5 Gefangene, während nur 1
Gefangener über 40 Jahre alt war. Die Gefangenschaftsdauer bis zum Ausbruch der Störung betrug bei 8 Gefangenen von 3 Wochen bis zu 1 Jahre, davon erkrankten 6 im
ersten halben Jahre ihrer Gefangenschaft. Ueber 1 Jahr
befanden sich 3 Gestörte zur Zeit ihrer Erkrankung in Gefangenschaft. Von den Kranken waren 4 schon früher in
unserer Strafanstalt inhaftirt gewesen.

In Bezug auf den Nachweis vorhandener Heredität,
anderweiter Disposition und nächster Veranlassung zum Ausbruch der Störung ist die Ausbeute dieses Mal sehr gering.
Auf die Wahrscheinlichkeit vorhandener Heredität war bei
2 Gefangenen zu schliessen. Bei 1 Gefangenen war sonstige
Disposition anzunehmen; derselbe war bei seinem früheren
Aufenthalte in der Strafanstalt schon ein Mal tobsüchtig geworden. Die nächste Veranlassung der Entstehung der Krankheit war nur in zwei Fällen zu ermitteln; bei dem einen war
es Furcht vor weiterer Strafe, bei dem anderen Sorge um
Familie und Vermögen.

In Bezug auf die Art des Verbrechens war die Mehrzahl (6 Fälle) verurtheilt wegen gewohnheitsmässigen Diebstahls und Betrugs, je 1 wegen Meineids, Körperverletzung
und Fahnenflucht, 2 wegen geschlechtlicher Vergehen. Von
diesen 11 Erkrankten genasen 2 nach ca. 2monatlicher Krankheitsdauer; 1 befand sich am Schlusse des Jahres noch krank
in der Strafanstalt; 1 wurde beurlaubt, 1 mit Strafende entlassen und 6 wurden in das Krankenhaus des Landes-Ge-
fängnisses versetzt.

Die einzelnen Fälle mögen in Kürze folgen:

1) A. F., 84 Jahre alt, Schneider von B., wegen Diebstahls 2 Jahre Zuchthaus, 24. VIII. 74 eingeliefert; gewerbsmässiger Taschendieb; zum 2. Male in unserer Strafanstalt; schwächlich, anämisch, scrophulös; eiteler Processkrämer und Querulant; nach ca. 1jähriger Gefangenschaftsdauer Vergiftungswahn auf Sinnestäuschungen beruhend; Wahnideen von fortgesetzten Intriguen und Verfolgungen seitens der Gerichtshöfe und der Strafanstalt; Wahnideen von grossem Reichthum und vornehmer Abkunft; 24. VIII. 76 mit Strafende entlassen.

2) K. H., 35 Jahre alt, Schuhmacher von N., 25 Monate Zuchthaus wegen Diebstahls und Betrugs, 19. II. 75 eingeliefert; zum 2. Male in unserer Strafanstalt; Januar 1876 Beginn der Störung mit Kopfweh, Schwindelgefühl, Schlaflosigkeit, Gedankenflucht; nach ca. 4 Wochen ausgesprochene, einfache Melancholie; akutes Auftreten meningitischer Erscheinungen, mit der Besserung der letzteren auch allmählige Besserung der psychischen Störung.

3) X. B., 22 Jahre alt, Maurer von W., 18monatliche Zuchthausstrafe wegen Diebstahls, Betrugs und Unterschlagung, 15. II. 76 eingeliefert; von Jugend auf faul und diebisch; Stiefbruder seines Vaters unheilbar gestört; Beginn der Störung 18. III. 76; nächste Veranlassung Furcht vor einer Zusatzstrafe; anfangs hypochondrische Ideen; dann Verfolgungswahn in Folge lebhafter Sinnestäuschungen (Erscheinung schwarzer Gestalten) bis zur Idee vom Teufel besessen zu sein. Auftreten epileptiformer Anfälle (namentlich beim Erblicken glänzender Gegenstände); Selbstmordversuche; Hereinspielen von Grössenwahnideen; Versetzung in das Krankenhaus des Landesgefängnisses 5. IV. 76.

4) H. B., 38 Jahre alt, Maurer von H., 6 Jahre Zuchthaus wegen Körperverletzung mit nachgefolgtem Tode; Einlieferung 26. XII. 73; Familienvater; sein Vater erhängte sich in einem Anfall von Melancholie; wegen Körperverletzung und Diebstahls schon früher bestraft; verschlossen und misstrauisch; Beginn der Störung Frühjahr 1876 mit Steigerung seines Misstrauens; Gehörshallucinationen (neckenden Stimmen von Aufsehern und Mitgefangenen); Verfolgungswahn; auch in Gemeinschaft des Krankenhauses Fortdauer und Steigerung des Verfolgungswahns mit Gehörs- und Gesichtstäuschungen; theilweise Nahrungsverweigerung; schliesslich ohne zu sprechen oder zu arbeiten ständig unter der Decke oder mit zugebundenen Augen im Bett; 22. VII. 76 ins Krankenhaus des Landesgefängnisses.

5) J. H., 34 Jahre alt, Landwirth von U., 2 Jahre Zuchthausstrafe wegen Meineids; 12. X. 75 eingeliefert; Grossvater väterlicherseits bekannter Processkrämer; er selbst zu geschlechtlichen Excessen geneigt; wenige Tage vor der Verhaftung erst geheirathet; Strafe sehr schwer ertragend wegen der Sehnsucht nach seiner Frau und der Sorge um seine Güter. Januar 1876 verändertes Wesen; grosse, gemüthliche Depression; Gehörstäuschungen, deren Inhalt meist seine Freilassung betrifft. 13. VII. 76 nach Hause beurlaubt.

6) W. K., 25 Jahre alt, Uhrenmacher von B., 6 Jahre 7 Monaten Zuchthaus wegen gefährlichen Diebstahls, Betrugs; 10. V. 73 eingeliefert. Von Jugend auf leichtsinnig und liederlich; Herbst 1875 Beginn der Störung mit Schlaflosigkeit, Träumen, Kopfweh; Gehörshallucinationen beschimpfenden Inhalts; misstrauisch und sehr gereizt; Verfolgungswahn (insbesondere sind die Angestellten wie auch die Insassen der Strafanstalt seine erbitterten Feinde); 27. IX. 76 in das Krankenhaus des Landesgefängnisses.

7) P. H., 47 Jahre alt, Taglöhner von Sch., wegen Betrugs und Diebstahls 26 Monate Zuchthaus; 19. V. 76 eingeliefert; Gewohnheitstrinker, verschwenderischer Müssiggänger, gewerbsmässiger Schwindler; wegen Diebstahls und Betrugs 13 Mal bestraft; zum 8. Mal in unserer Strafanstalt; beim letzten Aufenthalt (1875) tobsüchtig. Ende September Gedankenflucht, Verwirrung bei erhöhtem Affect (Besitzer grosser Reichthümer); Steigerung der Aufregung bis zum Ausbruch ausgesprochener Tobsucht (unaufhörliche Wortflucht, grosse motorische Agitation); in den Pausen zwischen den Tobsuchtsanfällen Zeichen eines beginnenden, geistigen Schwächezustands. 6. X. 76 Versetzung in das Krankenhaus des Landesgefängnisses.

8) L. L., 25 Jahre alt, von Sch., ursprünglich Kaufmann, dann Unteroffizier; wegen Fahnenflucht, Erregung öffentlichen Aergernisses, Führung falschen Namens, Landstreicherei 8 Jahre 6 Monate Zuchthaus; 4. X. 76 eingeliefert; bei der Waffe vielfach bestraft, auch schon gerichtlich, u. a. wegen Erregung öffentlichen Aergernisses durch unzüchtige Handlungen; nach 3wöchentlicher Strafdauer Ausbruch von Verfolgungswahn mit lebhaften Sinnestäuschungen; baldiges Zurücktreten der Depression bei beständigem Klagen über Brausen im Kopf, bei Fortdauer der Gesichts- und Gehörstäuschungen, bei zunehmender Verwirrung und Gedankenflucht; Zittern der Ober- und Unterlippe; Beschäftigung mit seiner Geliebten, beständiges Leben in seinen militärischen Erinnerungen; zusammenhangsloses Citiren aller möglichen theilweise selbstgemachten Verse; Orts- und Personenverwechslung; Streben nach der Freiheit; Stimmung immer heiterer, während sein Wesen immer kindischer und läppischer; beginnender Blödsinn.

9) H. A. K., 33 Jahre alt, Lehrer von D., wegen Unzucht mit Kindern 5 Jahre Zuchthaus; 1. IV. 76 eingeliefert; geistig wenig begabt, verschlossen; seit Anfang Oktober Schlaflosigkeit, ängstliche Stimmung; grundlose Furcht vor Hausstrafen, Selbstanklagen, Bitten um Verzeihung und um Bestrafung zur Stillung der inneren Unruhe, beginnende Nahrungsverweigerung; bis zum November allmählige Genesung in der Gemeinschaft.

10) K. Sch., 19 Jahre alt, Fabrikarbeiter von M., 6 Jahre Zuchthausstrafe wegen Nothzucht; 5. VII. 76 eingeliefert; aus einer in ökonomischer wie sittlicher Beziehung ganz heruntergekommenen Familie; wenig begabt und geringe Kenntnisse; von Jugend auf

Hang zu Bettel, Diebstahl, Thätlichkeiten; noch ganz bübisches Wesen, seit Mitte November Schmerzen im Kopf; in ständiger Furcht, meist ohne einen Grund angeben zu können, zeitweise aber in Folge von Gesichts- und Gehörshallucinationen, welche dann förmliche Angstanfälle auslösen. In der Gemeinschaftshaft Eintritt der Genesung bis Mitte Dezember.

11) J. W., 20 Jahre alt, Taglöhner von H., wegen Diebstahls 2 Jahre Zuchthausstrafe; 23. XI. 74 eingeliefert; unehelicher Sohn einer Gewohnheitsdiebin; von Jugend auf lügend, bettelnd, stehlend; 1871 schon einmal in unserer Strafanstalt wegen Versuchs widernatürlicher Unzucht; auch nach dieser Bestrafung schlechte Führung; von Natur einsilbig; seit Juni 1875 immer wortkarger, gedrückter; trägt sich mit Selbstmordgedanken; desshalb Hausreiniger; 10. II. 76 aus Furcht vor einer drohenden Hausstrafe grosse, ängstliche Erregung, sucht sich zu verbergen, sich zu erhängen; schliesslich Ausgang in Tobsucht; 11. II. 1876 Versetzung in das Krankenhaus des Landesgefängnisses.

Bruchsal, Dezember 1877.

Ribstein.

# Statistik
## über die Gesundheitsverhältnisse pro 1876.

1. Zahl der am 31. Dezember 1875 anwesenden Gefangenen     409
2. Zahl der während des Jahres Eingelieferten    .    .   <u>244</u>

                                       Ganze Zahl   653

3. Zahl der als untauglich für die Einzelhaft wegen körperlicher oder geistiger Leiden in Gemeinschaft oder in das Krankenhaus des Landesgefängnisses Versetzten
   a. In Gemeinschaft waren am 1. Jan. 1876   .   .   .   .   .    15
   b. In Gemeinschaft versetzt während des Jahres   .   .   .   .    1
   c. In das Krankenhaus des Landesgefängnisses während des Jahres versetzt   .   .   .   .    3
   d. Abgegangen sind   .   .   .    1
   e. Stand am 1. Januar 1877   .   .    12
4. Zahl der aus der Krankenpflege mit Strafende Entlassenen   .   .   .   .   .   .    2
5. Zahl der aus der Krankenpflege durch Beurlaubung, vorläufige Entlassung oder Begnadigung Entlassenen   .    3
6. Zahl der in Heilanstalten Verbrachten   .   .   .    0
7. Zahl der Selbstmorde   .   .   .   .   .    1
8. Zahl der Todesfälle   .   .   .   .   .    3
9. Zahl der am 31. Dezember 1876 anwesenden Gefangenen    416
10. Gesammtzahl aller im Jahre 1876 ärztlich behandelten Gefangenen:
    a. in der Krankenabtheilung   .    54
    b. in den Arbeitszellen   .    179
11. Zahl derjenigen Gefangenen, welchen Extraspeisen verwilligt wurden   .   .   .   .    26
12. Täglicher Durchschnittsstand der Gefangenen   .   .    408
13. Grösster Gefangenstand   .   .   .   .    423
14. Täglicher Durchschnittsstand der Kranken   .   .    16,21
15. Krankenverpflegungstage   .   .   .   .   .    59,38
16. Krankheitsfälle   .   .   .   .   .   .    233
    a. schwerere   .   .   .    28
    b. leichtere   .   .   .    205

# Krankheitsfälle.

## a. Schwerere.

| Uebernahme: | | | Uebertrag | 14 |
|---|---|---|---|---|
| Pleuritis exsudat. . . . | 1 | Catarrh. ventricul. chron. . | 1 |
| Pneumonia chron. . . . | 1 | Catarrh. intestinal. chron. . | 1 |
| Cartarrh. ventricul. chron. . | 1 | Caries col. vertebr. . . | 1 |
| Strictur. urethr. . . . | 1 | Febr. intermittens irregul. . | 1 |
| Catarrh. vesic. urin. . . | 1 | Keratitis ulcerosa . . . | 1 |
| Summa | 5 | Meningitis . . . . | 1 |
| | | Orchitis . . . . | 1 |
| Zugang: | | Periostitis . . . . | 1 |
| Emphysema pulmon. . . | 1 | Myelitis femor. . . . | . |
| Pneumon. chronic. . . . | 6 | Bursitis gen. . . . | 1 |
| Pleuropneumon. chron. . . | 1 | Epilepsia . . . . | 1 |
| Pleuritis exsudat. . . . | 5 | Psychosis . . . . | 2 |
| Angina diphther. . . . | 1 | Syphilis . . . . | 1 |
| Uebertrag | 14 | | 28 |

## b. Leichtere:

### 1. Ohne Arbeitsfähigkeit.

### 2. Mit Arbeitsfähigkeit.

| Uebernahme: | | Catarrh. bronchial. . | 36 |
|---|---|---|---|
| Catarrh. bronchial. . . . | 1 | Haemoptoë . . . | 2 |
| Emphysema pulm. lev. . . | 1 | Emphysema pulm. . . | 1 |
| Catarrh. intestin. chron. . | 1 | Stenos Aort. . . . | 1 |
| Jcterus catarrhal. . . | 1 | Angina tonsill. . . | 3 |
| Catarrh. intestin. ac. . . | 1 | Catarrh. ventric. . . | 23 |
| Marasmus senilis . . . | 1 | Catarrh. intestin. . . | 19 |
| Psychosis . . . . | 2 | Obstructio . . . | 4 |
| | 8 | Haemorrhois . . . | 1 |
| | | Catarrh. vesic. urin. . | 4 |
| Zugang: | | Scrophulosis . . . | 12 |
| | | Rheumatismus . . | 21 |
| Catarrh. bronchial. . . | 2 | Neuralgia . . . | 11 |
| Catarrh. laryng. chron. . | 1 | Alcoholismus . . . | 1 |
| Haemoptoë . . . | 1 | Epilepsia . . . | 1 |
| Pneumon. chron. inc. . | 1 | Psychosis . . . | 7 |
| Emphysema pulm. . . | 1 | Marasmus senil. . . | 4 |
| Angina diphtherit. . . | 1 | Orchitis . . . | 1 |
| Catarrh. ventric. ac. . | 1 | Spermatorrhoea . . | 1 |
| Catarrh. ventric. chron. . | 2 | Otitis . . . | 3 |
| Catarrh. intestin. ac. . | 3 | Conjunctivit . . | 4 |
| Catarrh. intestin. chron. . | 1 | Eccema . . . | 2 |
| Haemorrhois . . . | 1 | Psoriasis . . . | 1 |
| Taenia . . . | 1 | Scabies . . . | 3 |
| Erysipel fac. . . . | 3 | Aeussere Leiden . . | 13 |
| Herpes Zoster. . . | 1 | | 179 |
| Haematuria . . . | 1 | | |
| Periostitis rheum. . . | 1 | | |
| Psychosis . . . | 4 | | |
| | 26 | | |

| Jahr | I. Bevölkerung | | | II. Krankheitsfälle | | | III. Krankenverpflegungstage | IV. Täglicher Durchschnitt d. Kranken | V. Todesfälle | | | | VI. Selbstmorde | VII. Seedienststörungen |
| | Zugang | Gesammtzahl | Durchschnittszahl | Leichtere a. mit Arbeitsunfähigkeit | Leichtere b. ohne Arbeitsfähigkeit | Schwerere | | | erfolgt: a. in der Anstalt | b. nach der Entlassg. | Procente auf die Durchschnittszahl von a. | von a. und b. | | |
|---|---|---|---|---|---|---|---|---|---|---|---|---|---|---|
| 1850 | 296 | 655 | 360 | 428 | 372 | 41 | 10,063 | 27,30 | 10 | 5 | 2,78 | 4,16 | | 4 |
| 1851 | 288 | 649 | 362 | 382 | 199 | 42 | 8024 | 21,98 | 11 | 5 | 3,04 | 4,69 | | 8 |
| 1852 | 255 | 614 | 367 | 370 | 156 | 26 | 8438 | 23,05 | 15 | 1 | 4,09 | 4,63 | | 7 |
| 1853 | 186 | ··· | 371 | 310 | 181 | 16 | 7764 | 21,27 | 3 | 2 | 0,81 | | | 1 |
| 1854 | 172 | | 375 | 303 | 143 | 19 | 8772 | 24,00 | 6 | 2 | 1 60 | | | 0 |
| 1855 | 167 | | 354 | 328 | 393 | 15 | 7609 | 20,85 | 5 | 3 | 1 41 | | | 2 |
| 1856 | 224 | | 328 | 268 | 35 | 23 | 7256 | 19,82 | 0 | 4 | 3 04 | | | 1 |
| 1857 | 157 | | 334 | 282 | 05 | 34 | 8229 | 22,52 | 6 | 5 | 1 80 | | | |
| 1858 | 146 | | 319 | 227 | 21 | 27 | 7810 | 21,39 | 1 | 4 | 3 45 | | | |
| 1859 | 107 | | 287 | 220 | 08 | 13 | 6009 | 16,46 | 8 | 3 | 2 88 | | | |
| 1860 | 116 | | 258 | 188 | 72 | 10 | 4872 | 13,31 | 3 | 4 | 1 16 | | | |
| 1861 | 130 | | 245 | 174 | 79 | 11 | 4714 | 12,91 | 1 | 2 | 0 41 | | | |
| 1862 | 93 | | 234 | 189 | 81 | 11 | 5805 | 15,90 | 3 | 3 | 1 28 | | | |
| 1863 | 182 | | 221 | 181 | 57 | 15 | 2937 | 8,04 | 3 | 2 | 1 36 | | | |
| 1864 | 305 | | 351 | 236 | | 12 | 4659 | 12,73 | 5 | 10 | 1 42 | | | |
| 1865 | 326 | | 332 | 192 | | 23 | 4742 | 15,28 | 8 | * | 2 40 | | | |
| 1866 | 364 | | 351 | 159 | | 40 | 7981 | 21,80 | | | | | | |
| 1867 | 399 | | 412 | 303 | | 26 | 6859 | 18,79 | | | | | | |
| 1868 | 408 | | 420 | 314 | | 39 | 6816 | 18,62 | | | | | | |
| 1869 | 410 | | 431 | 262 | | 46 | 7109 | 19,49 | | | | | | |
| 1870 | 40? | | 440 | 257 | | 30 | 10857 | 29,47 | | | | | | |
| | | | 435 | 222 | | 58 | 10458 | 28,50 | | | | | | |
| | | | | | | 35 | 4784 | 13,10 | | | | | | |
| | | | | | | 39 | 7565 | 20,72 | | | | | | |
| | | | | | | 2 | 6887 | 18,86 | | | | | | |

* Die Erkundigungen über die Entlassenen werden nicht früher als nach Umfluss von 5 Jahren eingezogen und sind seit 1870 nicht mehr erhoben worden.

**Todesfälle.**

| Namen | Alter | Verbrechen | Tag der Einlieferung | Gefangenschaftsdauer. | | Anfang der tödtlichen Krankh. | Todestag | Todesursache | Krnkheitstg. | Gesundheitszustand bei der Aufnahme | Beschäftigung | | Bemerkungen |
|---|---|---|---|---|---|---|---|---|---|---|---|---|---|
| | | | | Jahr | Mon. | | | | | | früher | in der Anstalt | |
| Sch. F. I. | 47 | Diebstahl | 30. Okt. 1875 | — | 4¾ | — | 23.März 1876 | **Selbstmord durch Erhängen.** | — | Grosse atonische Fussgeschwüre, sonst gesund. | — | Korbflechter | |
| K. A. G. | 26 | Brandstiftung | 12. April 1873 | 3 | 4 | 3. Juni 1876 | 11.Aug. 1876 | Pleuritis lat. sin. **Meningitis.** | 70 | gut | Kaufm. | Buchbinder | |
| V. J. | 21 | Fahnenflucht | 25. April 1874 und 18. Aug. 1876 | 1⅓ | — | Mit Phthisis pulm. eingeliefert. | 29.Sept 1876 | Phthisis pulmon. et intestin tubere. | 43 | Phthisis pulmon. | Kaufm. | Cartonnage | War zur Auswanderung begnadigt, aber zurückgekehrt. |

# Jahresbericht

des

## katholischen Hausgeistlichen
## für 1876.

~~~~~~~~~

Am 1. Januar befanden sich 246 katholische Gefangene
in der Anstalt. Bis zum Jahresschlusse wurden bei einem
Gesammtzugange von 244 Köpfen 148 katholische Gefangene
eingeliefert. Es beträgt demnach die Gesammtsumme der
katholischen Gefangenen 394.

Die Gesammtbevölkerung zählt 653 Köpfe, somit bilden
die katholischen 60,3 % derselben.

Der Abgang der katholischen Gefangenen berechnet
sich im Ganzen auf 138 Köpfe. Unter diesen sind jedoch
49 Versetzungen in das Landesgefängniss und ein Todesfall
eingerechnet. In die Freiheit wurden nur 88 entlassen und
von diesen haben 62 die Strafe vollständig erstanden, 23
wurden auf Widerruf und 3 in Folge Allerhöchster Gnade
entlassen.

Die 23 auf Widerruf Entlassene waren verurtheilt:

a. wegen Meineid . . . . . . 2
b. „ Todtschlag und Versuch desselben . . 5
c. „ Unzucht . . . . . . . 7
d. „ Diebstahl, Raub, Unterschlagung . . 8
e. „ Brandstiftung . . . . . . 1

Ein Widerruf ist bis daher nicht nothwendig geworden.

Die 3, welchen der Strafrest in Gnaden nachgelassen
wurde, waren verurtheilt: der

1. wegen militärischen Vergehen,

2. wegen Unterschlagung etc. im Amte,

3. „ wegen Todtschlags.

Katholischer Gottesdienst findet in der Regel dreimal in der Woche statt. An Sonn- und Feiertagen ist Vormittags Amt und Predigt, und Nachmittags Vesper. Fällt kein Feiertag in die Woche, wird jeweils am Mittwoch eine hl. Messe gelesen.

Der Sakramentenempfang ist den Gefangenen gänzlich freigestellt. Im Verlaufe des Jahres sind 442 Communionen begangen worden.

Das Verhalten der Gefangenen im Gottesdienste hat niemals eine Störung veranlasst und liess nichts zu wünschen übrig. Vom Besuche des Gottesdienstes wurde kein Gefangener ausgeschlossen oder dispensirt.

Zweimal in der Woche wird für sämmtliche Gefangene Religionsunterricht in der Kirche abgehalten, auch da waren Aufmerksamkeit und Betragen derselben im Allgemeinen ganz befriedigend.

Zur religiösen Belehrung und Lektüre bietet die Bibliothek den Gefangenen katholischer Confession eine äusserst beschränkte Auswahl. Ausser dem Neuen Testamente und Diöcesan-Gesangbuch, die ein jeder Gefangene zur Hand haben sollte, sind Goffine's Unterrichts- und Erbauungsbuch, Devis Gebetbuch, Riffel's Schönheiten der katholischen Kirche in mehreren Exemplaren und einige andere unbedeutendere Werke in je einem Exemplare vorhanden.

Wegen Geistesstörung wurde ein Gefangener urlaubsweise entlassen und befindet sich zur Zeit noch zu Hause; vier wurden aus demselben Grunde der Pflege des Krankenhauses im Landesgefängnisse übergeben.

Bruchsal, im Juli 1877.

Eisen.

# Jahresbericht

des

# evangelischen Hausgeistlichen
# für 1876.

～～～～～

## Allgemeine Bemerkungen.

Die Thätigkeit des Anstaltsgeistlichen ist in vieler Hinsicht eine ganz andere als diejenige eines Pfarrers der freien Gemeinde. Ich will nicht davon reden, dass im Gefängniss Manches fehlt, was dem Geistlichen der freien Gemeinde zwar Mühe und Arbeit macht, ihm aber auch wieder zur Erfrischung und Aufmunterung gereicht. Dahin gehören, — wo keine jugendlichen Gefangenen sind —, der Unterricht der Jugend, die Confirmation, die Taufe (von vereinzelten keineswegs angenehmen oder wünschenswerthen Fällen in der Weiberstrafanstalt abgesehen), Trauungen und auch die Tröstungen, die er vielfach am Grabe zu spenden hat. So sehr man übrigens diese Seite der geistlichen Berufsthätigkeit zu Zeiten vermissen kann, so ist doch das nicht das eigentlich Maassgebende bei der Beurtheilung dessen, was der Pfarrer der freien Gemeinde vor dem der unfreien entschieden voraus hat. Das Unterscheidende liegt vielmehr in dem Arbeitsfeld, in dem Gebiet der Seelsorge überhaupt. Nicht als ob der Pfarrer der freien Leute bei seinem amtlichen und seelsorgerlichen Wirken nur angenehme, der Andere dagegen nur unangenehme Erfahrungen zu machen hätte. Im Gegentheil. Der Anstaltsgeistliche kann hie und da recht erfreuliche Erfahrungen machen; gerade dann, wenn er manchmal mutblos werden und mit dem Propheten seufzen möchte: „ich aber dachte, ich arbeitete vergeblich und brächte meine Kraft umsonst und unnützlich zu," — gerade dann kann er oft Wahrnehmungen machen, die in der freien Gemeinde selten sind und die für manches Schwere wieder reichlich entschädigen. Dessenungeachtet kann Einen dann und wann eine rechte Sehnsucht anwandeln nach der Wirksamkeit in einer freien Gemeinde. Und die Hauptursache solcher Sehnsucht liegt wohl darin, dass der beständige, fast tägliche Umgang mit der Verbrecherwelt etwas Drückendes hat. Wer watet gern im Sumpfe, wer liest gerne nur schauerliche Geschichten; wer liebt es, nur Nachtgemälde zu betrachten? Und doch ist man beim Umgang mit den Gefangenen genöthigt, fortwährend Blicke zu thun in die tiefen, unheimlichen Abgründe menschlichen Verderbens und Elendes. Die Sünde in ihrer vielgestaltigen Hässlichkeit ist wahrlich kein heiteres, kein angenehmes Bild, bei dem man gerne verweilt. Und auch das menschliche Elend, welches die Sünde im Gefolge hat, tritt einem hier oft in der ergreifendsten Weise entgegen. Wohl gewöhnt man sich an Vieles, und das Gefühl wird mit der Zeit gegen Manches abgestumpft; aber wer könnte den Tiefen des Lasters und Verbrechens immer mit völliger Seelenruhe gegenübertreten? Wer könnte bei den Klagen, dem Jammer und den Thränen, mit denen so Mancher in seiner einsamen Zelle sich abhärmt, wegen der Trennung von Weib und Kind, wegen der Schande und Schmach, die er auf sein und der Seinigen Haupt gehäuft, wegen des verfehlten Lebens, der umnachteten Zukunft —, wer könnte dem gegenüber völlig theilnahmlos bleiben? — Den Schmutz der Sünde und das Elend derselben in gehäuftem Maasse Tag für Tag vor Augen zu haben, das Alles immer wieder sehen, hören, lesen, dagegen ankämpfen zu müssen, — das ist es, was, wie mir scheint, den Dienst des Anstaltsbeamten überhaupt, und somit auch des Anstaltsgeistlichen, zu einem besonders angreifenden und beschwerlichen macht.

Der verhältnissmässig leichtere und angenehmere Theil

der Arbeit des Anstaltsgeistlichen ist der Gottesdienst und
Religionsunterricht. Schwieriger sind die Zellenbesuche.

## I. Gottesdienst und Religionsunterricht.

Man könnte denken, die Stimmung eines Gefängniss-
geistlichen am Altar und auf der Kanzel müsse in der Regel
eine höchst peinliche sein. Hat er denn nicht lauter Zuhörer
vor sich, die dem Worte der Wahrheit gegenüber eine völlig
gleichgiltige, wenn nicht feindselige Stellung einnehmen?
Muss das nicht einen erdrückenden Eindruck machen, wenn
er die vielen finsteren Gesichter sieht, denen vielfach nur
zu deutlich der Stempel des Verbrechens aufgedrückt ist?
Ist das nicht ein böser, unheimlicher Geist, der wie eine
schwarze Wolke zu ihm aufsteigt und ihm allen Muth und
alle Freudigkeit zu rauben droht? Nein, so schlimm ist es
nicht. Wohl fehlt es nicht an finsteren und verschlossenen
Mienen, die ihm sagen: meine nur nicht, dass wir Etwas von
dir und deinem Worte wollen. Wohl hat sich da Einer
stolz zurückgelehnt und hat mit in einander geschlungenen
Armen eine Haltung angenommen, die seine Gleichgiltigkeit
beurkunden soll. Und dort schwebt Einem ein spöttisches
Lächeln um die Lippen, das sagen will: über das Alles bin
ich hinaus. Hier trägt eine Physiognomie das Gepräge des
Stumpfsinns und der moralischen Verkommenheit; dort spricht
sich Verbitterung und Verbissenheit in den Zügen aus. Aber
das Gesammtgepräge der Zuhörerschaft ist ein anderes, weit
günstigeres. Man wird beim Anblick der meist mit sichtli-
cher Aufmerksamkeit und Andacht lauschenden Leute eher
an das Psalmwort erinnert: „Wie ein Hirsch schreiet nach
frischem Wasser, so dürstet meine Seele, Gott zu Dir," oder
an jenes andere: „Ich breite meine Hände aus zu Dir; meine
Seele dürstet nach Dir wie ein dürres Land!" Das finden
doch Viele dieser oft tief gefallenen und von Gott weit ab-
gekommenen Menschen bald heraus, dass ihnen gerade in
der Religion, die sie bisher vielleicht für Nichts geachtet
haben, der Stab gereicht wird, vermittelst dessen sie sich
aus ihrem tiefen Fall wieder erheben können. Das merken
sie, dass an dieser Quelle allein Heilung für das verwundete

Gewissen, Rath und Trost in ihrem Elend, Hilfe und Rettung für die Zukunft zu finden ist. —

Was die äussere Haltung der Gefangenen während des Gottesdienstes und Religionsunterrichtes betrifft, so kann dieselbe nur als eine lobenswerthe bezeichnet werden. Die Situation, in welcher die Leute sich befinden, die Disciplin des Hauses, die innere und äussere Noth, in der sie sind, mag wohl die tiefste Ursache der lautlosen Stille und Aufmerksamkeit sein, welche in der Anstaltskirche herrscht.

Das heilige Abendmahl wurde zwei Mal ausgetheilt, nämlich am Gründonnerstag und am Buss- und Bettag. An dieser Feier betheiligten sich am ersteren Festtag 90 von 155 Gefangenen, am Busstag 88 von 152.

Am zweiten Christtag, am Ostermontag und Pfingstmontag wird in der Regel ein liturgischer Gottesdienst abgehalten, der auf die Gefangenen einen erhebenden und wohlthuenden Eindruck zu machen scheint. Sie selbst tragen zur Verschönerung des Gottesdienstes an solchen Tagen nicht wenig bei durch einen kräftigen, gut geübten Gesang; auch gereicht es ihnen sichtlich zur Freude und Aufmunterung, wenn sie hie und da in rythmischen Gesängen und Chören etwas Besonderes zu leisten im Stande sind. Die Pflege, welche dem Kirchengesang in der Anstalt zu Theil wird, verdient alle Anerkennung. —

Am Religionsunterricht nahmen die Gefangenen lebhaften Antheil. Ich habe eine Anzahl Psalmen und die vierzehn ersten Kapitel der Apostelgeschichte erklärt und dabei die Wahrnehmung gemacht, dass die letztere Erklärung meist mit besonderem Interesse aufgenommen wurde. Es sprach, wie mir schien, die Leute an, dass ihnen hier nicht abstracte Dogmatik geboten wurde, sondern geschichtliche Wirklichkeit, sie hatten bei der Betrachtung des Lebens und Wirkens der Apostel weniger Veranlassung zum Zweifel und Widerspruch. Ein Gefangener, der mir anfänglich viel Schwierigkeit bereitete und mich immer unfreundlich empfing, wurde mit einem Mal ganz anders, er erklärte mir, mit welcher Freude er jetzt in den Religionsunterricht gehe, während er

früher bei Allem, was ich vorgetragen, gedacht habe, das
sei lauter Schwindel.

Ich halte es noch immer so wie früher, dass ich bei
der Erklärung häufig Fragen an die Gefangenen richte, und
es ist mir nicht ein einziges Mal vorgekommen, dass ich eine
unartige Antwort erhalten hätte. Dagegen fehlt es nicht an
ungeschickten Antworten, die hie und da eine etwas heitere
Stimmung hervorrufen, die jedoch nie ausgeartet ist, sondern
sehr bald wieder dem des Ortes und der Sache angemessenen Ernste Platz gemacht hat.

Man muss sich beim Religionsunterricht davor hüten,
im Allgemeinen zu viel vorauszusetzen. Nicht Wenige haben den Boden unter den Füssen vollständig verloren. Sie
halten sich zu ihrem Unglauben für vollkommen berechtigt,
weil sie nicht wissen, wo Kain sein Weib hergenommen hat,
wie die Arche Noah ohne Eisen zusammen halten konnte,
wie es möglich war, dass nach einer Sündfluth von 40 Tagen
die Erde wieder anfing zu grünen und dergleichen mehr.
Einzelne gestehen unumwunden ihre Glaubenslosigkeit, geben
vor, auch nicht beten zu können und sagen, das komme von
ihrer Erziehung her und der Lieblosigkeit, mit der sie im
Leben behandelt worden seien. Das ist manchmal nur leere
Ausflucht; nicht selten ist aber auch etwas Wahres daran.
So sagte mir ein wiederholt betrafter Dieb, der aus einer
zahlreichen Familie stammt: „mein Vater hat uns Kindern
oft auseinander gesetzt, dass der Glaube an ein höheres We-
sen und an ein Fortleben nach dem Tode ein thörichter
Wahn sei. Wie die Kuh das Gras fresse, das sich dann in
Milch verwandle und sonst wieder in seine ursprünglichen
Bestandtheile auflöse, so gehe es auch mit dem Menschen;
er werde auch wieder Staub und Erde. Das war ein grosser
Fehler. Wir sind dadurch Alle leichtsinnig geworden; mir
war Alles völlig gleichgiltig und ich dachte nur daran, das
Leben möglichst zu geniessen." — Da ist es denn nothwendig, wenn auch die Verkündigung der Busse und des Glau-
bens an Christum die Hauptsache ist und bleibt, immer wieder auf die Anfangsgründe der Religion zurückzugehen und
den Leuten in's Herz und Gewissen zu rufen: es gibt einen

Gott, es gibt eine Vergeltung, es gibt eine Ewigkeit. Die
Rede mag, wenn sie auf dieses Gebiet kommt, das Gepräge
tiefen Ernstes tragen; sie wird dessenungeachtet, wenn sie
etwas wirken soll, den Grundton suchender, rettender Liebe
nicht vermissen lassen dürfen. Viele Gefangene gleichen
dem Wanderer, der, wenn der Sturmwind ihn umsaust,
den Mantel stärker um sich zieht; er will ihn sich um keinen Preis entreissen lassen; aber wenn die Sonne ihre Strah-
len sendet, da widersteht er nicht länger und legt ihn ab.

So schwer oft ihre Verbrechen sind, so tief und Abscheu
erregend ihr Fall, — es sind dennoch beklagens- und hemit-
leidenswerthe Menschen, die, — wenn noch für irgend Etwas,
— in erster Linie für freundliche, liebevolle Behandlung
empfänglich sind. Diese Wahrnehmung macht man auch bei
den Zellenbesuchen.

## II. Zellenbesuche.

Die Zellenbesuche sind eine schwierige Aufgabe. Sie
sind durchaus nothwendig, — denn ohne sie wäre die Einzelhaft eine Grausamkeit und keine Strafe mit dem Zweck der
Besserung —; aber sie sind keine leichte Arbeit, sie sind
körperlich anstrengend, geistig ermüdend, gemüthlich nicht
selten aufregend und abspannend. Jeder Gefangene wird
alle 12—14 Tage besucht, wenn nicht pädagogische Gründe
zu einer Ausnahme von der Regel veranlassen, sei es, dass
man Einen öfter besucht, oder auch eine Zeit lang gar nicht.
Letztrer Fall ist übrigens sehr selten.

Man hat zu diesen Gängen Nichts mitzunehmen als ein
Notizbuch und einen Zellenschlüssel. Der Letztere macht
alle Thüren auf. Dagegen braucht man einen ganzen Bund
Schlüssel, um die Herzens- und Gewissensthüren aufzumachen.
Wer mit einem Schlüssel überall aufmachen wollte, dem
würde es nicht gut gehen. Sind doch die Gefangenen nach
Charakter, Bildung, Erziehung, Lebensgang und Lebensstellung
oft sehr verschieden. So kann auch die Behandlung
nur eine verschiedene sein. Die erste Aufgabe ist und bleibt
desshalb die, den Betreffenden aus den Akten, Briefen und
aus der Unterhaltung mit ihm möglichst genau kennen zu

lernen. Die Leute bringen nicht selten eine grosse Verbitterung und Verschlossenheit in die Anstalt mit, und würde man ihnen auf lange hinaus nicht mehr beikommen können, wenn sie gleich von Anfang an rauh angefasst würden. Namentlich ist dies bei Solchen der Fall, die zum ersten Mal die Anstalt betreten; bei Rückfälligen dagegen darf die Behandlung beim ersten Wiedersehen wohl scharf und kurz sein, und es schadet Nichts, wenn ein Rückfälliger sich davor fürchtet, dem Geistlichen wieder unter die Augen zu treten. — Es wäre auch nicht gut, wenn man mit jedem Gefangenen jedesmal ein pastorales Gespräch führen wollte, wie man sich überhaupt vor dem Ton der Salbung — im schlimmen Sinne des Wortes — wohl zu hüten hat.

Das muss sich so gelegentlich machen; dann aber muss man's benützen und frischweg an's Herz und Gewissen reden. Specielle Regeln lassen sich übrigens nicht aufstellen; von dem Beistand Gottes abgesehen, muss die Erfahrung nach und nach den rechten Schlüssel an die Hand geben. Manche Thüre bleibt oft lange verschlossen, bis sie endlich, manchmal ganz unerwartet, aufgeht. So hat mir ein Gefangener, der lange eine ziemlich reservirte Haltung beobachtete, vor einiger Zeit folgendes Geständniss gemacht: „Als ich zum ersten Mal in meine Zelle trat, war mein erster Blick durch's Gitter hinauf an den Himmel mit dem Gelübde, kein Vaterunser zu beten, so lange ich hier sei; ich habe Gott allein für mein Geschick. verantwortlich gemacht; ich bin kein Heuchler, ich sage Ihnen die Wahrheit; ich habe Sie ungern gesehen; der sauerste Gang war mir der zur Kirche; ich schmiedete theils Glückspläne, theils Rachepläne und beschäftigte meine Phantasie mit fixen Ideen; aber jetzt ist das ganz anders: ich bete gern, ich lese gern in guten Büchern, ich habe Trost und Frieden." — Eine einzige Erfahrung der Art entschädigt wieder für manches Unangenehme, das Einem widerfährt. Es ist vorgekommen, dass mir ein Gefangener, (St.), auf alle meine Fragen absolut keine Antwort gab; der Betreffende ist ein ganz verdorbener Mensch, der gegen Alle, die über ihm stehen, einen grimmigen Hass in der Brust trägt, vorab gegen die „Pfaffen".

Auch der Gefangene W. war sehr unruhig und schwierig, und nahm hie und da eine drohende Stellung ein. Doch ist weder von seiner Seite noch sonst eine gröbere Ausschreitung vorgekommen. Unerwartete Widerspenstigkeit nach vorausgegangenem guten Betragen ist hie und da auch ein Zeichen beginnender Seelenstörung und hat sich die Behandlung darnach zu richten.

### III. Seelenstörungen.

Auch in diesem Jahre sind einige Fälle von Seelenstörungen vorgekommen, darunter jedoch nur einer von schlimmerer Art.

T. von Sch., wegen Mordversuchs verurtheilt, war schon ein fast unzurechnungsfähiger Mensch, als er in die Anstalt kam. Was Wunder, dass er hier völlig verrückt wurde!

Trotz seiner abnormen Geistesbeschaffenheit gestand er einen Mord, welchen er an seiner ersten Frau und an einem seiner Kinder begangen, ein und wurde nochmals vor's Schwurgericht gestellt. Obwohl sein Geständniss durchaus das Gepräge der Wahrheit trug, musste der Fall doch wegen sonstiger geistiger Unzurechnungsfähigkeit des Angeklagten vertagt werden.

J. W. von H., wegen Unzucht bestraft, kaum über das jugendliche Alter hinaus, und geistig beschränkt, ein verdorbener Bursche, bekam einen Tobsuchtsanfall, wurde aber in dem Krankenhaus des Landesgefängnisses, wohin er versetzt wurde, bald wieder besser.

K. H. von N., rückfälliger Dieb, kam wegen Hallucinationen in's Krankenhaus, wo sich sein Zustand nach und nach wieder besserte.

K. Sch. von M., ein noch junger kindischer, aber verkommener Mensch, wegen Unzucht bestraft, bekam zunächst Heimweh in der Zelle und wurde dann, trotz besonderer Rücksichtnahme und zeitweiser Entfernung aus der Zelle, seelengestört; auch bei ihm that die Versetzung in's Krankenhaus die gewünschten Dienste.

Ebenso fand der Zustand des H. B. von A., (21 Jahre

alt), vielfach wegen Bettels und Diebstahls bestraft, und in zeitweisen, auf epileptischer Grundlage ruhenden Angstanfällen Verfolgungsideen hegend, im Krankenhaus entschiedene Besserung.

Hartnäckiger und ernster gestaltete sich das Leiden des H. B. von M., wegen Todtschlags verurtheilt, bei dem, obwohl er nach den ersten Symptomen von Seelenstörung in ärztliche Behandlung genommen wurde, der Verfolgungswahn immer stärkere Dimensionen annahm, so dass er in's Landesgefängniss versetzt werden musste, wo es nur ganz allmählig mit ihm besser geworden sein soll.

Ein weiterer leichter Fall von Aufgeregtheit und Hallucinationen wurde nach ganz kurzer Zeit durch sofortige Entfernung aus der Zelle gehoben.

### Statistisches.

Die Zahl der evangelischen Gefangenen betrug bei Beginn des Jahres . . . . . . . 162

Davon wurden:

mit Strafende entlassen . . . . . 34
begnadigt: Einer, und zwar wurden diesem 4 Monate geschenkt, die er vorher wegen einer andern Sache unschuldig in Untersuchungshaft zugebracht hatte.

Vorläufig entlassen wurden: . . . 6
Davon waren bestraft:

Wegen Diebstahls . . . . 2
„ Fahnenflucht und Entwendung
ärarischer Gegenstände . . 1
Wegen Unzucht . . . . 2
„ Meineid . . . . 1
Von diesen ist Keiner rückfällig geworden.

Gestorben sind zwei Gefangene:

A. K. von C., wegen Brandstiftung verurtheilt, 26 Jahre alt, † am 13. August; und

J. V. von W., wegen Fahnenflucht, Diebstahls und Betrugs verurtheilt, 21 Jahre alt. Derselbe war im Jahre 1875 zur Auswanderung begnadigt worden, kam letztes Jahr

wieder zurück, wurde gefänglich eingezogen und hierher
wieder eingeliefert. Bei seiner Einlieferung befand er sich
schon im höchsten Stadium der Schwindsucht und musste
gleich in's Krankenhaus verbracht werden, wo er nach nicht
langer Zeit seinen Leiden erlag.

Beide Gefangene starben nach Empfang des heiligen
Abendmahls in christlicher Ergebung.

Bruchsal, 14. April 1877.

H. Spengler.

# Jahresbericht

der

# Hauslehrer für 1876.

## A. Uebersicht der Lehrgegenstände.
### (Wie 1875.)

### B. Statistische Verhältnisse.

Im Laufe des Jahres befanden sich in der Anstalt 653 Gefangene.

Von diesen besuchten die Schule . . 336

Die Schule besuchten nicht

a. Altershalber . . . . . . 307

b. weil sie die nöthigen Kenntnisse besitzen . 2

c. wegen besonderer Verhältnisse einstweilen vom Schulbesuche ausgeschlossen . . 8
___

653

Von den 336 Schülern wurden im Laufe des Jahres aus der Schule entlassen

a. mit Strafende . . . . . 59

b. nach §. 23 des R. St. G. B. vorläufig entlassen . . . . . . . 10

c. Altershalber von der Schule dispensirt . 19

d. in das Landesgefängniss versetzt . . 33

e. gestorben sind . . . . . 2
___

123

Die Schülerzahl betrug somit am Schlusse des Jahres noch . . . . . . . . 213

und zwar befanden sich davon

```
in der    I. Klasse  . . . . . .   35
  „   „  II.    „     . . . . . .   40
  „   „  III.   „     . . . . . .   36
  „   „  IV.    „     . . . . . .   34
  „   „  V.     „     . . . . . .   35
  „   „  VI.    „     . . . . . .   33
                                   ───
                                   213
```

Im Laufe des Jahres wurden entlassen

```
aus der    I. Klasse mit Strafende  4 vorläufig —
  „   „  II.    „      „      „      10    „      —
  „   „  III.   „      „      „      12    „      1
  „   „  IV.    „      „      „      21    „      —
  „   „  V.     „      „      „       8    „      1
  „   „  VI.    „      „      „       4    „      8
                                    ───         ───
                                    59    „     10
```

Befördert wurden

```
aus der    I. in die  II. Klasse  37
  „   „  II.  „   „  III.    „     36
  „   „  III. „   „  IV.     „     35
  „   „  IV.  „   „  V.      „     28
  „   „  V.   „   „  VI.     „     20
                                  ───
                                  156
```

Es kamen also im Laufe des Jahres 156 Beförderungen vor.

Von den im Laufe des Jahres eingelieferten schulpflichtigen Gefangenen wurden eingetheilt:

```
in die    I. Klasse     .    .    .   47
  „   „  II.    „    .    .    .    .  27
  „   „  III.   „    .    .    .    .  11
  „   „  IV.    „    .    .    .    .  16
  „   „  V.     „    .    .    .    .  14
  „   „  VI.    „    .    .    .    .   1
```

Von den beim Jahresschluss die oberste Klasse besuchenden Schülern kamen bei ihrer Einlieferung

```
in die    I. (unterste) Klasse  .    .   8
  „   „  II. Klasse     .    .    .      6
  „   „  III.   „    .    .    .    .     1
  „   „  IV.    „    .    .    .    .     7
```

in die  V. Klasse .   .   .   .   .   10
„ „  VI.  „  .   .   .   .   1

Es haben 8 Schüler sämmtliche Klassen durchgemacht;
6 die fünf obern, 1 die vier obern, 7 die drei obern und 10
die zwei obern.

Von den 244 im Laufe des Jahres eingelieferten Gefangenen konnten weder lesen noch schreiben 4.

Es folgt schliesslich ein Verzeichniss derjenigen Schüler,
denen für besondere Aufmerksamkeit und erfolgreichen Fleiss
im Unterricht nach der Prüfung im Jahr 1876 Belohnungen
verabreicht wurden (45).

Bruchsal, im April 1877.

Herrmann.
Kirsch.

# Anhang.

## Kost-Regulativ
### für die Grossh. Badischen Strafanstalten.

#### I. Gesundenkost.

1. Jeder gesunde Gefangene erhält täglich:
Morgens: Suppe (an Sonntagen Kaffee) $\frac{1}{2}$ Liter.
Mittags: Suppe $\frac{1}{2}$ Liter,
Gemüse $\frac{1}{2}$ Liter,
Abends: Suppe $\frac{1}{2}$ Liter,
sowie die unter Ziffer 5 und 6 bezeichneten Brod- und Fleischportionen.

2. Die Morgen- und Abendsuppen sind nach Regulativ A. und in dem dabei angegebenen Turnus zu verabreichen.

Der Kaffee wird ohne Zucker mit Milch gegeben. In den Sommermonaten, wo die Milch leicht gerinnt, kann statt des Kaffees eine der vorgeschriebenen Suppen verabreicht werden.

3. Für die Mittags-Suppen — nach Regulativ B. zu bereiten — ist die Reihenfolge auf die Zeit von je 14 Tagen durch die Verwaltung im Benehmen mit dem Anstaltsarzte festzustellen.

Zu den Suppen wird Fleischbrühe verwendet. Fleisch wird jeden Tag gekocht und es erhält die Hälfte der Gefangenen täglich Fleisch.

4. Die Mittagsgemüse sind nach Regulativ C. zu bereiten.

Der Wechsel in den bezeichneten Gemüsen ist ebenfalls nach Benehmen mit dem Hausarzte für je 14 Tage zu bestimmen.

5. Je über den andern Tag, also an 182 (in Schalt-
jahren 183) Tagen des Jahres hat jeder Gefangene je 70
Gramm gekochtes, ausgebeintes O c h s e n f l e i s c h — gleich
125 Gramm rohes — zu erhalten.

Statt Ochsenfleisch kann auch S c h w e i n e f l e i s c h verabreicht werden.

Jedoch ist an folgenden F e s t - und F e i e r t a g e n:

Neujahrstag,

Geburtstag des deutschen Kaisers,

Ostersonntag,

Pfingstsonntag,

Christi Himmelfahrtstag,

Geburtstag des Landesherrn, und

ersten Weihnachtstag

j e d e m Gefangenen 70 Gramm gekochtes Ochsenfleisch oder
Schweinefleisch zu verabreichen.

6. An B r o d ist jedem männlichen Gefangenen über
15 Jahren 750 Gramm, den übrigen jugendlichen Gefangenen
und den weiblichen Gefangenen 500 Gr. täglich abzugeben.

7. Die hiernach im Allgemeinen bestimmte Kostabgabe
kann eine Aenderung erleiden, wenn der Anstaltsarzt in
einzelnen, zu begründenden Fällen für s c h w ä c h l i c h e , ä l t e r e
o d e r l e i d e n d e I n d i v i d u e n besondere Anordnungen beantragt. Die Verwaltung wird ermächtigt, diesen Anordnungen soweit thunlich zu entsprechen.

Ebenso wird die Verwaltung ermächtigt, den s c h w e r -
b e s c h ä f t i g t e n G e f a n g e n e n als: Maurern, Holzmachern,
Küfern, Schlossern, Schmieden, Schreinern, Heizern, zum
Theil auch den Webern Mittags — statt $\frac{1}{2}$ Liter — $\frac{3}{4}$
Liter Gemüse zu verabreichen.

Diese Extrareichungen an Gesunde sind möglichst zu
beschränken und, soweit thunlich, aus dem Uebermaass der
gewöhnlichen Gesundenkost zu decken.

## II. Krankenkost.

1. Die Krankenkost besteht:

a. in D i ä t ,

b. in der g e w ö h n l i c h e n K r a n k e n k o s t.

2. Die Diät besteht in:

Morgens: $\frac{1}{2}$ Liter Suppe,

Mittags: $\frac{1}{2}$ „ „ und

Abends: $\frac{1}{2}$ „ „

3. Die gewöhnliche Krankenkost besteht in:

Morgens: $\frac{1}{2}$ Liter Suppe (Sonntags $\frac{1}{2}$ Liter Kaffee),

Mittags: $\frac{1}{2}$ „ „

$\frac{1}{2}$ „ Gemüse,

94 Gramm Ochsen- oder 125 Gr. Kalbfleisch,

Abends: $\frac{1}{2}$ Liter Suppe,

$\frac{1}{2}$ „ Gemüse (Mehl- Reis- oder Griesbrei, Dürrobst, gebratene Kartoffeln, Knöpfe).

Für den ganzen Tag 312 Gramm Halbweissbrod.

Dem Anstaltsarzte bleibt jedoch überlassen, die nöthigen Extraverordnungen bei der Verwaltung zu beantragen.

### III. Hungerkost.

Die Hungerkost besteht:

a. entweder in täglich drei Suppen à $\frac{1}{2}$ Liter oder

b. in täglich 750 Gramm Schwarzbrod.

# A.

## Morgens- und Abendsuppen, bezw. Kaffee.

| O. Z. | Art der Suppen. | Zutbaten. | | Fnr 350 Mann à ½ Liter. |
|---|---|---|---|---|
| 1 | Brod- oder Zwiebelsuppe | Brod, schwarzes | Kilo | 36 |
| | | Butterschmalz | „ | 3,500 |
| | | Salz | „ | 2,330 |
| | | Pfeffer und Zwiebeln | für | 14 Pfg. |
| 2 | Rahmsuppe | Brod, schwarzes | Kilo | 36 |
| | | Rahm | Liter | 11 |
| | | Salz | Kilo | 2,330 |
| 3 | Mehlsuppe | Mehl | „ | 9,670 |
| | | Brod | „ | 29,330 |
| | | Butterschmalz | „ | 3,500 |
| | | Salz | „ | 2,330 |
| | | Pfeffer | für | 9 Pfg. |
| 4 | Kartoffelsuppe | Brod, schwarzes | Kilo | 22,670 |
| | | Kartoffel | Liter | 80 |
| | | Salz | Kilo | 2,330 |
| | | Butterschmalz | „ | 3,500 |
| | | Sonstige Erfordernisse | für | 14 Pfg. |
| 5 | Kaffee (an Sonntagen) | Kaffee | Kilo | 3,62 |
| | | Franck'sFrüchtenkaffee | „ | 0,875 |
| | | Cichorie | — | 2 Packet |
| | | Milch | Liter | 59,5 |

Verabreicht werden diese Suppen nach folgendem Turnus.

| | Morgens | | Abends | |
|---|---|---|---|---|
| Sonntag | Kaffee | (event. Rahmsuppe) | Brod | |
| Montag | Mehl | | Rahm | |
| Dienstag | Brod | | Kartoffel | |
| Mittwoch | Rahm | Suppen | Brod | Suppen. |
| Donnerstag | Brod | | Mehl | |
| Freitag | Rahm | | Brod | |
| Samstag | Mehl | | Kartoffel | |

# B.

## Mittags-Suppen.

| O. Z. | Art der Suppen. | Zuthaten. | | Für 350 Portionen à ½ Liter. |
|---|---|---|---|---|
| 1 | Reissuppe | Reis | Kilo | 13,330 |
|  |  | Weissmehl | „ | 3,330 |
|  |  | Salz | „ | 2,330 |
|  |  | Gewürze | für | 14 Pfg. |
| 2 | Gerstensuppe | Gerste | Kilo | 16,630 |
|  |  | Weissmehl | „ | 3,660 |
|  |  | Salz | „ | 2,330 |
|  |  | Gewürze | für | 14 Pfg. |
| 3 | Brodsuppe | Brod, schwarzes | Kilo | 32 |
|  |  | Salz | „ | 2,330 |
|  |  | Gewürze | für | 14 Pfg. |
| 4 | Halbweissbrodsuppe | Halbweissbrod | Kilo | 18,660 |
|  |  | Salz | „ | 2,330 |
|  |  | Gewürze | für | 14 Pfg |
| 5 | Einkornsuppe | Einkorn | Kilo | 16,630 |
|  |  | Weissmehl | „ | 3,660 |
|  |  | Salz | „ | 2,330 |
|  |  | Gewürze | für | 14 Pfg. |
| 6 | Griessuppe | Gries | Kilo | 14,660 |
|  |  | Mehl | „ | 2,330 |
|  |  | Salz | „ | 2,330 |
|  |  | Gewürze | für | 14 Pfg. |

# C.

## Mittags-Gemüse.

| O.Z. | Art der Gemüse. | Zuthaten. | | Für 350 Portionen à ½ Liter. |
|---|---|---|---|---|
| 1 | Bohnen, dürre weisse | Bohnen | Kilo | 42 |
| | | Gerollte Gerste | » | 9,120 |
| | | Schwarzmehl | » | 3,100 |
| | | Butterschmalz | » | 3,100 |
| | | Salz | » | 1,830 |
| | | Gewürze | für | 6 Pfg. |
| 2 | Bohnen, eingem., sauere | Bohnen | Kübel | 5 |
| | | Kartoffel | Liter | 93 |
| | | Schwarzmehl | Kilo | 3,090 |
| | | Schweineschmalz | » | 3,700 |
| | | Salz | » | 1,800 |
| | | Gewürze | für | 3 Pfg. |
| 3 | Bohnen, süsse, grüne | Bohnen | Nach | Bedarf |
| | | Kartoffel | Liter | 77 |
| | | Schwarzmehl | Kilo | 2,062 |
| | | Butter- od. Schweine-schmalz | » | 3,700 |
| | | Salz | » | 1,830 |
| | | Gewürze | für | 6 Pfg. |
| 4 | Erbsen, dürre | Erbsen | Kilo | 49,5 |
| | | Kartoffel | Liter | 77 |
| | | Butterschmalz | Kilo | 3,100 |
| | | Salz | » | 1,830 |
| | | Schwarzmehl | » | 3,100 |
| | | Gewürze | für | 6 Pfg. |
| 5 | Gries- oder Reisbrei | Gries (Reis) | Kilo | 24,750 |
| | | Milch | Liter | 34,5 |
| | | Salz | Kilo | 1,830 |
| | | Gewürze | für | 6 Pfg. |
| 6 | Rahm-Kartoffel | Kartoffel | Liter | 201 |
| | | Rahm | » | 11¼ |
| | | Weissmehl | Kilo | 3,090 |
| | | Salz | » | 1,830 |
| | | Gewürze | für | 6 Pfg. |
| 7 | Kartoffel, sauere | Kartoffel | Liter | 201 |
| | | Schwarzmehl | Kilo | 3,090 |
| | | Essig | Liter | 7,5 |
| | | Schweineschmalz | Kilo | 3,100 |
| | | Gewürze | für | 6 Pfg. |
| 8 | Kartoffel-Schnitze | Kartoffel | Liter | 216 |
| | | Butterschmalz | Kilo | 3,700 |
| | | Salz | » | 1,830 |
| | | Gewürze | für | 6 Pfg. |

| O. Z. | Art der Gemüse. | Zuthaten. | Für 350 Portionen à ½ Liter. |
|---|---|---|---|
| 9 | Apfelkohlraben . | | |
| 10 | Bodenkohlraben . | | nach Bedarf |
| 11 | Weisskraut . | | |
| 12 | Winterkraut | | |
| | | dann weiter zu | jedem Gemüse: |
| | | Kartoffel . . | Liter 77 |
| | | Schwarzmehl . . | Kilo 2,062 |
| | | Butter- od. Schweine- schmalz . . | " 3,700 |
| | | Salz . . . | " 1,820 |
| | | Gewürze . . | für 6 Pfg. |
| 13 | Sauerkraut . . | Sauerkraut . . | Kübel 5 (gew. Wasser- kübel.) |
| | | Kartoffel . . | Liter 93 |
| | | Schwarzmehl . . | Kilo 3,090 |
| | | Schweineschmalz . | " 3,700 |
| | | Salz . . | " 1,300 |
| | | Gewürze . . | für 8 Pfg. |
| 14 | Linsen . . . | Linsen . . | Kilo 49½ |
| | | Kartoffel . . | Liter 77 |
| | | Schwarzmehl . . | Kilo 3,090 |
| | | Butterschmalz . | " 3,700 |
| | | Salz . . | " 1,820 |
| | | Essig und Gewürze . | für 57 Pfg. |
| 15 | Rüben, weisse, süsse . | Rüben . . | Körbe 8 (gew. 30 Liter- Körbe. |
| | | Kartoffel . . | Liter 77 |
| | | Schwarzmehl . . | Kilo 3,090 |
| | | Schweineschmalz . | " 3,700 |
| | | Salz . . | " 1,300 |
| | | Gewürze . . | für 3 Pfg. |
| 16 | Rüben, gelbe . . | Rüben . . | Kilo 145 |
| | | Kartoffel . . | Liter 77 |
| | | Schwarzmehl . . | Kilo 2,62 |
| | | Butterschmalz . | " 3,700 |
| | | Salz . . . | " 1,820 |
| | | Gewürze . . | für 6 Pfg. |
| 17 | Rüben, sauere, eingem. | Rüben . . | Kübel 5 (gew. Wasser- kübel.) |
| | | Kartoffel . . | Liter 93 |
| | | Schweineschmalz . | Kilo 3,700 |
| | | Salz . . . | " 1,300 |
| | | Schwarzmehl . . | " 3,090 |
| | | Gewürze . . | für 3 Pfg. |

# Regulativ
## für Kleidung, Lagerung und Reinigung.
### 1. Kleidung.

| Namen. | Anzahl. | Zeit des Wechselns. | Preis per Stück. M. Pf. | Bemerkungen. |
|---|---|---|---|---|
| Mütze von blauem Tuch mit Leinwandfutter | 1 | so oft sie schmutzig oder zerrissen sind. | 2 35 | |
| Oberwams von leinen Zwilch . . . . | 2 | dto. | 3 45 | 1 besseres Exempl. für Sonntag |
| Oberhose von leinen Zwilch . . . . | 2 | dto. | 3 25 | dto. |
| Weste von lein. Drilch | 2 | dto. | 1 90 | dto. |
| Hosenträger v. leinen Drilch . . . . | 1 | dto. | — 35 | |
| Halstuch baumwollen. | 1 | alle sechs Wochen | — 65 | |
| Unterwams baumwoll. (Trikot) . . . | 1 | so oft er schmutzig oder zerrissen ist | 4 30 | nur für den Winter |
| Unterhose baumwoll. (Trikot) . . . | 1 | alle sechs Wochen | 2 75 | „ „ „ „ |
| Hemd von Leinwand | 1 | jeden Samstag | 4 25 | nach Bedürfniss 2 bes. weg. Schwitzens |
| Sacktuch, baumwoll. | 1 | dto. | — 80 | Schnupfer erhalten auf ihre Kosten ein zweites |
| Strümpfe { wollene | 1 | dto. | 2 25 | im Winter |
| baumwoll. | 1 | dto. | 1 60 | im Sommer |
| Schuhe, lederne . | 1 | nach Bedarf | 5 15 | |

### 2. Lagerung.

| | | | | |
|---|---|---|---|---|
| Matratze mit halblein. Ueberzug und Seegras gefüllt . . | 1 | | 11 50 | |
| Kopfpolster mit halbleinen Ueberzug und Seegras gefüllt . | 1 | | 2 60 | |
| Teppich wollener, doppelter . . . | 1 | | | nach Bedürfniss 2 |
| Leintücher von Leinwand . . . | 2 | alle sechs Wochen | 5 15 | |

### 3. Reinigung.

| | | | | |
|---|---|---|---|---|
| Handtücher von Leinwand . . . | 1 | alle Samstag | — 80 | |

# Personalnachrichten.

### 1. Veränderungen.

#### a. Preussen.

Husung, Inspector des Polizeigefängnisses Berlin, als Arbeits-Inspector an die Strafanstalt Naugard versetzt.

Kretschmar, commiss. Secretär der Strafanstalt Cöln, als Secretär an die Strafanstalt Münster versetzt.

Matern, Secretär der Strafanstalt Sonnenburg, als Inspector an die Strafanstalt Naumburg a. d. S. versetzt.

Regitz, interm. Vorstand der Strafanstalt Lukau, zum definit. Director derselben Anstalt ernannt.

Schütz, Inspector der Strafanstalt Hamm, zum Arbeits- und Oeconomie-Inspector des Central-Gefängnisses Cottbus ernannt.

Winde, Inspector der Strafanstalt Insterburg, zum Rendant des Cent.-Gefäng. Cottbus ernannt.

#### b. Sachsen.

Burkhardt, Inspector des Zellenhauses Zwickau, zum Director der Gef.-Anstalt Dresden ernannt.

#### c. Ungarn.

Kelemen, Dr., von, Moriz, Secretär im K. ung. Justiz-Ministerium in Buda-Pest, zum Sectionsrath daselbst ernannt.

### 2. Todesfälle.

#### a. Bayern.

Fürst, Dr., Bezirksgerichts-Arzt und Arzt des Zuchthauses München.

#### b. Sachsen.

Thaeeler, Oberlieut. a. D., Wirthschafts-Inspector der Strafanstalt Zwickau.

#### c. Württemberg.

Cronmüller, von, Obertribunalpräsident a. D. zu Stuttgart.

# Vereinsangelegenheiten.

### 1. Neu eingetretene Mitglieder.

#### a. Elsass-Lothringen.

John, Inspector der Centralstrafanstalt Hagenau.

Mühlhausen, desgleichen.

**b. Preussen.**

Berlin, (Moabit), Strafanstalt.
Brieg, Strafanstalt.
Büttner, Inspector der Straf- und Correct.-Anstalt Cöln.
Diez, Strafanstalt.
Eichardt, Secretär der Straf- und Correct.-Anstalt Cöln.
Triebel, Secretär der Strafanstalt Sonnenburg.
Köcher, Rendant der Strafanstalt Lüneburg.
Rhein, Strafanstalt.
Wecken, Pastor der Strafanstalt Lüneburg.
Zimmermann, Secretär der Straf- und Correct.-Anstalt Cöln.

**c. Sachsen.**

Meinig, Clemens, Wirthschafts-Inspector der Gefang.-Anstalt Dresden.

**d. Ungarn.**

Szabo, v., Jos., Direct. der Landesstrafanst. Leopoldstadt a. d. Waag.

**2. Ausgetretene Mitglieder.**

**a. Baden.**
Müller, Seminaroberlehrer in Meersburg.

**b. Bayern.**
Streuff, Pfarrer in Homburg.

**c. Elsass-Lothringen.**
Bockel, kath. Geistlicher der Centralstrafanstalt Hagenau.

**d. Hessen.**
Marquard, v., Reg.-Rath u. Intendant des Gefängnisses in Offenbach.

**e. Preussen.**
Braun, Secretär der Strafanstalt Lichtenburg.
Drygalski, von, Director der Strafanstalt Sagan.
Fauler, Pfarrer, Schulcommissär in Einhardt.
Giersberg, Oberst a. D. und ehem. Dir. der Strafanstalt Sonnenburg.
Muschwitz, von, Secretär der Straf- und Correct.-Anstalt Cöln.
Ottinger, Secretär a. D. in Wiesbaden.
Siebenrock, Dr., pract. Arzt in Ostrach.

**f. Sachsen.**
Grössel, Pfarrer, ev. Geistlicher der Irrenanstalt Colditz.
Niedner, Dr., Pastor in Mülsen.
Schneider, Expeditions-Inspector der Irrenanstalt Sonnenstein.
Stille, Archidiakonus in Werdau.

**g. Ungarn.**
Benkhardt, Controlor der Strafanstalt Waitzen.

**h. Württemberg.**
Hasenauer, Pfarrer in Auendorf.
Herrmann, Kreisgerichts-Rath in Stuttgart.

# Rechnungs-Auszug.

A. Nachweisung über Einnahmen und Ausgaben vom 8. Jan. 1877 bis 4. Januar 1878. (Band XII. des Vereinsorgans.)

## I. Einnahme.

1. Casse-Rest aus voriger Rechnung . . 106 M. 36 Pf.
2. Beiträge der Mitglieder:

| | | | | |
|---|---|---|---|---|
| pro 1875 | 18 Mitglieder à M. 4 | M. | 72 |
| | 1 | „ „ t „ | 1 |
| „ 1876 | 46 | „ „ „ 4 „ | 184 |
| | 1 | „ „ „ 2 „ | 2 |
| | 1 | „ „ „ 1 „ | 1 |
| „ 1877 | 507 | „ „ „ 4 „ | 2028 |
| | 1 | „ „ „ 3 „ | 3 |
| | 1 | „ „ „ 2 „ | 2 |
| | 1 | „ „ „ 1 „ | 1 |
| „ 1878 | 18 | „ „ „ 4 „ | 72 |
| | 1 | „ „ „ 3 „ | 3 |
| | 1 | „ „ „ 2 „ | 2 |
| | 2 | „ „ „ 1 „ | 2 |
| „ 1879 | 1 | „ „ „ 4 „ | 4 |

M. 2377

Beiträge von 82 Mitgliedern aus Oesterreich à M. 4 . . . M. 328

2705 M. — Pf.

3. Absatz von Heften früherer Jahre . . 40 „ — „
4. „ „ „ durch die G. Weiss'sche Buchhandlung in Heidelberg . . . 567 „ 20 „
5. Rückerhobene Capitalien . . . . 1300 „ — „
6. Sonstige Einnahmen . . . . 1 „ 67 „

Summa der Einnahmen 4720 M. 23 Pf.

## II. Ausgabe.

1. Druck des Vereinsorgans . . . . 1562 M. 90 Pf.
2. Buchbinderlöhne, Papier und dergl. . . 301 „ 16 „
3. Einrichtungsgegenstände . . . . — —

Uebertrag 1864 M. 06 Pf.

Uebertrag 1864 M. 06 Pf.

4. Belohnungen :
    a. für literarische Arbeiten  .    295 M.
    b.  „  Bureau- und Casseführung   475 „
    c.  „  den Diener  .    .   25 „

                                         795 M. — Pf.

5. Capital-Anlage  .    .    .    .    .    1350 „ — „
6. Versendungskosten  .  .  .    .    .    398 „ 46 „
7. Ankauf von Vereins-Heften früherer Jahre  .    115 „ 50 „
8. Für Literatur  .    .    .    .    .    34 „ — „
9.  „  die Stuttgarter Vereins-Versammlung  .    78 „ 55 „

              Summa der Ausgaben  4635 M. 57 Pf.

    Die Einnahmen betragen    .    4720 M. 23 Pf.
    „ Ausgaben    „    .    4635 „ 57 „

    Somit Casse-Rest    .    .    84 M. 66 Pf.

## B. Vermögens-Berechnung.

1. Casse-Rest auf heute  .    .    .    .    84 M. 66 Pf.
2. Rückständige Beiträge pro 1877 6 Mitglieder
    à M. 4  .    .    .    .    .    24 „
3. Guthaben bei der G. Weiss'schen Buchhandlung
    in Heidelberg  .    .    .    .    — „ — „
4. Guthaben bei der Gewerbebank Bruchsal  .    2209 „ 70 „

                  zusammen  2318 M. 36 Pf.
Hievon ab die pro 1877 und ff. bereits erhobenen
    Beiträge mit  .    .    .    .    83 „ — „

        bleibt baares Rein-Vermögen  2235 M. 36 Pf.
Dazu das Vereins-Inventar mit  .    .    .    300 „ — „

        Gesammt-Vermögensstand  2585 M. 36 Pf.

Bruchsal, 4. Januar 1878.

## Der Vereinsausschuss.

# Inhalt.

|  | Seite. |
|---|---|
| A. Jahresbericht des Männerzuchthauses in Bruchsal für 1876 | 1 |
| I. Jahresbericht des Vorstehers | 1 |
|     1. Bauten | 1 |
|     2. Personal | 1 |
|     3. Organisation | 2 |
|     4. Zustand der Strafanstalt | 3 |
|     5. Zur Statistik | 3 |
|     6. Statistik | 4 |
| II. Jahresbericht des Verwalters | 19 |
|     1. Gewerbswesen | 19 |
|     2. Verwaltungs-, Casse- und Rechnungswesen | 29 |
|       a. Hauptkasse | 29 |
|       b. Sparkasse der Gefangenen | 34 |
|     3. Stand des Betriebsfonds | 36 |
|     4. Nachweisung über die im Jahre 1876 beschäftigten Gefangenen nach der Art der Beschäftigung | 38 |
|     5. Darstellung der Einnahmen und Ausgaben | 39 |
| III. Aerztlicher Jahresbericht | 40 |
| IV. Jahresbericht des kath. Hausgeistlichen | 53 |
| V.     „     „ evang. „ | 55 |
| VI.    „ der Hauslehrer | 65 |
| VII. Anhang: | |
|     Kostregulativ für die badischen Strafanstalten | 68 |
|     Regulativ für Kleidung, Lagerung und Reinigung | 75 |
| B. Personalnachrichten | 76 |
| C. Vereinsangelegenheiten | 76 |

~~~~~~~

# Berichtigungen.

| Seite 21 Zeile 6 von unten lies 5935 statt 5966 |
|---|

Seite 21 Zeile 6 von unten lies 5935 statt 5966
  „  „   „ 5 „   „   „ 5760 „ 5729
  „ 41 „ 16 „   „   „ 408 „ 409
  „  „  „ 12 „   „   „ $16_{21}$ „ $16_{30}$
  „ 42 „ 9 „ oben  „ 408 „ 409
  „ 43 „ 14 „ unten „ $0_{24}$ „ $0_{22}$

# Satzungen

des

## Vereins der deutschen Strafanstaltsbeamten.

(Nach den Beschlüssen der Vereinsversammlungen in Dresden am 4.
September 1867 und in Berlin am 2. September 1874.)

### §. 1.

Der Z w e c k des Vereins ist, eine Vereinigung für den
lebendigen Meinungsaustausch und den persönlichen Verkehr
unter den deutschen Strafanstaltsbeamten zu bilden und auf
dem gesammten Gebiete des Gefängnisswesens den Forderungen nach einheitlicher Entwickelung immer grössere Anerkennung zu verschaffen.

### §. 2.

Der Verein lässt auf seine Kosten ein eigenes, in zwanglosen Heften unter dem Titel: „Blätter für Gefängnisskunde"
erscheinendes V e r e i n s o r g a n drucken.

### §. 3.

Der Verein hält in der Regel alle 2 Jahre eine V e r -
s a m m l u n g; der Ausschuss kann indess ausnahmsweise auch
die Versammlung erst im 3. Jahre berufen.

### §. 4.

Zur Mitgliedschaft am Verein berechtigt sind die höheren
Beamten der deutschen Strafanstalten und die Beamten ihrer
Aufsichtsbehörden, sowie alle Verwaltungs- und Gerichts-
beamten, die zu dem Gefängnisswesen in dienstlicher Beziehung stehen und die Lehrer der Rechtswissenschaft an den
deutschen Universitäten. Unter den höheren Beamten der
deutschen Strafanstalten sind auch Aerzte, Geistliche und
Lehrer zu verstehen.

## §. 5.

Zu den Vereinsversammlungen sollen durch den Ausschuss auch Strafanstaltsbeamte anderer Länder und die Vorstandsmitglieder der deutschen Landes- und Provinzial-Gefängniss- und Schutzvereine eingeladen werden.

## §. 6.

Die Vereinsversammlung allein ist befugt, solche Männer, die sich um den Verein oder das Gefängnisswesen verdient gemacht haben, als Ehrenmitglieder aufzunehmen. Der Antrag auf Ernennung von Ehrenmitgliedern ist beim Ausschuss zu stellen.

## §. 7.

Jedes Vereinsmitglied zahlt einen jährlichen Beitrag von 4 Reichsmark, welcher in den ersten vier Wochen nach Beginn des Kalenderjahres an den Vereinscassier zu entrichten ist, widrigenfalls derselbe durch Postvorschuss eingezogen wird.

Nimmt ein Mitglied den mit Postvorschuss beschwerten Brief nicht an, so gilt dies als Austrittserklärung.

## §. 8.

Die Geschäfte des Vereins leitet ein Ausschuss von 18 Mitgliedern, welcher von der Versammlung für die Zeit von der einen bis zur andern Versammlung durch Acclamation gewählt wird.

## §. 9.

Die Vereinsversammlung verhandelt in pleno und in Abtheilungen.

Es werden folgende 3 Abtheilungen gebildet:
1. Abtheilung für Verwaltungsbeamte,
2. „ „ Aerzte,
3. „ „ Geistliche und Lehrer.

Etwaige Beschlüsse und schriftliche Verhandlungen der Abtheilungen sind dem Vorsitzenden der Plenarversammlung mitzutheilen.

## §. 10.

Jede Abtheilung wählt ihren Vorsitzenden; der letztere bestimmt den Schriftführer.

## §. 11.

Die Plenarverhandlungen leitet ein Vorsitzender, welcher von der Versammlung durch Acclamation gewählt wird. Er ernennt zwei Stellvertreter und zwei Schriftführer. Er bestimmt die definitive Tagesordnung der Plenarversammlungen.

Auch ist er befugt, Nichtmitglieder als Zuhörer zuzulassen.

## §. 12.

Der Vorsitzende mit den bisherigen Ausschussmitgliedern und den 3 Abtheilungsvorständen schlagen der Versammlung die Mitglieder des Ausschusses vor.

## §. 13.

Bei allen Beschlüssen entscheidet einfache Stimmenmehrheit der anwesenden Mitglieder.

## §. 14.

Der Antrag auf Schluss der Debatte wird sofort zur Abstimmung gebracht.

Jeder Antrag in der Plenarversammlung ist schriftlich zu stellen.

## §. 15.

Der Vereins-Ausschuss hat folgende Befugnisse und Obliegenheiten:

1. Er bestellt die Redaction des Vereinsorgans auf unbestimmte Zeit;
2. er sorgt für die Ausführung der von der Versammlung gefassten Beschlüsse und den Druck der Verhandlungen im Vereinsorgan;
3. er bestimmt Zeit und Ort der nächsten Versammlung, trifft die für dieselbe nöthigen Vorbereitungen, vertheilt die eingekommenen Anträge zur Begutachtung, erlässt die Einladungen, bestimmt die vorläufige Tagesordnung der Versammlung und stellt die Berichterstatter auf;
4. er nimmt die Beitrittserklärung neuer Mitglieder entgegen, empfängt die Beiträge, bestreitet die Ausgaben und legt der Versammlung Rechnung ab;

1 *

5. er ergänzt die während seiner Amtsdauer abgegangenen Mitglieder selbst.

Der Ausschuss wählt aus seiner Mitte einen Vorsitzenden und bestimmt einen Schriftführer.

## §. 16.

Der Sitz des Ausschusses ist da, wo dessen Vorsitzender wohnt. Zur Giltigkeit eines Ausschussbeschlusses wird die Zustimmung von wenigstens 6 Mitgliedern erfordert. In wichtigeren Dingen, insbesondere bei Festsetzung von Ort und Zeit der nächsten Versammlung stimmen alle, und hier entscheidet Stimmenmehrheit, in unbedeutenderen die dem Ausschusssitze zunächst wohnenden 6 Ausschussmitglieder.

Geschäftsleitende Verfügungen erlässt der Vorsitzende aus eigener Machtvollkommenheit.

## §. 17.

Aenderungen der Statuten sind nur in den Vereinsversammlungen durch Beschluss von $^2/_3$ Majorität der anwesenden stimmberechtigten Mitglieder statthaft.

# Verzeichniss

der

## Mitglieder des Vereins der deutschen Strafanstaltsbeamten.

(Nach dem Stand vom 1. Januar 1878.)

---

## I. Ausschuss:

**Vorsitzender:**

Ekert, Director des Männerzuchthauses Bruchsal.

**Uebrige Mitglieder:**

d'Alinge, Geheimer Regierungs-Rath, Director der Strafanstalt Zwickau.

Bracker, Director des Zuchthauses Plassenburg.

Dragic, Director der Strafanstalt Laibach.

Eichrodt, Director der Weiberstrafanstalt und des Landesgefängnisses Bruchsal.

Elvers, Strafanstaltsdirector a. D. in Altenburg.

Gutsch, Dr., Med.-Rath, Arzt der Straf-Anstalten Bruchsal.

Krohne, Director der Strafanstalt Rendsburg.

Langreuter, Director der Strafanstalt Vechta.

Lütgen, Geh. Regierungs-Rath im Oberpräsidium Hannover.

Marcard, Dr., Sanitätsrath, Arzt der Strafanstalt Celle.

Miglitz, Director der Strafanstalt Carlau bei Gratz.

Scheffer, Pfarrer in Boppard a. Rh.

Spengler, Pfarrer, evangelischer Geistlicher der Strafanstalten Bruchsal.

Streng, Director des Zellengefängnisses Nürnberg.

Strosser, Director der Strafanstält Münster.

Wirth, Director des Strafgefängn. bei Berlin (Plötzensee).

Wullen, Oberjustizrath, Vorstand des Zuchthauses Gotteszell.

## II. Ehrenmitglieder:

Görtz, Carl Graf, in Schlitz.

Götzen, v., Geheimer Regierungsrath in Cleve.

Guillaume, Dr., Director der Strafanstalt Neufchâtel.

Holtzendorff, Dr, v., Professor der Rechte in München.

Kühne, Director der Strafanstalt St. Gallen.

Müller, früher Director der Strafanstalt Lenzburg, jetzt
     Privat in Redona bei Bergamo.

Orelli, Dr., v., Professor in Zürich.

Salis, v., Director der Strafanstalt Basel.

Wahlberg, Dr., Regierungs-Rath, Präsident der Staats-
     prüfungs-Commission in Wien.

Wegmann, Director der Strafanstalt Zürich.     (10)

# III. Ordentliche Mitglieder:

(Nach Ländern zusammengestellt.)

## Deutsches Reich.

### Herzogthum Anhalt.

Franke, Strafanstaltsdirector in Coswig.
Walther, Regierungs-Rath in Dessau.
West, Oberstaatsanwalt daselbst. (3)

### Grossherzogthum Baden.

Bauer, Rechnungsrath, Archivar der II. Kammer, Carlsruhe.
Blenkner, Director des Landesgefängnisses in Mannheim.
Eichrodt, Director der Weiberstrafanstalt und des Landes-
    gefängnisses Bruchsal.
Ekert, Director des Männerzuchthauses Bruchsal.
Freydorff, v., Geh. Rath I. Cl., früher Präsident des Minist.
    des Gr. Hauses, der Justiz und der auswärtigen An-
    gelegenheiten in Carlsruhe.
Götzinger, Pfarrer in Langenbrücken, kath. Geistlicher
    der Filialstrafanstalt Kislau.
Greiner, Pfarrer, evangel. Geistlicher des Landesgefäng-
    nisses Mannheim.
Gutsch, Dr., Medicinalrath, Arzt der Strafanstalten Bruchsal.
Hansen, Stadtpfarrer a. D. in Baden.
Herrmann, Oberlehrer des Männerzuchthauses Bruchsal.
Huhn, Caplan, kathol. Geistlicher des Landesgefängnisses
    Mannheim.
Jäger, Pfarrer in St. Märgen.
Junghanns, Dr., Geheimer Rath und Justizministerialdi-
    rector a. D. in Carlsruhe.
Kirsch, Hauptlehrer, zweiter Lehrer des Männerzuchthauses
    Bruchsal.
Kollmer, Verwalter des Landesgefängnisses und der Weiber-
    strafanstalt Bruchsal.

Krauss, kath. Geistlicher der Strafanstalten Bruchsal.

Lenhard, Buchhalter des Männerzuchthauses Bruchsal.

Löhlein, Hauptmann a. D., Hausinspector der Filialstrafanstalt Kislau.

Parisel, Oberrechnungsrath bei Grossh. Justizministerium in Carlsruhe.

Reuther, Verwalter des Männerzuchthauses Bruchsal.

Ribstein, Hilfsarzt des Männerzuchthauses Bruchsal.

Scherr, Pfarrer in Michelbach.

Spengler, Pfarrer, evangel. Geistlicher der Strafanstalten Bruchsal.

Spitzmüller, Lehrer des Landesgefängnisses Bruchsal.

Stetter, gräfl. v. Langenstein'scher Domänendir. in Carlsruhe.

Walli, Geh. Rath II. Cl., Respicient für Strafanstaltssachen im Gr. Justizministerium Carlsruhe.

Warth, kath. Hofpfarrer und Geistlicher der Weiber-Strafanstalt Bruchsal.

Weber, Bankdirector, Mitglied des Aufsichtsraths für die Strafanstalten Bruchsal.

Weicht, Verwalter des Landesgefängnisses Mannheim.

Zeis, Buchhalter des Landesgefängnisses Bruchsal.　　(30)

## Königreich Bayern.

Alwens, Director der Gefangenanstalt Frankenthal.

Barth, Oeconomie-Verwalter des Arbeitshauses Rebdorf.

Beilstein, Lehrer des Zuchthauses Kaiserslautern.

Berr, Dr., Arzt der Gefangenanstalt Laufen.

Bleyer, Martin, Pfarrer in Schwabing bei München.

Böhme, Verwalter der Gefangenanstalt Kaisheim.

Bolgiano, Verwalter des Arbeitshauses Rebdorf.

Bracker, Director des Zuchthauses Plassenburg.

Braun, Verwalter der Gefangenanstalt Laufen.

Brehm, II. evang. Pfarrer in Weiden (Oberpfalz).

Brunco, evang. Geistlicher des Zuchthauses Ebrach.

Chandon, Dr., Arzt des Zuchthauses Kaiserslautern.

Demeter, Lehrer der Gefangenanstalt Laufen.

Diermayer, Lehrer des Zuchthauses München.

Döderlein, Dr., Arzt des Zellengefängnisses Nürnberg.
Dorfner, Director der Staatserziehungs-Anstalt Nieder-
schönenfeld bei Rain.
Drechsel, Lehrer der Gefangenanstalt Frankenthal.
Dresch, Director des Zuchthauses Ebrach.
Düll, Rechtspraktikant und Functionär der Gefangenanstalt
Amberg.
Ehrensberger, Director des Arbeitshauses Rebdorf.
Eign, Verwalter des Zellengefängnisses Nürnberg.
Eyring, evang. Geistlicher des Zuchthauses Lichtenau.
Fäustle, Dr., Staats-Minister der Justiz in München.
Fleischmann, Dr., Arzt des Zuchthauses Kaisheim.
Fleischmann, Pfarrer, evangel. Geistlicher des Zuchthauses
Kaiserslautern.
Frey, Lehrer des Zellengefängnisses Nürnberg.
Fürst, Dr., Bezirksgerichts-Arzt, Arzt des Zuchthauses
München.
Haberstumpf, Dr., Arzt des Zuchthauses Plassenburg.
Heinel, evang. Geistlicher des Zuchthauses Plassenburg.
Heiter, kath. Geistlicher des Zuchthauses Kaiserslautern.
Heldmann, kath. Geistl. der Gefangenanstalt Sulzbach.
Herold, Dr., Bezirksarzt II. Cl. und Arzt der Gefangenan-
stalt Zweibrücken.
Herzinger, Regierungsrath, Director des Zuchthauses St.
Georgen.
Heunisch, Dr., Arzt des Zuchthauses St. Georgen.
Hiller, Vicar im Domstifte in Würzburg.
Hölldorfer, Director der Gefangenanstalt Zweibrücken.
Huber, Verwalter des Zuchthauses Kaiserslautern.
Käss, Director des Zuchthauses Würzburg.
Kanzler, evang. Geistl. der Gefangenanstalt Frankenthal.
Keil, kath. Geistlicher der Gefangenanstalt Amberg.
Keller, Domcapitular und Dompfarrer in Bamberg.
Kellner, A., Lehrer des Zuchthauses Kaisheim.
Kellner, Joh., ev. Curat, Geistlicher der Gefangenanstalt
Laufen.
Klinger, Dr., Medicinalrath im Staatsministerium des In-
nern in München.

Knödel, kath. Geistlicher des Zuchthauses Lichtenau.

Körber, Dr., Hausarzt des Zuchthauses Lichtenau.

Krojer, Verwalter des Zuchthauses München.

Lechner, Lehrer des Zuchthauses Lichtenau.

Leffler, Director des Zuchthauses Kaiserslautern.

Lindner, Verwalter des Zuchthauses Plassenburg.

Lotzbeck, Pfarrer, evangel. Geistl. der Gef-Anst. Amberg.

Ludwig, Director des Zuchthauses Lichtenau.

Lutz, Dr., Arzt des Arbeitshauses Rebdorf.

Marquardsen, Dr., Professor an der Universität Erlangen, Mitglied des deutschen Reichstags.

Martin, Pfarrer in Zell bei Würzburg.

Mayer, Lehrer der Gefangenanstalt Amberg.

Meid, Pfarrer, kathol. Geistlicher des Zellengefängnisses Nürnberg.

Mess, Dr., Director des Zuchthauses München.

Meuth, Regierungs-Rath, früher Vorstand des Zuchthauses Kaiserslautern (pensionirt).

Meyer, kath. Geistlicher des Arbeitshauses Rebdorf.

Müller, kath. Geistlicher des Zuchthauses Wasserburg.

Petersen, Appellationsgerichtsrath, Referent für die Straf-anstalten im Justizministerium in München.

Pfaller, Lehrer des Arbeitshauses Rebdorf.

Platz, kath. Geistlicher der Gefangenanstalt Frankenthal.

Pracht, Lehrer des Zellengefängnisses Nürnberg.

Pregler, Lehrer des Zuchthauses Plassenburg.

Prückner, Verwalter des Zuchthauses Ebrach.

Ranft, Director der Gefangenanstalt Sulzbach.

Reeb, kath. Geistlicher der Gefangenanstalt Zweibrücken.

Reusch, evang. Geistlicher des Zellengefängnisses Nürnberg.

Roth, Pfarrer, evang. Geistlicher der Gefangenanstalt Zwei-brücken.

Rudolph, Lehrer der Gefangenanstalt Zweibrücken.

Rues, Dr., Bez.-Gerichtsarzt in Amberg.

Saffer, Pfarrer, kath. Geistlicher des Zuchthauses Ebrach.

Sattler, Verwalter des Zuchthauses St. Georgen.

Scharold, Dr., Arzt des Zuchthauses Ebrach.

Schicker, Director der Gefangenanstalt Laufen.

Schieneis, Director des Zuchthauses Kaisheim.
Schmelcher, Dr., Arzt der Gefangenanstalt Amberg.
Schneeweis, Curat, Geistl. des Zuchthauses München.
Seeberger, protest. Geistl. des Arbeitshauses Rebdorf.
Selmaier, Lehrer des Zuchthauses Wasserburg.
Seybold, kath. Pfarrer in Niederaschar, Stat. Bernau.
Siebenlist, Lehrer des Zuchthauses Ebrach.
Sorg, kath. Geistlicher des Zuchthauses Plassenburg.
Spranger, Director der Gefangenanstalt Amberg.
Stahl, Dr., kath. Geistlicher des Zuchthauses Würzburg.
Steger, Joseph, Buchhalter der Strafanstalt Zweibrücken.
Streng, Director des Zellengefängnisses Nürnberg.
Trapp, Verwalter der Gefangenanstalt Amberg.
Völkel, Verwalter des Zuchthauses Würzburg.
Wagner, Pfarrer, kathol. Geistlicher des Zuchthauses
    St. Georgen.
Werner, Lehrer der Staatserziehungs-Anstalt für verwahr-
    loste jugendliche Personen in Speier.
Zieglauer, v, Director des Zuchthauses Wasserburg.
Zöschinger, kath. Geistlicher des Zuchthauses Kaisheim.
Staatsanwaltschaft Nürnberg.                    (96)

### Herzogthum Braunschweig.

Pockels, Director des Zellengefängnisses Wolfenbüttel.
Rudolph, Inspector der Gefangenanstalt Wolfenbüttel.
Schütte, Joh, Pastor der Strafanstalten Wolfenbüttel.  (3)

### Freie Stadt Bremen.

Kaiser, Pastor, Geistlicher der Strafanstalt Oslebshausen.
Schnepel, Director der Strafanstalt Oslebshausen.
Zogloweck, Inspector der Strafanstalt Oslebshausen.   (3)

### Elsass-Lothringen.

Bittner, Rendant des Bezirksgefängnisses Metz.
Bockel, Pfarrer, kath. Geistlicher der Central-Strafanstalt
    Hagenau.

Breymann, Inspector der Knaben-Besserungsanstalt bei Hagenau.

Friedrich, Dr., Kreisarzt, Arzt des Gefängnisses Saargemünd.

Gerlinger, Pastor, evangel. Geistlicher des Bezirksgefängnisses Zabern.

Glauner, Ober-Inspector und Vorsteher der Bezirksgefängnisse zu Strassburg und Zabern.

Gräf, Rendant des Bezirksgefängnisses Strassburg.

Guerber, Pfarrer, kath. Geistlicher des Bezirksgefängnisses Strassburg.

Hagenau, Strafanstalt.

Hennig, Director der Central-Strafanstalt und der Besserungsanstalten Hagenau.

Hirt, evangel. Geistlicher der Strafanstalt Hagenau.

Horning, Pastor, evangel. Geistlicher des Bezirksgefängnisses Strassburg.

John, Inspector der Weiberstrafanst. Hagenau.

Levy, Dr. med., Arzt der Central-Strafanstalt Hagenau.

Marx, Oeconomie-Inspector und Rendant der Central-Strafanstalt Hagenau.

Mayer, Vorstand des Hypotheken-Amts in Schlettstadt.

Metz, Bezirksgefängniss.

Mühlhausen, Insp. der Weiberstrafanst. Hagenau.

Thiem, Director der Strafanstalt Ensisheim.

Wagner, Inspector, Vorsteher der Bezirksgefängnisse in Metz und Saargemünd.

Weiss, Dr., Arzt des Bezirksgefängnisses Metz.                    (21)

## Freie Stadt Hamburg.

Ebert, Pastor, Geistlicher der Strafanstalten Hamburg.

Grumbach, Hauptmann a. D., Director der Strafanstalten Hamburg.

Lottenburger, Gefängniss-Inspector in Hamburg.          (3)

## Grossherzogthum Hessen.

Friedmann, evangel. Geistlicher des Landeszuchthauses Marienschloss.

Künstler, Polizeirath, Intendant und Oberaufseher der Gefängnisse in Mainz.

Mees, Pfarrer in Rockenberg, kath. Geistlicher des Landeszuchthauses Marienschloss.

Scriba, Major, Director des Landeszuchthauses Marienschloss. (4)

### Grossherzogthum Mecklenburg-Schwerin und Strelitz.

Balck, Revisionsrath in Schwerin.

Bohlken, Inspector der Landes-Strafanstalt Dreibergen.

Dreibergen, Landes-Strafanstalt.

Güstrow, Landes-Arbeitshaus.

Nettelbladt, Baron v., Major a. D., Oberinspector und Vorstand des Landesarbeitshauses Güstrow.

Schultetus, Drost, Commissär für das Landesarbeitshaus Güstrow.

Sprewitz, v., Oberinspector a. D. in Neubrandenburg.

Witt, Hofrath, Oberinspector und Vorstand der Landes-Strafanstalt Dreibergen. (8)

### Grossherzogthum Oldenburg.

Bultmann, evangel. Geistlicher der Strafanstalt Vechta.

Haberkamp, Lehrer der Straf-Anstalt Vechta.

Hunte, Inspector des Zellengefängnisses Oldenburg.

Langreuter, Director der Strafanstalt Vechta.

Ritter, Dr., Obergerichtsarzt, Arzt der Strafanstalt Vechta.

Rodenbrock, Inspector der Strafanstalt Vechta.

Thorade, Pastor, Pfarrer in Hude.

Wehberg, Geistlicher der Strafanstalt Vechta. (8)

### Königreich Preussen.

Aachen, Straf- und Arrest-Anstalt.

Anklam, Strafanstalt.

Anton, Polizei-Inspector des Zellengefängnisses Berlin (Moabit).

Apstein, Inspector der Arrest- und Corrections-Anstalt Coblenz.

Arndt, Director der Landarmen- und Corrections-Anstalt Tapiau (Ostpr.).

Baer, Dr., Sanitätsrath, Arzt des Strafgefängnisses bei Berlin (Plötzensee) Stromstrasse 61, Moabit.

Bäseler, kath. Missionspfarrer in Delizsch.

Baum, Dr., Wundarzt der Straf- u. Correctionsanstalten Cöln.

Barckow, Oeconomie-Inspector der Strafanstalt Sonnenburg.

Bartz, Geistl. des Zellengef. bei Berlin (Plötzensee).

Benge, Rendant des Strafgefängnisses bei Berlin (Plötzensee).

Berendt, Pfarrer der Stadtvoigtei-Gefängnisse Berlin.

Berner, Geh. Justizrath, Professor, Dr. in Berlin (Charlottenburg, Bismarckstrasse 11).

Bierwirth, Obergerichts-Rath in Celle.

Binding, Secretär am Strafgefängniss Plötzensee.

Bömcken, v., Hauptm. a. D., Director der Strafanst. Jauer.

Bösenberg, Assistent am Strafgefängniss in Plötzensee.

Bösenberg, Insp. des Strafgef. Gommern bei Magdeburg.

Böttcher, Regierungsrath in Trier.

Bötticher, evang. Geistlicher der Strafanstalt Brandenburg.

Bonn, Arresthaus.

Bornstedt, v., Major a. D., Director des Stadtvoigteigefängnisses Berlin.

Brandenburg, Strafanstalt.

Brandt, Inspector und Dirigent des Landarmen- u. Correct.-Hauses in Prenzlau (Brandenburg).

Braune, Pastor, evang Geistlicher der Strafanstalt Görlitz.

Breithaupt, Secretär des Strafgefängnisses bei Berlin (Plötzensee).

Breslau, Gefg.-Anstalt.

Brieg, Strafanstalt.

Büttner, Inspector der Straf- & Corr.-Anstalten Cöln.

Busse, Prediger am Arbeitshause in Berlin.

Celle, Strafanstalt.

Classen, Director der Zwangs- und Arbeits-Anstalt Gross-Salze bei Magdeburg.

Cöln, Straf- und Corrections-Anstalt.

Coblenz, Arresthaus.

Consbruch, Kronoberanwalt in Celle.

Cronthal bei Crone a. d. Brahe, Strafanstalt.

Delbrück, Dr., Sanitäts-Rath, Kreis-Physikus, Arzt der Strafanstalt Halle.

Delius, Obertribunal-Rath in Berlin.

Denzner, Oeconomie-Inspector und Secretär des Strafgefängnisses bei Berlin (Plötzensee).

Diebitsch, v., Director der Corrections- Landarmen- Lehr- und Erziehungsanstalt Zeitz, Hauptmann der Garde-Landwehr-Infanterie.

Diez, Strafanstalt.

Dobschall, Oeconomie-Inspector der Strafanstalt Rawicz.

Dochow, Dr., Professor der Rechte an der Univers. Halle.

Dressler, Lehrer des Zellengefängnisses Berlin (Moabit).

Düsseldorf, Arrest- und Correctionsanstalt.

Eckert, Polizei-Insp. der Arrest- und Corr-Anst. Andernach.

Eichardt, Secret. der Straf- & Corr.-Anst. Cöln.

Eichholtz, Director der Strafanstalt Lüneburg.

Engelke, Oeconomie-Inspector der Strafanstalt Lüneburg.

Esser, Peter, Lehrer der Strafanstalt Cöln.

Eyff, Oecon.- und Arbeits-Insp. der Straf-Anstalt Sagan.

Falkenstein, v., Hauptm. a. D., Dir. der Strafanst. Celle.

Feldhahn, protest. Geistlicher des Strafgefängnisses bei Berlin (Plötzensee).

Fienemann, Superintendent in Peine.

Fischer, Prem.-Lieut. a. D., Direct. der Strafanst. Graudenz.

Fleischer, Pfarrer, kathol. Geistl. der Strafanstalt Jauer.

Fordon, Strafanstalt.

Friedrich, Dr., Kreisphysikus in Hameln, Hannover.

Fulda, Kreisg.-Rath in Marburg (vorher Staatsprocurator).

Gade, Secretär und Rendant der Strafanstalt Düsseldorf.

Gansel, J., Hilfsgeistlicher der Strafanstalt Halle a. d. S.

Gennat, Ober-Insp. des Strafgef. bei Berlin (Plötzensee).

Giehlow, Oberstaatsanwalt beim Appellationsgericht in Kiel.

Glückstadt, Strafgefängniss.

Gnügge, Hptm. a. D, Director der Strafanst. Lichtenburg.

Görlitz, Strafanstalt.

Gollert, Director der Strafanstalt Brandenburg.

Graudenz, Strafanstalt.

Grofebert, Inspector der Gefangenabtheilung für Jugend-
  liche bei Berlin (Plötzensee).
Grosskopf, Regierungsrath in Frankfurt a. O.
Grovermann, Oberinsp. (Vorstand) des Centralgef. Cottbus.
Grundmann, Insp. der Strafanst. Cronthal bei Poln.-Crone.
Grützmacher, Director der Strafanstalt in Breslau.
Gutsche, Inspector und Rendant des Strafgef. Glückstadt.
Habekost, Director des Zuchthauses Diez.
Halle a. Saale, K. Strafanstalt.
Hamm, Centralstrafanstalt.
Hameln, Bezirksgefängniss.
Hannover, Strafanstalt.
Harting, Rendant und Oecon.-Insp. der Strafanst. Mewe.
Hartung, v., Inspector der Strafanstalt Werden.
Haselmann, Gefängnissprediger in Hamm.
Heim, Dr., Geh San.-Rath, Arzt d. Zellengef. Berlin (Moabit).
Heine, Director der Strafanstalt Lingen.
Heinicke, evang. Prediger der Stadtvoigtei Berlin.
Heinrich, Lehrer des Zellengefängnisses Berlin (Moabit).
Heitmann, Verwalter des Justizarresthauses Saarbrücken.
Held, v., Strafanstaltsdirector in Görlitz.
Helwing, Dr., 2. Arzt am Strafgef. b. Berlin (Plötzensee).
Herrmann, Prem.-Lieutenant a. D., Arbeits-Inspector der
  Strafanstalt Lichtenburg.
Heyden, v., Premier-Lieutenant a. D., commiss. Director
  der Strafanstalt Rhein (Ostpr.).
Hildebrand, Pastor, 2. Geistl. d. Zellengef. Berlin (Moabit).
Hofmann, Assistent des Strafgef. bei Berlin (Plötzensee).
Hoffmeister, Arbeits-Inspector der Strafanstalt Münster.
Homuth, Inspector des Polizeigefängnisses Berlin.
Hoyns, Rittmeister a. D., Dir. d. Zellengef. Berlin (Moabit).
Hülsen, v., Prem-Lieut. u Pol.-Insp. der Stadtvoigtei Berlin.
Husung, Inspector des Polizeigefängnisses Berlin.
Jahns, Pastor, luth. Geistlicher der Strafanstalt Celle.
Jauer, Strafanstalt.
Illing, Geh. Reg.-Rath, vortragender Rath und Decernent
  für das Gefängnisswesen im Minist. d. Innern, Berlin.
Insterburg, Strafanstalt.

Johannsen, Insp. des Provinzial-Arbeitshauses Glückstadt.
Jüngel, Ober-Inspector des Strafgef. b. Berlin (Plötzensee).
Jung, ev. Geistl. des Strafgefängn. bei Berlin (Plötzensee).
Kalina, Inspector der Strafanstalt Zeitz.
Kaldewey, Strafanstaltsdirector in Wartenburg (Ostpr.).
Kelbling, Director der Strafanstalt Werden.
Kirchbach, v., Director der Strafanstalt Brieg.
Klein, Kreisrichter in Braunfels.
Kleinen, Inspector der Erziehungs- und Besserungsanstalt
    Steinfeld per Urft, Reg.-Bez. Aachen.
Klöckner, Inspector des Zuchthauses Diez.
Koch, Pfarrer, ev. Geistl. der vereinigt. Strafanstalten Cassel.
Kollmann, Polizei-Commissarius zu Düsseldorf.
Köpke, Director der Strafanstalt Naugard.
Korn, Arbeits-Inspector des Stadtvoigteigefängnisses Berlin.
Kowalsky, Cassen-Assist. d. Strafgef. b. Berlin (Plötzensee).
Krause, comm. Director der Strafanstalt Coblenz.
Krell, Director der Strafanstalten Cöln.
Kretzschmar, Secretär d. Strafanst. Münster.
Krohne, Director der Strafanstalt Rendsburg.
Krüger, Dr., Rabb., Seelsorger d. Strafgef. b.Berlin(Plötzensee).
Kühn, Dr., Arzt des provinzialständ. Werkhauses Moringen.
Kühnast, Hauptmann a. D., I. Insp. d. Strafanst. Gollnow.
Kutzer, Rendant und Oecon.-Insp. der Strafanstalt Fordon.
Langebartels, Oecon.-Insp. der Strafanstalt Rendsburg.
Leonhardt, Dr., Justizminister in Berlin.
Lichtenburg, Strafanstalt.
Liesow, Oeconomie-Inspector der Strafanstalt Werden.
Lindemann, Dr., Sanisätsrath Arzt d. Strafanst. Lüneburg.
Lingen, Strafanstalt.
Longard, Regierungs-Rath in Sigmaringen.
Lüneburg, Strafanstalt.
Lütgen, Geh. Regierungs-Rath im Oberpräsid. Hannover.
Lüttge, Inspector der Strafanstalt Insterburg.
Luckau, Strafanstalt.
Marcard, Dr., Sanitätsrath, Arzt des Zuchthauses Celle.
Maresch, Geistlicher der Hilfsstrafanstalt Gollnow.
Matern, Secretär der Strafanstalt Sonnenburg.

Matz, Oeconomie-Inspector der Stadtvoigtei Berlin.
Meichow, Cantor und Lehrer für die Gefangenabtheilung
    der Jugendlichen des Strafgef. b. Berlin (Plötzensee).
Mewe, Strafanstalt.
Meyer, Gefängniss-Inspector in Frankfurt a. M.
Moringen, Inspection des provinzialständischen Werkhauses.
Moritz, Pfarrer, evang. Geistlicher des Zuchthauses Diez.
Müller, evang. Geistl. d. Straf- und Correct.-Anstalten Cöln.
Müller, Hauslehrer des Zellengef. bei Berlin (Plötzensee).
Münch, Secretär und Rendant d. Correct.-Anst. Düsseldorf.
Münster, Strafanstalt.
Munk, Dr., Professor an der Universität Berlin.
Natorp, Consistorialrath und Präsident der Rheinisch-West-
    phälischen Gefängnissgesellschaft in Düsseldorf.
Naugard, Strafanstalt.
Neumann, Vorsteher des Criminalgefängnisses Danzig.
Nolte, Director der Strafanstalt Cronthal bei Crone a. B.
Patzke, Polizeioberst z. D., Director der Strafanst. Rawicz.
Pennekamp, Arbeits- und Poliz.-Insp. d. Centralgef. Hamm.
Petras, Director der Strafanstalt Ratibor.
Pingsmann, Anstaltsgeistlicher und Pastor in Bonn.
Plambeck, Director der Strafanstalten Glückstadt.
Plautz, Director der Strafanstalt Sonnenburg.
Plötzensee bei Berlin, Strafgefängniss.
Ponsens, Secretär der Arrest- u. Correct.-Anstalt Coblenz.
Preller, Arbeits-Inspector der Strafanstalt Mewe.
Rahn, Pastor, evang. Geistlicher des Bezirksgef. Hameln.
Rassmund, evang. Geistlicher der Strafanstalt Halle.
Ratibor, Strafanstalt.
Regitz, Director der Strafanstalt Luckau.
Reich, Stadtgerichtsdirector in Berlin.
Reinhardt, Polizei- und Oecon.-Insp. d. Strafanst. Breslau.
Rempen, Secretär des Zellengefängnisses Hannover.
Rendsburg, Strafanstalt.
Ribbeck, Geh. Ober-Reg.-Rath im Minist. d. Innern, Berlin.
Röhr, Lehrer der Strafanstalt Sonnenburg.
Rössing, Frhr. v., Oberstlieutenant a. D., Vorsteher des
    provinzialständischen Werkhauses Moringen.

Roscher, Oberapellationsgerichtsdirector in Celle.

Rothenhan, Freiherr v., Regierungs-Assessor im Ministerium des Auswärtigen in Berlin, Lemburgerstr. 8 II.

Rubo, Dr., Stadtrichter und Docent a. d. Universität Berlin
(Potsdamerstrasse 139 II).

Rudolph, evang. Geistlicher der Strafanstalt Jauer.

Rüster, Arbeits-Inspector der Strafanstalt Breslau.

Saarbrücken, Arresthaus.

Sagan, Strafanstalt.

Salchert, Ober-Inspector und Dirigent des Land-Armen-
und Correctionshauses Straussberg bei Berlin.

Schäffer, Premier-Lieutenant a. D., Inspector der Land-
armenanstalt Ueckermünde.

Scheffer, Pfarrer zu Boppard, Geistl. der Staatserziehungs-
Anstalt für jugendl. Verbrecher zu St. Martin.

Schelowsky, Inspector des Zellengef. Berlin (Moabit).

Schiebel, Geistlicher der Strafanstalt Sonnenburg.

Schillings, Caplan, zweiter kathol. Geistlicher der Straf-
und Correctionsanstalten Cöln.

Schleiden, Pastor d. Arrest- und Correct.-Anst. Düsseldorf.

Schliehen, v., Director der Strafanstalt Insterburg.

Schliemann, Pastor, Prediger der Strafanstalt Lingen.

Schlömann, Rendant und Oeconomie-Inspector der Straf-
und Corrections-Anstalten Cöln.

Schlötke, Kammergerichtsrath in Berlin.

Schmidt, Major a. D., Director des Bezirksgef. Hameln.

Schmidt, Arbeits-Insp. des Strafgef. bei Berlin (Plötzensee).

·Schmidt, Director der Strafanstalt Striegau.

Schnackers, Pastor, erster kath. Geistlicher der Straf- u.
Corrections-Anstalten Cöln.

Schnebel, E., Predig. d. Arrest- u. Correctionsh. Elberfeld.

Schneider, Insp. der Straf- und Correct.-Anstalten Cöln.

Schneller, Prediger, ev. Geistl. der Strafanstalt Insterburg.

Schomer, kath. Geistlicher der Strafanstalt Brandenburg.

Schrödter, Dr., Arzt der Hilfsstrafanstalt Gollnow.

Schröter, Pastor, Geistl. des Zellengef. Berlin (Moabit).

Schütz, Arbeits- u. Oeconomie-Insp. der Strafanst. Cottbus.

Schulz, Rechnungsrath beim Königl. Justiz-Ministerium in Berlin (Wilhelmstrasse 65).

Schwarzer, Direct.-Sec. d. Strafgef. b. Berlin (Plötzensee).

Seiler, Insp. und Rendant d. Stadtvoigtei-Casse in Berlin.

Soest, Hauptmann a. D., Director der Strafanstalt Mewe.

Sonnenburg, Straf-Anstalt.

Stadtländer, Lehrer der Strafanstalt Lüneburg.

Starke, Geh. Ober-Justiz- und vortragender Rath im Justiz-Ministerium in Berlin.

Steinmann, Regierungs-Präsident in Arnsberg.

Strampf, Dr., v., I. Präsident des Kammergerichts, Wirkl. Geh.-Rath in Berlin.

Streitke, Inspector des Gerichtsgef. in Frankfurt a. M.

Striegau, Strafanstalt.

Strosser, Director der Strafanstalten Münster.

Struck, Director der Arrest- und Correct.-Anstalt Düsseldorf.

Stückrad, v., Director der Strafanstalt Halle.

Stursberg, Pastor, evangel. Geistlicher der Arrest- und Corrections-Anstalt Düsseldorf.

Swowoda, Polizei-Inspector der Strafanstalt Cöln.

Thamm, Pfarrer, kath. Geistl. der Strafanstalten Breslau.

Torfstecher, Hausgeistlicher der Strafanstalt Naugard.

Troito, v., Director der Erziehungs- und Besserungs-Anstalt Steinfeld per Urft, Reg.-Bez. Aachen.

Unger, Secretär des Strafgefängnisses Glückstadt.

Volkmann, Pfarrer, ev. Geistl. der Strafanstalt Cottbus.

Vulmahn, Oberinspector des Zellengefängnisses Hannover.

Wartenburg, Strafanstalt.

Wartensleben, Graf v., Stadtgerichtsrath, Namens und als Präsident der juristischen Gesellschaft in Berlin.

Werden, Strafanstalt.

Wernecke, ev. Geistlicher der Strafanstalt Lichtenburg.

Werther, Rendant der Strafanstalt Sonnenburg.

Wichern, Dr., Oberconsist.-Rath a. D. in Horn b. Hamburg.

Wichulla, Arbeits- u. Oec.-Insp. der Strafanst. Glückstadt.

Wiesner, Director der Strafanstalt Hamm.

Wiessner, Pastor, ev. Geistlicher am Diakonissen-Krankenhaus zu Danzig.

Winde, Rendant des Central-Gefängnisses Cottbus.
Wintzingerode-Knorr, Frhr. v., Landrath a. D., ständischer Land-Armendir. d. Prov. Sachsen in Merseburg.
Wirth, Director des Strafgef. bei Berlin (Plötzensee).
Wittrup, Arbeits-Inspector der Strafanstalt Werden.
Wolff, Ober-Inspector, Vorst. d. Hilfsstrafanstalt Münster.
Wolgast, Inspector, Vorstand des Arresthauses in Bonn.
Wonnberger, Lehrer des Strafgef. bei Berlin (Plötzensee).
Zaluskowsky, v., Dir. d. Correctionsh. Kosten, Pr. Posen.
Zander, Rendant und Inspector der Strafanstalt Striegau.
Ziegler, v., Director der verein. Strafanstalten in Cassel.
Ziegler, Dr., Kreisphysikus, Arzt der Strafanst. in Anklam.
Zimmermann, Secretär d. Straf- u. Corr.-Anst. Cöln.
Zimmermann, Betriebs-Ingenieur des Strafgefängnisses bei Berlin (Plötzensee). (247)

### Königreich Sachsen.

d'Alinge, Geh. Reg.-Rath, Vorstand der Strafanst. Zwickau.
Aumann, Pastor, II. Geistlicher der Strafanstalt Zwickau.
Bässler, ev. Katechet der Strafanstalt Zwickau.
Bessler, Pastor und Dirigent d. Weiberstrafanst. Voigtsberg.
Behrisch, Prem.-Lieut. v. d. A., Director des Weiberzuchthauses Hoheneck.
Bienengräber, Dr., Pfr., I. Geistl. d. Strafanst. Zwickau.
Böhmer, Oberl. v. d. A., Ober-Inspect. d. Zuchth. Waldheim.
Böttcher, Pfarrer und Anstalts-Geistlicher der Straf- und Corrections-Anstalt Sachsenburg bei Frankenberg.
Burkhardt, Inspector des Zellenhauses Zwickau.
Burkhardt, Julius, Lehrer der Landesanst. Hubertusburg.
Dillner, Pastor in Hoheneck bei Stolberg.
Fickert, Dr., Bezirksarzt in Frankenberg, Arzt der Corrections-Anstalt Sachsenburg.
Fischer, Pfarrer, I. ev. Geistl. des Zuchth. Waldheim.
Fischer, Arbeits-Inspector der Strafanstalt Zwickau.
Gelbhaar, Dr. jur., Inspector der Straf-Anstalt Zwickau.
Giesemann, Pfarrer, Director und I. evang. Geistlicher der Besserungsanstalt für Jugendliche in Bräunsdorf.
Grössel, Pfarrer, evang. Geistlicher der Irrenanstalt Colditz.
Grünhain, Corrections-Anstalt.

Haccault, Ministerial-Bauinspector in Dresden.
Henrici, Pfarrer in Kaditz bei Dresden.
Hickmann, Vereinsgeistlicher in Dresden.
Hoheneck, Weiberzuchthaus.
Hoffmann, Pfarrer in Reinhardsgrimma.
Hohlfeld, Ober-Insp. d. Weiber-Correct.-Anstalt Grünhain.
Jäppelt, Geh. Reg.-Rath im Minist. d. Innern in Dresden.
Keipert, Pfarrer in Chemnitz, kath. Geistl. der Corr.-Anst.
     Sachsenburg und der Anstalt Hoheneck.
Knecht, Dr., Arzt des Zuchthauses Waldheim.
Kochta, kath. Katechet des Zuchthauses Waldheim.
Kretschmar, Pfarrer in Pirna, kath. Geistlicher der Cor-
     rections-Anstalt Hohnstein.
Lehmann, Dr., Bezirksarzt in Pirna.
Lehmann, Pfarrer in Leuben.
Leutritz, Ministerial-Rechnungs-Secretär in Dresden.
Lotichius, Bezirks-Assessor, Hilfsarbeiter im Ministerium
     des Innern in Dresden.
Mahn, Pfarrer, evang. Geistlicher des Zuchth. Waldheim.
Meinhold, Director der Corr.-Anstalt Hohnstein.
Möbius, Ober-Inspector, Dirigent der Corr.-Anstalt für Ju-
     gendliche zu Sachsenburg bei Frankenberg.
Peisel, Katechet der Straf- und Corr.-Anstalt Sachsenburg.
Richter, Inspector des Zuchthauses Waldheim.
Saxe, Dr., Arzt der Strafanstalt Zwickau.
Schäfer, Pfarrer in Hubertusburg, kath. Geistlicher des
     Zuchth. Waldheim u. d. Landesanstalten Hubertusburg.
Schilling, Reg.-Rath, Director des Zuchth. Waldheim.
Schink, II. Katechet der Strafanstalt Zwickau.
Schwarze, v., Dr., Generalstaatsanwalt in Dresden.
Teucher, Stadtrath in Dresden.
Wach, Adolf, Dr., Prof. d. Strafrechts a. d. Univers. Leipzig.
Will, Pfarrer, kathol. Geistlicher der Strafanstalt Zwickau.
Zahn, v., Geh. Rath, Vorstand der 4. Abtheilung im Mini-
     sterium des Innern, Dresden.
Zwickau, Strafanstalt.                                    (48)
### Herzogthum Sachsen-Altenburg.
Elvers, Strafanst.-Dir. a. D. in Altenburg.               (1)

### Herzogthum Sachsen-Coburg-Gotha.

Sterz, Hauptmann a. D., Director der Strafanstalt Hassen-
berg bei Coburg. (1)

### Herzogthum Sachsen-Meiningen-Hildburghausen.

Heim, Dr., Staatsrath in Meiningen.
Sebaldt, Geh. Reg.-Rath, Director der Straf- und Besserungsanstalten in Massfeld. (2)

### Grossherzogthum Sachsen-Weimar.

Gross, Frhr. v., Geh. Staatsrath in Weimar.
Hartleben, Prem.-Lieut., Dir. der Strafanst. Eisenach. (2)

### Königreich Württemberg.

Arnet, Dr., prakt. Arzt in und Arzt des Zuchthauses Stuttgart.
Bauer, Pfarrer, ev. Geistl. des Landesgef. Rottenburg.
Bertsch, Pfarrer, ev. Geistl. des Zuchth. Ludwigsburg.
Beyerle, v., Vice-Director, Respicient für das Gefängniss-
wesen im Justizministerium in Stuttgart.
Binder, v., Obertribunal-Director, Mitglied des Strafanstalts-
Collegiums in Stuttgart.
Brinzinger, Kaplan, kath. Geistl. des Zuchth. Stuttgart.
Buob, Oberamtsrichter, interim. Vorst. d. Landesgef. Rottenburg.
di Centa, Dr., Arzt am Landesgefängniss Schw. Hall.
Duvernoy, v., Dr. Staatsrath, Vorstand des Vereins zur
Fürsorge für entlassene Strafgefangene in Stuttgart.
Frey, Kaplan, kath. Geistlicher an der Strafanstalt Gotteszell.
Fricker, Dr., Arzt des Zellengefängnisses Heilbronn.
Gerok, v., Oberhofprediger, Prälat, Oberconsistorialrath,
Mitglied des Strafanstalts-Collegiums Stuttgart.
Haas, Dompräbendar, kath. Geistl. d. Landesgef. Rottenburg.
Häcker, Kreisgerichtsrath in Stuttgart.
Herrmann, Kreisgerichtsrath in Stuttgart.
Hölder, v., Ob.-Med.-Rath, Mitgl. d. Strafanst.-Coll. Stuttgart.
Hochstetter, Kreisgerichtsr., Ober-Staatsanw. in Heilbronn.
Hörner, v., Dr., Generalstaatsanwalt in Stuttgart.
Huber, v., Kreisgerichtshofdirector in Heilbronn.

Jeitter, Justizrath, Vorstand des Landesgefängnisses und der Strafanstalt für jugendliche Gefangene in Hall.

Kaufmann, v., Oberregierungsrath, Mitglied des Strafanstalts-Collegiums Stuttgart.

Kern, v., Kreisgerichtshofdirector, Vorstand des Strafanstalts-Collegiums in Stuttgart.

Kick, Oberlehrer, Lehrer des Zellengefängnisses Heilbronn.

Kiefer, Pfarrer, ev. Geistl. des Zuchthauses Gotteszell.

Kieser, Dr., Oberamtsarzt in Gmünd, Arzt des Zuchthauses Gotteszell.

Köstlin, v., Vicedirector, Kanzleidirector des Justizministeriums, Mitglied des Strafanst.-Collegiums Stuttgart.

Köstlin, Director des Zellengefängnisses Heilbronn.

Köstlin, Pfarrer, ev. Geistlicher des Zuchthauses Stuttgart.

Kraus, Pfarrer in Eschenau.

Landauer, v., Oberbaurath, Mitglied des Strafanstalts-Collegiums Stuttgart.

Lenz, Dr., Oberstaatsanwalt in Stuttgart.

Nick, Justizrath, Vorstand des Landesgef. Rottenburg.

Reiffsteck, Dr., Oberamtsarzt, Arzt des Landesgefängnisses Rottenburg.

Riess, Dr., Stadtpfr., kath. Geistl. der Strafanst. Ludwigsburg.

Schickhardt, v., Vicedirector des evang. Consistoriums, Mitglied des Strafanstalts-Collegiums in Stuttgart.

Sichardt, Director des Zuchthauses Ludwigsburg.

Stärk, Kaplan in Comburg, kath. Geistl. d. Landesgef. Hall.

Strebel, Pfarrer, ev. Geistlicher des Landesgef. und der Strafanst. für jugendliche Gefangene in Hall.

Stuttgart, Centralleitung des Wohlthätigkeitsvereins.

Vaihinger, Minist.-Expeditor, Secretär des Strafanstalts-Collegiums Stuttgart.

Weegmann, Justizrath, Vorstand des Zuchth. Stuttgart.

Wullen, Oberjustizrath, Vorst. der Weiberstr. Gotteszell.

Zimmerle, Dr., Stadtpfarrer, kathol. Geistlicher des Zellengefängnisses Heilbronn.

Zoller, v., Oberregierungsrath, Mitglied des Strafanstalts-Collegiums in Stuttgart.                    (44)

**Gesammtzahl: Deutsches Reich 534.**

# Oesterreich.

## Oberlandesgerichtssprengel Wien.

Breidler, Ferdinand, k. k. Strafanstalts-Controlor in Suben.

Edelmann, Johann, k. k. Ministerialrath im Justizministerium.

Edeskuti, von, Otto, k. k. Gerichtsadjunkt in Wien.

Exeli, Nikol., k. k. Kreisgerichts-Präsident in Korneuburg.

Eysel, Heinrich, k. k. Gefangenhaus-Verwalter in Wien.

Harasowsky, Ritter v., Harras Philipp, k. k. Ministerialrath im Justiz-Ministerium.

Hattingberg, Dr., Gustav, k. k. Hofrath und Oberstaatsanwalt in Wien.

Karlstätter, Joh., Strafanstalts-Seelsorger in Garsten.

Kirchhammer, Martin, k. k. Gerichtsadjunkt in Korneuburg.

Koch, Mathias, k. k. Staatsanwalt in Ried.

König, Ludwig, k. k. Strafanstaltsarzt in Garsten.

Kritscha, Martin, Strafanstalts-Director in „

Lutzer, Ferdinand, k. k. Gefangenhaus-Director in Wien.

Niedermoser, Wilhelm, k. k. Landesgerichtsrath in Wien.

K. k. Oberlandesgerichts-Präsidium in Wien.

Patek, Friedrich, k. k. Strafanstaltsdirigent in Göllersdorf.

Pühringer, Dr., Max, k. k. Gerichtsadjunkt in Korneuburg.

Reche, Reinhold, k. k. Strafanstalts-Dirigent in Suben.

Ricci, Freiherr von, Leopold, k. k. Landesgerichtsrath in Korneuburg.

Rosenberger, Stefan, k. k. Strafanstalts-Seelsorger in Göllersdorf.

Scheitz, Josef Eduard, k. k. Staatsanwalt in Korneuburg.

Scholler, Josef, k. k. Strafanstalts-Controlor in Stein.

K. k. Strafanstalt in Stein.

Tannenhain, von, Dr., Eduard, k. k. Oberstaatsanwalts-Stellvertreter in Wien.

Zenz, Ferdinand, k. k. Strafanstalts-Lehrer in Suben. (25)

## Oberlandesgerichtssprengel Graz.

Dragic, Ljubomir, k. k. Strafanstalts-Director in Laibach.

Eisel, Dr., Adolf, k. k. Strafanstalts-Arzt in Laibach.

Ferenz, Josef, I. Seelsorger der Strafanstalt in Graz.

Gostiea, Johann, Seelsorger in der Strafanstalt in Laibach.

Gregorz, Sebastian, k. k. Strafanstalts-Controlor in Laibach.

Hochstätter, Ludwig, k. k. Strafanstalts-Controlor in Graz.

Leskovec, Valentin, k. k. Wach-Insp. der Strafanst. Laibach.

Miglitz, Eduard, k. k. Strafanstalts-Director in Graz.

Persche, Josef, k. k. Oberlandesger.-Rath und Staatsanwalt in Laibach.

Pichs, Wilhelm, k. k. Oberstaatsanwalt in Graz.

Seifried, Ludwig, II. Seelsorger der Strafanstalt in Graz.

Stegnar, Felix, k. k. Strafanstalts-Lehrer in Laibach.

Stipper, Johann, k. k. „ „ Graz.

Viditz, Anton, k. k. Strafanstaltsadjunkt in Graz.

Wilcher, Ferdinand, k. k. Strafanstalts-Verwalter in Graz.
(15)

## Oberlandesgerichtssprengel Innsbruck.

K. k. Oberlandesgericht Innsbruck.

K. k. Oberstaatsanwaltschaft Innsbruck. (2)

## Oberlandesgerichtssprengel Brünn.

Czermak, Carl, k. k. Strafanstalts-Controlor in Mürau.

Ernst, Dr., Moriz, Strafanstalts-Arzt in Wall. Meseritsch.

Fuka, Dr., Franz, Haus-Arzt der Strafanstalt zu Mürau.

Juristische Gesellschaft in Troppau.

Kraupal, Georg, k. k. Strafanstalts-Director in Mürau.

Lexa, Adalbert, k. k. Strafanstaltsadjunkt in Mürau.

Mrha, Josef, k. k. Strafanstaltslehrer in Mürau.

Mück, Dr., Josef, k. k. Staatsanwalt in Brünn.

Philipowich, Anton, k. k. Strafanst.-Insp. in W. Meseritsch.

Pischa, Franz, k. k. Gefangenwach-Inspector in Mürau.

Steinmassl, Theresia, Hausoberin der Strafanstalt in W. Meseritsch.

Wieland, Ferdinand, k. k. Oberl.-Ger.-Rath und Staatsanwalt in Ung. Hradisch. (12)

## Oberlandesgerichtssprengel Krakau.

Cammra, Anton, k. k. Strafanstalts-Controlor in Wisnicz.

Nalepa, Anton, Ritt., v. , k. k. Hofrath und Oberstaatsanwalt in Krakau.

Pindelski, Roman, k. k. Strafanstaltsadjunkt in Wisnicz.
Stark, Adolf, k. k. Strafanstalts-Dirigent     „     „

(4)

### Oberlandesgerichtssprengel Lemberg.

Holdasiewicz, Eduard, k. k. Strafanst.-Dir. in Lemberg.
Jasinski, Ladislaus, Dr., Strafhausphysikus    '„    „
K. k. Oberlandesgerichts-Präsidium in Lemberg.
Paulo, Alexander, k. k. Oberlandesger.-Rath und Staats-
anwalt in Stanislau. (4)

### Oberlandesgerichtssprengel Triest.

D'Anua de Celo, Josef, k. k. Staatsanwalt in Rovigno.
Brziak, Jakob, Strafanstalts-Seelsorger in Gradisca.
Cornet, Raimund, Dr., k. k. Strafanstaltsarzt in Gradisca.
Kalcher, Adolf, k. k. Strafanstaltsadjunkt in Capodistria.
Loy, Viktor, v., k. k. Strafanstalts-Controlor in    „
Mahoritsch, Rudolf, k. k. Strafanst.-Director in    „
K. k. Oberstaatsanwaltschaft in Triest.
Schrott, Ferdinand, Dr., k. k. Staatsanwalt in Triest.
Urbancich, Michael, k. k. Staatsanwalt in Görz.
Valentincig, Alois, k. k. Strafanst.-Dirigent in Gradisca.
Vogel, Andreas, Strafanstalts-Chirurg in Capodistria. (11)

### Oberlandesgerichtssprengel Prag.

Alster, Anton, k. k. Staatsanwalt-Substitut in Jiciu.
Breuer, Anton, k. k. Strafanstalts-Director in Karthaus.
Kremau, Heinrich, Director der Landes-Correctionsanstalt
in Prag.
Fischer, Eduard, k. k. Strafanstalts-Director in Prag.
Kukula, Gustav, Dr., k. k. Strafanstalts-Arzt in Karthaus.
Maschek, Karl, k. k. Insp. der Weiberstrafanstalt in Repy.
Potucck, Eduard, k. k. Strafanstalts-Controlor in Karthaus.
Präsidium des k. k. Landesgerichtes als Strafgerichtes Prag.
Schnabl, Julius, k. k. Strafanstalts-Dirigent in Pilsen.
Skoumal, Adalbert, k. k. Strafanstalts-Verwalter in Prag.
Steinhausen, Benno, Ritt. v. Steinhäusel, k. k. Strafan-
stalts-Adjunkt in Karthaus.
Zatschek, Johann, k. k. Staatsanwalt in Pilsen. (12)

# Ungarn.

**Banffay**, Comitats-Oberfiscal in Fünfkirchen.

**Bettelheim**, Dr., Jakob, Arzt der Landesstrafanstalt Leopoldstadt a. d. Waag.

**Csengey**, Josef, Inspector des Kreisgefängnisses Pressburg.

**Hoffbauer**, Ludwig, Controlor der Landesstrafanstalt Leopoldstadt a. d. Waag.

**Jancovics**, Michael, Hauslehrer daselbst.

**Jovic**, Arsenius, Director der k. kroatischen Landesstraf-
Anstalt Lepoglava.

**Kelemen**, Dr., v. Moritz, Sectionsrath im k. ungar. Justiz-
Ministerium Buda-Pest. Franz Deakgasse Nr. 14.

**Környey**, Dr., Advokat in Buda-Pest.

**Kovacs**, v., Ernst, Director der Central-Strafanst. Illava.

**Mahats**, Dr., Alex., Pfarrer in Pered (lezte Post Sellye).

**Resö-Ensel**, Landes- u. Wechselger.-Advokat in Buda-Pest.

**Szabö**, von, Jos., Director der Landes-Strafanstalt Leopoldstadt a. d. Waag.

**Szekely**, Dr., Franz, k. ungar. Oberstaatsanwalt-Substitut
in Pest. Waitzenerstr. Nr. 57.

**Tauffer**, Director der k.-kroatisch-slavonisch-dalmatinischen
Centralstrafanstalt zu Lepoglava (via Varasdin).

**Thebner**, Offizial der Landes-Strafanstalt Leopoldstadt an
der Waag.

**Zobel**, von, Director der Landes-Strafanstalt Munkacs,
Ober-Ungarn.                                           (16)

**Gesammtzahl Oesterreich-Ungarn 101.**

---

**Schrenk**, Missionsprediger in Frankfurt a./M. Praunheim-
strasse Nr. 30.

**Wilm**, v., Hofrath, Inspector des Stadt-Gefäng. Riga, Kunst-
strasse 4.

**Damadovits**, M., Strafanstalts-Director in Belgrad.

**Liukkonen**, G. W., Vicelandrichter in Abo, Finnland.

**Gesammtzahl aller Mitglieder 639.**

Lightning Source UK Ltd.
Milton Keynes UK
UKHW020119090119
334943UK00005B/650/P